*De afspraak*

# Douglas Kennedy

# *De afspraak*

2005 – De Boekerij – Amsterdam

*Oorspronkelijke titel:* State of the Union (Hutchinson)
*Vertaling:* Renée Milders Dowden
*Omslagontwerp:* marliesvisser.nl
*Omslagfoto:* The Imagebank

ISBN 90-225-4333-1

*Ook deze roman is voor Grace, Max en Amelia,*
*maar in dit geval eveneens voor Joseph Strick*

*'Er zijn er die welvaren bij een zondig leven*
*en er zijn er die door hun deugden ten val komen.'*

Shakespeare, *Maat voor maat*, tweede bedrijf,
eerste scène

# DEEL EEN

*1966-1973*

NA ZIJN ARRESTATIE was mijn vader een beroemdheid. Het was 1966. John Winthrop Latham, zoals iedereen behalve zijn enige kind hem noemde, was de eerste professor aan de universiteit van Vermont die zich uitsprak tegen de oorlog in Vietnam. In de lente van dat jaar had hij een vredesdemonstratie geleid die was geëindigd met een sitdownstaking voor het zenuwcentrum van de universiteit. Onder zijn aanvoering blokkeerden zo'n driehonderd studenten op vreedzame wijze de toegang tot het hoofdgebouw, waardoor de universiteit zesendertig uur werd platgelegd. Uiteindelijk zijn de politie en de mobiele eenheid eropaf gestuurd. De demonstranten wilden niet vertrekken en mijn vader werd voor het oog van de tv-camera's weggesleept richting politiecel. Het was destijds groot nieuws. Voordat het op andere universiteiten gemeengoed was geworden, leidde hij al een van de eerste, grote acties van burgerlijke ongehoorzaamheid. De televisiebeelden van de solitaire, eerbiedwaardige man in het tweed sportjasje en het blauwe buttondown overhemd die door twee politiemannen wordt meegesleurd, waren op iedere televisiezender in het land te zien.

'Die vader van jou is helemaal te gek,' kreeg ik daags na zijn arrestatie op school te horen. Drie jaar later, toen ik aankwam op de universiteit van Vermont, hoefde ik maar te laten vallen dat ik de dochter van professor Latham was of ik kreeg dezelfde reactie. 'Die vader van jou is écht te gek.'

Ik knikte dan maar een beetje, glimlachte wat ongemakkelijk en zei zoiets als: 'Ja, zeker weten.'

Begrijp me goed: ik aanbad mijn vader, doe dat nog steeds, maar in 1969 was ik achttien en dan wil je niets liever dan je eigen identiteit zoeken. Wordt je vader dan zowel in je woonplaats als op de universiteit gezien als een grote vrijheidsstrijder, dan voel je je heel klein in de enorme schaduwen die hij werpt. Ik had het natuurlijk kunnen vermijden door naar een andere universiteit te gaan, maar in mijn tweede jaar had ik de op één na beste oplossing gevonden: ik werd verliefd.

Dan Buchan was alles wat mijn vader niet was. Goed, ook Dan was lang en mager, maar daar hielden de overeenkomsten op. Mijn vader was wat je noemt een echte 'bal': hij had achtereenvolgens op

Choate, Princeton en Harvard (voor zijn doctoraal) gezeten, terwijl Dan uit een onbeduidend provinciestadje in de staat New York kwam, om precies te zijn uit Glens Falls. Zijn vader werkte bij de technische dienst van de gemeente en voor haar dood runde zijn moeder er een kapperszaak. Dan Buchan was de eerste in de familie die naar de universiteit ging.

Dan was nogal verlegen. Hij zou nooit de boventoon voeren, of zijn stempel op een conversatie drukken, maar hij kon goed luisteren en leek altijd erg geïnteresseerd in wat een ander te zeggen had. Dat beviel me aan hem, net als zijn gereserveerdheid, die ik eigenlijk heel aantrekkelijk vond. Hij was ernstig, maar op een leuke manier. In tegenstelling tot de meeste studenten wist Dan precies waar hij mee bezig was. Tijdens ons tweede afspraakje zei hij onder het genot van een biertje dat hij absoluut niet geïnteresseerd was in een ambitieus specialisme als neurochirurgie, dat hij er niet over peinsde zijn ziel te verkopen aan een lucratieve praktijk dermatologie. Nee, hij wilde de huisartsenopleiding volgen. 'Ik word een doodgewone plattelandsdokter,' zei hij. 'Mooi genoeg.'

Net als alle andere studenten medicijnen zat hij dertien uur per dag met zijn neus in de boeken. Het contrast tussen ons kon haast niet groter zijn: ik zat in mijn tweede jaar en studeerde Engels, in de hoop dat ik na mijn afstuderen ergens les kon gaan geven. Begin jaren zeventig was je toekomst wel het laatst waar je aan dacht, hoewel dat weer niet gold voor studenten rechten en medicijnen. Toen ik Dan leerde kennen, was hij vierentwintig. In het begin leek het leeftijdsverschil van vijf jaar vrij groot, maar niet onoverkomelijk, want meteen vond ik het heerlijk dat ik iemand had gevonden die wist wat hij wilde, die volwassener was dan de jongens met wie ik daarvoor was omgegaan.

Niet dat ik zo veel van jongens afwist. Op de middelbare school had ik een vriendje dat Jared heette. Hij was nogal een intellectueel, een beetje kunstzinnig en enorm gek op me, maar toen hij naar de universiteit van Chicago ging, werd ons al snel duidelijk dat we geen van beiden zin hadden in een langeafstandsrelatie. Tijdens mijn eerste jaar in Vermont leerde ik Charlie kennen en dat was mijn kennismaking met totale gekte. Net als Jared was ook Charlie lief, belezen, een onderhoudende prater en creatief. Hoewel ik op mijn achttiende snel onder de indruk was, had ik toen al door dat zijn poëzie nogal bombastisch was. Daarbij was hij flink aan de softdrugs. Hij was er zo een die aan de ontbijttafel een joint opstak bij zijn kopje koffie. Eerst zat ik daar niet zo mee, hoewel ik me niet echt tot die scene aan-

getrokken voelde. Als ik erop terugkijk, geloof ik dat ik die korte afdaling naar het rijk van Bacchus echt nodig had. Kijk, het was natuurlijk wél 1969 en uitspattingen waren het helemaal. Toen ik drie
weken bij Charlie op een matras op de grond had geslapen en zijn
steeds vager wordende, benevelde monologen had aangehoord, ging
ik op een avond naar zijn kamer, waar hij met drie vrienden een gigantische joint doorgaf terwijl de muziek van The Grateful Dead uit
de boxen schalde.

'Wauw,' zei hij, maar daarna viel hij stil. Toen ik me verstaanbaar
probeerde te maken om hem te vragen of hij zin had om een filmpje
te pikken, zei hij alleen maar: 'Wauw...' intussen fervent knikkend,
alsof hij me net deelgenoot had gemaakt van een belangwekkend
kosmisch geheim over het mysterie van het leven.

Ik bleef niet hangen, ging terug naar de campus en dronk in mijn
eentje een biertje in de kantine. Ik maakte een pakje goedkope sigaretten open en toen ik aan mijn derde sigaret toe was, kwam Margy
binnen. Margy was mijn beste vriendin; intelligent, broodmager en
met een flinke bos zwarte krullen. Ze kwam uit New York, was opgegroeid aan Central Park West en had op de beste middelbare
school gezeten (Nightingale Bamford). Ze was superslim. Volgens eigen zeggen had ze er met de pet naar gegooid, nog nooit een school-
boek opengeslagen en was ze daarom op een niet zo befaamde universiteit in Vermont beland. 'En ik hou niet eens van skiën!'

'Wat zie jij er chagrijnig uit,' zei ze en ze ging zitten. Ze pakte een
sigaret en stak hem aan met de lucifers die op tafel lagen. 'Gezellige
avond met Charlie gehad, zo te zien?'

Ik haalde mijn schouders op.

'Hij had dat stelletje mafkezen zeker weer over de vloer.'

'Klopt.'

'Tja, het ís dat hij er zo leuk uitziet, maar anders...' Ze zweeg en
nam een trek van haar sigaret.

'Ga door,' zei ik, 'maak je zin eens af.'

Alweer een lange haal aan de sigaret, toen: 'Die jongen is de hele
dag stoned. Niet echt bevorderlijk voor een conversatie die bestaat
uit woorden van meer dan één lettergreep, nietwaar?'

Ik moest lachen. Zoals gewoonlijk had Margy de spijker op die typisch New Yorkse wijze op de kop geslagen. Zo was ze ook als het
om haarzelf ging, over het feit dat ze na drie maanden op de universiteit nog geen vriendje had.

'De jongens hier zijn óf skigekken, en in mijn optiek staat dat gelijk aan "getver", óf het zijn van die blowers met een brein als een ga-
tenkaas.'

'Je moet ze ook niet als blijvertjes zien,' zei ik, meteen in de verdediging.

'Ik heb het niet over jouw prijskonijn. Ik bedoel in het algemeen.'

'Wat denk je? Zou hij er kapot van zijn als ik hem de bons gaf?'

'Kom nou! Ik weet zeker dat hij meteen aan die domme pijp van hem gaat zitten lurken en er al overheen is voor hij zijn tweede trek heeft uitgeblazen.'

Het kostte me nog twee weken voor ik de stap durfde te zetten en het uitmaakte.

Ik vind het vreselijk om iemand pijn te doen en wil altijd aardig gevonden worden. Mijn moeder Dorothy had me dat vaak genoeg voor de voeten geworpen. Ook zij was een New Yorkse en dus even recht voor zijn raap als Margy. 'Waarom moet je zo nodig het populaire meisje zijn?' vroeg mijn moeder me toen ik net op de middelbare school zat en mopperde dat ik niet voor de leerlingenraad was gekozen. 'Ik zou blij zijn dat ik niet bij die jolige cheerleaders hoorde. Heus, het is geen schande om slimmer te zijn dan de rest.'

'Ik haal alleen maar zeventjes,' wierp ik tegen. 'Eens te meer bewijs van mijn middelmatigheid.'

'Ik haalde ook gemiddeld zevens,' zei ze, 'en was daar best tevreden mee. Ik had ook maar een paar vrienden en ben nooit cheerleader geweest.'

'Mam... daar op die quakerschool van jou hádden ze die niet eens.'

'Nou ja, het schaakteam dan, daar ben ik ook nooit voor gevraagd. Wat ik maar zeggen wil, is dat de populaire meiden over het algemeen de minst interessante zijn. Ze eindigen allemaal als de vrouw van een kaakchirurg. Echt, je vader en ik zijn erg trots op je. We hebben je heel hoog zitten.'

'Dat weet ik,' loog ik.

Mijn vader was een held, de slungelachtige links-radicale leider, de schrijver van de biografie van Thomas Jefferson die we op school moesten lezen. (O, wat vond ik dat vreselijk!) Mijn moeder kon verhalen over haar vriendschappen met schilders als Willem de Kooning, Jasper Johns, Robert Rauschenberg, Jackson Pollock en andere naoorlogse grootheden in het New Yorkse kunstwereldje. Ze had zelfs geëxposeerd in Parijs, sprak vrij goed Frans, doceerde parttime kunstgeschiedenis op de universiteit; was zelfverzekerd en had behoorlijk wat bereikt. Ik daarentegen had geen duidelijke aanleg voor wat dan ook, laat staan dat ik de drijfveren had van mijn ouders.

'Maak het jezelf toch niet zo moeilijk,' zei mijn moeder een keer. 'Je bent nog jong, dus geen wonder dat je niet weet waar je talenten liggen.' Dan moest ze als een speer naar een of andere vergadering van de kunstenaarsvereniging van Vermont die zich uitsprak tegen de oorlog en waarvan ze uiteraard de woordvoerster was.

Het was altijd hetzelfde liedje: ze was constant bezig met van alles en nog wat, maar niet met het uitwisselen van recepten voor ovenschotels of met huis-tuin-en-keuken goede doelen. Als ik heel eerlijk ben: van koken bracht ze niets terecht. Alles brandde aan en het kon haar niets schelen als de spaghetti keihard uit de pan kwam of als er klonters in de havermoutpap zaten. Wat het huishouden betrof... Ach, laat ik het zó zeggen: vanaf mijn dertiende had ik de touwtjes in handen. Ik verschoonde de bedden, deed de was en haalde boodschappen. Het mooie is dat ik het niet erg vond; het gaf me een zekere verantwoordelijkheid en daarbij kwam dat ik er plezier in had de boel te regelen.

'Je hebt lol in het huishouden, nietwaar?' vroeg ze me toen ik een keer rechtstreeks uit een college naar huis kwam om de keuken een beurt te geven.

'Zeg, wees blij dat er hier íémand geen hekel aan heeft.'

Toegegeven, ze hebben me nooit gezegd dat ik op een bepaalde tijd thuis moest zijn, sommige kleren niet mocht dragen of mijn kamer moest opruimen. Nu kwam ik ook zelden laat thuis, ik heb nooit van die hippiekleren gedragen (ik had meer met korte rokjes) en ik was heel wat netter dan zij. Mijn moeder heeft nog haar best gedaan me enthousiast te maken voor een andere universiteit dan die in Burlington, Vermont, en toen ik tóch naar Burlington wilde, was ze daar niet erg over te spreken. Ze stond erop dat ik het huis uitging en op de campus ging wonen. 'Het wordt tijd dat je uitvliegt,' zei ze.

Zelfs toen ik op mijn zeventiende ging roken, werd daar geen drukte over gemaakt. Het enige wat mijn moeder zei toen ze me met een peuk op het balkon aantrof: 'Ik heb een artikel in *The Atlantic* gelezen waarin stond dat roken kanker kan veroorzaken.' Ze zei het heel vriendelijk, langs haar neus weg. 'Nou ja, meissie. Het zijn jóúw longen.'

Mijn vriendinnen waren jaloers op het feit dat ik zulke makkelijke ouders had – dat ze zo links waren en dat ons typische bohémien huis volhing met de abstracte schilderijen van mijn moeder – maar ik betaalde er wel een prijs voor: mijn moeder kon vreselijk sarcastisch uit de hoek komen.

'Niet bepaald een licht,' zei ze nadat ik Charlie aan hen had voorgesteld.

'We nemen maar aan dat het van tijdelijke aard is,' deed mijn vader er nog een schepje bovenop.

'Dat hopen we écht, Hannah.'

'Ach,' zei mijn vader, 'iedereen heeft recht op minimaal één maffe relatie.' Hij keek mijn moeder aan en knipoogde.

'De Kooning wás niet maf.'

'Niet? Het was in elk geval geen begiftigd spreker.'

'Hemel, hij sprak niet zo goed Engels, maar dat kwam doordat hij een Nederlander was. Daarbij was het helemaal geen relatie, maar een bevlieging van een week of twee.'

'Hallo! Ik ben er ook nog en ik heb oren in mijn hoofd, weet je wel,' kwam ik ertussen. Ik was niet alleen verbijsterd dat ze dat bespraken alsof ik er niet bij was, maar ook omdat ik begreep dat mijn moeder iets met Willem de Kooning had gehad.

'Dat weten we, Hannah,' zei mijn moeder rustig. 'Heel eventjes draaide het gesprek niet om jou, oké?'

Au. Dat was nou typisch mijn moeder: een vleugje sarcasme om me eraan te herinneren dat ik me vooral niet moest gedragen als een om aandacht schreeuwende tiener. Mijn vader knipoogde naar me, alsof hij wilde zeggen: ze bedoelt het niet zo kwaad, maar het probleem was juist dat ze het wél meende. Zachtaardig als ik was, ontstak ik niet in een puberale woede-uitbarsting. Ik liet het maar voor wat het was.

Een van de dingen die Margy en ik gemeen hadden, was een wat verwarrend ouderlijk nest: echte 'kakkers' van vaders en van die moeilijke moeders die vonden dat hun dochter tekortschoot.

'Die van jou dóét tenminste nog wat, die schildert. Die van mij is niet vooruit te branden. Voor haar is een afspraak maken voor een manicure nog een opgave,' zei Margy ooit tegen me.

'Heb jij ook wel eens het idee dat je nergens voor deugt?' vroeg ik.

Ze knipperde even met haar ogen en antwoordde: 'Nou eh... zeg maar altíjd. Mijn moeder blijft maar zeuren dat ze me hebben klaargestoomd voor Vassar en waar ben ik terechtgekomen? In Vermont! Het enige waar ik goed in ben, is sigaretten bietsen en me uitdossen als Janis Joplin. En om nou te zeggen dat ik barst van het zelfvertrouwen: nee. Trouwens, wat zit jij opeens in je ziel te wroeten?'

'Ik heb soms het gevoel dat mijn ouders me beschouwen als eh... als een ander land dat zijn eigen boontjes moet doppen en dat niet kan. Dat ik één grote teleurstelling ben.'

'Hebben ze dat dan ooit gezegd?'

'Niet met zoveel woorden, maar ik weet dat ik in hun ogen nooit een succesnummer zal zijn.'

'Hou 's op. Je bent achttien. Het is doodnormaal dat je je een mislukkeling voelt. Niet dat ík dat vind, hoor.'

'Ik moet een doel hebben in het leven.'

Margy kuchte en blies een flinke rookwolk uit. 'Zeg, doe gewoon.'

Ik was vast van plan mijn leven een andere wending te geven, al was het alleen al om mijn ouders te laten zien dat ik het meende. Om te beginnen gaf ik Charlie de bons. Niet dat hij het echt doorhad, maar goed. Daarna wierp ik me op mijn studie, dat wil zeggen: ik zat tot tien uur 's avonds in de universiteitsbibliotheek en las me suf, voornamelijk voor het college meesters der negentiende-eeuwse vertelkunst. Uiteraard behandelden we Dickens, Thackeray, Hawthorne, Melville en zelfs George Eliot, maar van alle boeken die ik moest lezen, was Flauberts *Madame Bovary* het enige wat me echt aansprak.

'Hemel,' zei Margy. 'Dat is wel verdomd naargeestig.'

'Ja, daar gaat het nou juist om,' wierp ik tegen, 'wat het naargeestig maakt, is dat het zo levensecht is.'

'Levensecht? Dat romantische geneuzel? Ik vind haar nogal een softie. Ze trouwt met een saaie zak, verhuist naar een gat en werpt zich voor de voeten van een militair die haar alleen maar als matras beschouwt.'

'Dat is toch allemaal levensecht? Nou ja, het gaat over haar vlucht in de romantiek om haar saaie bestaan wat op te fleuren.'

'Niets nieuws onder de zon,' was Margy's commentaar.

Mijn vader daarentegen was ingenomen met mijn uitleg. Zo nu en dan luncht en we ergens buiten de campus (hoezeer ik hem ook adoreerde, ik wilde liever niet met hem in de kantine gezien worden).

We zaten in een klein tentje in de buurt van de universiteit van onze vissoep te slurpen. Ik vertelde hem dat ik het een prachtboek vond en dat ik Emma Bovary zag als 'een typisch slachtoffer van de maatschappij'.

'Verklaar je nader,' zei hij terwijl hij me geïnteresseerd aankeek.

'Nou, omdat ze merkt dat ze gevangenzit in een leven dat ze niet wil en dat ze denkt dat door verliefd te worden, haar problemen zullen verdwijnen.'

'Goed denkwerk. Je slaat de spijker precies op zijn kop.'

'Wat ik niet begrijp, is waarom ze denkt dat zelfmoord voor haar de enige uitweg is. Ze had toch ook naar Parijs kunnen vluchten of zo?'

'Dan zie je Emma in het perspectief van een Amerikaanse vrouw van tegenwoordig, niet in dat van iemand die gevangenzit in de conventies van het tijdsgewricht. Je hebt *De scharlaken letter* toch gelezen?'

Ik knikte.

'In deze tijd verbazen we ons erover dat Hester Prynne in Boston rondliep met de enorme O van "overspelige" op haar borst, dat ze zich constant bedreigd voelde door de puriteinse ouderlingen die haar kind wilden afpakken. Jij kunt je nou wel afvragen waarom ze het kind niet onder de arm heeft genomen en gewoon gevlucht is, maar zij zat met de vraag: waar moet ik heen? Ze had geen idee hoe ze haar straf, haar noodlot, kon ontlopen. Voor Emma geldt hetzelfde. Ze weet dat als ze naar Parijs vlucht, ze dan blij mag zijn met een of ander naargeestig bestaan, als naaister of zo. In de negentiende eeuw had men niet veel op met een vrouw die haar verantwoordelijkheden ontvluchtte.'

'Pap?' onderbrak ik hem. 'Hoelang gaat deze lezing nog duren? Ik heb om twee uur college.'

'Wacht nou even. Ik ben net bij de essentie van het verhaal aangekomen. Geluk was destijds niet iets wat je nastreefde. Je had een rol te vervullen, meer niet. Flaubert zag de verveling van het dagelijks leven als de grootste gruwel. In feite was hij de eerste vooraanstaande schrijver die begreep dat we moeten leren leven met de gevangenis die we zelf om ons heen hebben gebouwd.'

'Geldt dat voor jou ook, pap?' vroeg ik. Zijn nauwelijks verhulde bekentenis verbaasde me nogal.

Hij glimlachte zoals hij wel vaker deed, een beetje meewarig, en staarde in zijn kom vissoep. 'Iedereen heeft wel eens last van verveling,' zei hij en hij veranderde meteen van onderwerp.

Het was niet de eerste keer dat mijn vader een toespeling had gemaakt op het feit dat het niet allemaal koek en ei was tussen hem en mijn moeder. Natuurlijk, ik wist dat ze vaak ruzie hadden. Mijn moeder was als iedere New Yorker opvliegerig van aard en als iemand iets zei wat haar niet beviel, zat ze meteen op de kast. Mijn vader was zo keurig opgevoed dat hij confrontaties uit de weg ging (tenzij hij voor een groep demonstranten stond en de politie zich opmaakte om hem te arresteren). Had mijn moeder een van haar slechte buien, dan zocht hij gewoon dekking. In mijn jonge jaren vond ik die ruzies heel naar, maar toen ik wat ouder was, begreep ik dat ze in wezen best goed met elkaar konden opschieten. Het was dan misschien een stormachtige relatie en ze waren elkaars tegenpool, maar het werkte wel.

Natuurlijk, ik had het wel fijn gevonden als ze wat vaker thuis waren geweest, maar ik heb van hun levendige, relatief open huwelijk in elk geval wél opgestoken dat een stel niet constant op elkaars lip hoeft te zitten om een relatie goed te laten zijn.

Toch, toen mijn vader het had over verveling in een relatie, besefte ik maar al te goed dat je er nooit achter komt hoe het bij een ander werkt, dat je er alleen maar naar kan raden, net als naar de beweegredenen van Emma Bovary, die er zo heilig van overtuigd was dat een liefdesrelatie het antwoord op al haar problemen was.

'De meeste vrouwen zijn gewoon te dom om voor de duvel te dansen,' antwoordde mijn moeder toen ik de fout maakte haar te vragen wat zij van Flauberts roman vond. 'Weet je waarom? Omdat ze hun ziel en zaligheid verbinden aan een vent. Fout, fout, fout. Knoop dat maar goed in je oren.'

'Zo dom ben ik heus niet, mam.'

'Kijk eens aan. De tijd zal het leren.'

## 2

'Ik WIL NIET trouwen,' zei ik het jaar voor ik naar de universiteit ging tegen mijn moeder. Zij en mijn vader hadden net een fikse ruzie gehad. Mijn vader had zich in zijn werkkamer boven opgesloten en keihard Mozart aangezet om haar maar niet te hoeven horen. Toen ze een beetje gekalmeerd was, met dank aan een sigaret en een glas whisky, trof ze me mokkend aan aan de keukentafel.

'Dat heb je nou eenmaal in een huwelijk,' zei ze.

'Ik wil niet trouwen.'

'Reken maar van wel en ook jij zult ondervinden dat ruzies erbij horen.'

'Nee, zeker weten van niet.'

'Ik spreek je nog wel.'

'Ik wil écht niet trouwen.'

'Ik wed om honderd dollar dat je voor je vijfentwintigste een ring om je vinger hebt,' zei mijn moeder.

'Afgesproken, mam. Zeker weten van niet.'

'Ik spreek je nog wel.'

'Hoe weet je zo zeker dat ik jong trouw?'

'Moederlijke intuïtie.'

'Zeg maar dag met je handje tegen die honderd dollar.'

Zes weken daarna leerde ik Dan kennen. Een paar maanden later, toen Dan en ik al echt een stel waren, zei Margy tegen me: 'Doe me één lol, Hannah. Je gaat toch niet meteen met hem trouwen, hè?'

'Mijn god! We zijn nog in de fase van elkaar leren kennen!'

'Oké, maar je besluit staat vast.'

'Wat zeur je nou? Kun je gedachtelezen of zo?'

'Wedden?'

Die Margy... Ze kende me gewoon te goed. Ik had nooit gezegd dat ik met Dan wilde trouwen. Goed, ik mocht hem meteen, maar iets doms in de geest van 'Hij is de ware Jacob', had ik nog nooit gezegd. Hoe konden Margy en mijn moeder er zo zeker van zijn dat ik ging trouwen?

'Omdat je zo conservatief bent,' legde mijn moeder uit.

'Echt niet!'

'Je hoeft je er niet voor te schamen,' zei ze. 'Er zijn mensen met een opstandig karakter, er zijn er die verlegen zijn en je hebt eh... conventionele types.'

'Ik vraag me af waarom ik het er überhaupt met jou over heb.'

Ze haalde haar schouders op en zei: 'Dan houden we erover op. Jíj komt hier lunchen en jíj vraagt mijn advies over die dokter Dan Buchan.'

'Hij is nog geen dokter.'

Ze deed een poging een sarcastische grijns te onderdrukken, maar het lukte niet echt. 'Dat weet ik, Hannah.'

'Je vindt hem maar niks, hè?'

'Ik? Hoe kom je daar nou bij? Dokter Dan is de droom van iedere moeder.'

'Hij ziet jou wél zitten.'

'Ik heb het idee dat hij de meeste mensen wel ziet zitten.'

In de gedachtewereld van mijn moeder was iemand die normaal deed en netjes was opgevoed, per definitie oninteressant; die twee deugden stonden wat haar betrof voor volkomen saaie types. Het moment dat ze hem zag, wist ik dat ze hem had ingedeeld als 'saai'.

Het mooie is dat ik Dan absoluut niet saai vond, ondanks het feit dat hij zo normaal was. In tegenstelling tot mijn ouders was Dan niet overheersend, hij probeerde je niet te overdonderen met zijn intellect en zijn verworvenheden. Hij lachte om mijn grapjes, respecteerde me voor mijn opinies en ondersteunde me bij alles wat ik ondernam. Wat me nog het meeste aan hem beviel, was dat hij me nam zoals ik was. Ik weet dat het een beetje simplistisch klinkt, maar het is de waarheid. Hij accepteerde me voor wat ik was en leek erg tevreden. Geen wonder dat mijn moeder niet bepaald laaiend enthousiast over hem was.

'Ach, ze heeft het beste met je voor,' zei Dan nadat hij kennis met haar had gemaakt.

'De vloek van een overheersende moeder.'

'Je moet het zó zien: ze heeft niets dan goede bedoelingen. Op haar manier, dan.'

'Zie je dan nooit iets anders dan het goede in de mens?'

Hij haalde zijn schouders maar weer eens op. 'Nee, maar is dat zo erg?'

'Niet echt. Ik denk dat het juist een van de redenen is dat ik van je hou.'

Het was me gewoon ontglipt. Hoe kon me dát nou gebeuren? Let wel, op dat moment kende ik hem nauwelijks drie maanden, maar ik wist dat hij de ware was.

In tegenstelling tot een paar studievriendinnen van me die zowat ieder weekend met een ander naar bed gingen, had ik het niet zo op experimenteren, op vrije liefde. Niet dat het ooit ter sprake was gekomen, maar een open relatie met Dan leek me niets. Vanaf het allerprilste begin wisten we dat we monogaam zouden blijven, gewoon omdat we dat allebei wilden.

Vlak voor het paasweekend tijdens mijn eerste jaar maakten we de vijf uur durende trip naar Glens Falls om kennis te maken met zijn vader. Dans moeder was gestorven toen hij in de eerste klas van de middelbare school zat. Ze was pas veertig en was bezweken aan een hersenbloeding.

Het weekend was een succes. Joe Buchan was een zoon van immigranten. Begin jaren twintig waren zijn ouders van Polen naar Amerika geëmigreerd en hadden hun achternaam (Boechevski) meteen laten veranderen. Dans grootvader was elektricien en het sprak haast vanzelf dat zijn vader hetzelfde ging doen. Joe was een echte Amerikaan geworden, een patriot zelfs, en toen Pearl Harbor in 1941 werd gebombardeerd, had hij zich direct opgegeven voor de commando's.

'Ik zat daar in Okinawa met vier maats van me uit Glens Falls. Je weet wat er in Okinawa is gebeurd, Hannah?'

Ik schudde mijn hoofd.

'Des te beter,' zei hij en hij liet het daarbij.

'Mijn vader was de enige die is teruggekomen,' zei Dan.

'Ach, ik heb gewoon geluk gehad,' zei Joe. 'In een oorlog kun je niet meer doen dan proberen er heelhuids uit te komen, maar als je naam in een kogel gegraveerd staat, houdt het natuurlijk op.' Hij zweeg even, nam een slok van zijn biertje en vroeg: 'Heeft jouw vader eigenlijk gediend?'

'Ja, maar hij zat zowat de hele oorlog in Washington en Londen. Iets met de militaire inlichtingendienst.'

'Hij heeft nooit gevochten of zo?'

'Pap...' zei Dan.

'Hou je gemak, jongen. Ik wil alleen maar weten of hij ook heeft gevochten. Ik weet dat hij vredesactivist is...'

'Pap...'

'Ik ben het misschien niet eens met de dingen waar hij voor staat, maar dat reken ik Hannah niet aan.'

'Pap...' zei Dan.

'Ik zeg toch niets negatiefs over hem? Ik bedoel... Ik ken hem niet, maar het feit dat ik weinig op heb met dat vredesgedoe van 'm, Hannah, wil niet zeggen dat ik geen waardering heb voor iemand die staat voor zijn overtuiging.'

'Kom nou eens van je praatstoel af,' gebood Dan.

'Ik val je er niet op aan of zo.'

'Dat weet ik,' suste ik.

Joe kneep me even in mijn bovenarm en onwillekeurig dacht ik aan de kracht van een bankschroef. 'Zo mag ik het horen, wijfie,' zei hij, waarna hij zich tot zijn zoon wendde en zei: 'Rustig maar. We hebben gewoon een discussie, hoor.'

Door het geharrewar voelde ik me meteen thuis, zelfs al was de omgeving totaal anders dan mijn ouderlijk huis. Joe had vrijwel geen boeken, maar wel een souterrain met schrootjeswanden dat de 'hobbyruimte' werd genoemd. Aan de muren hing 'kunst' die ze in warenhuizen verkochten en Joe zat bijna altijd naar de enorme kleurentelevisie in de zitkamer te koekeloeren. Hij had uiteraard zijn vaste stoel en daar was hij altijd met een blikje bier in zijn hand te vinden. Hij keek graag naar American football en was er ieder weekend getuige van hoe zijn club, de Buffalo Bills, werd ingemaakt.

'Ik hoop maar niet dat je vader me een verwend nest vindt,' zei ik op de terugweg.

'Integendeel. Hij vindt je heel leuk.'

'Liegbeest.'

'Nee, echt. Je hebt hem helemaal voor je gewonnen, juist omdat je geen verwend nest bent. Je trekt het je toch niet aan, hè, wat hij over je vader zei?'

'Nee, hoor. Ik vond het wel grappig dat hij zijn best heeft gedaan zo veel mogelijk over mijn vader te weten te komen.'

'Tja, hij is elektricien en als ik íéts weet, is het dat die alles altijd terdege natrekken. Hij wil altijd het naadje van de kous weten en daarom heeft hij zich verdiept in de zaken waarmee je vader zich bezighoudt.'

'Ik vind het leuk dat hij zo gewoon is.'

'Gewoon? Niemand is "gewoon", laat staan een ouder.'

'Hou maar op.'

'Jouw ouders zijn toch best normaal?'

'Nou, dan wel op een nogal eigenaardige manier.'

'Dat eigenaardige moeten wij dan maar zien te vermijden,' zei hij.

'Daar hou ik je aan.'

*Dat eigenaardige moeten wij dan maar zien te vermijden.* Het was Dans manier om te zeggen dat hij wat ons tweeën betrof echt serieus was, dat wij bij elkaar zouden blijven. Ik dacht er net zo over, hoewel ik me realiseerde dat ik nog maar tweedejaars was, mijn hele leven voor me had en me niet zo snel moest binden, maar vrijwel meteen hoorde ik een stemmetje dat zei: maar hij is het helemaal! Prijs jezelf gelukkig.

Het duurde nog een paar maanden voor Dan zei dat hij van me

hield. Het was zomer en Dan had een felbegeerde stageplaats gekregen in het grote ziekenhuis in Boston. Zodra hij in april te horen had gekregen dat hij als enige van zijn faculteit was uitverkoren die zomer mee te lopen in Mass General Hospital, had hij me gevraagd: 'Heb je zin om de zomer met mij in Boston door te brengen?' Na twee seconden zei ik: 'Ja!' en binnen een week had ik een goedkoop huurflatje gevonden dat maar vijfentachtig dollar per maand kostte. Om het geheel te completeren, hoorde ik dat de quakers in Roxbury een programma hadden waar ze kinderen in de zomervakantie bijspijkerden. Het stond geheel los van de filosofie van de quakers en ze hadden dringend behoefte aan vrijwilligers. Ik meldde me aan en werd meteen aangenomen. Ik verdiende niets, afgezien van een minimale dagvergoeding, maar dat deerde me niet. Het ging me om de bijdrage die ik kon leveren.

Mijn vader vond het allemaal geweldig. Mijn moeder ook, maar ze zou mijn moeder niet zijn als ze ook niet wat te mekkeren had gehad. 'Beloof me dat je niet na zonsondergang in Roxbury rond gaat lopen en regel het zo dat je aan het eind van de dag door een betrouwbare buurtbewoner naar de ondergrondse wordt gebracht.'

'Een buurtbewoner? Je bedoelt een neger?'

'Je weet heel goed dat ik geen racist ben,' zei ze. 'Je vader en ik vinden het bewonderenswaardig dat je vrijwilligerswerk gaat doen, maar reken er wel op dat ze je daar in Roxbury zien als een beetje linkse bemoeial.'

'Bedankt, mam.'

'Het spijt me, maar het is nu eenmaal zo.'

Roxbury, zo bleek later, was lang niet zo eng als me was voorgehouden. Zeker, het was een achterstandswijk en overal werd je geconfronteerd met armoede. Het project werd geleid door mensen die in het onderwijs zaten en buurtwerkers, maar ik merkte nooit iets van een politieke overtuiging. Ze wezen me zes kinderen toe van een jaar of tien met een uiterst laag leesniveau. Het eenvoudigste kinderboek, *De kat in de hoed* bijvoorbeeld, was al een enorme uitdaging. Ik wil niet beweren dat ik gedurende die zeven weken wonderen heb verricht, maar aan het eind van de zomer konden ze allemaal een deeltje van de *Hardy Boys*-serie lezen.

Eindelijk wist ik wat ik wilde gaan doen. Iedereen heeft het er altijd over dat het onderwijs voldoening schenkt, dat je iets doorgeeft en dat je zulk goed werk doet. Dat zal allemaal wel, maar het is ook gewoon heel leuk om de baas te spelen. En als een van de kinderen een horde had genomen, was dat een fijn gevoel, zelfs als het kind zélf niet doorhad dat het iets had gepresteerd.

'Het gaat dus niet zoals in die film met Sidney Poitier,' zei Margy toen ze me een keer vanuit New York belde, 'waarin de kinderen in het begin onhandelbaar zijn, maar aan het eind met tranen in de ogen op hun onderwijzer afkomen en iets zeggen in de trant van: "U hebt mijn leven veranderd."'

'Nee, bepaald niet,' zei ik. 'De meesten vinden het vreselijk dat ze in de zomervakantie naar school moeten. Ze zien me gewoon als een gevangenbewaarder. Oké, ergens ben ik dat natuurlijk ook, maar goed, ze steken wel wat van me op.'

'Het lijkt me in elk geval heel wat nuttiger dan wat ik doe.'

Met dank aan de contacten van haar moeder liep Margy stage bij het meidenblad *Seventeen*.

'Ik dacht dat het bij dergelijke tijdschriften een en al *glamour* was.'

'Bij *Seventeen* niet, hoor. De andere stagiaires zitten allemaal op dure universiteiten en in disputen. Het feit dat ik in Vermont studeer, is al reden genoeg om op me neer te kijken.'

'Zeker weten dat je meer bier aankan dan die meiden.'

'Zeker weten dat ik níét met een corpsbal trouw en zij allemaal wel. Nu we het er toch over hebben, hoe is jouw *vie domestique*?'

'Het spijt me echt, maar ik moet zeggen...'

'Vertel nou.'

'... dat het vreselijk goed gaat.'

'Wat saai!'

'Ik geef het meteen toe.'

Het gíng ook goed. Mijn moeder had helemaal gelijk: ik vond het heerlijk om het gezellig te maken. Dan was een schat als het op dom huishoudelijk werk aankwam en we zaten niet constant op elkaars lip. Het kwam nogal eens voor dat hij 's nachts op de kinderafdeling of op de eerste hulp moest inspringen en dan kwam hij pas tegen drieën thuis. Ik vond het prima, want dat betekende dat ik lekker ongestoord kon lezen of lessen voorbereiden. We hoefden niet zo nodig ieder uur van de dag bij elkaar te zijn, hoewel de ontdekking dat Dan uitstekend gezelschap was, wat mij betrof de belangrijkste van die zomer was. We hadden genoeg stof om over te praten en hij had een brede interesse. Ging het over wat er allemaal in Vietnam gebeurde, dan was ik nergens, terwijl hij op de hoogte was van alle verplaatsingen van het Amerikaanse leger, van ieder tegenoffensief van de Vietcong. Hij raadde me ook aan Philip Roth te lezen, omdat, zo zei hij, je na het lezen van Roth alles begrijpt van de fixaties van joodse moeders. Hij had helemaal gelijk.

Ik wist dat mijn moeder, net als de rest van de mensheid, *Portnoy's klacht* direct na verschijnen in 1969 had gelezen. Toen ik haar belde en zei dat ik er eindelijk de tijd voor had genomen, verbaasde haar reactie me nogal.

'Als je maar niet denkt dat ik net zo'n moeder ben als mevrouw Portnoy.'

'Mijn hemel.'

'Ik kan wel raden wat je dokter Dan allemaal over me vertelt.'

'Mama! Wie is hier nou paranoïde?'

'Ik niet.'

'Het lijkt er verdomd veel op.'

'Meen je dat nou?' vroeg ze. Ze was opeens veranderd van toon, alsof er iets van onzekerheid in doorklonk.

'Mam? Is er wat?'

'Hoezo? Doe ik dan raar?'

'Maf genoeg om me zorgen over je te maken.'

'Nee hoor. Er is niets.' Ze veranderde gauw van onderwerp en herinnerde me eraan dat mijn vader vrijdagavond naar Cambridge moest om op een demonstratie tegen de invasie van Cambodja te spreken. 'Hij belt je als hij er is,' zei ze.

Die vrijdag kreeg ik in Dudley Street de boodschap door dat mijn vader had gebeld en dat hij me hoopte te zien in het Copley Plaza Hotel waar na de demonstratie een persconferentie gehouden zou worden. De demonstratie begon om vijf uur, op het plein voor de openbare bibliotheek. Ik was een beetje verlaat en Copley Square was dermate afgeladen dat ik halverwege Boylston Street vastzat. Ergens heel ver weg hoorde ik de versterkte stem van mijn vader en ja, daar zag ik hem, een stipje op een podium een paar honderd meter van me verwijderd, zijn stemgeluid een versterkte weergave van de stem die me vroeger voor het slapengaan voorlas en me kalmeerde na een tirade van mijn moeder. Hij klonk helemaal als de publieke persoon die hij was: stoer, vol zelfvertrouwen en sonoor. In plaats dat ik, zijn dochter, trots was op zijn briljante betoog en populariteit, werd ik er opeens een beetje verdrietig van. Ik besefte dat ik hem niet meer voor mezelf had, als dat ooit al het geval was geweest.

Na afloop moest ik me een weg zien te banen naar het Copley Plaza Hotel en dat was geen sinecure. Het was maar een kleine vierhonderd meter, maar de menigte verspreidde zich zo traag dat het me zowat een uur kostte om bij de ingang te komen. Toen ik er eindelijk was, zag ik dat de politie een kordon had opgetrokken. Zonder een perskaart kwam je er niet in. Gelukkig kwam James Saunders, een journalist van de *Burlington Eagle*, net aangelopen. Ik had hem een keer ontmoet toen hij mijn vader thuis een interview afnam, dus riep ik hem. Gelukkig herkende hij me en loodste me naar binnen.

Het Copley Plaza was een enigszins aftands hotel met een zaal op de eerste verdieping. Het zag er zwart van de mensen. Ik kreeg het idee dat ze niet zozeer geïnteresseerd waren in de persconferentie, maar met name in de tafel met hapjes en bier aan de andere kant van de zaal. Het was er nogal rokerig, niet alleen van de sigaretten, maar ook van de onmiskenbare, zoetige lucht van wiet. Toen ik binnenkwam, stond er een of andere jonge vent op het podium te oreren over de noodzaak van de 'aanhoudende confrontatie met de haviken in het militair-industriële complex'. Zo te zien stonden er hooguit drie journalisten naar hem te luisteren.

'Och, jee,' zei James, 'daar heb je hem weer.'

Ik staakte de zoektocht naar mijn vader en richtte mijn aandacht op de man op het podium. Hij was net twintig, had schouderlang haar en een flinke hangsnor. Hij was mager en gekleed in een versleten spijkerbroek en een ongestreken blauw buttondown overhemd, wat er volgens mij op wees dat hij ondanks zijn alternatieve uiterlijk van goede afkomst was. Als Margy hem had gezien, had ze vast iets gezegd in de trant van: 'Is dat even een leuke activist.'

'Wie is dat?' vroeg ik James.

'Tobias Judson.'

'Ik geloof dat ik wel eens iets over hem heb gelezen.'

'In de krant, denk ik. Hij was een van de grote jongens achter de studentenopstand op Columbia University, de linkerhand van Mark Rudd, zal ik maar zeggen. Het verbaast me dat ze hem erin hebben gelaten. Hij is een onruststoker en heeft niet zo'n beste reputatie. Slim ventje, daar niet van, maar wel een lont in het kruidvat. Nou ja, zijn kostje is gekocht. Zijn vader is namelijk de grootste juwelier in Cleveland, en...'

Opeens zag ik mijn vader staan, ergens in de verre hoek van de zaal. Hij was in gesprek met een vrouw van rond de dertig. Ze had een kort rokje aan, kastanjebruin haar tot aan haar middel en droeg een zonnebril in vliegeniersstijl. Ze praatten dermate levendig, dat ik heel even dacht dat ze hem een interview afnam, maar toen zag ik dat ze zijn hand pakte. Mijn vader had er zo te zien niets op tegen. Hij bracht zijn hoofd naar dat van haar en fluisterde wat in haar oor. Ze glimlachte, liet zijn hand los, vormde een paar woorden met haar lippen en liep weg. Niet dat ik kan liplezen of zo, maar ik meende te zien dat ze zoiets zei als 'Tot straks'. Mijn vader knikte, keek op zijn horloge en keek de zaal rond. Hij stak zijn hand naar me op en was blij me te zien. Ik zwaaide en hoopte maar dat hij niet merkte dat ik geschrokken was. In de paar tellen die het duurde voor hij bij me was, nam ik me voor net te doen alsof ik niets had gezien.

'Hannah!' Hij omhelsde me en zei: 'Fijn dat je er bent.'

'Je hebt het fantastisch gedaan, pap, maar dat ben ik van je gewend.'

Tobias Judson was klaar met zijn betoog en kwam op ons af gelopen. Hij knikte naar mijn vader en nam mij van top tot teen op. 'Uitstekende toespraak daarnet, prof,' zei hij tegen mijn vader.

'Dank je. Die van jou mocht er ook zijn.'

'Zeker weten dat we na vandaag allebei een extra alinea aan de annalen van de FBI hebben toegevoegd.' Hij glimlachte en keek me vragend aan. 'Ken ik jou ergens van?'

'O, sorry,' haastte mijn vader zich te zeggen. 'Dit is mijn dochter Hannah.'

Judson zei: 'Welkom bij de revolutie, Hannah.' Terwijl hij dat zei, zag hij een bekende in de zaal, want hij zwaaide naar iemand en nam snel afscheid van ons. 'Tot een volgende keer maar weer.' Ik keek hem na en zag dat hij op een vrouw af liep.

Mijn vader en ik belandden in een klein, Italiaans restaurant in de buurt van het hotel. Hij was nog helemaal in de ban van de demonstratie. Hij bestelde een fles rode wijn en dronk hem zowat in zijn eentje op. Hij had het over Nixons heimelijke acties in Cambodja en vertelde me dat Tobias Judson de held van links ging worden, de opvolger van I.F. Stone, zij het dat Tobias meer charisma had dan de beroemde linkse journalist.

'Het probleem met Izzy Stone,' zei mijn vader, 'is dat je altijd het idee hebt dat hij met het vingertje zwaait. De man is zonder meer briljant, daar gaat het niet om, maar Tobias heeft naast de analytische geest die hij met Stone gemeen heeft, ook nog het vermogen een gehoor te verleiden. Het zal je niet verbazen dat hij een notoire rokkenjager is.'

'Ik neem maar aan dat dat een emolument is voor bekende activisten,' zei ik.

Hij trok zijn wenkbrauwen op en keek me aan. 'Een nieuwe Tom Paine kan op immense populariteit rekenen.'

'Ja, en het maakt niet uit hoe oud die Tom is,' deed ik er een schepje bovenop.

Hij schonk onze glazen bij en zei: 'Ach, het zijn voorbijgaande dingen, vluchtige relaties...' Hij keek me aan en vroeg: 'Is er iets wat je dwarszit?'

*Wie was dat mens?*

'Ik maak me een beetje zorgen over mam,' zei ik.

Ik zag dat er wat spanning uit hem wegvloeide. 'Hoezo?'

Ik vertelde hem van het telefoontje, dat het net was of ze er met haar gedachten niet helemaal bij was en dat ze een beetje vreemd had gedaan. Hij knikte begrijpend, als een dokter die weet over welk symptoom de patiënt het heeft.

'Ze heeft een paar dagen geleden ook een vervelend bericht gekregen,' zei hij. 'Milton Braudy heeft gezegd dat hij haar nieuwe werk niet wil exposeren.'

Lieve hemel. Dat was het natuurlijk. Mijn moeder exposeerde al twintig jaar bij Braudy.

'Een paar jaar geleden had ze dat waarschijnlijk beter verwerkt, had ze hem over de telefoon de huid vol gescholden, de eerste de beste vlucht naar New York genomen om het nog eens dunnetjes over te doen en een andere galerie gezocht. Nu zit ze maar in dat atelier van haar en doet eigenlijks niets.'

'Hoelang is ze al zo?'

'Een maand, denk ik.'

'Gisteren hoorde ik voor het eerst dat er wat mis was.'

'Het zat er al een tijdje aan te komen.'

'Botert het niet erg tussen jullie?'

Hij keek me verbaasd aan. Het was voor het eerst dat ik informeerde hoe het met hun huwelijk stond. Ik zag hem even nadenken over wat hij wilde loslaten.

'Ach ja. Wat moet ik ervan zeggen.'

'Dat is geen antwoord, pap. Niet zo vaag.'

'Vaag? Ambivalent, zul je bedoelen. Op zich is daar niets mis mee.'

'In een huwelijk?'

'In het algemeen. Zoals de Fransen zeggen: "*Tout le monde a un jardin secret.*" Letterlijk vertaald: iedereen heeft een geheime tuin. Kun je me volgen?'

Ik keek hem recht in zijn staalblauwe ogen en voor het eerst zag ik dat de man die mijn vader was uit meer lagen bestond dan ik tot dan toe had vermoed. 'Ja, pap. Ik begrijp wat je bedoelt.'

Hij dronk zijn glas leeg en zei: 'Maak je maar niet te veel zorgen over je moeder. Ze komt wel over de teleurstelling heen. Ze zal wel moeten. Doe haar – en jezelf – een plezier en zeg maar niet dat je het weet van Braudy.'

'Ik hoop dat ze er zelf over begint.'

'Dat zou mooi zijn, maar dat zie ik niet gebeuren.' Hij veranderde van onderwerp en vroeg naar mijn werk. Hij was oprecht geïnteresseerd in de verhalen over de kinderen, de sfeer in Roxbury. Ik vertelde hem dat het onderwijs me erg trok.

'Aha, het is dus een familietrekje.' Hij keek op zijn horloge.

'Ik houd je toch niet op, hè?' vroeg ik zo argeloos mogelijk.

'Helemaal niet, maar ik heb toegezegd dat ik mijn neus nog even zou laten zien bij een vergadering van Toby Judson en zijn kameraden. Dit was een goed gesprek, Hannah.' Hij vroeg om de rekening, betaalde die, waarna we opstonden en de zwoele avondlucht in liepen. Ik geloof dat hij zelfs een beetje aangeschoten was. Hij sloeg zijn arm om me heen en gaf me een dikke, vaderlijke knuffel. 'Ik heb vandaag een aardige uitspraak gehoord. Wil je weten welke?' vroeg hij.

'Ik ben één en al oor.'

'Toby Judson haalde Nietzsche aan. "Er is geen enkel bewijs dat de waarheid – als en wanneer die ooit aan het licht komt – interessant zal zijn."'

Ik lachte en zei: 'Dat is verdomd...'

'Ambivalent?'

'Je haalt me de woorden uit de mond.'

Hij gaf me een zoen op mijn wang en zei: 'Je bent een fantastisch mens.'

'Jij kunt er ook wel mee door, pap.'

Hoewel ik vlak bij de halte van de ondergrondse was, had ik zin om naar huis te lopen. Ik had heel wat om over na te denken. Even na middernacht stond ik voor de deur. Het licht was aan, wat betekende dat Dan thuis was.

'Wat ben je vroeg,' zei ik.

'Vrijgelaten wegens goed gedrag. Was het etentje met je vader gezellig?'

'Zeker, maar... het was eigenlijk eerder interessant. Ik had zoveel om over na te denken dat ik maar naar huis ben komen lopen. Ik zat te denken dat ik...' Ik maakte mijn zin niet af.

'Dat wat?' drong Dan aan.

'... dat ik misschien in het najaar colleges ga volgen en eh...' Ik zweeg even. Zou ik het zeggen of niet?

'Ga door.'

'Ik vroeg me af of we misschien als we weer in Vermont zijn, samen woonruimte moesten zoeken.'

Hij moest het even op zich in laten werken. Hij deed de koelkast open, pakte er twee blikjes bier uit en gaf me er een aan. 'Uitstekend idee.'

# 3

'TJA, DAT VERBAAST me niets,' zei mijn moeder toen ik haar het nieuws vertelde. 'Om je de waarheid te zeggen, je vader en ik hebben om tien dollar gewed dat jullie gingen hokken zodra je terug was.'

'Dan hoop ik maar dat je een goede bestemming hebt voor die tien dollar.'

'Kan ik het helpen dat je zo voorspelbaar bent? Zelfs al had ik wat te mopperen, bijvoorbeeld dat je je in deze periode van je leven afsluit voor ervaringen op het – hoe zal ik het uitdrukken – "sociale vlak", je zou tóch niet naar me luisteren.'

'Klopt.'

'Ik bedoel maar.'

Het enige pluspunt van deze gekmakende dialoog was dat ik de indruk kreeg dat ze bezig was uit het dalletje te kruipen na de ellende met de galeriehouder. Natuurlijk, ze zou nooit vertellen dat ze een knauw had gekregen, laat staan dat ze me zou zeggen wat er verder aan haar vrat, want dat hield in dat ze haar dochter iets van zwakheid, van kwetsbaarheid moest tonen. Ze liep nog liever op blote voeten door een kampvuur.

Ze heeft me nooit verteld dat Milton Braudy haar nieuwe werk niet wilde exposeren. Ze deed of er niets gebeurd was. Eind augustus logeerde ik een dag of tien bij mijn ouders. Dan was aan zijn laatste week in Mass General bezig en ik moest op zoek naar een appartement. Ondanks haar gebruikelijke stoere houding en cynisme zag ik meteen dat het nog niet goed zat. Ze had donkere wallen onder haar ogen, haar nagels waren afgekloven en toen ze een sigaret opstak, zag ik dat haar handen trilden.

De situatie tussen mijn ouders was daar vast debet aan. Ruzie was altijd een vast onderdeel van hun relatie, maar nu was het op dat vlak opeens heel rustig. De dagen dat ik er was, spraken ze nauwelijks met elkaar, maar op een avond laat hoorde ik hen toch eindelijk praten, zij het op onvriendelijke toon. Ik was vroeg naar bed gegaan, maar toen ik hen hoorde, zat ik meteen rechtop in bed. Er werd gesist en omdat mijn moeder altijd graag met stemverheffing sprak, was ik meteen gealarmeerd. Als een klein kind stapte ik uit bed, deed voorzichtig de deur open en ging boven aan de trap staan, vlak bij hun kamer.

'Zie je haar dit weekend in Philadelphia?'

'Ik heb geen idee waar je het over hebt.'

'Hou toch op. Ik weet donders goed wat er speelt...'

'Ik krijg een beetje genoeg van die beschuldigingen.'

'Hoe oud is ze eigenlijk?'

'Er ís helemaal niemand...'

'Je liegt.'

'En dat zeg jíj? Ik heb het toch ook niet over jou en...'

'Dat is tien jaar geleden en ik heb hem daarna nooit meer gezien.'

'Maar je bleef het me inpeperen.'

'Aha! Dus dit is een wraakactie? Of heeft ze misschien een of ander zielig vadercomplex?'

Ik had genoeg gehoord, dus ik sloop terug naar mijn kamer en hoopte maar dat de slaap gauw zou komen, maar daar was geen sprake van. Ik bleef maar malen over wat ik had gehoord en ik wou dat ik niet had staan luisteren.

De volgende dag vond ik een appartement aan een rustige straat met bomen en oude huizen vlak bij de campus. De buitenkant zag er misschien een beetje onverzorgd uit (het kon wel een likje verf gebruiken en de veranda aan de voorkant had wat losse delen), maar het appartement zelf was gigantisch. Het had een grote zitkamer, een flinke slaapkamer, een eetkeuken en een badkamer met een bad op pootjes. Het geheel kostte ons maar vijfenzeventig dollar per maand, terwijl dergelijke appartementen in dezelfde buurt voor bijna het dubbele gingen.

'We betalen maar weinig omdat het er niet super uitziet,' zei ik toen ik Dan die avond aan de lijn had.

'Dat dacht ik al. Wat bedoel je met "niet super"?'

'Het behang zit los, er zitten vlekken en brandgaatjes in de vloerbedekking. De badkamer kan zo als decor voor *The Addams Family* fungeren en de keuken is heel simpel.'

'Dat lijkt me wel wat.'

'Het aardige is dat er heel wat van te maken valt. Onder de vloerbedekking zit een mooie plankenvloer, dat behang kunnen we er zo af trekken en het bad is in één woord prachtig.'

'Dat is al beter, maar vergeet niet dat ik twee dagen nadat ik terug ben al colleges heb.'

'Ik regel het allemaal wel. De huisbaas wil het blijkbaar zó graag verhuren dat hij ons twee maanden huur schenkt als we de boel voor hem opknappen.'

Ik ondertekende de huurovereenkomst, kocht een flink aantal

blikken goedkope verf, kwasten en huurde een vlakschuurmachine. Het kostte me acht dagen om het behang eraf te stomen, de barsten te plamuren, de boel te prepareren en het houtwerk te lakken. Toen ik dat allemaal had gedaan, trok ik de vloerbedekking eruit en stortte me op de plankenvloer, die ik met transparante beits behandelde. Het was dankbaar werk. Toen ik de afdeklakens en verfblikken buiten de deur had gezet en rondkeek in de frisse, lichte ruimte die ik had gecreëerd, was ik heel tevreden.

'Je zei dat het er niet zo goed uitzag,' zei Dan toen hij de eerste keer binnenkwam.

'Dat was ook zo.'

'Ongelooflijk...' zei hij en hij gaf me een zoen. 'Dank je.'

'Ik ben blij dat het je bevalt.'

'Dat het me bevalt? Ik voel me hier meteen thuis.'

Een paar dagen later kwam Margy kijken en die zei hetzelfde. Ze was net terug uit New York, had haar spullen op haar kamer op de campus gedumpt en kwam meteen kijken. Nadat ik de ruimte had opgeknapt, had ik een aantal kringloopzaken afgestruind en daar wat meubels op de kop getikt. Alles was geschuurd en gebeitst. Toegegeven, de boekenkast was opgebouwd uit planken en bakstenen, de voeten van de lampen waren chiantiflessen, maar ik had voor vijftig dollar een prachtig koperen tweepersoonsbed gevonden, en de fantastische Oudengelse schommelstoel die ik donkergroen had geverfd, kostte tien dollar.

'Hemel! Het kan zó in een interieurtijdschrift!' zei Margy.

'Dus je vindt het maar niets?'

'Niets? Ik ben zo jaloers als wat. Ik heb een piepklein kamertje en jij hebt je eigen flat. Je hebt zeker hulp gehad bij het inrichten?'

'Nee. Het is allemaal huisvlijt.'

'Wauw. Dan is zeker reuze enthousiast.'

'Ja, hij is meer dan tevreden, maar je kent hem. Hij is niet zo erg op "spullen", net als ik trouwens.'

'Of je me nou van die antimaterialistische praatjes verkoopt of niet, neem maar van mij aan dat je smaak hebt. Is je moeder al geweest?'

'Nee. Het gaat daar niet zo lekker.'

'Daar moeten we het dan nu maar eens over hebben. Ik heb precies de juiste wijn voor de gelegenheid.' Ze pakte een fles goedkope witte wijn uit haar schoudertas, gaf me hem aan en zei: 'Voor het nieuwe onderkomen.'

We ontkurkten de fles en ik pakte twee glazen.

'Vertel op.'

Ik vertelde haar alles: over het vreemde gedrag van mijn moeder, de ruzies met mijn vader, de vrouw in Boston en wat ik boven aan de trap had opgevangen.

Toen ik uitgesproken was, sloeg ze de inhoud van haar glas achterover en zei: 'Weet je wat ik ervan vind? Ik heb er twee woorden voor: nou én? Oké, ik heb gemakkelijk praten. Het is míjn vader niet, maar stel dát hij ergens een vriendinnetje heeft zitten, wat dan nog? Over die affaire van je moeder moet je je al helemaal geen zorgen maken.'

'Daar zit ik ook niet zo mee.'

'Dat begrijp ik wel. Tenslotte ben je pappies kleine meid. Gaat hij vreemd, dan ervaar je dat alsof hij jóú belazert.'

'Hoe kom je daar nou bij? Heb je een schriftelijke cursus psychologie of zo gedaan?'

'Nee. Dat soort dingen weet ik al vanaf mijn dertiende. Ik heb de telefoon een keer bij ons thuis opgenomen en er was een of andere zatlap aan de lijn die vroeg of ik de dochter van mijn vader was. Ik zei ja en toen zei hij letterlijk: "Weet je dat jouw pappie met mijn vrouw neukt?"'

'Mijn hemel.'

'Die kerel heeft mijn moeder nog op haar werk gebeld en dezelfde tekst gebruikt. Bleek dat het niet de eerste, de tweede of de derde keer was dat mijn vader dat flikte. Ik weet nog dat mijn moeder zei: "Die klootzak van een vader van je weet niet wat discretie is. Hij pikt er altijd van die lastige wijven uit. Ontrouw is één ding, maar als ze het je onder de neus wrijven, wordt het een andere zaak. Dan houdt het op."'

'Zijn ze daarna gescheiden?'

'Ze heeft hem een schop onder zijn kont gegeven. Bij wijze van spreken, natuurlijk. De middag na het telefoontje van die zatlap kwam ik thuis van school en zag ik mijn vader zijn spullen pakken. Ik moest natuurlijk vreselijk huilen en smeekte hem niet weg te gaan, me niet met mijn moeder achter te laten. Hij drukte me tegen zich aan, wachtte totdat ik niet meer huilde en zei: "Het spijt me, wijfie, maar ik heb me niet netjes gedragen en daar moet ik voor boeten." Het klonk écht stoer, zeg maar zoals Humphrey Bogart het in de film zou zeggen. Hoe het ook zij, een halfuur later had hij de deur achter zich dichtgetrokken. Dat was de laatste keer dat ik hem zag. Hij moest blijkbaar nodig uitwaaien, want hij had een reisje naar Palm Springs geboekt en een week later heeft hij daar op de golfbaan een hartaanval gehad. Dat krijg je van dat stoere Humphrey Bogart-gedoe. Mijn moeder heeft hem de deur gewezen en dat was zijn dood.'

Ik wist dat Margy haar vader op vrij jonge leeftijd had verloren, maar tot op dat moment wist ik niet hoe.

'Wat ik eigenlijk wil zeggen,' ging ze verder, 'is dat je eens moet ophouden met je ouders als ouders te zien. Bekijk ze maar als verknipte volwassenen die er een puinzooi van hebben gemaakt. Daarbij, ons is vast eenzelfde lot beschoren.'

'Kijk naar jezelf.'

'Wat ben je toch naïef.' Ze drukte haar sigaret uit en stak er weer een op. 'Wat vindt Dan hier nou allemaal van?'

'We hebben het er nog niet over gehad.'

'Meen je dat nou?'

'Ik eh... Ik weet het niet, maar ik schaam me zo.'

'Hoezo?'

Omdat ik niet stond te trappelen de beerput die mijn familie was open te trekken. Margy had gelijk: het was belachelijk dat ik het er nog niet met hem over gehad had. Ik schaamde me voor hun slechte gedrag en was bang dat Dan op de een of andere manier anders over me ging denken zodra ik hem op de hoogte had gebracht.

'Hemeltjelief,' zei Margy toen ik haar dat vertelde. 'Wanneer word je nou eindelijk eens volwassen? Jou treft toch geen enkele blaam? Lucht je hart nou maar bij hem, dan hoef je je ook niet schuldig te voelen dat je dingen voor hem achterhoudt.'

'Ja, daar zit wat in.'

Een paar weken later moest ik Margy bekennen dat ik het nog niet had aangedurfd.

Ze sloeg haar ogen ten hemel en zei: 'Oké. Als ik jou was, zou ik mijn mond dan maar helemaal houden, maar ik weet zeker dat hij je uiteindelijk om opheldering vraagt. Laat het verder maar rusten. Je hebt tenslotte geen slippertje gemaakt of zo en wedden dat het niet je laatste geheimpje is?'

'Toch voel ik me er schuldig over.'

'Schuldig? Je bent toch geen non of zo?'

Misschien had ze wel gelijk en maakte ik van een mug een olifant. Daarbij kwam dat Dan zich niet erg voor mijn familie leek te interesseren en zich geheel op ons tweeën richtte. Mijn ouders hielden zich dat najaar gedeisd en we zagen elkaar nauwelijks. Ze zijn één keer naar het appartement komen kijken. Mijn moeder maakte natuurlijk een voorspelbare, maar niet minder kattige opmerking over wat ze mijn 'nestdrang' noemde. Omdat mijn vader het vreselijk druk had met allerhande afspraken, lunchten we dat najaar maar een keer of drie samen en bij die gelegenheden had hij het nauwelijks over mijn moeder.

Thanksgiving vierden Dan en ik apart. Hij logeerde bij zijn vader en ik ging naar mijn ouders. Zodra ik over de drempel was, merkte ik dat de sfeer veranderd was, alsof alles koek en ei was. Ze lachten zelfs om elkaars grapjes en flirtten een beetje. Het deed me natuurlijk goed, maar ik vroeg me af hoe de koude oorlog tussen hen was beeindigd. Na het eten – we waren aan de tweede fles wijn en een beetje tipsy – werd het me enigszins duidelijk.

'Je moeder heeft van de week goed nieuws gehad,' zei mijn vader.

'Laat míj het nou vertellen,' zei ze.

'Ik ben één en al oor,' zei ik.

'Ik krijg een expositie bij de galerie van Howard Wise in Manhattan.'

'... een van de beste voor moderne kunst,' vulde mijn vader aan.

'Fantastisch,' zei ik, 'maar is Milton Braudy dan niet op zijn pik getrapt?'

Ik zag mijn moeder verstrakken. Ze pakte haar sigaretten en stak er een op. Ik kon mezelf wel voor de kop slaan.

'Milton Braudy was niet enthousiast over mijn nieuwe werk en heeft me laten vallen. Ben je nou tevreden?'

'Tevreden, ik? Hoezo?'

'Het lijkt er verdraaid veel op dat je plezier hebt over mijn falen.'

'Heb ik dan iets in die trant gezegd?'

'Je liet de naam Braudy toch niet per ongeluk vallen?'

'Rustig nou. Het was maar een vraag,' kwam mijn vader tussenbeide.

'Onzin. Hou jij je er nou even buiten, oké? Dit is iets tussen je dochter en mij.'

'Zoals gewoonlijk vat je het helemaal verkeerd op,' zei ik.

'Hoe durf je! Temeer daar ik jou nooit – ik herhaal: nooit – kapittel over jouw tekortkomingen.'

'Pardon? Je doet niet anders dan kritiek leveren en me inpeperen dat ik je heb teleurge...'

'Jij? Jij bent zo verdomd fijngevoelig dat je alles, iedere opmerking, als een persoonlijke aanval ziet.'

'Gut! Vind je het gek?'

'Het enige wat ik daarmee voor heb, is dat ik je uit de sleur van je bestaan wil halen.'

'Sleur?' Ik schreeuwde nu zowat. 'Wil je beweren dat mijn bestaan een sleur is?'

'Wil je de waarheid horen? Daar komt-ie: ik kan er niet bij dat je op je tweeëntwintigste bent veranderd in een huisvrouwtje.'

'Verdorie! Ik bén helemaal geen huisvrouwtje.'

'Je kunt niet eens lekker vloeken. Waarom zeg je niet: "Ik bén godverdomme helemaal geen huisvrouwtje"?'

'Moet dat dan? Toevallig ben ik geen gefrustreerd New Yorks kunstenaresje.'

'O? Gaan we zó beginnen? Gaan we gemeen worden?'

'Gemeen? Mij een huisvrouwtje noemen is zeker niet gemeen?'

'Dat is het constateren van een feit. Moet je horen, als jij je zo graag met dat droomdoktertje van je in een doodlopend straatje wilt verstop...'

'In elk geval heb ík mijn partner nooit belazerd en dat kun jíj niet...' Ik slikte de rest van de zin in. Mijn moeder spuwde vuur en mijn vader zat met het hoofd in zijn handen tegenover me.

'Ga door,' zei ze. Het kwam er heel rustig uit, maar niet minder dreigend.

'Laat zitten, Dorothy,' suste mijn vader.

'Waarom? Omdat jij je mond voorbij hebt gepraat?'

'Ik heb het niet van papa,' zei ik. 'Een mens vangt wel eens wat op, zeker als je zo hard praat als jij.'

'Ga door, met die grote bek van je. Maak je zin maar af, of moet ik het voor je doen? Wil je soms van me horen met hoeveel vrouwen je vader in het verleden heeft geneukt en hoeveel minnaars ik heb...'

'Zo is het genoeg!' bulderde mijn vader.

Ik stond op en beende naar de voordeur.

'Heel verstandig,' riep mijn moeder me na. 'Steek je kop maar in het zand.'

'Dorothy! Zo is het welletjes!' hoorde ik mijn vader nog roepen.

Ik smeet de deur achter me dicht en rende huilend de straat op. Ik bleef maar rennen en merkte niet eens dat het maar net boven nul was, terwijl ik mijn jas was vergeten. Van teruggaan was geen sprake; ik wilde dat mens nooit meer zien.

Een kwartier later was ik thuis; ik rilde van de kou, maar mijn woede was nu omgeslagen in verdriet. Mijn moeder en ik hadden in de loop der jaren flink ruziegemaakt, maar dit was andere koek. Haar wreedheid – die ze meestal met een dun laagje vernis bedekte – was tot volle wasdom gekomen. Ze had me opzettelijk willen kwetsen en dat was wonderwel gelukt.

Ik moest Dan spreken, maar ik wilde zijn weekend niet vergallen door een potje te gaan janken. Ik verwachtte eigenlijk half en half dat mijn vader me zou bellen, maar dat gebeurde niet. Tegen elf uur draaide ik Margy's nummer in New York. Haar moeder nam met een slaperige stem op, maar haar ergernis kreeg al snel de overhand.

'Margy is uit met vrienden.'

'Zou u zo vriendelijk willen zijn haar te zeggen dat Hannah gebeld heeft?'

'Zou jíj dan zo vriendelijk willen zijn niet meer op dit idiote uur te bellen?' Nog voor ik wat kon antwoorden, had ze de verbinding al verbroken.

Margy belde niet terug, dus ik nam maar aan dat haar moeder de boodschap niet had doorgegeven. De ochtend na de ruzie belde ik Dan.

Hij klonk moe. 'Ik heb veel te veel gegeten. Ik mag mijn vader graag, maar na twee dagen heb ik het idee dat ik aan mijn plicht heb voldaan. Ik kom morgen naar huis.'

'Fijn. Ik mis je.'

'Is er wat?'

'Ach, een rotavond bij mijn ouders.'

'Hoe rot?'

'We hebben het er nog over, oké?'

'Is het zó erg?'

'Kom nou maar thuis, goed?'

Hij drong verder niet aan (dat was niets voor hem) en zelf deed ik er het zwijgen toe. Ik wist niet goed hoe ik de ruzie kon verklaren zonder uit de doeken te doen wat zich de afgelopen zomer had afgespeeld, om nog maar te zwijgen over het feit dat híj in feite de oorzaak was van de tirade van mijn moeder.

Uiteindelijk was het mijn vader die me zei hoe ik de breuk met mijn moeder moest uitleggen. Ik had nog niet opgehangen na het telefoontje met Dan of hij stond beneden in de hal. Ik liep naar beneden. Hij zag er moe uit, gespannen, en had bloeddoorlopen ogen.

'Die was je vergeten,' zei hij toen hij me mijn jas aangaf. 'Je zult het wel koud gehad hebben.'

'Ik heb het niet echt gemerkt.'

'Ik vind het allemaal zo naar. Het spijt me echt.'

'Spijt? Jíj hebt niets misdaan.'

Hij keek me aan en zei: 'Je weet best wat ik bedoel.'

Het was even stil. 'Trek in een kop koffie?' vroeg ik.

Hij knikte. We liepen de trap op en gingen in de keuken zitten. Terwijl de koffie doorliep, keek hij om zich heen en zei: 'Wat een mooie flat is dit toch. Dankzij al het werk dat je hebt gedaan.'

Mijn vader, anglofiel in hart en nieren, was de enige persoon in Vermont die een appartement een 'flat' noemde.

'Dank voor het compliment. Mama vond er weinig aan, geloof ik.'

'Integendeel. Ze zei dat ze zeer onder de indruk was, maar je begrijpt dat ze je dat nooit in je gezicht zou zeggen. Je weet hoe ze is.

Maar goed, daar hebben we het al zo vaak over gehad. Ze is echt niet meer te veranderen.'

'Bedankt dat je me gisteravond hebt verdedigd.'

'Je moeder heeft zich vreselijk misdragen. Eigenlijk is het mijn schuld...'

'Nee, ik heb het aan mezelf te wijten. Als ík mijn grote mond had gehouden...'

'Nee, jou treft geen blaam. Het was haar reactie die niet deugde en tot overmaat van...'

'Ja, dat is waar. Zíj is begonnen met rotopmerkingen maken. Ik zei alleen maar...'

'Wacht nou even. Ik sta aan jouw kant. Zij denkt dat je het leuk vindt dat Milton Braudy haar werk had afgewezen.'

'Dat slaat echt nergens op, dat weet je. Ik vroeg alleen maar of Braudy op zijn...'

'Weet ik. Vergeet niet dat je moeder heel trots is, heel koppig. Zij vindt dat jíj fout zat. Ze denkt dat je haar opzettelijk hebt beledigd en gemeen bent geweest. Geloof me maar als ik zeg dat ik weet dat ze de boel volkomen verkeerd heeft opgevat. Ik zie het als een klassiek voorbeeld van afreageren: ze is kwaad op mij en reageert het op jou af. Ik heb mijn best gedaan haar dat duidelijk te maken, maar ze wil het niet horen.'

'Vertel.'

Hij roffelde op de keukentafel en leek dicht te klappen.

'Zeg het nou maar, pap.'

'Ik heb haar duidelijk gemaakt dat ik ervoor pas om als boodschapper te fungeren. Als ze je wat te zeggen heeft, moet ze dat zelf maar doen.'

'Boodschapper van wat?'

'Ze zei dat ze je niet meer wil spreken, dat ze ophangt als je haar zou bellen en dat ze er verder geen woord aan vuil wil maken.'

'Waaraan?'

Hij begroef zijn gezicht in zijn handen. 'Als je je excuses niet maakt, wil ze geen woord meer met je wisselen.'

Met stomheid geslagen staarde ik hem aan. 'Dat meent ze toch niet, hè?'

'Ik help het je hopen, maar het klonk gedecideerd. Maar ja, vergeet niet dat de wond nog vers is. Ze heeft vannacht geen oog dichtgedaan. Ik zie het als een uit de hand gelopen ruzie. Laat er maar een paar dagen overheen gaan.'

'Ik peins er niet over mijn excuses aan te bieden. Dat moet zíj doen!'

'Je hoeft míj niet te overtuigen, Hannah.'

'Waar haalt ze het gore lef vandaan...'

'Zoals ik al zei: als jullie allebei wat afstand nemen en een beetje afkoelen, dan kan het niet anders of jullie komen tot inkeer.'

'O? Zeg haar uit mijn naam maar dat ik er niet aan denk me te verontschuldigen.'

'Ik heb je toch gezegd dat ik pas voor de rol van boodschapper?'

'Je hebt die rol zojuist wél voor haar gespeeld, dus doe je best nou maar. Je staat bij me in het krijt, vind je ook niet?'

Hij knipperde even met zijn ogen en ik voelde me meteen schuldig.

'Sorry,' zei ik. 'Zo bedoel ik het niet.'

'Dat betwijfel ik. Hoe het ook zij, ik weet dat ik het aan mezelf te wijten heb.'

'Ga je bij haar weg?'

'Geen idee. Gisteren, voor het allemaal uit de hand liep, was ik vrij optimistisch over een en ander, over *ons*, maar nu...' Hij haalde zijn schouders weer op.

'Hoe heet ze?' vroeg ik.

'Wie?'

'De vrouw met wie ik je in Boston zag.'

Hij keek me vragend aan. 'Over wie heb je het?'

'Rond de dertig, lang, kastanjebruin haar. Slank, erg aantrekkelijk. Na de demonstratie stonden jullie in dat zaaltje in het hotel nogal geanimeerd en dicht tegen elkaar aan te praten. Ik kwam net de zaal in toen ze je hand pakte en jij had me nog niet gezien. Wat ik maar wil zeggen, is dat ik per ongeluk getuige was.'

'Shit...' zei hij voor zich uit.

'Nou? Hoe heet ze?'

'Molly. Molly Stephenson om precies te zijn. Ze is wetenschappelijk medewerker aan Harvard en publiceert regelmatig in *The Nation*.'

'Tja, ik dacht ook niet dat je mama met een kapster zou belazeren. Is het dik aan?'

'Dat wás het wel.'

'O?'

'Ik heb er een eind aan gemaakt.'

'Met frisse tegenzin?'

'Reken maar.'

'Hield je van haar?'

Hij keek me aan. 'In het begin was het meer een bevlieging, maar allengs werd het serieuzer dan we hadden voorzien.'

'Je hebt het uitgemaakt om... vanwege mama?'

Hij knikte.

'Hoe zit het met mama's avontuurtjes?'

'Die betekenden niets.'

'Baalde je er dan niet van?'

'Je kunt er moeilijk iemand op afrekenen als je zelf...' Hij maakte zijn zin niet af en zei: 'Het spijt me vreselijk, Hannah.'

'Dat heb je al gezegd.'

'Ik begrijp best dat je boos bent.'

'Het gekke is dat ik helemaal niet kwaad op je ben. Niet dat ik het toejuich allemaal, maar ik begrijp het heus wel. Godverdomme... ze ís tenslotte onuitstaanbaar.'

Hij keek me verschrikt aan. Ik vloekte zelden in zijn bijzijn. 'Onuitstaanbaar? Dat ben ik ook wel eens,' zei hij.

'Dat ben ik niet met je eens.'

'Ik prijs me dan ook zeer gelukkig met je.'

'Terecht,' zei ik.

We glimlachten en hij stond op. 'Ik moest maar weer eens gaan.'

'De koffie is klaar!'

'Sorry, maar ik moet nog een hele stapel werk doornemen voor aanstaande maandag. Ik zie je volgende week voor de lunch, zoals gewoonlijk?'

'Natuurlijk.'

'Ik laat je moeder wel weten hoe de vlag er hier bij hangt, hoewel...'

'Ja?'

'Om eerlijk te zijn, weet ik niet of het de boel niet erger maakt of niet.'

'Pech gehad dan.'

Hij trok zijn jas aan.

'Nog één ding,' zei ik. 'Wat moet ik Dan in hemelsnaam vertellen?'

'Gewoon, wat jou goeddunkt.'

Dan kwam de dag erop thuis. Ik gaf hem een opgeschoonde versie van de gebeurtenissen met Thanksgiving. Natuurlijk voelde ik me schuldig dat ik hem niet alles vertelde, dat ik niets zei over het vreemdgaan van mijn ouders, maar wanneer je eenmaal bent begonnen met het vertellen van de halve waarheid, als je bepaalde dingen vóór je hebt gehouden... Ik had geen goede verklaring voor het feit dat ik geen open kaart met hem speelde, zei alleen dat de ruzie was begonnen met mijn achteloze opmerking over haar voormalige galeriehouder en dat ze me had uitgescholden voor traditioneel huisvrouwtje of iets in die geest.

'Had ik daar volgens haar wat mee te maken?'

*39*

'Nee. Ik geloof dat ze dat allemaal op mijn bordje schuift.'

'Je hoeft me niet te sparen, hoor. Ik heb heus wel door dat ze me niet echt ziet zitten.'

'Ze ziet niemand zitten.'

'Ze vindt me maar een dooie.'

'Dat heb ik haar nooit horen zeggen.'

'Je spaart me en echt, dat hoeft niet. Je moeder is zo doorzichtig als plastic folie.'

'Het kan me niet schelen wat ze denkt. Als ze me niet meer wil spreken, mij best.'

'Ze draait heus wel bij.'

'Waarom denk je dat?'

'Omdat je haar enig kind bent. Die komt echt wel tot inkeer.'

De dagen daarna hoorde ik niets van haar en tijdens de lunch met mijn vader, de woensdag na Thanksgiving, had hij het niet één keer over haar, dus vermeed ik het onderwerp ook maar. De week erop hoorde ik ook niets van haar, dus toen ik op woensdag weer met mijn vader in het gebruikelijke tentje lunchte, begon ik er maar over.

'Je hebt me nooit verteld of je mijn boodschap nog hebt doorgegeven.'

'Alleen omdat je er niet naar vroeg.'

'Nou?'

'Ik heb de boodschap doorgegeven.'

'Hoe reageerde ze erop?'

'Hoe zal ik het zeggen... Met ingehouden woede.'

'Verder niets?'

'Jawel. Ze zei: "Goed. Als ze het zo wil spelen."'

'Dus negeert ze me gewoon.'

'Daar ziet het wel naar uit.'

'Hoelang gaat dat duren volgens jou?'

'Dat hangt af van jouw bereidheid de eerste stap te zetten.'

'Maar pap, als ik me verontschuldig, geef ik haar een vrijbrief om me naar believen de grond in te trappen.'

'Dan laat je het toch? Besef dan wel dat ze zich zal ingraven en dat je haar een hele tijd niet zult spreken.'

'Heb je dit zelf ook vaak aan de hand gehad?'

Hij glimlachte meewarig en zei: 'Wat dacht je?'

Op dat moment zag ik mijn vader niet als de dynamische, zelfverzekerde professor, niet als die door menigeen bewonderde, charismatische publieke figuur, maar als een wat uitgebluste man van middelbare leeftijd die gevangenzat in een moeizaam huwelijk. Eén ding was me duidelijk geworden: ik had het niet eerder willen toegeven, maar mijn moeder was een monster. Toegegeven, ze was een intelligent, getalenteerd en best geestig monster. Terwijl dat langzaam tot me doordrong, dacht ik: stel dat ze me nooit meer wil zien?

'Ik moet echt gaan,' zei mijn vader. 'Ik moet nog veertig tentamens nakijken. Volgende week kan ik niet, dan zit ik in Boston.'

Ik keek hem aan en vroeg: 'Voor je werk?'

Hij stond op en zei: 'Nee, voor mijn plezier.'

Ik bleef zitten. Mijn vader had me in vertrouwen genomen. Niet dat hij met zoveel woorden had gezegd dat hij weer met Molly omging, maar ik weet wel dat hij de twee weken voor Kerstmis drie keer in Boston was. Hij zei nooit wat hij er ging doen en ik vroeg er ook maar niet naar. Ik moet zeggen dat hij na die ene keer geen lunchafspraken meer afzegde, dus ik nam maar aan dat hij zijn werk- en reisschema afstemde op onze vaste prik van woensdag om twaalf uur. Op een dag zei ik hem dat hij zich echt niet in allerlei bochten hoefde te wringen om zich aan onze afspraak te houden.

'Onze afspraak niet nakomen? Verdomme, dit uurtje is het hoogtepunt van de week!'

Gelukkig ging het merendeel van onze lunchgesprekken niet over mijn moeder en de ruzie. Integendeel, mijn vader wilde het over van alles en nog wat met me hebben, maar níét daarover.

'Heb je er ooit aan gedacht een tijdje in het buitenland te studeren?' vroeg hij.

'Ja.'

'Iedereen moet ooit een tijdje in Parijs gewoond hebben.'

Hij had natuurlijk gelijk. De universiteit van Vermont had een uitwisselingsprogramma met een Franse universiteit. Ik had me er al eens in verdiept, temeer omdat Margy er ook aan zat te denken.

'Ik heb op het ogenblik wel wat anders aan mijn hoofd,' zei ik.

Hij keek me aan, beet op zijn lip en knikte. Het had geen zin elkaar voor de gek te houden.

'Ik heb nog niets van haar gehoord, pap. Over een week of twee is het Kerstmis.'

Hij keek ongemakkelijk en zei: 'Ik zal er weer eens over beginnen.'

De week daarop hoorde ik niets van hem. Dan raadde me aan haar gewoon te bellen om te horen of er zonder excuses mijnerzijds iets aan te doen was. 'Dan heb je in elk geval je best gedaan.'

Daar zat wat in. Ik zag er vreselijk tegenop, maar de volgende ochtend beet ik door de zure appel heen en draaide haar nummer.

'Hallo?'

Ik schrok van haar stem: onvriendelijk, kortaf.

Mijn stem was zacht en onvast. 'Mam? Met Hannah.'

'Ja?'

Dat was alles. Eén enkele, toonloze lettergreep, gedrenkt in minachting. De hoorn trilde in mijn hand en ik moest mezelf dwingen wat te zeggen. 'Ik vroeg me af of we niet eens moesten praten.'

'Nee,' was haar antwoord. Ze hing op.

Een halfuur later zat ik bij Margy op haar kamer op de campus. Ik had op weg naar haar toe constant gehuild en mijn ogen waren rood.

'Laat dat mens toch stikken.'

'Dat kun jíj makkelijk zeggen.'

'Klopt, maar ik meen het: laat dat mens toch stikken. Ze heeft het recht niet je zo te behandelen.'

'Waarom hebben we van die debiele ouders?' vroeg ik.

'Ik denk dat het te maken heeft met verwachtingen die niet zijn uitgekomen. In dit land tel je alleen mee als je een modelgezinnetje hebt. Ik begin nooit aan kinderen.'

'Hoe kun je dat nu al zeggen?'

'En of ik dat kan. Ik kan je ook nog meedelen dat ik mijn moeder haat.'

'Ga je mond spoelen.'

'Hoezo? Het is toch zo? Ik haat haar omdat zíj mij mijn hele jeugd onder mijn neus heeft gewreven dat ze mij veracht. Ga me nou niet vertellen dat jij je moeder niet haat na wat ze jou heeft geflikt.'

'Haat is een afschuwelijk begrip.'

'Daarin verschillen jij en ik nou. Jij doet altijd zo je best iedereen te plezieren. Je verbergt je gevoelens achter het vernisje van een immer stralende figuur. Ik daarentegen ben gewoon recht voor zijn raap. Als ik jou was, zou ik tegen die feeks zeggen dat ze het verder zelf maar moet uitzoeken. Je brengt de kerst gezellig met Dan door en zij kan stikken in haar venijn.'

Ik volgde haar raad op en ging met Dan naar Glens Falls. Voor we op weg gingen, zei Dan dat het misschien raadzaam was als ik nog één poging zou doen om het zonder knieval mijnerzijds bij te leggen.

'Ik weet nu al hoe dat afloopt,' wierp ik tegen.

'Dat kan wel zijn, maar je weet maar nooit. Het is tenslotte Kerstmis. Ze weet dat ze die zonder jou moet doorbrengen en dat vreet heus wel aan haar.'

'Op het ogenblik zit haar trots haar nog veel te veel in de weg.'

'Misschien is het geen slecht idee om het nog één keer te proberen.'

'Dat zei je de vorige keer ook.'

'Oké, dan niet.'

Ik stond op, liep naar de telefoon en draaide het nummer.

Mijn moeder nam op. Ze reageerde heel vijandig. 'Ja?'

'Ik wilde je prettige kerstdagen wensen.'

'Kerstmis is pas overmorgen.'

'Klopt, maar ik ben blijkbaar niet welkom.'

'Ik heb je verder niets te melden. Ik wacht nog steeds op je excuses. Als je zover bent, merk ik het wel.'

'Waarom doe je zo verdomd onredelijk?'

'Omdat ik daar het recht toe heb.' Meer niet. Ze had al opgehangen.

Ik gooide de hoorn op de haak, stormde de slaapkamer in en liet me op het bed vallen.

Dan kwam de kamer in en ging op het bed zitten. 'Het spijt me,' zei hij. 'Misschien had ik niet moeten aan...'

'Jij hoeft je écht niet voor haar idiote gedrag te verontschuldigen. Het is jouw schuld niet.'

De dag voor we naar Glens Falls vertrokken, belde mijn vader om te vragen of hij tegen het middaguur even langs kon komen. Om twaalf uur stond hij met twee cadeautjes en een papieren zak met een fles voor de deur. 'Hoed je voor professoren die met cadeautjes aankomen,' zei hij. Ik omhelsde hem en we liepen de trap op.

'Heb je zin in een glaasje advocaat?' vroeg ik en ik liep naar de koelkast.

'Wat ik bij me heb, is misschien geëigender.' Hij gaf me de papieren zak aan. Ik keek erin en zag dat er een fles champagne in de zak zat.

'Kijk 's aan,' zei ik. 'Moët et Chandon. Dat ziet er duur uit.'

Hij glimlachte en ontkurkte de fles. Hij liet de kurk knallen en ik dacht: wat is hij toch een man van de wereld. Geen wonder dat die Molly Stephenson om hen heen bleef fladderen. Ik had me voorgenomen ter ere van Kerstmis geen negatieve gedachten te hebben, maar ik kon het niet helpen dat ik mijn moeder zag als een bloeddorstig monster dat hem in de val had gelokt, en dat hij alleen maar bij haar bleef uit een diepgewortelde loyaliteit.

'Waar denk je aan?' zei hij.

'Ach, laat maar,' zei ik zo achteloos mogelijk.

'Aan je moeder, hè?'

'Vind je het gek?'

'Niet echt. Weet wel dat ze er zelf het meest onder lijdt. Jammer dan. Enfin, ik geloof niet dat het zin heeft dat we het er opnieuw over hebben. Ik wilde dus maar voorstellen een glas champagne te drinken.'

Meteen na de eerste slok wist ik het: dit is een van die heerlijke geneugten in het leven en na de tweede slok wist ik dat ik het jaar daarop echt naar Frankrijk moest.

Blijkbaar had hij mijn gedachten geraden, want hij schonk mijn glas nog een keer vol en zei: 'Nog een reden om een jaar in Frankrijk te studeren, is dat je er kennis kan opdoen over het epicurisme, de zinnelijke geneugten die het leven te bieden heeft.' Mijn vader gebruikte altijd dure woorden als hij een glaasje op had. 'Je merkt dan vanzelf waarom iedere Amerikaan die wat in zijn mars heeft gek is op die stad. In Parijs kun je helemaal jezelf zijn, je bent er zo vrij als een vogeltje, en niemand die het je kwalijk neemt dat je daarvan profiteert. Integendeel: dat vinden ze prachtig.'

'Waarom ben je er dan niet gebleven?'

'Dat heb ik mezelf al zo vaak afgevraagd. Er was zelfs aan de Université de Paris een leerstoel Amerikaanse geschiedenis vrij. Ik moest terug naar Harvard om mijn proefschrift te verdedigen en daarbij wist ik niet zeker of ik wel zo'n tijd in het buitenland wilde zitten. Ik had me tenslotte gespecialiseerd in Amerikaanse geschiedenis en mijn argument was dat ik dan ook beter in Amerika kon wonen. Vergeet niet dat het die donkere dagen waren waarin McCarthy hier de toon zette. Onze elementaire vrijheden werden beteu...' Hij zweeg, schonk zichzelf weer in en zei: 'Moet je mij horen. De waarheid is dat ik ben teruggegaan omdat ik het niet aandurfde, omdat ik op Harvard wilde afstuderen om mijn vader te bewijzen dat ik nog érgens voor deugde. Ik deed niets anders dan tegen die man rebelleren, deed altijd precies het tegenovergestelde van wat hij wilde. Je weet dat ik alleen om hem te pesten een baan op Princeton heb afgeslagen, om hem te laten zien dat zijn opvatting van "respectabel" niet automatisch ook de mijne was.'

Ik had al eens eerder gehoord dat hij niet was ingegaan op een aanbod van Princeton, maar er was toen een andere draai aan gegeven: mijn vader tegen de gevestigde orde, mijn vader de non-conformist die niet geïnteresseerd was in een professoraat aan een gerenommeerde universiteit. Dit was een heel ander verhaal.

'Kijk eens wat je hier in Vermont hebt bereikt. Ik bedoel, je bent een beroemdheid.'

'Misschien als activist, maar zodra de oorlog in Vietnam is afgelopen, is het gedaan met mijn tijdelijke roem. Op zich is daar niets mis mee. Ik heb wel eens horen zeggen dat roem een masker is dat het gezicht eronder wegvreet.'

'Voor het gemak vergeet je het boek over Jefferson.'

'Dat is tien jaar geleden gepubliceerd. Sindsdien heb ik wat dat betreft geen wapenfeiten op mijn naam staan, wat overigens mijn eigen schuld is. Ik heb mijn energie te veel versnipperd, mezelf met veel te veel zaken ingelaten, al was het alleen maar omdat het een mooie smoes is om niet te hoeven publiceren.'

'Doe jezelf nou niet tekort, pap.'

'Het is eerder zelfmedelijden. Neem me niet kwalijk dat ik jou ermee lastigval.'

'Je valt me helemaal niet lastig. Ik vind het fijn dat je me in vertrouwen neemt.'

'En ik ben blij dat je mijn dochter bent.' Hij pakte mijn hand, kneep er even in, zuchtte eens diep en schonk weer in. We klonken en dronken de hele fles op.

Hij stond op en zei: 'Ik moest maar eens op huis aan.'

'Ik zal je missen met Kerstmis,' zei ik.

'Niet half zo erg als ik jou ga missen.'

Heel langzaam ging ik wennen aan het feit dat mijn moeder geen rol meer in mijn leven speelde. Ik was woedend op haar, maar dat nam niet weg dat ik haar miste. Waarom zat die verrekte trots van haar altijd alles in de weg? Waarom wilde ze me eeuwig en altijd haar wil opleggen?

Ik wist het antwoord al. Ze had het me zelf gegeven. 'Omdat ik daar het recht toe heb.'

Als ík mijn excuses niet aanbood...

*Kon mij het ook verder schelen.*

In de winter en het voorjaar erna hield ik me daar maar aan vast. Ik zorgde dat ik van alles te doen had: ik volgde alle colleges (De Balzac was mijn lievelingsschrijver. Zijn romans gingen over de wurggreep van het gezinsleven), ik leerde pottenbakken en bracht veel tijd door met Margy. We praatten veel en rookten aan een stuk door. Sinds de feestdagen was ik van iemand die zo af en toe een sigaret rookte een ware kettingroker geworden. Toen Dan doorkreeg dat ik constant zat te paffen, vroeg hij alleen maar: 'Hoeveel rook je nou eigenlijk?'

'Een pakje per dag.'

Hij haalde zijn schouders op en zei: 'Je moet het zelf weten.'

Hij was het er duidelijk niet mee eens, maar las me niet de les over de gevaren van het roken. Margy vond het best gezellig dat ik nu ook een echte roker was geworden. 'Ik wíst wel dat je verslaafd zou raken.'

'Hoe dat zo?'

'Omdat je zo keurig bent. Iedereen heeft recht op één slechte gewoonte. Als je volgend jaar in Parijs zit, zul je merken dat je als roker helemaal in de scene past. Ik heb gehoord dat de Fransen hun kinderen op hun twaalfde verjaardag een pakje Gauloises geven en hun de raad geven er maar aan toe te geven.'

Ik maakte mijn sigaret uit en stak meteen een andere op. 'Ik denk niet dat ik naar Parijs ga...' zei ik.

Ze keek me verbijsterd aan. 'Meen je dat nou?'

Ik vermeed haar afkeurende blik. 'Ja.'

'Heeft Dan je omgepraat?'

Het tegendeel was het geval. Hij stond volledig achter mijn plannen, had gezegd dat hij met Thanksgiving zou overkomen en dat ik een paar maanden Parijs niet aan mijn neus voorbij moest laten gaan. 'Dat is wel het laatste wat hij zou doen, Margy.'

'Dus was het je eigen beslissing.'

Het was geen vraag, maar het constateren van een feit. Niemand had me beïnvloed, niemand had ook maar iets gezegd, me het gevoel gegeven dat er door mijn vertrek dingen zouden veranderen. Nee, de beslissing niet naar Parijs te gaan had ik helemaal zelf genomen om de doodeenvoudige reden dat ik bang was dat Dan het zou uitmaken. Het was méér dan een bang vermoeden; het was een diepgewortelde angst, waar ik niets aan kon veranderen. Angst is een raar iets: ben je in haar greep, dan is het maar wat moeilijk om je uit die scherpe klauwen te bevrijden. Ik had het er natuurlijk met Dan over moeten hebben, maar iedere keer dat ik het te berde wilde brengen, was ik bang dat als ik hem zei dat ik me zorgen maakte over zijn trouw, dat hij me dan zeker zou verlaten.

Ik wachtte tot de termijn voor het inschrijven was verlopen en bracht hem toen pas op de hoogte. Hij was niet teleurgesteld, hoogstens een beetje verbaasd. Ik begon aan een riedel niet al te goede verklaringen die eindigde met: 'Plus dat ik jóú natuurlijk erg zou missen', en streek hem over zijn haar.

'Dat is geen reden om niet te gaan,' zei hij. 'Ik heb toch gezegd dat ik met Thanksgiving over zou komen? Dat is al na een maand of drie en dat is best te overbruggen.'

O, hemel, ik had kunnen weten dat gezond verstand bij hem zou overheersen.

'Zeg, waarom gaan we de zomer na ons afstuderen niet door Europa trekken?' opperde ik.

'Goed idee, maar neem je beslissing over dat jaar Parijs nou niet vanwege een of ander stom idee dat ik niet op je zou wachten. Dat is onzin en dat weet je.'

'Natuurlijk weet ik dat,' loog ik, 'maar mijn besluit staat vast en ik denk dat het 't beste is zo.'

Hij keek me onderzoekend aan. Hij leek een beetje in verwarring gebracht door mijn besluit, geloofde me niet helemaal, en vroeg zich waarschijnlijk af wat de achterliggende redenen waren, maar hij ging er niet over door. Dat lag niet in zijn aard. 'Je moet het zelf weten,' zei hij.

Mijn vader begreep meteen hoe de vork in de steel stak. Ik vertelde hem van mijn besluit toen we aan ons vaste tafeltje in het restaurant zaten. 'Het is vanwege je moeder, hè?'

'Dat speelt een rol, maar het was niet doorslaggevend, pap.'

'Als jij dat zegt.'

'Maakt het dan wat uit?'

'Ja, dat vind ik wel,' zei hij een beetje geïrriteerd.

'Ik geloof niet dat dit het goede moment is om naar Parijs te verkassen, dat is alles.'

'Kom nou, Hannah. Dat is je reinste flauwekul. Je bent bang dat je Dan kwijtraakt, dat is de reden. Die verlatingsangst is aangewakkerd door die rare moeder van je. Je bent doodsbang dat Dan je dezelfde streek levert en ik weet zeker dat hij dat nooit zou doen. Hij is stapelgek op je. En terecht. Je besluit heeft te maken met je behoefte aan geborgenheid, aan zekerheid, en wat mij betreft zijn dat niet direct de dingen waar je je in deze fase van je leven aan moet vastklampen.'

'En dat zeg jíj?' zei ik. 'Kijk naar jezelf.' Daar liet ik het maar bij. 'Sorry,' zei ik, wat rustiger nu, en ik pakte een sigaret.

'Je hebt helemaal gelijk. Daar heb ik om gevraagd.'

'Nee, dat ook weer niet, maar ik geloof niet dat ik verdien wat jullie me de afgelopen maanden hebben aangewreven. Als mama nou een beetje beter in haar vel zat...'

'Je moeder is nog nooit gelukkig geweest. Ze weet niet eens wat het is. Denk nou niet dat als ík haar gelukkig had gemaakt, ze jou niet had laten vallen. Uiteindelijk doet ze dat met iedereen en daarom ga ik ook bij haar weg.'

Ik keek hem met open mond aan. 'Meen je dat?'

Hij knikte.

'Heb je het haar al verteld?'

'Ik wacht tot aan het eind van het studiejaar. Ja, dat is pas over zes weken, maar ik wil het in alle rust verwerken.'

'Misschien is ze er niet eens zo ondersteboven van,' zei ik. 'Maar ja, dat zal wel naïef van me zijn.'

'We zullen zien, maar reken erop dat ze het niet al te best opneemt.'

'Is het vanwege die andere vrouw?'

'Nee, daarom ga ik niet bij je moeder weg. Ik ga weg omdat ons huwelijk niets meer voorstelt, omdat er met haar niet te leven valt.'

47

'Denk je dat je vriendin hierheen komt?'

'Niet meteen. Het lijkt me het beste als de gemoederen eerst wat tot rust komen. Daarbij, reken maar dat er ook zonder Molly al genoeg geroddeld gaat worden. Ik wou je vragen er nog niet...'

'Natuurlijk. Ik zwijg als het graf. Stel je vóór.'

'Oké, oké. Ik wil niet...'

'Je hoeft het niet uit te leggen, pap. Ik wil jou ook iets vragen. Kun je het uitstellen totdat Dan en ik deze zomer in Boston zitten? Het zal inslaan als een bom. Ik weet natuurlijk niet of ze contact met me zal zoeken, maar voor het geval dát, ben ik liever een eindje uit de buurt.'

'Afgesproken. Ik op mijn beurt beloof het onderwerp Parijs te laten rusten.'

'Ondanks het feit dat je vindt dat ik een grote fout maak?'

Hij glimlachte. 'Ondanks het feit dat ik vind dat je een grote fout maakt.'

In de daaropvolgende weken had hij het niet meer over zijn plannen. Ik haalde mooie cijfers en we vierden het met een lunch voor mijn vertrek. Hij wist al dat ik een baan had gevonden op een particuliere school in Brookline die een zomerprogramma voor remedial teaching had. Ik ging er maar liefst tachtig dollar per week verdienen, wat voor mij een fortuin was. We hadden hetzelfde appartementje als het jaar daarvoor.

'Geef me je telefoonnummer nog even,' zei hij.

Een week later, om drie uur 's nachts, ging de telefoon. Het was mijn vader. Hij klonk gespannen, angstig, niet van deze wereld. 'Je moeder heeft een poging gedaan om zelfmoord te plegen,' zei hij. 'Ze ligt op de intensive care hier in het Medical Center Hospital. Ze vrezen het ergste.'

Binnen het kwartier hadden we ons aangekleed en waren we op weg. We zeiden niet veel en Dan toonde alle begrip. Het is ongelooflijk, maar hij voelde gewoon aan dat hij me het beste maar even met rust kon laten. Tijdens de drie uur durende autorit rookte ik de ene sigaret na de andere en staarde maar een beetje uit het raampje. Ik deed mijn best te bevatten wat er was gebeurd en vroeg me af of ik het had kunnen voorkomen.

We reden regelrecht naar het ziekenhuis. Mijn vader, een sigaret in zijn mondhoek, hing wezenloos in een stoel in de wachtkamer van de intensive care en staarde naar de vloer. Hij omhelsde me niet, barstte niet in tranen uit en pakte mijn hand niet eens. Het enige wat hij zei was: 'Ik had het haar nooit moeten zeggen.'

Ik sloeg mijn arm om hem heen en gaf Dan met een knikje te kennen dat hij ons even alleen moest laten. Hij begreep het meteen en liep de wachtkamer uit.

'Wat is er gebeurd?'

'Een paar dagen geleden heb ik eindelijk moed verzameld en gezegd dat ik wegging, dat ik er geen heil meer in zag. Ze reageerde niet zoals ik had verwacht. Ik dacht dat ze zou gaan schreeuwen en tieren, maar niets van dat alles. Ze viel volkomen stil, wilde verder niets weten, zelfs niet of Molly tussen de coulissen stond te wachten. Het enige wat ze zei was: "Goed. Ik reken erop dat je vrijdag je hele hebben en houden hebt gepakt en vertrokken bent." Twee dagen lang heb ik haar helemaal niet gezien. Ze schreef me briefjes. *Slaap in de logeerkamer. Blijf van mijn spullen af. Mijn advocaat neemt contact op met die van jou.* Ze meed me als de pest. Gisteren, tegen zessen, kwam ik thuis en zat ze onderuitgezakt in de auto, in de garage. Het stond er blauw van de walm. Ze had de tuinslang aan de uitlaat gekoppeld en het andere eind tussen het raampje en het portier zelf geklemd. De kier van het raampje was met tape afgeplakt. Geen halve maatregel, zoals je begrijpt. Als ik een kwartier later was thuisgekomen... Enfin, ik heb haar de auto uit getrokken, het alarmnummer gebeld en mond-op-mondbeademing toegepast. Het ambulancepersoneel heeft het verder van me overgenomen en...' Hij begroef zijn gezicht even in zijn handen en keek me aan. 'Volgens de behandelende artsen had ze voor ze de motor aanzette zo'n vijfentwintig Milltowns ingenomen, een kalmeringsmiddel dat ze al een tijdje slikte. Ze is nog steeds bewusteloos en ligt aan allerlei slangen.' Hij sloeg zijn ogen neer en zei: 'Ze weten nog niet of ze hersenbeschadiging heeft en of ze ooit nog zonder respirator kan ademen. De komende drie dagen zijn cruciaal.'

Ik drukte hem tegen me aan en wilde iets zeggen wat het allemaal minder erg maakte, zijn ellende zou verlichten, maar ik was te zeer van streek en ik wist dat wat ik ook zei, het niets aan de toestand zou veranderen.

'Kan ik haar zien?'

Dan ondersteunde me en samen liepen we de intensive care in. Een verpleegster liep zwijgend met ons mee naar het bed. Ik voelde het bloed uit mijn gezicht wegtrekken. De vrouw in het bed leek in niets op mijn moeder; ze leek wel een medisch standbeeld, een wirwar van apparaten en slangen die naar een grijs plastic mondstuk liep. Ik hoorde het ritmische gezoem van de respirator die de lucht in en uit haar longen perste. Dan vroeg de verpleegkundige of hij de staat mocht zien. Ze knikte en gaf hem aan Dan, die zijn blik over de gegevens liet glijden. Ik zag hem op zijn lip bijten en dat betekende dat hij zich zorgen maakte.

Ik keek naar mijn moeder en hoewel ik het haar kwalijk nam dat ze ons dit had aangedaan, dat ze zo zelfzuchtig was en zoveel wraakgevoelens koesterde, voelde ik voornamelijk schaamte en schuld. *Waarom heb ik mijn excuses ook niet aangeboden?* Die vraag spookte door mijn hoofd.

Terwijl we de kamer uit liepen, sprak Dan even met de verpleegster. Hij kwam op ons af en zei: 'Haar toestand is stabiel, maar pas als ze bij bewustzijn is, kunnen ze met zekerheid zeggen of ze wel of niet hersenbeschadiging heeft opgelopen.'

Dan bleef vierentwintig uur bij ons, een echte rots in de branding, en was zo verstandig de voor de hand liggende, pijnlijke vragen niet te stellen. Pas toen mijn vader even weg was, vroeg hij me: 'Weet je of ze hier al eerder mee heeft gedreigd?'

'Nee, maar ze was natuurlijk al maanden labiel en eh...' Ik moest me inhouden hem niet alles te vertellen, maar een stemmetje binnen in me zei: *pas op je woorden...* 'Ik heb gehoord dat ze al geruime tijd problemen hadden.'

'Is er een ander in het spel?'

'Dat denk ik wel.' Ik zette me schrap en wachtte op de vraag die komen ging. *Sinds wanneer weet je dat?* maar hij vroeg niet door. Wat was hij toch gevoelig; hij dacht altijd het eerst aan mij. Wie weet, misschien vermoedde hij wel dat ik dingen voor hem achterhield en zo ja, dan accepteerde hij dat, terwijl ik me er schuldig over voelde.

We hadden ons mooie appartement de hele zomer aan vrienden verhuurd, dus we sliepen in mijn ouderlijk huis. Het was vreemd om na al die maanden weer terug te zijn, net zo vreemd als het feit dat ik met Dan in het smalle bed in mijn oude slaapkamer lag. Ik deed geen oog dicht en hoewel ik de nacht ervoor ook al niet had geslapen, kon ik me niet ontspannen. Na een uur was ik nog klaarwakker. Ik ging naar beneden en zag dat mijn vader in de zitkamer zat te roken. Ik bietste een sigaret van hem en we zaten een tijdje zwijgend tegenover elkaar.

'Hannah... Ik heb een besluit genomen en wie weet, misschien krijg ik er wel vreselijke spijt van, maar als je moeder in leven blijft, zet ik de scheiding niet door.'

De volgende ochtend moest Dan naar Boston. Het ziekenhuis stond erop dat hij weer aan het werk ging. Voor hij de deur uit ging, zei hij: 'Als het nodig is, ben ik in drie uur bij jullie.'

Later die ochtend belde ik mijn werk. Het hoofd van het zomerprogramma had dan wel begrip voor de situatie, echt blij was ze er niet mee. Ik vertelde haar niet dat mijn moeder een zelfmoordpoging had gedaan, alleen dat haar toestand kritiek was. 'Ik begrijp best dat je bij haar wilt blijven, maar ik moet natuurlijk een oplossing vinden. Het is wél een probleem.'

*Een probleem? Het is een kwestie van leven of dood!* wilde ik uitschreeuwen.

Na drie dagen was er nog geen verandering in de toestand van mijn moeder. Niemand wist hoe het ging aflopen. Mijn vader zat urenlang in het ziekenhuis, terwijl ik maar twee korte bezoekjes per dag aankon. Ik stortte me op het opruimen van het huis, dat een enorme bende was geworden. Het was een hele uitdaging. Ik maakte niet alleen schoon, maar gooide de stapels oude kranten en tijdschriften weg die mijn vader in de loop der jaren had vergaard. Ik vroeg hem of het goed was dat ik de boeken die her en der in huis rondslingerden in de boekenkasten zette. Het gaf niet wat ik deed, als ik maar bezig was en mijn gedachten kon verzetten.

We zeiden niet veel en als we al een gesprekje voerden, was het over oppervlakkige zaken; we vermeden het heikele onderwerp van mijn moeders toestand, maar als de telefoon ging, keken we elkaar verschrikt aan.

Zo ging er een week voorbij. De school belde en ik kreeg te horen dat men zich helaas genoodzaakt had gezien vervanging voor me te zoeken.

De dag daarna, om halfzes 's ochtends, ging de telefoon. Mijn vader nam op. Ik was meteen wakker en toen ik de trap af kwam, riep hij vanuit de zitkamer: 'Ze heeft haar ogen opengedaan!'

Een halfuur later waren we in het ziekenhuis. De zaalarts zei dat mijn moeder dan wel bij bewustzijn was, ze lag nog steeds aan de beademing. Gedurende de paar uur dat ze haar ogen had opengedaan, had ze geen woord gezegd en er waren geen spierbewegingen geconstateerd. 'We weten eigenlijk niet waarom niet. Het kan zijn dat de koolmonoxide en de kalmeringsmiddelen nog niet helemaal zijn uitgewerkt. We kunnen alleen maar afwachten.'

We liepen de afdeling op. Ik zag dat ze nog steeds aan de diverse apparaten gekoppeld was, maar ze was wakker. Ze keek ons met starende ogen aan. Eén keer zagen we haar met haar ogen knipperen. Ik pakte haar hand en kneep er zachtjes in. Ze reageerde niet. De hand lag slap in de mijne.

'Dorothy? Ik ben blij dat je weer bent...' zei mijn vader.

Geen reactie.

'We waren zó bezorgd,' zei ik.

Geen reactie.

'Dorothy? Kun je ons horen?'

We zagen haar heel licht knikken en haar ogen vielen dicht.

Ik bleef nog een paar uur bij haar zitten, ging naar huis om wat slaap in te halen en zat om zes uur die avond weer naast haar bed. Mijn vader kwam om acht uur. Hij stond erop dat ik mee naar huis ging omdat het volgens hem geen zin had de hele nacht de wacht te houden. Ik was liever gebleven, maar begreep dat twee slapeloze nachten achter elkaar niemand goed zouden doen. We gingen naar huis en ik ging meteen naar bed. De volgende ochtend stond ik om zeven uur op en een uur later zat ik weer aan haar bed.

Ze was een beetje helderder dan de dag ervoor. Ik stelde haar een paar vragen, zoals 'Weet je waar je bent?' en 'Knijp eens in mijn hand'. Ze knikte en toen ze zachtjes kneep, kon ik mijn tranen niet bedwingen. Ik legde mijn hoofd op haar schouder en alle ellende van de afgelopen weken zocht een uitweg. 'Het spijt me zo vreselijk,' zei ik, 'zo vreselijk...'

Ze kneep weer in mijn hand, wat harder nu, en knikte.

De dag erop werd ze losgekoppeld van het beademingstoestel en 's middags kon ze rechtop zitten en begon ze te praten. Mijn vader zat die avond bij haar en ze praatten meer dan een uur. Toen hij de wachtkamer in kwam, zei hij: 'Ze wil jou nu graag zien.'

Ik ging de kamer in. Ze zat nog steeds rechtop, maar zag er nu wel moe uit. De meeste slangen en apparaten waren weggehaald. Haar ogen stonden dan wel vermoeid, maar ze leek een stuk alerter. Ze knikte om aan te geven dat ik op de stoel naast het bed moest gaan zitten. Ik deed wat ze van me verlangde en pakte haar hand. Ze ging iets rechterop zitten en fluisterde: 'Ik wíst wel dat je uiteindelijk je excuses zou aanbieden...'

# 4

DE ARTSEN STONDEN versteld over haar snelle herstel. 'Als je bedenkt hoeveel pillen ze heeft ingenomen en het feit dat ze bijna ge-
stikt is,' zei een van hen, 'is het een wonder dat ze het gered heeft. Het
is misschien in tegenspraak met wat ze heeft gedaan, maar ze heeft
blijk gegeven van een enorme dosis overlevingsdrang.'

Het verbaasde me niet eens. In sombere buien dacht ik dat ze de
hele toestand in scène had gezet om de hegemonie over haar overspelige man en haar schaamteloze dochter te herstellen.

'Dat klinkt heel plausibel,' antwoordde Margy toen ik haar een
paar dagen nadat mijn moeder was bijgekomen aan de lijn had. 'Erger nog: ik denk dat je gelijk hebt. Als je vader haar niet gevonden
had, zaten jullie de rest van je leven met schuldgevoelens en dat was
dan een soort postume overwinning geweest. Als ik je een raad mag
geven: houd haar op veilige afstand. Het is een kwestie van tijd, of ze
gaat haar klauwen weer naar je uitslaan.'

Ik besefte dat ik me wéér had laten manipuleren. Ik was mijn
baantje kwijt, om nog maar te zwijgen over de tachtig dollar per
week die ik misliep, zat min of meer vast in Vermont en vond het vreselijk dat ze mijn vader zo onder druk had gezet. Maar wat nog het
meest aan me vrat, was dat ik had gezegd dat het me speet...

Wat een streek: ze had me volkomen in haar macht, me een 'het
spijt me' ontlokt en dat allemaal door die idiote trots van haar. Onder druk had ik toegegeven. Dat gebeurt me niet nog een keer, hield
ik mezelf voor. Ik was niet van plan ooit nog mijn verontschuldigingen aan te bieden als ík niet het idee had dat die op hun plaats waren; nooit meer zou ik me laten leiden door schuldgevoelens. Margy
had het weer bij het rechte eind: ik moest maar snel wegwezen.

Om mijn vader bij te staan, bleef ik thuis totdat ze uit het ziekenhuis was ontslagen, maar daarna ging ik ook als een speer naar Boston. Ik had het huis keurig aan kant en zodra ze een voet over de
drempel had gezet, zei ze: 'Gut, Hannah. Wat ben je toch een goede
huisvrouw.' Ik had de koelkast en de vriezer volgestouwd met etenswaren en een paar ovenschotels gemaakt die ze zo kon opwarmen.

'We moesten deze hele episode maar vergeten, doen alsof er niets
is gebeurd en de draad gewoon oppakken,' zei ze.

Ik moest me ergens aan vasthouden, anders was ik van mijn stokje gegaan. Waar haalde ze de gore moed vandaan? Ik knikte maar een beetje. Die middag liep ik naar het busstation en kocht een enkele reis Boston voor de volgende dag.

Mijn vader was sinds haar herstel weer in zijn schulp gekropen. Hij heeft me nooit verteld wat ze in het ziekenhuis hadden besproken en hoe hij hun toekomst zag.

De ochtend van mijn vertrek bracht ik mijn moeder ontbijt op bed. Ik had me een beetje verslapen en het was tegen halftien toen ik de kamer binnenkwam. Ze zat rechtop en las *The New Yorker*. Naast de telefoon lag een opschrijfboekje en ik zag dat ze een telefoonnummer met het kengetal van Boston had genoteerd. Ik herkende het nummer en schrok.

'Sorry dat ik wat laat ben,' zei ik en ik zette het blad voor haar neer. 'Thee en een paar geroosterde boterhammen. Is dat genoeg, denk je?'

Ze gaf geen antwoord. 'Sta je morgen weer voor de klas?' vroeg ze.

'Ja.'

'De Douglasschool in Brookline, is het niet?'

'Ik kan me niet herinneren dat ik ooit heb gezegd welke school het is.'

'Je vader wist het. Ik heb de school net gebeld en weet je wat ze zeiden?'

Ik keek haar recht in haar koele ogen en antwoordde: 'Dat ik mijn congé had gekregen omdat ik bij mijn stervende moeder wilde zijn.'

'Heb je dan gezegd dat ik een zelfmoordpoging heb gedaan?'

'Nee, dat gaat ze verder niets aan.'

'Je hebt tegen me gelogen. Je staat morgen niet voor de klas. Je hebt helemaal geen baan meer.'

'Inderdaad. Door alle toestanden hier ben ík mijn baan kwijtgeraakt.'

Er speelde een glimlachje om haar lippen. 'Je had echt niet op stel en sprong hierheen hoeven komen om aan mijn sterfbed te zitten. Maar goed, blijkbaar vond je dat nodig. Nu ik weer in het land der levenden ben, ga je als een speer terug naar Boston, ook al heb je geen baan. Leg me eens uit waarom je er zo snel vandoor gaat.'

'Omdat ik niet langer bij je in de buurt wil zijn.'

Ze keek me scherp aan. 'Ja, dat dacht ik al. Ik zal er niet omheen draaien, mijn lieve Hannah. Het interesseert me niets, echt niet. Je hebt me je excuses aangeboden en wat mij betreft is daarmee de kous af. Als je me wilt zien, mij best, maar als je nooit meer komt, ook best. Het is aan jou.'

Die avond zaten Dan en ik in de keuken te praten. Ik was nog steeds witheet en vertelde hem wat mijn moeder had gezegd. Ik zwoer dat ik haar zover mogelijk bij me vandaan zou houden.

Hij was het helemaal met me eens. 'Wees verstandig. Laat haar toch in haar sop gaarkoken. Je mist er niets aan.'

Hoe naar het ook was, ik moest het met hem eens zijn en volgde zijn raad op. Niet dat ik haar helemaal links liet liggen, maar ik hield het contact tot een minimum beperkt. De weken die we nog in Boston hadden, belde ik haar op zondagochtend. We wisselden een paar beleefdheden uit en als zij al naar mij informeerde, dan gaf ik antwoord, maar daar bleef het bij.

Eind augustus waren we terug in Vermont en ik deed er alles aan mijn tijd nuttig te besteden. Ik schreef me in voor een paar colleges, maar ik liet Frans al snel vallen voor geschiedenis van het onderwijs. Tenslotte had je in Vermont niet zo veel aan Frans en het herinnerde me er alleen maar aan dat ik niet in Parijs zat. Ik moest er maar niet te lang bij stilstaan, maar als Margy me een kaart uit Parijs stuurde en me in een kleine honderd woorden alles uit de doeken deed over plofplees, dat Gitanes roken gelijkstond aan het inhaleren van uitlaatgassen en dat ze nooit meer naar bed zou gaan met een Roemeense saxofonist met een kunstgebit was ik een beetje jaloers op haar Parijse avonturen. Zij het dat ik het best zonder een tandeloze, Roemeense saxofonist kon stellen.

Ik hield mezelf bezig en studeerde hard.

Aan het begin van de winter kwam Dan stralend met een brief in zijn hand thuis van de faculteit: hij had groen licht gekregen zijn coschappen te lopen in een ziekenhuis in Providence, Rhode Island. 'Het is misschien geen geweldig oord, maar het ziekenhuis staat zeer goed aangeschreven, dus wat dat betreft kan het niet beter. De meeste jaargenoten moeten het doen met ziekenhuizen in Lincoln, Nebraska, of in Iowa. Godzijdank kunnen wij aan de oostkust blijven. Het mooiste is nog dat ze me pas midden juli willen hebben, dus we kunnen op huwelijksreis naar Parijs.'

'Is dit een aanzoek?'

'Reken maar.'

Ik liep naar het raam en keek naar de vers gevallen sneeuw. 'Weet je,' zei ik, 'op mijn zeventiende heb ik gezworen dat ik niet voor mijn dertigste zou trouwen. Maar ja, ik wist toen natuurlijk niet dat ik jou tegen het lijf zou lopen.'

'Gelukkig is dat wel gebeurd.'

'Idem dito,' zei ik en ik draaide me om.

'Mag ik dat opvatten als een ja?'

Ik keek hem aan en knikte.

Het was zover: ik ging met Dan trouwen en ik ging mee naar Providence. Het was een geruststellend idee dat mijn toekomst bezegeld was, dat ik met Dan Buchan samen zou zijn.

Drie dagen later kwam hij thuis met het nieuws dat in het ziekenhuis in Providence twee co-assistenten hadden opgezegd. Ze waren onderbemand en wilden dat hij meteen na het studiejaar kwam opdraven. 'Valt er nou niets te regelen?' vroeg ik.

'Vergeet het maar. Ik kan niet anders. Ze willen me op 8 juni hebben en als ik nee zeg, krijgt de volgende op de lijst een telefoontje. We hebben het wel over Rhode Island. Alle studenten van de grote universiteiten hier aan de oostkust staan te trappelen om er te mogen werken.'

'Die maand Parijs kunnen we dus vergeten.'

'Helaas, het is niet anders. Het spijt me heel erg.'

Tien dagen later, op een prachtige nazomerdag met een strakblauwe hemel en een briesje dat de zomerhitte verdreef, trouwden we in de First Unitarian Church in Burlington. De dienst – kort, allesbehalve schijnheilig en eigenlijk vrij zakelijk – verliep zonder problemen, net als de lunch erna in het oude gemeentehuis. Dan hield een heel aardige toespraak dat ik het beste was wat hem ooit was overkomen, en mijn vader, zoals altijd de intellectueel, zei dat het in een wereld van politieke strubbelingen en generatieconflicten 'zeldzaam en fantastisch' was een dochter te hebben die ook een goede vriendin was, en dat ik een rots in de branding was. Zijn schoonzoon, zo zei hij, was een bofkont. Ik bedankte de sprekers, in het bijzonder mijn vader voor het feit dat hij me had voorgehouden dat een mens altijd leergierig moest zijn, dat hij me altijd als gelijke had behandeld (dat klopte). Tegen Dan zei ik dat ik hem dankbaar was dat hij me had laten zien dat goede mannen geen bedreigde diersoort waren. Tegen mijn moeder zei ik dat ze me constant uitdaagde (wat voor velerlei uitleg vatbaar was) en ik bedankte haar voor de gezellige dag die ze had georganiseerd.

Twee dagen na de huwelijksvoltrekking verhuisden we naar Providence. We kregen ook daar een aftands appartement en zodra ik het zag, wist ik dat ik weer een zomer zou besteden aan het opknappen. Ik vond een fulltimebaan op een particuliere basisschool waar ik de vierdeklassertjes Engels en geschiedenis ging bijbrengen. Het huwelijkscadeau van Dans vader was een vier jaar oude Volvo stationcar; feloranje met gebarsten leren bekleding. We vonden het prachtig.

Margy had haar plannen om naar Parijs terug te gaan op een laag pitje moeten zetten. Haar moeder was in kennelijke staat van de trap gevallen, had haar heup gebroken en zat in een rolstoel. 'Ik zal mijn dochterlijke plicht moeten vervullen en van de zomer thuisblijven. Je begrijpt dat ik niet erg enthousiast ben over mijn rol als Florence Nightingale. Ik moet bekennen dat ik me heb afgevraagd of ze het erom heeft gedaan, alleen om mij hier te houden.'

'Jij komt heus nog wel in Parijs terecht.'

'Mijn idee. Zodra *madame* hier op haar benen kan staan en tegen de bar kan leunen, zit ik in het vliegtuig. Ik heb me suf gebeld om te zien of er werk voor me is in de tijdschriftenwereld hier, maar helaas. Nou ja, ik heb een dommig baantje gevonden bij het Museum of Modern Art.'

'Bij het museum? Te gek.'

'Ja, wacht even, niet als curator. Ik sta in de winkel. Ach, het is werk en ik kan er de tijd dat ik voor mijn lieve moedertje moet zorgen mee doorkomen, maar zodra ik de kans krijg, ben ik het land uit.'

Die avond vertelde ik Dan over Margy's plannen en dat ze dacht dat haar moeder de val in scène had gezet om haar vertrek te dwarsbomen.

'Typisch iets voor Margy om dat te denken. Wat is ze toch een neuroot.'

'Ik dacht anders hetzelfde over míjn moeder, weet je nog?'

'Een serieuze zelfmoordpoging en het idéé dat haar moeder zichzelf van de trap heeft laten vallen, zijn wel twee heel verschillende zaken. Maar ja, ik moet toegeven dat ik geen expert ben in de New Yorkse variant van gekte.'

'Je bent ook altijd zo verrekte rationeel.'

Hij keek me verbaasd aan. 'Rationeel?'

'Rustig nou. Ik bedoel dat je soms een beetje al te onderkoeld bent.'

'Nou, bedankt.'

'Ik ben er niet op uit om ruzie te zoeken.'

'Nee, maar je hebt het wel over mijn rigide karakter.'

'Ik zei dat je rationeel was en heb "rigide" niet in mijn mond gehad.'

'Verrekte rationeel, zei je, en dat komt wat mij betreft neer op rigide. Sorry hoor, als je me een dooie vindt.'

'Wat heb je nou opeens?'

'Ik val jou toch ook nooit aan over je hebbelijkheden? Maak ik opmerkingen, hoe subtiel ook, over jouw tekortkominkjes?'

'Noem eens wat.' Ik zat al op de kast.

'Je eigen onbuigzame karakter, het feit dat je alles eindeloos afweegt, doodsbang dat je een fout maakt, mij voor het hoofd stoot, of, god bewaar me, eens wat avontuurlijks onderneemt.'

Ik kon mijn oren niet geloven. 'Wat?' schreeuwde ik. 'Jíj durft míj onder de neus te wrijven dat ík geen initiatief toon, terwijl ik sinds ik met jou omga alles op jóú heb afgestemd, op jouw studie en jouw loopbaan?'

'Dat wilde je zelf, Hannah. Ik heb je nooit in de weg gestaan. Wie heeft het plan laten schieten om naar Parijs te gaan? Wie is mij de afgelopen zomers gevolgd?'

'Gevólgd? Wat krijgen we nou? Zie je me als een willoos iemand die jou slaafs volgt?'

'Luister nou eens even. Ik vind het heel erg fijn dat we de zomers samen hebben doorgebracht, maar wees eens eerlijk. Heb je het idee dat je een beetje ingekapseld bent?'

'Heb ik dat ooit gezegd?'

'Nee, dat niet, maar ik heb het wel gemerkt.'

'Fijn dat je je hart eens lucht. Nu we toch bezig zijn: gefeliciteerd dat je het allemaal zo goed weet en ik wens je veel geluk met dat enorme ego van je.'

'Ik? Een ego?'

'Ik weet heus wel dat er achter die façade van de lieve jongen een keihard karakter schuilt.'

Ik had al spijt zodra ik het had gezegd, maar dat krijg je als je ruziemaakt, zeker als het je beste maatje betreft met wie je eigenlijk nooit ruziet. Ben je op dreef, dan komt er van alles boven, dingen die nooit aan de oppervlakte zijn gekomen. Je kunt de trein niet stoppen en zegt dingen als: 'Weet je niet dat ik donders goed doorheb dat jij altijd op de eerste plaats moet komen?'

'Ach, hou toch op.' Hij pakte zijn jas en beende richting voordeur.

'Kijk eens aan. Loop er maar van weg, steek je kop maar weer in het zand!'

Hij draaide zich om en keek me woedend aan. 'Jíj bent hier degene die een paar dingen onder ogen moet zien.' Hij stormde de deur uit en smeet hem achter zich dicht.

Ik bleef als verdoofd zitten. *Wat was dat nou allemaal?* Ik stond versteld over wat hij me had toegevoegd, wat ik hém had toegevoegd. Wat het allemaal nog erger maakte, was dat ik me realiseerde dat er in alles wat er gezegd was, een kern van waarheid school. *Zo denkt hij dus over mij.*

*Het is je eigen stomme schuld*, zei mijn innerlijke stem.

Kan zijn, maar hij is begonnen.

Een uur verstreek, toen nog een, en nog een. Het was al na middernacht en ik werd vreselijk ongerust. Afgezien van zijn nachtdiensten was Dan 's avonds nooit van huis.

Ik wachtte tot één uur en belde het ziekenhuis. 'Het spijt me,' zei de receptionist, 'maar dokter Buchan heeft geen dienst. Nee, hij is hier vanavond niet geweest.'

Ik kon verder niets doen, dus ik ging maar naar bed en trok de dekens over mijn hoofd om de muziek van de buurman, die keihard Grand Funk Railroad draaide, niet te hoeven horen.

Eindelijk viel ik in slaap, zij het heel licht, want het moment dat ik de voordeur hoorde, zat ik meteen rechtop. Ik keek naar de wekker. Het was halfvier. Ik stond op en trof Dan in de keuken. Hij stond een kop koffie te maken en zag er moe uit.

'Waar ben je geweest?' vroeg ik.

'O, ik heb een beetje rondgereden.' Hij haalde zijn schouders op.

'Waar dan?'

'Richting het zuiden. Ik zat zowat in New Haven.'

'Dat is bijna tweehonderdvijftig kilometer hiervandaan.'

'Tweehonderdvijfenzeventig om precies te zijn.'

'Wat moest je in New Haven?'

'Ik ben gewoon de grote weg opgegaan en heb er verder niet bij nagedacht.'

'Waarom ben je omgekeerd?'

'Mijn werk, jij.'

'Ondanks het feit dat ik je zo slaafs volg?'

'Dat heb je mij niet horen zeggen.'

'Het leek er verdomd veel op.'

'Jee, het spijt me. Ik meende het niet zo en...'

'Je meende het wel,' zei ik doodkalm, 'net als ik toen ik zei...'

'Waarom beschouwen we het niet gewoon als een ruzie? Oké, de ergste ruzie die we tot nu toe hebben gehad, maar tijdens een woordenwisseling zeggen mensen nu eenmaal de stom...'

'Ben je écht zo teleurgesteld in me?'

'Ik dacht het niet. Vind jij me echt zo'n keiharde?'

'Nee.'

Hij keek me aan en glimlachte. 'Laten we het dan verder maar ver...' Hij trok me naar zich toe en ik stribbelde niet tegen. Hij zoende me en zijn handen gingen over mijn lichaam. Ik deed mijn benen uit elkaar en duwde mijn kruis tegen het zijne. Zo goed en zo kwaad als het ging, liepen we van de keuken naar de slaapkamer. Binnen een paar seconden was hij uitgekleed en was hij in me. Het verbaasde me dat de gereserveerde, voorzichtige manier van doen waaraan ik gewend was geraakt, totaal verdwenen was. Hij ging wild in me tekeer en ik vond het heerlijk. Ik beantwoordde zijn felheid door met mijn nagels in zijn nek te klauwen en ik kromde mijn rug waardoor hij dieper in me kon komen. Ik kwam vóór hem klaar. De intensiteit van mijn orgasme had me van alle gevoel voor tijd en plaats beroofd. Een paar tellen was ik helemaal nergens en dat was een heerlijk oord. Zijn lichaam verslapte en hij begroef zijn gezicht in mijn schouder.

We lagen even stil naast elkaar. Hij keek me aan en zei: 'We moesten maar eens wat vaker ruziemaken.'

Omdat hij al om zes uur in het ziekenhuis moest zijn, stond hij tien minuten later op om te douchen en zich te scheren. Voor hij wegging, bracht hij me een kop koffie, gaf me een zoen op mijn voorhoofd en zei: 'Ik moet gaan.'

Ik ging rechtop zitten en dacht na. Ik zou pas over een week of twee ongesteld worden. We hadden midden in mijn cyclus gevreeën en ik had mijn spiraaltje niet in.

De weken daarna gebruikte ik al mijn energie om het appartement leefbaar te maken. Toen ik een maand over tijd was, belde ik de huisarts voor een afspraak. De volgende ochtend al zat ik in zijn praktijk en nam ik een plastic bekertje in ontvangst waarin ik wat urine moest opvangen. 'U kunt mijn assistente morgen bellen voor de uitslag.'

Ik trakteerde mezelf op een lunch en een film in een armetierige bioscoop in het centrum. Toen ik tegen vijf uur thuiskwam, zat Dan al aan de keukentafel met een flesje bier voor zich. Hij zag er ronduit ongelukkig uit.

'Wat ben je vroeg,' zei ik.

'Je bent zwanger.'

Ik schrok.

'De assistente van dokter Regan heeft gebeld. Ze hadden de uitslag wat eerder dan verwacht terug en ze dachten dat je het meteen wilde weten.'

'Aha...'

'Gefeliciteerd,' zei hij.

'Ik had het je heus wel verteld,' zei ik.

'Dat is dan meegenomen. Ik heb er ook wat mee te maken, zie je? Sinds wanneer weet je het?' vroeg hij.

'Nog geen minuut. Je vertelt het me toch net?'

'Dat bedoel ik niet. Wanneer ben je wat gaan vermoeden?'

'Een week of twee geleden.'

'Zonder mij op de hoogte te brengen?'

'Ik wilde geen vals alarm slaan.'

'Hè? Wilde je er dan wat aan laten doen?'

'Dat is wel het laatste waar ik aan denk.'

'Dat is dan in elk geval iets. Ik sta echt versteld dat je het voor me verborgen hebt gehouden.'

'Ik wilde je geen valse hoop geven. Het kon toch zijn dat...'

Dat was natuurlijk een grove leugen. Ik had niets gezegd omdat ik het lef niet had. Als ik in verwachting zou zijn, wilde ik de baby houden. Ik wist dat Dan en ik er hetzelfde over dachten, maar om de een of andere reden had ik het hem niet verteld. Het probleem was dat ik niet precies wist waaróm, alleen dat het zo was. Hoe het ook zij, hij trapte in mijn leugentje en zei: 'Je had het me wél moeten zeggen. Tenslotte gaat het ons allebei aan, nietwaar?'

'Natuurlijk.'

'Zolang we er allebei blij mee zijn...'

'Wat mij betreft is het goed nieuws,' zei ik zo opgewekt mogelijk.

'Het is fantastisch!' zei hij. Hij nam me in zijn armen en ik verzette me niet. Ik speelde het spelletje mee en deed er alles aan op dit belangrijke moment zo vrolijk mogelijk over te komen, hoewel ik dat niet echt was. Ik wist niet wat ik ervan moest denken.

Die avond, terwijl hij het met een derde biertje vierde (dat was voor hem heel veel), zei hij dat het geen invloed op mijn werk mocht hebben en dat we wel een oppas konden krijgen.

'Ik moet het wel op school vertellen, vóór ik begin.'

'Zeker weten dat ze er geen probleem over maken.'

'Je moet me één ding beloven,' zei ik. 'Houd het nog een maand of twee voor je. Het is de eerste drie maanden altijd even afwachten of het allemaal goed gaat.'

'Oké. Geen punt.'

Natuurlijk was ík degene die uit de school klapte. Op een avond, Dan had nachtdienst, belde Margy me om te vertellen dat haar moeder een parttime verpleegster had aangenomen om haar te verzorgen en dat zijzelf meteen woonruimte had gezocht én gevonden.

'Waarom ben je niet als een speer naar Parijs vertrokken?' vroeg ik.

'Omdat ze me assistent-bedrijfsleider van de museumwinkel hebben gemaakt. Goed, het is maar een tussenstation, dus dat is een rotsmoes, maar ik heb een huurovereenkomst voor een jaar getekend, dus ik zit toch al vast. En jij? Hoe gaat het daar?'

Nadat ik haar had laten zweren dat ze het voor zich zou houden, vertelde ik haar het grote nieuws.

'Meen je dat nou?'

'Nee, was dat...'

'Je houdt het toch wel, hè?'

'Natuurlijk.'

Het was even stil en ik kreeg de indruk dat ze me een raad wilde geven, maar zich inhield. 'Nou ja, als jij er blij mee bent, ben ik het ook,' zei ze uiteindelijk.

'Met andere woorden: je verklaart me voor gek.'

'Wil je een eerlijk antwoord? Ja! Ik zou helemaal gek worden als ik op mijn tweeëntwintigste zwanger was, maar het is jouw leven en ik weet zeker dat je een geweldige moeder zult zijn.'

'Ik zit natuurlijk nu wel in de val.'

'Zonder meer, maar geldt dat niet voor ons allemaal?'

Dat is natuurlijk zo en het merendeel van de mensen heeft zijn eigen val gezet, of loopt er met open ogen in. Ik had natuurlijk best naar de badkamer kunnen rennen en mijn spiraaltje in kunnen doen, of tegen Dan kunnen zeggen dat hij niet in me moest klaarkomen, maar dat had ik allemaal niet gedaan.

Mijn toekomst was bezegeld.

Diezelfde middag nog belde ik de directeur van de school waar ik in september zou beginnen en vertelde hem dat ik medio april een kind verwachtte.

Hij schrok. 'Je hebt me in elk geval ruim op tijd gewaarschuwd,' zei hij. 'Weet je het net?'

'Ja, en u moet me geloven als ik zeg dat het volkomen onverwacht is,' zei ik, stom genoeg op een wat schuldig toontje.

'Zo gaan die dingen,' zei hij. Hij zei dat hij het met het hoofd van de onderbouw zou opnemen en dat ik zo spoedig mogelijk van hem zou horen. 'En... gefeliciteerd natuurlijk,' besloot hij.

Dank u zeer, ook voor de brief die een paar dagen later in de bus lag waarin omstandig werd uitgelegd dat ik geen aanstelling kreeg, dat het feit dat ik half april een kind verwachtte betekende dat ik het voorjaar absent zou zijn, dat de verantwoordelijkheid van een nieuwe baan groot was, dat een zwangerschap op zich al een belasting was enzovoort.

Ik maakte er een prop van, gooide hem in de prullenbak en voelde me vreselijk genaaid.

Een paar dagen later belde ik Margy en uitte mijn woede.

'Sleep ze maar voor de rechter,' zei ze.

'Dan heeft al geïnformeerd of er gronden zijn en volgens hem sta ik zwak omdat ze me vóór ik ben begonnen hebben afgezegd. Om precies te zijn: de wet voorziet niet in de bescherming van vrouwen die worden ontslagen vanwege een zwangerschap.'

'Je had het ook niet moeten zeggen.'

'Ik ben niet goed in dingen verzwijgen.'

'Je bent ook altijd zo verdomde netjes.'

'Noem het maar een karakterfout.'

'En nu?'

'Ik kan een vervolgopleiding gaan doen aan de University of Rhode Island. Die zit in Kingston, op een minuut of twintig rijden. Niet wat je noemt een topuniversiteit, maar ze hebben plaats. De colleges beginnen in september en ze hebben al toegezegd dat ik omdat de baby in april komt, in het najaar tentamen kan doen. Ze gaan zelfs hun best doen werk voor me te zoeken, misschien als invaller. Wel fijn natuurlijk nu we extra kosten gaan krijgen.'

'Weten je ouders al dat ze opa en oma worden?'

'Nee. Ik wacht daar nog even mee.'

'Wedden dat je moeder ervan baalt als je het niet meteen zegt? Wat haar betreft had je haar nog vóór de daad in vertrouwen moeten nemen.'

Zoals altijd had Margy ook nu gelijk. De dag na ons telefoongesprek reed ik naar Vermont om nog een paar spullen op te halen die daar waren opgeslagen. Ik had mijn moeder al zes weken niet gezien en het moment dat ik over de drempel stapte, keek ze me aan en vroeg: 'Je bent toch niet zwanger, hè?'

Ik wilde niets laten merken, maar dat lukte niet erg. 'Nee hoor.'

'Waarom trek je dan wit weg?'

Ik werd opeens kotsmisselijk, dus ik rende de gang op, naar de wc onder de trap en was nog net op tijd. God, wat baalde ik van dat overgeven, om nog maar te zwijgen over de opmerkingen die mijn moeder ongetwijfeld ging maken. Ze liet er geen gras over groeien, want ze klopte al op de deur.

'Gaat het een beetje?'

'Jawel. Ik denk dat ik iets verkeerds heb gegeten,' zei ik tussen het braken door.

'Onzin,' hoorde ik nog net, maar gelukkig ging ze er verder niet op door.

In Providence doodde ik de tijd met zwemlessen, Franse grammaticaboeken en het er instampen van Franse woorden. Ik gaf me op als vrijwilliger voor de verkiezingscampagne van George McGovern, stopte brieven in enveloppen en bezorgde pamfletten.

'Je strijdt voor een verloren zaak,' zei een dikke postbode toen ik ergens op een landweggetje enveloppen in de brievenbussen gooide.

'Het is toevallig wel de júíste zaak.'

'Een verliezer is een verliezer en ik stem op de winnaar,' zei hij.

'Zelfs als het tuig is?'

'Dat is het toch allemaal?'

*Wat een onzin*, wilde ik hem naroepen. *Er zijn heel wat eerlijke mensen.* Ik wist dat het weinig overtuigend zou klinken, ook al wilde ik het nóg zo graag geloven.

'Als we geen integriteit meer hebben, wat blijft er dan over?' vroeg ik Margy die avond toen we aan de telefoon zaten.

'Onze bankrekeningen.'

'Grappig...'

'Kan ik er wat aan doen dat ik een onverbeterlijke cynicus ben?'

'Cynisme is een beetje erg gemakkelijke houding.'

'Maar je hebt er wel plezier mee.'

'Plezier? Hou eens op. Ik woon in Rhode Island.'

'Waarom spring je niet op de trein en kom je een paar dagen hier?'

'Ik ben nog maar twee maanden getrouwd, daarom.'

'Wat zou het? Je man werkt toch alleen maar.'

'Het komt niet erg goed uit.'

'Wanneer dan wél, Hannah?'

'Moeten we het daar nou weer over hebben?'

'Het is jouw leven, kindje. Niemand die je kan dwingen.'

Eindelijk begonnen de colleges. De universiteit van Rhode Island was niet direct een topuniversiteit, wat iedereen zich daar ook realiseerde. Het was zeker geen Harvard, dat maar een uurtje rijden was, maar de lerarenopleiding was goed, de professoren waren enthousiast en binnen zes weken had de faculteit een baantje voor me in het speciale onderwijs. Ik zou niet alleen vijftig dollar per week verdienen, maar ook de tijd doorkomen.

En inderdaad, de tijd vloog voorbij en voor ik het wist was het november. Richard Nixon schreef iedere staat, Massachusetts uitgezonderd, op zijn naam. Mijn vader, die zich met verve voor de verkiezing van George McGovern had ingezet, ervoer het als een persoonlijke nederlaag dat zijn kandidaat Vermont niet had gewonnen.

Rond die tijd kwam mijn moeder een weekeindje logeren en ik vertelde haar dat ik in verwachting was.

'Gut, dat weet ik toch al maanden? Waarom heb je zo lang gewacht het me te vertellen?' was haar voorspelbare reactie.

'Omdat ik zeker wist dat je me onder de neus zou wrijven dat ik veel te jong moeder word.'

Ze grijnsde en zei: 'Je bent verstandig genoeg om te weten dat je jezelf beperkingen oplegt, dus waarom zou je dat ook nog 's van mij moeten horen? Daarbij, je trekt je er toch niets van aan.'

De dag dat mijn moeder vertrokken was, aten Dan en ik in een Italiaans tentje in de buurt van ons appartement. Toen we besteld hadden, vroeg hij: 'Wat zou je ervan zeggen als we hier eind juni vertrokken?'

'Dat zou ik helemaal niet erg vinden. Moet je dan je co-schappen hier niet afmaken?'

'Ik heb een interessant voorstel gekregen,' zei hij. Hij vertelde dat dokter Potholm, afdelingshoofd Kindergeneeskunde, hem een interessante tip had gegeven. Potholm was vanaf het moment dat Dan hem had laten weten dat een specialisatie in kindergeneeskunde hem trok, als zijn mentor opgetreden.

'Een vriend van hem werkt in Maine Medical, het grootste ziekenhuis in Portland, en die heeft hem gisteren gebeld en gevraagd of hij geen intelligente jonge arts wist die hem een jaartje wil vervangen in Pelham.'

'Pelham? Nooit van gehoord.'

'Ik ook niet. Ik heb het even opgezocht. Het is een stadje met drieduizend inwoners, een uur of twee rijden van Portland. Het is niet ver van Bridgton en ligt tussen de meren.'

'Bridgton?'

'Tja. De man die ik ga vervangen gaat een jaar voor het Peace Corps naar het buitenland, dus het is maar voor één jaartje.'

'Daarna komen we hier weer terug?'

Hij keek me geamuseerd aan en zei: 'Naar dit afgrijselijke oord, wou je dat zeggen?'

'Laat ik het zo uitdrukken: het land is groot, oké?'

Hij lachte en zei: 'Moet je horen. Waarom rijden we dit weekend niet even naar Pelham? We kijken of het wat is en laten het daarvan afhangen.'

Aldus geschiedde. We waren nog geen halfuur in Pelham of ik dacht: vergeleken bij Providence is dit helemaal het einde. Dan dacht er net zo over, dus hij belde de artsenvereniging in Maine, en zei dat als ze hem wilden hebben, hij zeer geïnteresseerd was in de aanstelling als vervangend huisarts in Pelham.

Binnen een week belden ze terug met het bericht dat het in kannen en kruiken was. Ik belde mijn moeder een paar dagen later om haar het nieuws te vertellen. 'Ik heb altijd al geweten dat je in een dorp zou eindigen. Echt iets voor jou,' zei ze.

## 5

MIJN ZOON JEFFREY John Buchan kwam op 8 april 1973 ter wereld. Volgens de verloskundige was het een 'doodgewone' bevalling, maar ik moet zeggen dat ik onder 'doodgewoon' wat anders verstond dan een bevalling van veertien uur, versterkt door een fikse wind tijdens de laatste perswee. Toch was ik het allemaal op slag vergeten toen ik Jeffrey, een wolk van een baby, in mijn armen had en hij zijn hoofdje tegen mijn borst legde. Dan pakte zijn camera en nam de eerste foto's van moeder en kind, waarna de verpleegkundige Jeffrey van me overnam en zei dat ik wat moest slapen.

Het was de laatste goede nachtrust die ik in drie maanden zou krijgen. Jeffrey had werkelijk alle kwaaltjes die een baby maar kan hebben: hij had darmkrampjes, kon geen melk verdragen, uitslag op zijn schedeltje, berg (nogal heftig). Natuurlijk, Dan was een grote steun, net als mijn vader, die me belde en zei dat ik de eerste twee maanden van mijn leven ook veel last van koliekjes had.

Mijn vader was volledig in de ban van het Watergate-schandaal. Het feit dat hij op de lijst met 'vijanden van Nixon' had gestaan, was aanleiding voor een hele reeks interviews en spreekbeurten. Ondanks de drukte vonden hij en mijn moeder de tijd om een dag naar Providence te komen om hun eerste kleinkind te bekijken. Mijn moeder liet ons een prachtige, ouderwetse kinderwagen bezorgen en belde om de dag om te horen hoe het ging. Als ik klaagde dat ik vreselijk moe was of me hardop afvroeg wanneer er eens een eind kwam aan Jeffreys kwaaltjes, dan zei ze weinig medelevend: 'Dat is nou het moederschap. Als ik heel eerlijk ben is het een doffe ellende, en als je eenentwintig jaar opvoeden achter de rug hebt, is het dag met het handje en kun je de pot op.'

'Accepteer nou eindelijk eens dat ze manisch-depressief is,' zei Margy toen ik herhaalde wat mijn moeder had gezegd, 'en haal gewoon je schouders op als ze weer eens tegen je tekeergaat.' Ze stond met een glas Smirnoff in de zitkamer en was net in een periode dat ik 's nachts geen oog dichtdeed langsgekomen om de baby te zien. Gelukkig was ze gewapend met een fles wodka en een slof Winston.

'Het is wel een schatje,' zei ze. Ze deed haar best overtuigend over te komen.

'Voor een baby die de hele dag een keel opzet...'

'Je weet dat ik val op kerels met een grote mond. Heeft de dokter nog gezegd hoelang dit gaat duren?' vroeg ze bezorgd.

'Tot hij het huis uitgaat.'

Margy bleef twee nachtjes logeren en al die tijd liet Dan zich niet zien. Hij belde wel en zei dat het een gekkenhuis was: een vreselijk verkeersongeluk op de grote weg met een paar ernstig gewonde tieners, een gemeenteraadslid dat op de golfbaan een hartaanval had gekregen, een volkomen uitgedroogd meisje van negen maanden wier ouders door gebedsgenezing hadden geprobeerd haar diarree te genezen, een...

'Oké. Ik snap het.'

'Wees nou niet boos, liefje.'

'Ik ben niet boos. Een beetje teleurgesteld. Ik heb een hekel aan dat "liefje", oké?'

'Hoe is het met Margy?' veranderde hij van onderwerp.

'Die zit te popelen om moeder te worden.'

'Echt waar?'

'Mooi niet.'

'Ah, je houdt me voor de gek.'

'Ja, Dan, ik houd je voor de gek. Heb je een beetje kunnen slapen?'

'Drie uur, op zijn hoogst.'

'Is dat niet een beetje eng? Voor de patiënten, bedoel ik.'

'Ik heb nog niemand de dood ingejaagd. Oké, ik denk dat ik morgen thuiskom.'

'Dan is Margy al weg.'

'Het spijt me echt. Tot morgen.'

Margy en ik zaten aan de keukentafel. Ze stak een sigaret op en zei: 'Klonk dat even gezellig.'

Ik haalde mijn schouders op en zette nog een kan koffie.

'Gaat het even niet zo lekker tussen jullie?'

'Hoe kom je erbij? We zijn net tortelduifjes.'

'Rustig maar. Ik wil me niet met je zaken bemoeien of zo.'

'Neem me niet kwalijk dat ik zo kribbig deed.'

'Jeffrey slaapt, dus waarom doe je niet even een dutje?'

'En als hij wakker wordt?'

'Je hebt toch flesjes in de koelkast staan?'

Ik knikte.

'Dan warm ik er toch even een op?'

'Als je maar goed oplet dat het niet te koud en niet te warm is.'

'Ja ja. Komt in orde, blondje.'

'Als hij een krampje heeft, moet je hem over zijn ruggetje wrijven totdat...'

'Ja, dat weet ik. Totdat hij een boertje laat.'

Ik volgde haar raad op en ging naar bed. Zodra ik onder de dekens lag, viel ik in een diepe slaap. Het volgende wat ik weet, is dat Margy opeens over me heen gebogen stond en me porde. Ik keek op de wekkerklok en zag dat ik nog geen halfuur had geslapen. Ik was zo duf dat ik eerst niet begreep waar ze het over had.

'Hij heeft overgegeven. Het liep zelfs over mijn rug!'

Ik was meteen klaarwakker en sprong uit bed. Inderdaad, Jeffrey was in alle staten, omdat Margy hem na het overgeven vies en wel had teruggelegd. Op de een of andere manier had hij zich op zijn buikje gedraaid, dus geen wonder dat hij niet wist hoe hij het had. Ik pakte hem uit de wieg, hield hem tegen mijn borst en streek hem over zijn bolletje, waarna hij meteen op mij overgaf en begon te huilen alsof de wereld één groot tranendal was. Op dat moment was ik het ook helemaal met hem eens.

'Mocht ik ooit neigingen tot nestdrang tonen,' zei Margy, 'herinner me hier dan even aan, oké?'

'Afgesproken. Als ik gek genoeg ben om dit allemaal nóg een keer te door...'

'Dan kots ik op jou, oké?'

We waren de hele nacht met Jeffrey bezig en toen Margy de volgende ochtend naar New York terugging, was ze doodop. 'Maak je over mij maar geen zorgen,' zei ze bij het afscheid, 'ik slaap wel in de trein en thuis maak ik mijn acht uur wel vol. Kun je niet een kinderverzorgster aan huis krijgen? Je moet echt een keer lekker door kunnen slapen.'

'Die kunnen we ons niet veroorloven. Maar ja, als ik ga pakken voor de verhuizing zal ik hem écht ergens moeten onderbrengen.'

'Best leuk om naar zo'n klein stadje te verkassen. Lijkt me wel wat eh... gezelligs hebben.'

'Je liegt dat het gedrukt staat.'

'Nou ja, het is altijd beter dan Providence.'

Een paar weken later trokken we de deur van het appartement achter ons dicht en reden met al onze bezittingen in een gehuurde bestelwagen naar het noorden. Dan bestuurde de bestelwagen en ik reed met Jeffrey in de Volvo achter hem aan. Wonder boven wonder sliep Jeffrey vrijwel de hele zes uur durende rit; nogal een prestatie, want er heerste een hittegolf en onze eerbiedwaardige Volvo had geen airco.

Zodra we bij ons nieuwe onderkomen aankwamen, begon Jeffrey te jammeren. Net als ik overigens. Een week nadat de vorige bewoner, dokter Bland, naar Afrika was vertrokken, was de waterleiding in de keuken gesprongen. De hele begane grond stond blank. Ik zuchtte maar eens. Jeffrey moest iets van mijn wanhoop hebben gevoeld, want hij was van jammeren overgestapt op krijsen. Dan waadde in zijn doordrenkte broek door de keuken en zei niets anders dan 'O, shit'. Ik liep terug naar de voordeur, ging op het stoepje zitten en deed mijn uiterste best mijn hoofd en dat van Jeffrey koel te houden.

Dan kwam naast me zitten. 'Niet te geloven…' zei hij. Hij keek op zijn horloge. Het liep tegen zessen en over een uur zou het donker zijn.

'Nou, laten we maar 's gaan kijken of we ergens kunnen overnachten.'

In Pelham, Maine, had je niet zo veel keus. Of beter gezegd: er was één motel, aan de rand van de stad. Het was zo'n uitgesproken familiemotel: een rij kamertjes met schrootjeswanden, gebloemd tapijt met koffievlekken en brandplekken.

'Maak je geen zorgen,' zei Dan. 'Het is maar voor één nacht.'

De waarheid was dat we twee weken in dat sombere motel zouden zitten en dat lag niet aan Dan. Integendeel, we hadden nog niet ingecheckt of hij hing aan de telefoon met loodgieters, de huisartsenpraktijk en de enige politieman die Pelham rijk was, die, zo bleek, de zus van dokter Bland kende en zelfs haar telefoonnummer in Lewiston had. Hij beloofde haar meteen te bellen.

'Hoezo heeft hij haar telefoonnummer?' vroeg ik.

'Zijn broer was haar vriendje op de middelbare school en zijn vrouw is haar beste vriendin.'

'Het is wel een héél klein stadje,' zei ik.

Tien minuten later ging de telefoon. Ik nam op en had de zus van dokter Bland aan de lijn. Ze vroeg niet hoe ik heette, maar zei: 'Ben jij de vrouw van de nieuwe dokter?' waarna ze een lange monoloog hield over dat Joe Farrell haar zojuist had gebeld, dat ze witheet was over dat gedoe met de waterleiding omdat er van de winter al een probleem mee was en ze tegen haar broer had gezegd dat hij de boel moest laten repareren, maar dat hij erg op de centen was en het zelf had geprobeerd, dat hij nu in Afrika zat, maar dat ze morgen de verzekering zou bellen, dat de loodgieter al onderweg was en of dat motel geen ramp was, want ja, Chad Clark was de eigenaar, en dat was een eng moederskindje dat op de middelbare school zijn tanden nooit poetste, dat ze haar best ging doen tijdelijk woonruimte voor ons te regelen, het appartementje boven de praktijk misschien, waar zuster London had gewoond totdat ze zwanger werd van Charlie Bass van het benzinestation en moest trouwen, en oef, was dat even een domme zet geweest. Ze wilde diezelfde avond nog naar Pelham rijden, maar ze was lerares op de middelbare school in Auburn en die avond was er een uitvoering van de musical *Li'l Abner* waar ze wel naartoe moest omdat haar halve klas in het achtergrondkoor zat, maar ze zou de volgende morgen vroeg zuster London (Bass) bellen. Als we iets wilden eten, konden we het beste even naar Bridgton gaan waar een leuk restaurantje zat dat Goodwin's heette, waar ze fantastische hamburgers hadden en de beste milkshakes in Maine, die ze de 'verschrikkelijke milkshake' noemden omdat ze 'verschrikkelijk groot en lekker' waren, maar dat we om wat extra mout moesten vragen, wat maar vijf cent extra kostte.

Halverwege haar relaas hield ik de hoorn al een eindje bij mijn oor vandaan, maar we volgden haar raad op en reden naar Bridgton. We zagen Goodwin's meteen, wat niet zo verwonderlijk was omdat het het enige eethuisje was. Ik had niet zo'n honger en had al helemaal geen trek in een driedubbele hamburger of een liter milkshake. Omdat ik toch iets moest eten, bestelde ik een tosti en deed mijn best Jeffrey te interesseren in een paar hapjes ijs. Ik had allang door dat hij zich opmaakte voor een fikse huilbui, want ik wist dat die altijd voorafgegaan werd door jammerende uithalen. En ja hoor, we zaten nog geen tien minuten of hij krijste al.

'Heel fijn,' mompelde Dan.

'Wees blij dat jij 's nachts niet voor hem hoeft op te staan,' zei ik, maar ik had het nog niet gezegd, of ik had al spijt van mijn bitse opmerking.

'Vannacht zijn we allebei de klos.'

'Dat is weer eens wat anders.'

'Hoor eens, je weet dat ik diensten van zestien uur draai!'

'O, ja? Ik van vierentwintig uur.'

We reden zwijgend terug en zelfs in de motelkamer zeiden we geen woord tegen elkaar. Ik legde Jeffrey in de reiswieg en Dan zat in een stoel naar een zwartwittelevisie uit de tijd van president Eisenhower te kijken. Onze zoon moet op de een of andere manier de spanning hebben gevoeld, want hij werd maar niet rustig. Ik pakte hem op, liep wel tien keer de kamer met hem rond en terwijl Dan in de stoel zat te knikkebollen, liet ik Jeffrey drinken tot ik werkelijk niets meer had. Uren later legde ik hem in de wieg en smeekte hem ons wat rust te gunnen, al was het maar een paar uurtjes, maar hij was niet van plan mee te werken. Om halfzes die ochtend deed hij eindelijk zijn ogen dicht en doezelde weg. Binnen een paar minuten volgde ik zijn voorbeeld, om meteen daarna weer rechtop te zitten toen hij aan zijn repertoire uithalen begon. Ik had me niet eens uitgekleed, was bekaf en voelde me beroerd. Ik keek op mijn horloge. Het was kwart voor acht en dat betekende dat we een uur of twee hadden geslapen. Dan was al weg, maar er lag een briefje naast me op het bed: *Ben al op pad. Kom naar Miss Pelham om te ontbijten.*

Miss Pelham was het enige restaurant in het stadje, een eenvoudig eettentje met een paar tafeltjes en een counter. Dan zat aan een tafeltje met een notitieblok voor zich. Ik ging naast hem staan en zag dat hij een lijst opstelde van dingen die gedaan moesten worden. Hij stond op, pakte Jeffrey van me aan en nam hem op schoot.

'Heb je nog een beetje kunnen slapen?'

'Een paar uur. Jij?'

'Ik heb wel in betere stoelen gepit.'

De serveerster, een kleine, gezette vrouw van een jaar of vijftig met een potlood achter haar oor, kwam met de koffiekan aangelopen. 'Goeiemorgen, wijfie. Ik denk dat je na die ellende gisteren wel een kop koffie kunt gebruiken. Kan ik een flesje voor de kleine opwarmen? Jeffrey, is het niet?'

'Ja, dat klopt,' zei ik verbaasd.

'Wat een scheetje,' zei ze terwijl ze de koffie inschonk. 'Heb je een flesje bij je?'

Ik diepte het op uit mijn schoudertas en zei: 'Fijn, dank u.'

'Graag gedaan. Ik heet Chrissy. En jij bent Hannah, klopt dat?'

'Je bent goed op de hoogte, Chrissy.'

'Pelham is nou eenmaal net een dorp,' zei ze en ze liep met het flesje naar de keuken.

'Aardig mens,' zei ik tegen Dan, maar daar bleef het bij want Chrissy kwam al terug met het flesje. 'Pak aan, doc,' zei ze tegen Dan. 'Leuk, een man die wat taken van de moeder overneemt. Je mag je gelukkig prijzen, Hannah. Zeg, ik zie het al gebeuren dat jullie tijdelijk boven de praktijk moeten wonen. Zuster Bass heeft de boel niet echt goed onderhouden, dus ik denk dat het wel een likje verf kan gebruiken. Niet dat Betty Bass geen goede verpleegster is, maar voor het overige is ze een beetje, eh... slordig, maar dat hebben jullie waarschijnlijk al gehoord.'

'Niet echt.' Het leek me beter de dorpsroddels maar even te laten voor wat ze waren.

'Goed dan. Billy is de klusjesman hier en toen ik hoorde van die toestand in dokter Blands huis, heb ik gisteravond al even contact met hem opgenomen. We dachten al dat jullie hier zouden ontbijten, zie je. Hij zei dat ik moest doorgeven dat hij vanmiddag kan beginnen en dat hij om negen uur vanochtend voor het appartement op jullie wacht. Met andere woorden, jullie hebben alle tijd om de specialiteit van het huis te proberen: drie gebakken eieren, rösti met cornedbeef, vier worstjes en als jullie echt trek hebben doen we er ook nog twee flensjes bij.'

Ik had niet zo'n trek en hield het bij toast, net als Dan, die er na zijn nacht in de stoel allerbelabberdst uitzag. We zeiden niet veel en beperkten onze conversatie tot de lijst met dingen die we moesten afhandelen. Het was zaak de deur van die afgrijselijke motelkamer zo snel mogelijk achter ons dicht te trekken.

De tamtam werkte blijkbaar als een trein: toen we na een wandelingetje van drie minuten bij de praktijk aankwamen, werden we opgewacht door een heus ontvangstcomité. Zuster Bass kende ik al omdat we bij dokter Bland hadden kennisgemaakt. Ze was een lange, slanke, wat vermoeid uitziende vrouw van eind dertig met afgekloven nagels. Ze kwam direct terzake en vertelde Dan dat dokter Bland het met haar al over die kapotte waterleiding had gehad, dat ze komend weekend wel een dag op Jeffrey wilde passen zodat we ons konden installeren en o ja, als Dan misschien een paar minuten over had, in het dorp verderop had een jochie van tien vreselijke buikpijn, het kon wel eens blindedarmontsteking zijn en of de dokter even langs wilde gaan.

'Je zult hier wel een tijdje moeten bivakkeren,' zei ze tegen mij. 'Het is niet direct een paleis en ik heb de boel inderdaad een beetje laten versloffen, maar het was al niet veel toen ik erin trok. Billy hier...'

Billy was een gezette man van rond de dertig met een wilde bos rossig haar, een paardengebit en een wat maffe grijns. Hij had een overall aan met verfspatten en een petje op van de Boston Red Sox.

'Het is niet veel,' onderbrak hij zuster Bass. 'Daar gaat een hoop geld in zitten.'

'Dat hebben we niet,' zei ik snel.

Dan stootte me even aan en zei: 'Wat Hannah bedoelt, is...'

'Dat is geen schande,' zei de vrouw die naast zuster Bass stond. 'Net van de universiteit, een starterssalaris, een baby en dan ergens opnieuw beginnen? Ik weet nog goed dat mijn broer in exact hetzelfde schuitje zat toen hij hiernaartoe kwam.'

Ze gaf ons allebei een ferme hand en zei: 'Ik ben Delores Bland. Ik weet zeker dat jullie in dat motel geen oog hebben dichtgedaan, want dat lukt geen mens daar. Nou ja, tegenslagen horen erbij. Het goede nieuws is dat de man van de verzekeringsmaatschappij de schade al heeft opgenomen. Ik heb naar Afrika gebeld om Ben te laten weten hoe de zaken ervoor staan. Hij zei dat de kosten die jullie hierboven maken voor rekening van de praktijk komen. Het is een goede investering, want als de boel gerenoveerd is, kan het altijd verhuurd worden. Trouwens, als jullie een leuke avond willen hebben, moeten jullie zeker naar die voorstelling van *Li'l Abner* gaan. Broadway is er niets bij. Niet dat ik daar ooit ben geweest, maar goed.'

Zuster Bass sloeg even haar ogen ten hemel en zei: 'Neem me niet kwalijk dat ik je levensverhaal onderbreek, Delores, maar ik moet zo weer eens naar die kleine van me, dus als je het niet erg vindt, wil ik hun het appartementje nú even laten zien.'

De praktijk bevond zich in een houten huis met een bovenetage, die via een houten trap aan de achterkant te bereiken was. We liepen met z'n allen de trap op en kwamen uit bij een voordeur die nog maar net in de scharnieren hing met een kapotte hordeur erachter.

Mijn eerste reactie was: 'Mijn hemel...'

Dan was al net zo in mineur. Het appartement was klein, erg klein: één slaapkamer, een woonkamer van hoogstens vier bij vier, een soort kitchenette met antieke apparatuur (de koelkast was minstens twintig jaar oud, het was er een met het koelelement bovenop) en een badkamer met verroeste leidingen. Het behang kwam hier en daar naar beneden, het meubilair was te aftands voor woorden, de plafonds waren heel laag en het versleten tapijt verspreidde een muffe lucht.

'Niet bepaald een paleisje,' zei Dan.

'Ben ik met je eens,' zei Delores. 'Het punt is dat je in de stad moet wonen.'

'Dat weet ik,' zei Dan. In zijn aanstellingsbrief stond dat de dokter in het plaatsje zélf moest wonen, waardoor hij binnen een paar minuten bij een patiënt voor de deur kon staan.

'Waarom gaan we niet even terug naar het huis van dokter Bland,' opperde ik. 'Wie weet valt de schade in het andere huis mee en...'

Delores onderbrak me en zei: 'De aannemer heeft me al uitgelegd dat het maanden gaat duren voor het bewoonbaar is.'

'Er is toch zeker wel wat anders te huur?'

'Vergeet het maar,' zei zuster Bass.

'Echt niet?' vroeg ik.

'Het is maar een klein stadje,' zei ze, 'en als er al wat te huur is, dan weet iedereen dat. Nee, op het ogenblik is er niets.'

73

'Kunnen we die aannemer misschien even spreken?' vroeg ik.

'Tja, waarom niet. Als je denkt dat het wat uitmaakt.'

In optocht liepen we naar het huis van dokter Bland. De aannemer was er nog. Hij heette Sims, was een magere, enigszins norse man van in de veertig met een hoornen brilletje, een geruit overhemd en een das met een dasspeld.

'Een paar maanden geleden ben ik hier nog geweest omdat mevrouw Bland een veranda wilde achter,' zei hij. 'Ik heb toen al gezegd dat de leidingen vernieuwd moesten worden, maar ja. Hadden ze maar naar me moeten luisteren.'

'Meneer Sims...' begon ik, 'weet u zeker dat we er niet al in kunnen?'

'De waterschade is niet gering en daar komt nog bij dat de boel aan het rotten is. Laat ik het zo zeggen: ik hoop dat de dokter en zijn vrouw goed verzekerd zijn, want dit gaat klauwen met geld kosten. Ik voorzie drie maanden werk.'

We gingen terug naar de praktijk en terwijl we door de hoofdstraat liepen, keek ik goed om me heen en ik zag inderdaad nergens een makelaarskantoor.

'Wat doe je als je hier iets wilt verkopen of verhuren?' vroeg ik aan zuster Bass.

'Dan zet je een bord in de tuin.'

Ik was de wanhoop nabij, maar zei tegen mezelf dat ik me maar beter kon concentreren op wat er allemaal gedaan moest worden. Ik zei tegen Billy dat de hele boel geschilderd moest worden, de vloerbedekking eruit getrokken, de plankenvloer geschuurd en gelakt, de keuken compleet gerenoveerd, met inbegrip van nieuwe apparatuur.

'Geen punt, mevrouw,' zei hij. 'Hoe meer werk, hoe beter.'

Delores richtte zich tot Dan en zei: 'Besef wel, dokter, dat de praktijk pas kan betalen als de verzekering heeft uitgekeerd. Eerst moet Billy een offerte maken, dan schrijf ik mijn broer erover en vervolgens moeten we wachten op antwoord.'

'Daar kunnen weken overheen gaan, Dan,' zei ik.

Hij pakte mijn hand en vroeg aan Billy: 'Hoelang denk je hier nodig te hebben?'

'Een weekje.'

'Mooi. Mijn vrouw wil graag inspraak hebben over de kleur verf en de keukenapparatuur, nietwaar Hannah?'

'Het lijkt me het beste als u nú even naar dat zieke kind gaat, dokter,' zei zuster Bass.

Dan keek me aan en zei: 'Ik ben zo terug. Ik zie je wel in het motel.'

Hij liep de trap af, gevolgd door Delores Bland, die me had beloofd dat ze contact met me zou opnemen zodra ze van haar broer had gehoord. Billy vertelde dat hij een goede timmerman in Bridgton wist en dat we daar bij de plaatselijke Sears de keukenapparatuur konden uitzoeken.

'Kun je die timmerman meteen even bellen om te horen of hij vandaag al kan beginnen?' vroeg ik.

'Ik vraag het 'm.'

'Kom maar bij het motel langs, dan gaan we samen naar hem toe. Ik wil er echt vaart achter zetten.'

'Mij best,' zei Billy met alweer zo'n rare grijns.

Ik ging met Jeff naar het motel om op Dan en een bericht van Billy te wachten. Ik keek om me heen en dacht: hoe eerder ik hier weg ben, hoe beter.

Jeffrey sliep godzijdank als een roos. Ik ijsbeerde door de kamer en vroeg me af wat ik kon doen, hoewel ik best wist dat ik even niets kon uitrichten. Eindelijk, twee uur later, belde Billy dat hij de timmerman had gesproken en dat hij me over een halfuur kwam ophalen.

'Ik moet wel mijn zoontje meenemen,' zei ik.

'Dat is prima,' zei hij. 'Ik houd wel van baby's.'

Een paar minuten na het telefoontje kwam Dan opdagen. 'Sorry dat het zo lang duurde, maar dat jongetje had inderdaad een acute blindedarmontsteking. Ik ben meegegaan naar het ziekenhuis. Als het goed is, ligt hij op dit moment op de operatietafel.' Hij zei dat hij zich die middag met alle plezier over Jeffrey wilde ontfermen zodat ik een paar uur zou kunnen slapen, maar ik vertelde hem dat Billy er ieder moment kon zijn.

'Je laat er geen gras over groeien.'

'Dat moet toch ook wel?'

'Ik bedoelde er niets mee.'

'Weet ik. Ik ben vandaag een beetje opgefokt.'

Hij lachte. 'Kan ik je ook niet kwalijk nemen.'

Er werd op de deur geklopt. Het was Billy. 'Ik stoor toch niet?' vroeg hij.

Billy had een aftandse Plymouth stationcar die minstens tien jaar oud was. Het was net een vuilnisbelt op wielen. De stoelen voor zaten onder de verfspatten en de achterbank was bedolven onder de verfblikken, gebruikte kwasten, flessen terpentine, afdekplastic, een trapleertje, allerhande gereedschap, een volle asbak en een verzameling milkshakebekers van Miss Pelham.

'Ik zie dat je graag bij Miss Pelham eet,' zei ik.

'Het is ook goed spul.'

Hij zweeg.

'Welke vind je het lekkerst?'

'Toffeesmaak, met een extra schep mout.'

'We kunnen er na de timmerman en Sears wel even langsgaan,' opperde ik.

'Goed idee.'

Weer een stilte.

Billy begon dus zelf geen gesprekken. Hij gaf wel antwoord op vragen en verzonk dan meteen in zijn eigen gedachten, wel altijd met een vriendelijke grijns en een sigaret tussen zijn bruine tanden. Na enig aandringen ontlokte ik hem dat hij in Pelham was geboren, enig kind was en dat zijn vader er toen hij klein was vandoor was gegaan. Hij was op zijn achtste naar een school gestuurd voor 'kinderen zoals ik', kwam in de vakanties naar Pelham en had altijd speciaal onderwijs genoten. 'Op mijn achttiende ben ik bij mijn oom Roy in Lewiston in de leer gegaan. Hij heeft een aannemersbedrijfje. Ik heb drie jaar voor hem gewerkt en daar heel veel geleerd.'

'Waarom ben je dan teruggegaan naar Pelham?'

'Omdat mijn moeder ziek werd en ik voor haar moest zorgen. Daarbij is Lewiston best een grote stad. Nou ja, voor mij dan.' Een jaar later was zijn moeder overleden en sindsdien werkte hij als klusjesman annex loodgieter. 'Niet dat er hier veel werk is, maar als er een leiding springt of als er ergens wat opgeknapt moet worden, dan bellen ze mij.'

'Heb je ooit naar de waterleiding bij dokter Bland gekeken?'

'Nee. De dokter deed altijd alles zelf. Hij kon veel, onze doc.'

'Maar een loodgieter was hij niet.'

Hij bulderde van het lachen en zei: 'Ik weet van niets, mevrouw.'

'Zeg toch Hannah.'

'Afgesproken, mevrouw Hannah.'

Billy was dan misschien geen prater, maar toen het ging om het onderhandelen met de timmerman en het bedingen van korting bij Sears – voor de wc en de tegels – bleek hij een kei. Ik betaalde alles en op de terugweg gingen we langs bij Goodwin's. Hij kocht twee 'verschrikkelijke milkshakes' en dronk ze in de auto op.

Terug in het motel trof ik een lege kamer aan, dus ik liep meteen door naar de praktijk. Dan zat in zijn eentje te werken.

'Waar is Jeff?' vroeg ik.

'Zuster Bass heeft aangeboden hem vanmiddag onder haar hoede te nemen. Dat kwam goed uit, want het biedt mij mooi de gelegenheid wat administratie te doen.'

Ik liet me doodmoe in de stoel tegenover het bureau vallen. Ik leek wel een patiënt. Sinds de geboorte van Jeffrey was ik constant afgepeigerd en waar ik op dat moment behoefte aan had, was dat mijn man naar me toe liep, me in zijn armen nam en me verzekerde dat alles goed zou komen. Niets van dat alles: hij roffelde ongeduldig met zijn balpen op de stapel papieren en maakte de indruk dat hij het liefst met rust gelaten werd.

'Wat denk je?' probeerde ik. 'Hebben we een kapitale fout gemaakt?'

Het roffelen hield op. 'Wat bedoel je?'

*Ik bedoel ik, jij, hij, alles!* In plaats daarvan zei ik: 'Ach, ik zit te zeuren.'

'Meende je nou wat je zei?'

Ik stond op. 'Misschien ziet een en ander er beter uit als we eens een nacht goed slapen.'

'Hoe was de expeditie met... Hoe heet hij ook alweer?'

Ik bracht hem op de hoogte van de aankopen en zei dat Billy, hoe vreemd hij ook was, wist waar hij mee bezig was. 'Hij heeft straks een offerte. Hij hoopt dat het met de keukenapparatuur en de badkamer nét onder de duizend dollar blijft. En dat is maar goed ook, want meer hebben we niet.'

'Vergeet niet dat Delores zegt dat alles vergoed wordt.'

'En als ze daar nou eens op terugkomen?'

'Geloof me nou maar als ik zeg dat dat niet gebeurt.'

'Hoezo?'

'Omdat ik hier de dokter ben en Pelham me niet kwijt wil raken,' zei hij doodkalm, maar de harde ondertoon was me niet ontgaan, ook niet toen hij zei: 'Geef me een halfuur, oké? Zuster Bass woont in het tweede huis links in Longfellow Street. Ik denk dat ze je zo langzamerhand wel verwacht.'

Ik liep de praktijk uit en was niet erg blij met de manier waarop hij me had toegesproken.

Longfellow Street stond haaks op Main Street en algauw zag ik de bungalow van zuster Bass. Ik liep de paar treden van het stoepje op en hoorde een televisie blèren. Ik belde aan en zuster Bass deed meteen open. Ze had een sigaret in haar mondhoek en Jeffrey op haar arm. Hij had een mij onbekende speen in zijn mond.

'Hallo,' zei ze.

'Bedankt voor het oppassen.'

'Mijn moeder past op Tommy als ik werk en ik dacht... misschien kan ze Jeffrey er wel bij nemen.'

'Dat zou fantastisch zijn.'

'Heeft Billy nog iets met de timmerman kunnen regelen?'

'Ja zeker.'

'Billy is een aardige vent, zeker gezien, eh... zijn probleem en wat hij allemaal heeft meegemaakt.' Ze vertelde me dat hij was geboren met de navelstreng om zijn nek en dat hij daardoor hersenbeschadiging had opgelopen. 'Zijn moeder kon het allemaal niet aan. Nou moet je weten dat ze altijd op de verkeerde mannen viel. Een van die dronkelappen heeft Billy op zijn achtste zó hard geslagen dat het joch naar het ziekenhuis in Portland moest worden gebracht. Het arme kind heeft een week aan de slangen gelegen. Toen hij hersteld was, is zijn moeder uit de ouderlijke macht ontzet en heeft hij een jaar of tien in kindertehuizen gezeten. Het enige positieve van het hele verhaal is dat de vent die hem dat had aangedaan drie dagen na zijn arrestatie dood in zijn cel is aangetroffen.'

'Zelfmoord?'

'Dat is de officiële versie. En het kon niemand verder iets schelen, want wat de mensen hier betrof, was er recht geschied. Het vreemde is dat toen Billy van school af was en in Lewiston het vak had geleerd, hij terug wilde naar zijn moeder. Ik kan je vertellen dat ze toen al heel ver heen was. Ze had levercirrose. Maar ze vond het heerlijk dat hij weer bij haar introk. Twee jaar daarna is ze gestorven. Billy was er kapot van, nou ja, voorzover hij dat kon tonen, natuurlijk. Het is een bijzondere figuur: er zit geen kwaad bij en hij zal zich nooit negatief over iemand uitlaten, wat in Pelham al vrij uniek is.'

'Is dat nou echt zo?'

Ze reageerde met een wrange glimlach.

De dag erna liep ik met Jeffrey Miller's kruidenierswinkel in. Het was de enige zaak waar je levensmiddelen kon kopen, een echte, authentieke winkel van Sinkel. Naast de gebruikelijke conserven en etenswaren die er werden verkocht, was het ook een slagerij, sigaren-, kranten- en tijdschriftenzaak. Ik was nog niet binnen of de vrouw achter de toonbank – ze was begin vijftig, had een gerimpeld gezicht, een schort voor, een sigaret in haar mondhoek en krulspelden in haar haar – knikte naar me en zei: 'Jij bent de vrouw van dokter Buchan, nietwaar?'

'Ja, dat ben ik,' zei ik met iets wat niet anders dan een verbaasde blik kon zijn geweest.

'Kijk je daarvan op? Dit is maar een kleine gemeenschap, hoor. Ik hoor dat je niet erg te spreken bent over het motel.'

'Ik heet Hannah,' zei ik en ik stak mijn hand uit.

'Dat weet ik,' zei ze terwijl ze me met enige tegenzin een hand gaf.

'En dit is Jeffrey.'

'Lief kind,' zei ze ongeïnteresseerd.

Ik bleef glimlachen en vroeg: 'En jij bent...?'

'Jessie Miller.'

'Prettig kennis met je te maken.'

Twintig minuten later liep ik de zaak uit. Jessie Miller was eigenlijk best vriendelijk. Niet dat we nou hartsvriendinnen waren geworden of dat ze erg tegemoetkomend was (zo overtuigend was mijn optreden ook weer niet geweest), maar ze was beleefd en aardig.

De dagen erna was ik charmant en vriendelijk tegen iedereen die mijn pad kruiste, zelfs als het even tegenzat met de renovatie. De timmerman had gemeld dat er een paar dagen vertraging zou zijn met de levering van de keukenkastjes.

'Ik hoop niet dat u nou boos op me bent,' zei Billy.

'Waarom zou ik? Jij kunt er toch niets aan doen?'

'Jessie Miller heeft me anders de huid vol gescholden toen de timmerman achterstand had opgelopen bij het maken van de schappen.'

'Maar ik ben Jessie Miller niet.'

Dat vond hij erg geestig. 'Dat is helemaal waar.'

Hij was het ook met me eens toen ik zei dat zuster Bass niet erg toeschietelijk leek en dat me was opgevallen dat buitenstaanders in Pelham met een scheef oog werden bekeken.

'Zo gaat het hier, mevrouw. Ze kijken de kat uit de boom, snapt u?'

'En als ze je kénnen?'

'Dan zijn ze helemáál achterdochtig.'

Steeds als Billy iets grappigs zei, bulderde hij niet alleen van het lachen, maar draaide hij zich om, net alsof hij niet wilde dat iemand hem zag schuddebuiken. Hij vond het moeilijk je in de ogen te kijken. Als ik wat zei, draaide hij zich om, sloeg zijn ogen neer of keek naar de muur, zolang hij me maar niet hoefde aan te kijken. Toch was hij in het geheel niet traag van begrip en wist als geen ander wat er in het stadje speelde. Hoe vreemd hij ook overkwam, hij was oprecht geïnteresseerd en altijd hulpvaardig.

Ongeveer een week na het begin van de renovatie kon ik de slaap niet vatten. Ik stond om middernacht op, keek of Jeffrey er goed bijlag en legde een briefje op mijn hoofdkussen om Dan te laten weten dat ik een blokje om was. Ik ging het motel uit en liep naar Main

Street. Het was volle maan. Terwijl ik langs Miller's, de bibliotheek, het dorpsschooltje en de diverse kerken die het stadje rijk was liep, moest ik denken aan een halfjaar geleden, toen Dan en ik naar Pelham waren gereden om kennis te maken met Ben Bland en het stadje te bekijken. Dokter Bland was een bijzonder relaxte man, die ondanks zijn schouderlange haar en grote snor, heel populair was. Pelham, zo had hij ons verteld, was een kleine, hechte, maar redelijk ruimdenkende gemeenschap, waar je de voordeur open kon laten staan en waar iedereen naar de kerk ging (hoewel daar verder niet al te zwaar aan werd getild). Het lag een kwartier rijden van het Sebagomeer, een van de mooiste wateren van het noordoosten, en slechts een halfuur van de skipiste van Bridgton. Ik weet nog dat ik in Miss Pelham zat en dacht: zo rustiek en onbedorven. Dit is het ware Amerika.

Terwijl ik nu door het stadje wandelde, dacht ik: ik had ook in Parijs kunnen zitten.

Mijn wat sombere gedachten werden verstoord door een licht dat ik ergens in de verte zag branden, om precies te zijn: het licht in het appartement boven de praktijk. Ik liep erheen en zag het silhouet van Billy die op een trapleertje stond, een verfroller in de hand en een sigaret in zijn mondhoek. Ik keek op mijn horloge. Het was bijna kwart over twaalf en ik voelde me schuldig dat hij nog zo laat voor ons aan het werk was.

Ik liep de trap op en klopte op de deur. Er stond een radio aan en ik meende een verslag van een honkbalwedstrijd te horen. Ik deed de deur open. Billy stond nog op het trapleertje, zijn rug naar de deur. Ik wilde hem niet aan het schrikken maken, dus ik zei heel zachtjes: 'Billy?'

Hij schudde verward het hoofd, draaide zich om en glimlachte. 'Hé, mevrouw Buchan.'

'Weet je wel hoe laat het is?'

'Nee. U wel?'

'Over twaalven.'

'De Red Sox spelen tegen de Angels.'

'Pardon?'

'De Red Sox spelen vanavond in Californië, daarom zijn ze nog zo laat bezig. Het tijdsverschil, weet u wel? Bent u een fan van de Red Sox? Ik wel. Mijn vader ook, zeggen ze.' Hij glimlachte verlegen. 'Rokertje?' vroeg hij en hij diepte een verfrommeld pakje uit zijn overall.

'Graag,' zei ik en ik nam er een uit. Hij pakte een doosje lucifers en gaf me een vuurtje. 'Vind je het prettig om op dit uur te werken?'

'Ik ben niet zo'n slaper. En de boel moet ook af. U moet zo snel mogelijk uit dat motel weg, mevrouw.'

'Ik heb je al zo vaak gezegd dat je Hannah mag zeggen,' zei ik. Om hem op zijn gemak te stellen, raakte ik zijn arm even aan, maar daar schrok hij van en hij trok zijn arm gauw weg.

Ik voelde me opgelaten en zei: 'Neem me niet kwalijk als...'

Hij schudde zijn hoofd, wat ik maar opvatte als een teken dat ik er verder geen woorden aan vuil moest maken, en hij begon al rokend te ijsberen. Ik wilde wat zeggen, maar bij nader inzien leek het me beter mijn mond te houden. Na een minuut of wat gooide hij zijn peuk op de grond, trapte hem uit en stak er weer een op. 'Ik moest maar weer eens aan de slag.'

'Billy? Het spijt me. Het was niet mijn be...'

Hij wuifde het weg en zei: 'Ik ga weer aan het werk.'

'Oké,' zei ik, hoewel ik wist dat het helemaal niet oké was. Ik wist niet wat ik er verder aan kon doen en ging maar weg.

'Tot morgen,' zei ik.

Hij keek weg en zei niets.

De volgende ochtend liep ik met Jeff in de wandelwagen naar het appartement. Ik was er tegen elf uur en Billy was alweer aan het werk. Toen ik binnenkwam, knikte hij zuinigjes, kwam het trapleertje af en bood me weer een sigaret aan.

'Je bent hier toch niet de hele nacht gebleven?' vroeg ik.

'Nee hoor. Ik was om... Ik weet het niet, tegen zonsopgang was ik thuis.'

'Dat was om een uur of halfzeven. Je hebt toch zeker meer dan vier uur slaap nodig?'

'Nee, dat is precies genoeg voor mij. U moet zo snel mogelijk dat motel uit en als alles goed gaat, kunt u hier volgend weekend intrekken.'

'Dat zou prachtig zijn, maar het moet natuurlijk niet ten koste van jouw nachtrust gaan.'

'U moest echt eens met Estelle Verne praten,' veranderde hij van onderwerp.

'Met wie?'

'Met Estelle Verne. Ze is de bibliothecaresse hier. Ze heeft een vacature.'

'O?'

'Ik heb haar al verteld dat u graag wilt werken.'

'Heb ik dat dan ooit gezegd?'

'Nou, eh... Dat niet, maar het ís toch zo?'

'Dat weet ik nog niet. Ik heb Jeff natuurlijk en...'

'De moeder van Betty Bass kan toch op hem passen?'

Wat was het toch een dorp. Iedereen wist alles van iedereen.

'Haar moeder is een best mens. Het ziet er daar thuis misschien niet zo netjes uit, maar ze is heel goed met kinderen.'

'Ik zal het er morgen met haar over hebben, oké?'

'Gaat u dan ook even langs Estelle?'

'Toe maar! Wat ben je toch een regelneef.'

'Ik wil alleen dat u hier gelukkig bent, mevrouw.'

'Dat ben ik toch?'

'Nee, dat bent u niet,' zei hij terwijl hij zijn sigaret uittrapte.

Hij draaide zich om, pakte de verfroller en ging weer aan de slag, wat ik maar opvatte als het einde van de conversatie.

Een beetje in verwarring gebracht liep ik de trap af en ging naar de praktijk. Zuster Bass zat achter de balie. Ze knikte naar me, keek op de papieren die ze voor zich had liggen en zei: 'De dokter heeft een patiënt.'

'Oké,' zei ik. 'Zeg maar dat ik langs ben geweest, maar dat het verder niet belangrijk is.'

Ik draaide me om en liep naar de deur, maar hoorde zuster Bass nog vragen: 'Ga je nou nog in de bieb werken?'

Ik dwong mezelf te glimlachen en zei: 'Ik zie wel.'

# 6

HET GEBEURT MAAR zelden dat je iemand tegenkomt met wie het direct klikt, van wie je vermoedt dat het wel eens je beste maatje kon worden, en in mijn geval was dat Estelle Verne. Zodra ik over de drempel van de bibliotheek stapte, voelde ik me op mijn gemak.

'Aha! Dus jij bent mijn nieuwe assistent?' vroeg ze toen ik naar haar bureau liep.

'Kom ik hier dan werken?' vroeg ik verbaasd.

'Ik heb zo'n voorgevoel van wel.'

'Zonder sollicitatiegesprek of zo?'

'Waarom niet? Zodra ik je zag, wist ik dat je de juiste persoon was.'

'Hoezo?'

'Pelham is een gehucht en iedereen die ik heb gesproken, vertelde me dat je een zelfstandig type bent, dus ik dacht meteen: die moet ik hebben.'

Estelle Verne was rond de vijftig, hoogstens een meter vijftig, had een scherp gezicht en kort, peper-en-zoutkleurig haar. Aan haar oogopslag zag ik al dat ze niet zo stug was als de andere vrouwen met wie ik had kennisgemaakt. Integendeel, ze straalde iets ondeugends uit en ik zag meteen dat het een intelligent en bijzonder mens was.

Ze vertelde me dat ze geboren en getogen was in Maine. Ze was opgegroeid in Farmington, waar haar vader lesgaf aan de pedagogische academie, en dat ze aan de universiteit van Maine in Orono Engels had gestudeerd met als bijvak bibliotheekwetenschappen. Na haar studie had ze een baan gekregen bij de Carnegie Bibliotheek in Portland en daar tot aan haar dertigste gewerkt, want op een goede dag kwam er man van in de dertig die vroeg of ze *Babbit* van Sinclair Lewis had staan.

'Dat leek me een bewijs van goede smaak en hij zag er best redelijk uit: goedgekleed, hij was beleefd en zo te zien leergierig, want hij vroeg altijd of ik hem wat kon aanbevelen. Zo ontmoette ik George Verne. Hij was net als zijn vader vóór hem bankdirecteur in Pelham, een plaatsje waar ik nog nooit van had gehoord. Hij zat eens per week voor zaken in Portland, was vrijgezel en op zekere dag vroeg hij me of ik zin had met hem te gaan lunchen. We gingen naar een klein tentje in de buurt van de bibliotheek en hoewel ik hem een beetje saai vond, was hij wél intelligent. Ik vond het leuk dat hij geïnteresseerd was in boeken, actuele zaken en ideeën. Hij had een hoop verhalen over de drie jaar dat hij in Italië onder generaal Patton had gediend en hoe dat land was bevrijd. De week daarop kwam hij het boek van Sinclair Lewis terugbrengen, wilde weten of we James Jones' *From Here to Eternity* hadden staan en nodigde me weer uit voor de lunch. Zo is het begonnen. Ik was best in mijn nopjes. Vergeet niet dat ik al dertig was, op kamers woonde en het idee ooit te trouwen en kinderen te krijgen al had opgegeven. Je moet weten dat de meeste mannen niet erg gecharmeerd waren van mijn scherpe tong; ik zei altijd precies waar het op stond. Hem kon het blijkbaar niets schelen. Integendeel, ik geloof dat hij me daardoor wel iets werelds vond hebben en als je uit Pelham komt, is dat waarschijnlijk ook zo.'

De wekelijkse lunches werden wekelijkse dinertjes en na een maand of drie had hij Estelle uitgenodigd voor een weekend in Pelham, waar hij met zijn moeder, een weduwe, in een zijstraat van Main Street woonde. Mevrouw Verne was niet in erg goede gezondheid, maar ze zwaaide thuis nog altijd de scepter.

'Ik geloof dat ze me wel mocht, juist omdat ik eigenzinnig was. Daarnaast wist ze dat ze niet lang meer te leven had – ze had botkanker – en vond ze het plezierig te weten dat er nu een andere vrouw was om haar zoon te betuttelen. Tenminste, dat denk ik. Geloof me, als je het huidige Pelham een gat vindt, dan had je het in 1953 moeten zien... Mevrouw Verne was een gisse oude dame en ze begreep maar al te goed dat ik Pelham zag als een levenslange gevangenisstraf. Op zekere dag, een paar uur voordat George me naar Portland zou terugbrengen, zei ze tegen hem dat hij een uurtje moest opkrassen, en nam me mee naar wat ze de "salon" noemde. Zo'n type was het wel, weet je. Enfin, daar deed ze me een voorstel: als ik me in Pelham wilde vestigen, met George trouwde en voor een stamhouder zorgde, zou zij me een bibliotheek schenken. Jawel, mijn eigen bieb. Destijds had de kerk hier misschien drie stapeltjes boeken voor de uitleen, maar daar hield het ook mee op. Ze stelde voor dit gebouw, waar voor die tijd veevoer werd verkocht, te laten renoveren en beloofde me tienduizend dollar voor de aanschaf van boeken. Ze was niet onbemiddeld en wilde het liever zó uitgeven dan dat de belastingdienst ermee aan de haal ging. Ga maar na: de bibliotheek was een mooie aftrekpost én haar zoon was onder de pannen. Ik dacht: er lopen gekkere mannen dan George rond, als het meezit krijg ik kinderen én een bibliotheek waar ik precies kan doen en laten wat ik wil. Ik vraag George om een tweedehands auto als huwelijksge-schenk, dus als ik er even uit moet, kan ik altijd naar Portland.'

Algauw bleek dat het leven met George nogal saai was. Hij was vre-selijk op de centen en bovendien was hij een stille drinker, die iedere dag een fles sterkedrank soldaat maakte. Kinderen waren er nooit ge-komen. ('Ik heb me altijd afgevraagd of al die whisky daar debet aan was.') Ze groeiden uit elkaar en toen de oude dame twee jaar na hun huwelijk overleed, leidden de Vernes in feite gescheiden levens.

'Het kon me niet veel schelen. Mevrouw Verne had woord gehou-den en de bibliotheek was er gekomen. Ze heeft zelfs haar invloed nog aangewend om subsidie te krijgen. Dit jaar, toen de Democraten eindelijk de gemeenteraadsverkiezingen van Bridgton en omstreken wonnen – ja, zo zien ze ons hier, als "omstreken" – heb ik die centen-knijpers eindelijk zover gekregen dat ze wat geld vrijmaakten voor een assistent.'

Estelle wilde een en ander van me weten, om te beginnen welke boeken ik las. Ze was ingenomen met mijn voorliefde voor Flaubert en Edith Wharton. Ze vertelde me dat ze het boek over Jefferson dat mijn vader had geschreven altijd aanraadde als haar werd gevraagd of ze iets over de Founding Fathers had.

Wat ze ook zei, was dat ze in het begin door iedereen in Pelham met de nek werd aangekeken. 'Al was het alleen maar omdat ze me zagen als de nieuwkomer die de denkwereld – indien aanwezig – van de jongelui hier even kwam beïnvloeden door Mailers *The Naked and the Dead* uit te lenen. Pas na een jaar of twee had ik het gevoel dat de autochtonen me hadden geaccepteerd.'

'Dus moet ik er maar vanuit gaan dat ik hier komende zomer als buitenstaander vertrek.'

'Zonder al te pessimistisch over te willen komen: ja, daar komt het wel op neer. Enfin, je hebt in míj in elk geval een bondgenoot.'

De baan was me op het lijf geschreven: ik werkte vijf dagen per week van halftien tot twee en verdiende zestig dollar in de week. Het ging me niet eens om het geld, maar meer om een reden te hebben om 's ochtends mijn bed uit te komen en iets anders aan mijn hoofd te hebben dan de zorg voor een baby. Het feit dat ik naar iets kon uit-kijken, zou de verhouding tussen mij en Dan ongetwijfeld goeddoen. Ik was nu eenmaal niet in de wieg gelegd voor de rol van moeder en huisvrouw. Zonder werk voelde ik me niet lekker en als ik alleen maar thuiszat, werd ik chagrijnig.

'Je moet natuurlijk wel een oppas zoeken,' zei Estelle. 'Ik weet dat het niet de zonnigste figuur is, maar...'

Ik schoot in de lach. 'Hoe kún je dat nou zeggen!'

Die ochtend liep ik met Jeffrey langs bij de praktijk. Zoals gewoonlijk zat zuster Bass achter de balie.

'Ik heb een baan in de bieb,' zei ik.

'O,' was haar enthousiaste antwoord.

'Ik wilde het graag met je moeder over het oppassen hebben.'

'Kom vanavond maar even langs dan.'

Barbara London stond erop dat ik haar Babs noemde. Ze was in alles de tegenpool van haar dochter: bijzonder vriendelijk en opgewekt. Ze liep tegen de zestig, was stevig gebouwd en ze was, zo bleek, altijd gehuld in een kamerjas die onder de babyvoeding en as zat. Hoewel ik zowat een pakje per dag rookte, viel mijn rookgedrag in het niet vergeleken bij dat van haar. Het leek wel of ze drie sigaretten tegelijk rookte, maar ze was zó aardig dat het me verder niet deerde.

'Dat noem ik nog 's een schat van een kind,' zei ze toen ze Jeffrey oppakte. En tot mijn grote verbazing had mijn zoon geen enkel bezwaar tegen de onbekende handen. 'Wij worden vast en zeker goede maatjes,' zei ze tegen hem. 'Reken maar dat we hier plezier zullen hebben.'

Dat 'hier' was de woonkamer van het huis waarin ze woonde samen met haar dochter, kleinzoon en schoonzoon Tony, die de plaatselijke garage runde en net zo nors overkwam als zijn vrouw. Terwijl ik met Babs stond te kletsen, kwam Tony in een overall en een T-shirt de kamer in, een blikje bier in de hand. Hij was broodmager, had een dunne snor en hondenogen. Hij had flinke spierballen en op zijn linkerarm een flinke tatoeage van het korps mariniers, met daaronder in rode inkt de woorden SEMPER FIDELIS.

'Hallo,' begroette hij me.

'Dit zijn de vrouw van de dokter en Jeffrey,' zei Babs.

'U heeft een Volvo, klopt dat?'

'Ja.'

'Dacht ik al. Goed, ik moet ervandoor.' Hij liep richting voordeur, maar voor hij de deur uit was, kwam zijn vrouw met hun zoontje Tom op haar arm de keuken uit.

'Waar ga je heen?' vroeg Betty.

'Ergens,' was het antwoord. Hij stond al buiten.

'Heeft hij jou gezegd waar hij heen ging?' vroeg ze haar moeder.

'Ja. Ergens,' luidde Babs' antwoord. Ze wendde zich tot mij en vroeg: 'Jij ook een biertje?'

Ik nam een blikje bier en een sigaret aan. Betty zette haar zoontje in de box, waarop Babs Jeff oppakte en hem naast Tom legde. De box lag bezaaid met speelgoed en de spijlen konden wel een natte spons gebruiken, maar ik stond er maar niet te lang bij stil.

'Goed, wijfie,' ging Babs verder, 'als Betty werkt pas ik toch op Tom, dus Jeffrey is maar wat welkom in dit vrolijke huishouden.' Ze schonk haar dochter een tandeloze glimlach.

'Fijn,' zei ik. Ik vertelde om welke uren het ging en vroeg wat ik haar per week schuldig was.

'O, noppes,' zei ze. 'Ik zeg al, ik pas tóch op die kleinzoon van me, dus...'

'Ik wil toch echt dat u wat van me aanneemt,' zei ik.

'Goed dan. Vijf dollar.'

'Per dag?'

'Terwijl jij maar zestig per week verdient? Nee, zeg! Vijf dollar per week. Kan ik van roken, zie je?'

Die avond, toen Dan thuiskwam, zag ik tot mijn grote verbazing dat hij zijn haar had laten knippen. Het schouderlange haar was verdwenen en hij had zich een kort koppie laten aanmeten.

'Wacht eens even,' zei ik. 'Ga je in dienst?'

Hij was moe en kon er niet om lachen. 'Dus je vindt het niks?' klonk het korzelig.

'Ik sta niet te juichen. Je ziet eruit als een instructeur in het leger.'

'Het leek me beter het te laten knippen omdat...'

'Ja, ja. Om je aan de omgeving aan te passen.'

'Iets in die geest, ja. Jij vindt dat natuurlijk maar conformistisch en...'

'Toe nou, Dan.'

'... in strijd met die alternatieve beginselen van je.'

'Waarom doe je zo vervelend?'

'Omdat ik doodop ben.' Hij schopte zijn schoenen uit en liet zich op het bed vallen. 'Ik heb een rotdag gehad.'

'Dus reageer je dat maar op mij af?'

'Doe ik dat dan?'

'Ik dacht van wel.'

'Je baalt hier, hè?'

'Van dit afschuwelijke motel ja.'

'Daar heb ik het niet over.'

'Zeg,' zei ik om het maar ergens anders over te hebben, 'ik heb een baantje in de bieb.'

'Dat heb ik gehoord.'

'Wat vind je ervan?'

'Ik vind het prachtig. Zuster Bass vertelde me dat haar moeder op Jeff gaat passen. Geen slechte zet gezien de verhoudingen.'

'Babs lijkt me een leuk mens. Het enige is dat het er wel een beetje...'

'Ja?'

'... een beetje smerig is.'

'Toch niet té?'

'Nee, ik zou Jeffrey nooit ergens achterlaten als ik niet het gevoel had dat het goed zat.'

'Dat weet ik.'

'Dat is meegenomen.'

'Ga je weer ruziemaken?'

'Ik? Jij begint.'

De dag daarop vertrokken we uit het vreselijke motel, maar pas nadat we een rekening van tweehonderd dollar betaald hadden. Dan verdiende maar zeshonderd dollar per maand, maar dat salaris was gebaseerd op het gebruik van dokter Blands huis, dus het was ronduit zuur dat we een dergelijk bedrag kwijt waren aan twee weken 'woongenot'.

'Maak je geen zorgen. Ik zorg wel dat ik het terugkrijg.'

'Ik heb Billy een cheque van zeshonderd dollar gegeven. Dat zijn dan wel alle kosten die hij heeft gemaakt, maar dat neemt niet weg dat we nu blut zijn.'

'Ik ga wel even achter Delores Bland aan.'

'Nee, laat mij dat maar doen. Houd jij je nou maar met je patiënten bezig, dan regel ik de verhuizing wel.'

In feite organiseerde Billy alles. De paar meubels die we hadden, waren opgeslagen in een schuur die Billy voor ons had gevonden. Hij had alles opgehaald, het bed in delen de smalle trap op gesjouwd en in het fris uitziende appartement weer in elkaar gezet. Omdat het er zo klein was, hadden we alleen maar ruimte voor het bed, een ladekastje, een bank, een gemakkelijke stoel en een eenvoudige eetkamerset.

Billy had vakwerk afgeleverd, zeker als je bedacht hoe het appartementje eruit had gezien. De muren waren fris wit geschilderd, de plankenvloer was geschuurd en gelakt, de keuken geheel vernieuwd, net als de badkamer die er nu niet meer uitzag als een gevaar voor de volksgezondheid. Ik moest me maar verzoenen met het feit dat we in zo'n klein flatje gingen wonen, maar het was al fijn dat het er schoon en licht was en dat we onze eigen spullen om ons heen hadden. Billy was fantastisch (hij was die ochtend al om zeven uur begonnen) en tegen de tijd dat Dan thuiskwam, was de hele bups uitgepakt en neergezet.

Toen hij de houten trap op kwam, had hij zuster Bass bij zich. Toen ze zag wat Billy voor elkaar had gekregen, was ze oprecht verbaasd. 'Ik kwam even kijken wat jullie gedaan hadden,' zei ze.

'Wat Billy gedaan heeft,' zei ik met een knik in zijn richting. Hij lachte verlegen en ging verder met het ophangen van een plank in de keuken.

'Wil je een biertje?'

'Nee, dank je. Ik heb thuis het een en ander te doen.'

'Mooi geworden, hè?' zei Dan om zich heen kijkend.

'Tja, het is zeker opgeknapt,' zei ze. Ze draaide zich om en liep de trap af.

'Nou, ik vind het in één woord fantastisch,' zei Dan. Hij gaf me een zoen en zei: 'Bedankt voor alles.'

Die avond gingen we met elkaar naar bed, maar hoezeer ik mijn best ook deed, ik voelde me er niet erg bij betrokken. Sinds Jeffreys geboorte hadden we nauwelijks gevreeën.

'Is er wat?' vroeg hij na afloop.

'Nee hoor.'

'Je was niet erg...'

'Omdat ik Jeff niet wakker wil maken.'

'Aha,' zei hij, maar overtuigd klonk het niet.

'Mag ik nu gaan slapen?'

Gelukkig ging hij er verder niet op door en maakte er geen punt van dat ons huwelijk wat dat aanging weinig geslaagd was. Ik wist ook niet hoe het kwam, maar ik wist wel dat het niet aardig van me was, dat ik hem op dat gebied tekortdeed. De enige zekerheid die ik had, was dat mijn leven bestond uit onderbroken slaap en vieze luiers. Als ik de televisie aanzette en beelden zag van een vredesdemonstratie, het concert van The Allman Brothers in Watkins Glen of in *Time* een recensie las van het nieuwste boek van Kurt Vonnegut, dan voelde ik me afgesneden van alles wat 1973 interessant maakte. Iedere ochtend realiseerde ik me dat ik in Nergenshuizen was beland en dat ik weinig meer kon doen dan mijn tijd hier uitzitten. Ik zat in de val en dat was een beangstigend idee. Het ergste van alles was dat ik die val voor mezelf had gezet.

Na een week in ons nieuwe onderkomen kwam mijn moeder langs voor een bliksembezoek. Ze had meteen door dat het niet lekker ging.

'Sinds wanneer heb je geen seks meer met manlief?' vroeg ze me toen we in het appartement aan de whisky zaten.

'Pardon? We vrijen nog wel!'

'Verplichte nummertjes, zeker?'

'Is dat niet een beetje erg bot, mam?'

'Maar het is wél zo. Ach, ik kan het je niet kwalijk nemen, in dit ellendige oord.'

Ik wist niet of ze ons appartement bedoelde of Pelham, maar het kon me verder niets schelen. 'Maken alle huwelijken dan geen mindere fasen door?'

'Draai er maar niet omheen, Hannah. Het straalt ervan af dat het niet echt lekker zit tussen jullie.'

'Het gaat wél goed.'

'Liegbeest.'

Tot mijn verbazing liet ze het daarbij en ze maakte verder geen vervelende opmerkingen over Pelham. Ze zei wel dat ze Estelle aardig vond en zuster Bass (die ze voor de deur van de praktijk tegen het lijf was gelopen) 'een armoedig, chagrijnig wijf'. Al met al was ze minder negatief dan anders, waarschijnlijk omdat het een bliksembezoek was. Ze was op weg naar een lezing over haar werk op het Bowdoin College. Ze had me een paar dagen voor haar komst gebeld en gezegd dat ze in Maine moest zijn, weinig tijd had, maar wel even wilde langskomen om mij en haar kleinzoon te zien.

'Wat is "weinig tijd"?'

'Een halve dag.'

Ze was om elf uur 's ochtends in Pelham en ging om vijf uur weg. Ik liet haar de bibliotheek zien en stelde haar voor aan Estelle Verne. We lunchten in Miss Pelham, waar Dan zich bij ons voegde, maar hij was er met zijn gedachten niet bij en toen zuster Bass hem in het restaurant belde om te zeggen dat de vliezen van een boerin uit de omgeving waren gebroken, moest hij er snel vandoor.

We liepen naar huis en daar vroeg ze me naar mijn seksleven. Ik had haar van tevoren gewaarschuwd dat we krap behuisd waren maar toen ze het zag, zei ze: 'Hemel! Stel dat jullie ruzie hebben, dan kun je je nergens afzonderen...'

'We hebben nooit ruzie,' zei ik. Als ik Pinokkio was geweest, dan was mijn neus een stuk langer geworden.

Mijn moeder sloeg alleen maar haar ogen ten hemel en vroeg wat er in de buurt te doen was.

'Het Sebagomeer is vlakbij en je kunt hier heerlijk wandelen...'

'Zo? Waar heb je dan gewandeld?'

'Nog nergens, eigenlijk.'

'Hoe vaak ben je naar het meer geweest?'

'We gaan komend weekend. Met alle ellende die we hebben gehad...'

'Kijk je veel televisie?'

'Nee. Op dat oude zwartwittoestel van ons kunnen we maar twee zenders ontvangen. Daarbij ben ik niet zo'n televisiekijker. Ik heb mijn werk, ik ben met Jeffrey in de weer...'

'Ik hoor het al: een vol en rijk leven.'

Het was even stil. Ik vocht tegen mijn tranen, wilde het uitschreeuwen van woede en haar vertellen hoe ik over haar dacht. Ze zag dat ik het moeilijk had en geheel tegen haar natuur in kwam ze op me af, pakte me even bij de arm en zei: 'Als het je allemaal te veel wordt, als je geen uitweg ziet, dan kun je altijd naar huis komen.'

Ik keek haar stomverbaasd aan. 'Meen je dat?'

'Natuurlijk en dan bedoel ik jou én Jeff.'

'Dat wil je helemaal niet.'

Ze keek me aan en zei: 'Hoe weet jij nou wat ik wél en niet wil?'

Ze vertelde dat mijn vader een artikel voor *Harper's* had geschreven, ze noemde het een 'jammerklacht', over het feit dat hij op de lijst stond van 'vijanden van het Witte Huis' en dat hij zich sterk maakte voor een officieel onderzoek naar het ontslag van de speciale aanklager van de Watergate-zaak, Archibald Cox.

'Je weet toch van "De massamoord van zaterdagavond"?' Ze doelde op de avond dat Nixon de commissie die de Watergate-inbraak moest onderzoeken had ontslagen.

'Ja, mam. Ik lees de krant en *Time* en ik kijk iedere avond naar het nieuws.'

'*Time*? Dat is de Republikeinse partijkrant. Je kunt net zo goed de *Pravda* lezen.'

'Overdrijf je niet een beetje?'

'Natuurlijk overdrijf ik. En wat dan nog? Ik wil maar zeggen dat je een abonnement op *Harper's* moet nemen, dan kun je lezen hoe je vader over bepaalde zaken denkt en zul je zien dat hij de illusie koestert dat hij invloed heeft op allerhande staatszaken. Onder ons gezegd en gezwegen: hij is natuurlijk maar een tweederangs intellectueel met een leerstoel op een tweederangs...'

Ik had genoeg gehoord en vroeg: 'Waar is papa eigenlijk?'

'In Seattle, op een conferentie van het Historisch Genootschap. Na afloop gaat hij naar Canada, om een dag of tien op Vancouver Island aan zijn boek te werken. Hij weet niet dat ík weet dat zijn nieuwe vriendin meegaat en...'

'Houd maar op, mam.'

'Waarover? Over zijn nieuwste, vierentwintigjarige verovering of over het feit dat hij weer buiten de pot piest?'

'Houd maar op, zei ik toch?'

'Hoezo? Het hoort bij het leven. Stom genoeg heb ik geaccepteerd dat we een "open huwelijk" hebben, dat ik hem mijn andere wang moet toekeren, net moet doen of er niets aan de hand is…'

Ik zag haar slikken en heel even dacht ik dat ze zou gaan huilen, maar toen ik mijn arm om haar heen wilde slaan, deinsde ze achteruit. 'Het gaat wel weer,' zei ze met vastere stem. 'Heus.'

We liepen naar het huis van dokter Bland, dat in een bouwput was veranderd. ('Laat ze niet alleen betalen voor de financiële strop. Ze mogen ook best wat neertellen voor de huwelijksperikelen die dit allemaal heeft veroorzaakt,' raadde ze me aan.) Daarna wilde ze even naar het meer. Als kind had ze daar gekampeerd en ze was er in geen jaren geweest. 'Het wordt tijd dat je weet wat voor moois er op een kwartier rijden te zien is,' zei ze.

Ze had helemaal gelijk: het Sebagomeer was een wonder der natuur, een uitgestrekt, kalm water omzoomd door heuvels met dichte bossen. We waren er op een doordeweekse dag en afgezien van een eenzame kanoër op het spiegelende wateroppervlak, waren we helemaal alleen. We gingen zelfs even pootjebaden. Jeffrey sliep, dus we lieten de wandelwagen staan en liepen de paar meter naar het water. Ze deed haar schoenen uit, stak haar tenen in het troebele water aan de oever en rilde. 'Ik was vergeten hoe gemeen koud het is,' zei ze.

'Ik geloof het verder wel,' zei ik.

'Lafaard.'

We zwegen en keken uit over het meer. Na een paar minuten pakte ze mijn hand. Ik keek opzij, maar ze beantwoordde mijn blik niet. Ze staarde in de richting van het najaarszonnetje dat heel langzaam daalde en het meer in een oranjerood licht zette. Ik geloof zelfs dat ze glimlachte, alsof ze heel even tevreden en gelukkig was, en dat had ik haar in tijden niet zien doen. Ik wilde wat zeggen, maar ik wist niet hoe ik moest verwoorden dat ik van haar hield, maar dat ik aan de andere kant ook bang voor haar was, altijd naar haar goedkeuring streefde, maar dat ze me die niet waard achtte. Ik wilde haar zeggen dat ik wist dat haar leven een aaneenschakeling van teleurstellingen was, dat we nu samen waren en eindelijk eens goed konden praten.

Het leek wel of ze mijn gedachten had geraden, want ze liet mijn hand los en sloeg haar armen om zich heen.

'Brrr…' zei ze.

'Ja.' Het moment was gekomen en weer verdwenen.

'Vierendertig jaar geleden alweer...'

'Hè?'

'Dat ik hier op zomerkamp was. Tjonge, wat had ik een hekel aan de vrije natuur, al was het alleen maar omdat mijn moeder een kamp had uitgezocht voor rijkeluismeisjes. Daar aan de overkant ben ik ontmaagd. Een kampleider heeft mij en die knaap op heterdaad be...'

'Moet ik dat nou echt aanhoren, mam?'

'Ik moest er laatst aan denken omdat die knaap – Morris Pinsker – nu een bekende kaakchirurg is in New Jersey.'

'Hoe weet je dat?'

'Een halfjaar geleden zag ik in *The New York Times* een aankondiging van het huwelijk van zijn dochter Essie.'

'Zei je niet dat het een meisjeskamp was?'

'Hij was van een naburig kamp. Zo nu en dan waren er gezamenlijke activiteiten.'

'En tijdens zo'n gezamenlijke activiteit heb jij die toekomstige kaakchirurg leren kennen en met hem in het bos liggen flikflooien?'

'Ja, het was allemaal nogal prozaïsch. Het gebeurde gewoon, weet je. Ik zag hem voor het eerst bij het kampvuur. Hij vroeg of ik zin had even naar het meer te lopen en voor ik het wist deden we het onder een boom.'

'Je kende hem niet eens? Hoe zei je dat hij heette?'

'Morris. Klopt, al na tien minuten mocht hij zijn hand in mijn broek steken.'

'Vind je het nou echt nodig me dit allemaal te vertellen?'

'Het is de eerste keer sinds al die jaren dat ik hier weer ben.'

'Nou begrijp ik ook waarom je bent langsgekomen...'

'Dat heb je dan goed begrepen. Voor romantische mijmeringen aan het meer.'

'Aha! Dus het was wel degelijk romantisch.'

'Ben je gek! Morris had pukkels op zijn achterste.'

Ik lachte. 'Hoe is het afgelopen?'

'Ze hebben me weggestuurd en ik kon terug naar Brooklyn. Het was een enorme rel. Je grootvader heeft twee maanden niet meer met me gesproken en mijn moeder schold me uit voor hoer.'

'Gezellig.'

'Ach ja, ouders, kinderen... Daar kom je nog wel achter.'

'Ik twijfel er geen moment aan.'

We zwegen even, maar mijn moeder verbrak de stilte. 'Vierendertig jaar. Wat zijn ze snel voorbijgegaan.'

'Vind je? Ik vind een jaar al zo lang duren.'

'Wacht maar tot je vijftig bent, dan vliegt de tijd. Voor je het weet is het Kerstmis, dan knipper je een keer met je ogen en is het zomer. Je beseft dat je nog maar een jaar of vijfentwintig te gaan hebt, maakt de balans van je leven op en ziehier: een bedevaart naar een meer waar je het met een jongen met pukkels op zijn achterste hebt gedaan en...' Jeffrey was wakker geworden en maakte een geluidje. 'Dat is het teken dat ik mijn mond moet houden,' zei ze.

We reden terug naar Pelham. Ze zette me voor de praktijk af en sloeg mijn aanbod om nog een kopje thee te drinken af omdat het de hoogste tijd was om richting Brunswick te gaan. Ze stapte uit om Jeffrey een dikke zoen te geven en zei: 'Lief zijn voor je moeder,' waarop hij een gorgelend geluidje maakte. Toen deed ze iets wat geheel tegen haar natuur was: ze omhelsde me. Misschien geen warme, moederlijke of troostende omhelzing, maar het wás er een, en voor haar was dat al heel wat. 'Niet vergeten, hè? Als je me nodig hebt, weet je me te vinden,' zei ze voor ze wegreed.

'Leuk mens,' zei Estelle de volgende dag. 'Apart.'

'Dat is ze zeker,' zei ik, 'maar helaas, ze is niet echt gelukkig.'

'Dat hoort erbij.'

'Waarbij?'

'Dat krijg je als je eigenzinnig en apart bent. In New York is dat geen punt, maar in Burlington, Vermont? Zie het maar als een windhoos in een waterput. Dat geeft wrijving.'

'Dat is nog een vriendelijke observatie.'

Een windhoos in een waterput. Dat zou mij niet gebeuren.

Mijn baantje was niet echt uitdagend: ik zette boeken terug, leende ze uit, deed de bestellingen en hield me bezig met de weinige bezoekers. Als we acht of tien klanten per dag hadden, was het veel. Eens per week kwamen alle twaalf de leerlingen van de plaatselijke basisschool op bezoek en dat zorgde voor een uurtje vol afwisseling. Als ik eerlijk ben was er niet genoeg werk om een vijfurige werkdag te vullen.

'Weet je wel zeker dat je een assistent nodig hebt?' vroeg ik Estelle in mijn derde week.

'Nodig? Nee, het is puur voor de gezelligheid.'

Estelle was een enig mens. Ze was geestig, slim en had een heleboel interesses. Afgezien van mijn vader was ze de meest belezen persoon die ik kende. ('Wat kan een mens hier anders doen?') Ze ging één weekend per maand naar het museum in Boston, ging naar concerten van het symfonieorkest, struinde de tweedehandsboekhandels op Harvard Square af en at altijd in een visrestaurant aan de haven.

'Heb je er nooit aan gedacht er een baan te zoeken?'

'Ja zeker. Toen ik in Portland werkte en toen George was overleden, dacht ik: grijp je kans.'

'Waarom heb je het niet gedaan?'

'Tja, ik heb eigenlijk geen enkele reden om hier te blijven hangen, afgezien van de bieb natuurlijk, maar ik heb het niet aangedurfd. Stom, hè?'

'Nee,' zei ik. 'Niet echt.'

Ze keek me aan en zei: 'Ik heb eens iemand horen zeggen dat de barricade die je zelf hebt opgeworpen, de grootste is waar je in je leven voor komt te staan.'

'Vertel mij wat!'

Ze bood me een sigaret aan en zei: 'Ach, jij bent nog jong. Over een klein jaar ben je hier weg, dus het is niet bepaald levenslang.'

'Dat weet ik, maar ik realiseer me donders goed dat ik mezelf tekort heb gedaan.'

'Tja, zo gaat het in het leven, maar je kunt er nog best wat aan doen.'

'Zoals wat bijvoorbeeld? Scheiden?'

Ze zweeg.

'Ik heb er wel eens aan gedacht,' bekende ik.

'Gaat het dan zo slecht?'

'Dat ook weer niet, maar… Het is een beetje statisch.'

'Dat geldt voor heel veel huwelijken. Nou ja, de afgelopen maanden waren natuurlijk best heftig.'

'Dat weet ik. De ellende met het huis… Ik moet geduld hebben. Het heeft allemaal een beetje tegengezeten. Ik moet bekennen dat ik niet altijd even gemakkelijk ben.' Ik maakte mijn sigaret uit en pakte er weer een.

'Hoelang zijn jullie samen?'

'Vanaf mijn eerste jaar op de universiteit.'

'Is er sindsdien nooit een ander geweest?'

Ik schudde mijn hoofd.

'Dat is bewonderenswaardig,' zei ze.

'Om niet te zeggen saai.'

'Dat zei ik niet.'

'Nee, maar ik wel.' Ik stak de sigaret op en zei: 'Niet verder vertellen, hoor.'

'Wees gerust. Ik ben de enige hier die je in vertrouwen kunt nemen. Als ik je een raad mag geven: doe je best nou maar. Die Dan van je lijkt me een heel goede vent en iedereen hier is zeer gecharmeerd van hem. Hij wordt erg aardig gevonden. Ik weet dat je het niet gemakkelijk hebt, maar als het in wezen goed zit tussen jullie, kom je er met wat geven en nemen wel uit. Hij slaat je toch niet? Hij is je toch niet ontrouw?'

'Ontrouw?'

'Alle mannen hebben het in zich.'

'Die van jou ook?'

'Nee, mijn George was daar veel te saai voor.'

'Klinkt dat even positief.'

'Een beetje deining had mijn huwelijk zeker goed gedaan, maar deining was wel het laatste waar hij behoefte aan had. Nee, George deed nooit iets wat niet mocht.'

'Mijn Dan ook niet.'

'O, nee? Hoe weet je dat zo zeker?'

'Omdat ik hem ken. Zelfs al zou hij wat willen, hij heeft er geen...'

'Wat?'

'Geen tijd voor. Als arts heb je het veel te druk voor dergelijke zaken.'

Ik wist dat ik Estelle in vertrouwen kon nemen, maar ik wilde haar verder niet vervelen met mijn problemen. Ik moest ervoor waken dat ik de personificatie van mijn problemen werd. Daarbij had ik van huis uit meegekregen dat je het niet de hele tijd over je eigen sores moest hebben. Het viel ook allemaal wel mee. Goed, ons onderkomen was veel te klein, maar we zeurden er niet over omdat we veel te blij waren dat we dat bedompte motel uit waren.

Als ik Billy op straat tegenkwam, vertelde ik hem juist iedere keer hoe tevreden we waren met zijn werk. Hij was zo trouw dat hij om de zoveel tijd met zijn gereedschapskist voor de deur stond en vroeg of er iets te repareren viel.

'Volgens mij vindt hij jou wel leuk,' zei Dan.

'Hou 's op.'

'Als ik zie hoe hij naar je kijkt...'

'Is daar wat mis mee? Je bent toch niet jaloers, hè?'

'Jaloers? Geintje zeker?'

'Ja, Dan, dat was een geintje.'

Omdat ik me had voorgenomen meningsverschillen zo veel mogelijk uit de weg te gaan, begon ik maar snel over wat anders. We hadden nog tien maanden en drie dagen te gaan in Pelham en ik rekende er maar op dat de tijd snel zou gaan.

'Er is maar één manier om het hier uit te houden,' zei Estelle, 'en dat is door heel veel uitstapjes te maken.'

We waren er nog maar net, dus dat leek me nog niet echt nodig. De routine van de dag werd mijn dagelijkse routine. Ik stond om zes uur op en maakte het ontbijt klaar. Dan ging om halfacht de deur uit en ik redderde een beetje in huis totdat ik Jeff bij Babs afleverde. Ik kocht een beker koffie en een muffin bij Miss Pelham en liep naar de bieb. Om twee uur haalde ik Jeff op, zette hem in de auto en reed naar de supermarkt in Bridgton, waar ze meer keus hadden dan bij Miller's. Ik zorgde er wel voor dat ik afgezien van de krant en mijn sigaretten minstens vijf dollar per week bij Miller's besteedde. Als ik geen boodschappen te doen had en het weer het toestond, nam ik Jeffrey mee naar het meer. Langs de oever was een mooi pad waar ik vaak met de wandelwagen liep. Steeds weer was ik onder de indruk van de prachtige natuur en de uitgestrektheid van het meer.

Na het wandelingetje moest ik naar huis om Jeff te verzorgen. Rond zes uur kwam Dan thuis, maar als hij een visite aan huis moest afleggen of als er een patiënt in het ziekenhuis in Bridgton lag, werd het wat later. Hij was gek op Italiaans eten, dus dat maakte ik vaak. Een keer of drie per week aten we wat anders: lamskarbonaadjes, omelet of gehakt.

We dronken altijd een glas wijn bij het eten. Dan hield het op hoogstens twee glazen, want na het eten moest hij zich over dikke orthopediestudieboeken buigen; mijn man wilde wat hij noemde een 'bottendokter' worden en na het jaar in Pelham hoopte hij zich daarin te specialiseren.

Ik kwam daar pas achter toen Tom Killian, de postbode, op een ochtend in oktober de bieb in kwam om te vragen of we boeken over Hornblower hadden. (De helft van de mannelijke bevolking van Pelham was verslaafd aan C.S. Foresters romans over zeevaart.) Tom vertelde dat hij net twee gigantische dozen met boeken op de praktijk had bezorgd en vroeg of Dan een lezer was. Toen ik die middag thuiskwam, lag de stapel boeken al naast de stoel waar Dan 's avonds altijd zat.

Die avond zei ik tijdens het eten: 'Ik zie dat je heel wat van plan bent.'

'Klopt. Ik ga orthopedie doen.'

'Wil je dan orthopedisch chirurg worden?'

'Ik denk er hard over.'

'Als je zoveel studieboeken over het onderwerp bestelt, is het meer dan denken. Waren ze duur?'

'Tweehonderdtwaalf dollar, inclusief bezorgkosten. Zit je daar mee?'

'Natuurlijk niet. Hoe zit het dan met kindergeneeskunde?'

'Dat is nog niet helemaal van de baan.'

'Nou ja, als je een fortuin aan boeken over orthopedie besteedt...'

'Sorry. Ik had het met je moeten bespreken, maar ik was bang dat je teleurgesteld zou zijn.'

'Ik ben eerder verbaasd. Orthopedie is toch nogal technisch?'

'Dat trekt me nou juist, vooral de chirurgie. Er staat de komende tien, vijftien jaar van alles te gebeuren op dat vlak: kunstheupen, plastic gewrichten... Het lijkt me erg interessant en er valt veel in te verdienen. Het is een lucratieve specialisatie.'

'Lucratief?' zei ik. 'Sinds wanneer laat jij je daardoor leiden?'

'Wil jij dan de rest van je leven zo wonen?' vroeg hij en hij wees om zich heen.

'De rest van mijn leven? Dit is maar een tijdelijk onderkomen, toch?'

'Dat weet ik en ik besef ook heus wel dat we in het huis van Bland veel gelukkiger zullen zijn, maar ik heb er geen zin in om op mijn vijfendertigste maar achtduizend dollar te verdienen.'

'Je zou een heel goede kinderarts zijn.'

'En tot mijn vijfenzestigste in de mazelen, luieruitslag en ontstoken amandelen zitten? Is dat dan een uitdaging?'

'Ik zou het wel prettig vinden als je dergelijke zaken met me besprak, niet om je op andere gedachten te brengen, maar omdat we getrouwd zijn en omdat ik op de hoogte gehouden wil worden. Het gaat mij ook aan, weet je?'

'Sorry, Hannah. Je hebt helemaal gelijk. Het zal niet meer gebeuren, oké?'

Wat kon ik anders zeggen dan 'oké' en me afvragen waarom hij dergelijke dingen niet met me besprak, dat in zijn eentje bekokstoofde en mij erbuiten liet? Het leek me het beste er maar niet te lang op door te gaan, dus ik aanvaardde zijn excuses en stoorde hem niet als hij zat te studeren. Het betekende wel dat hij vijf dagen per week met zijn neus in de boeken zat en driftig aantekeningen maakte. Omdat het appartement zo klein was, kon ik niet veel meer doen dan ook lezen, maar ik kreeg wel voor elkaar dat we een keer per week een uur tv-keken. Voor het overige las ik romans en lag ik iedere avond om halfelf in bed.

Op zaterdagochtend werkte Dan, maar op zondag maakten we altijd een lange wandeling. We werden nooit ergens uitgenodigd, al was het alleen maar omdat de meeste jonge stellen met kinderen mensen waren als Tony en zuster Bass, die ons zagen als 'gestudeerde mensen' met wie ze niets gemeen hadden. Zelfs Estelle, hoe aardig ze ook was, had geen behoefte aan verdere sociale contacten. Ze had me verteld dat ze haar huis als beschermd gebied beschouwde en dat ze geen enkele behoefte had aan mensen over de vloer. Bovendien ging ze in het weekend vaak naar Portland of Boston. Om kort te gaan: we hadden alleen elkaar, met dien verstande dat Dan altijd zat te blokken.

Ondertussen was mijn vader weer eens in het nieuws. Hij had voor het oog van de televisiecamera's gezegd dat hij zeer gekant was tegen de beslissing Henry Kissinger en Le Duc Tho wegens het staakt-het-vuren in Vietnam de Nobelprijs voor de vrede toe te kennen. Dat staakt-het-vuren, zag ik hem met die keurige stem van hem beweren, was nog lang geen vrede. Ik belde hem een paar dagen na de uitzending en zoals altijd was hij verheugd van me te horen. Hij had niet veel tijd, zei hij, omdat hij een toespraak moest houden, maar hij was blij dat ik hem op het nieuws had gezien en was ervan overtuigd dat hij nu boven aan de lijst van vijanden van Nixon zou staan. Had ik zijn artikel in *Harper's* gelezen over de financiële machinaties achter de toekenning van de Nobelprijs? Hoe gaat het in Pelham? Alles goed met mijn kleinzoon? Hij moest ophangen, maar beloofde me binnenkort te bellen en sprak de hoop uit dat ik me niet te zeer verveelde.

Ik vulde mijn avonden met lezen, las vijf boeken per week, in mijn baantje liep alles gesmeerd, maar afgezien van de gezelligheid met Estelle gebeurde daar ook niet veel. Jeff ging steeds beter slapen, Dan en ik vreeën twee keer in de week. Ik veinsde interesse, maar eigenlijk voelde ik weinig. Zo nu en dan deed ik maar of ik klaarkwam. Zo kabbelde ons leventje voort, alsof er geen vuiltje aan de lucht was.

'Ik voel me soms net een marionet die iedere dag dezelfde bewegingen moet maken,' zei ik tegen Margy tijdens een van onze wekelijkse telefoongesprekken, 'en ik heb geen idee hoe ik uit deze impasse moet komen, afgezien van het nemen van een wel heel drastische stap natuurlijk. Maar ja, dat geeft veel te veel ellende, dus daar pas ik voor en ik ga gewoon door met de voorstelling. Enfin, het is maar tot juni en dan zijn we hier weg, hoewel we dan wel voor Dans specialisatie zullen moeten verkassen naar een vreselijk oord als Pittsburgh of Milwaukee. Je weet dat Dan iets heeft met dat soort steden. En ik ben gewoon te passief om er wat tegen te ondernemen. Stel dat ik weer zwanger word, dan kan ik de rest van mijn leven helemaal wel vergeten. Interessant allemaal, vind je niet? Ander onderwerp graag. Heb jij nog wat te melden?'

Ze lachte en zei: 'Gelukkig heb je je gevoel voor humor nog.'

'Daar verbaas ik mezelf ook over. Vertel! Maak me eens jaloers en licht me in over je leven in de grote, boze stad.'

'Oké. Wat mannen betreft, tref ik nog steeds de losers. De laatste in de reeks was een toneelschrijver. Zijn nieuwste opus werd ergens in een verbouwd pakhuis opgevoerd. Het ging over de vervolging van Sint-Sebastiaan vanwege diens voorliefde voor jongens. Het onderwerp had al een lampje bij me moeten doen branden, maar goed. Twee dagen na de première vertelde Mark me snikkend en wel dat hij van twee walletjes at, met andere woorden dat hij bi is en niet kan kiezen. Op het werkfront is er wel goed nieuws. Mijn dagen in de museumwinkel zijn geteld. Ik heb een nieuwe baan.'

'Te gek!'

'Dat nou ook weer niet. Dankzij een kruiwagen, dat wil zeggen via een kennis van mijn moeder, ben ik aangenomen bij een van de grootste pr-bureaus hier. En ik neem aan dat het sollicitatiegesprek goed is gegaan, want ik ben aangenomen als junior accountmanager.'

'Kijk eens aan! Ondanks dat klink je een beetje somber.'

'Nou, ik ben niet somber over die baan, maar over Marks reactie op het nieuws. Hij belde gisteren om te vragen of hij de soundtrack van *Company* die ik nog van hem heb kon komen ophalen, dus ik vertelde hem over mijn baan en weet je wat hij zei? "Denk er nog maar eens goed over na. Ben je ooit iemand tegengekomen die op zijn tiende al zei dat hij of zij in de pr wilde gaan werken?"'

'Je trekt je toch niets aan van wat zo'n eikel zegt?'

'Nou ja, hij heeft natuurlijk wél gelijk. Ik weet dat ik mijn ziel en zaligheid verkoop. Zijn die enge Haldeman, die Ehrlichman en al die andere Watergate-figuren ook niet in de pr begonnen?'

'Ja, zeg. Hitler was huisschilder, oké? Betekent dat dat alle huisschilders fascisten zijn?'

'Slecht voorbeeld, Hannah.'

'Je begrijpt wat ik bedoel.'

'Als je er geen zin in hebt, dan neem je die baan toch niet? Dan ga je wat anders doen.'

'Iets nuttigs, bedoel je? Voor het Peace Corps naar Indonesië en daar lesgeven of zo? Ik zie het al voor me: na twee jaar kom ik terug naar New York, ik heb niets om aan mijn curriculum vitae toe te voegen en de meiden die achter een baantje als junior accountmanager aanzitten zijn allemaal drie jaar jonger dan ik. Kan ik weer van voren af aan beginnen. Nee, ik zie de baan meer als een startpositie.'

Vergeet niet dat ze in de pr wel een glaasje lusten, dus dat is tenminste íéts. Trouwens, waarom neem je niet een paar dagen vrij en kom je in het weekend hiernaartoe?'

Die avond legde ik het plannetje aan Dan voor. Ik zei dat Margy me had uitgenodigd, dat Jeff van de borstvoeding af was, de hele nacht doorsliep en...

'Moet je doen,' zei hij.

'Ja, echt?'

'Babs kan de kleine overdag hebben en ik neem het dan na mijn werk van haar over. Het zal je goeddoen er even uit te zijn.'

Ik was vreselijk blij met zijn reactie. Oké, ook verbaasd, maar vooral dolblij dat hij begrip toonde en me de vrije tijd gunde waar ik zo'n behoefte aan had. Voor het eerst in maanden had ik het idee dat hij aan mijn kant stond.

De middag daarop haalde ik Jeffrey op en reed naar Bridgton, naar het enige reisbureau in de regio, en boekte een retour Portland-New York voor over tien dagen. Ik schrok een beetje van de prijs: honderd dollar, maar ik had wat zitten rekenen en dankzij het bedrag dat ik van mijn salaris had gespaard, kon ik de vier dagen en drie nachten in New York nog eens honderd dollar uitgeven.

Vier dagen New York! Het was een droom en Margy maakte die nog mooier, want ze ging niet alleen kaartjes regelen voor de nieuwe show van Sondheim, *A Little Night Music,* maar ook een avondje uit met haar vrienden die, zo zei ze, stuk voor stuk een nogal 'wild' leven leidden.

Ik ging voor de spiegel staan en zag een provinciaals, alternatief huisvrouwtje. Al dat Italiaanse eten en het gebrek aan beweging hadden zich vertaald in zeker drie kilo overgewicht. Ik nam me voor om er voor mijn vertrek minimaal anderhalve kilo af te krijgen.

'Wat is dat voor konijnenvoer?' vroeg Dan toen ik hem lasagne voorzette en mezelf geraspte worteltjes en geitenkaas.

'Ik wil een paar kilo afvallen, meer niet.'

'Je ziet er toch goed uit?'

'Bedankt, maar er kan best wat af.'

'Voor Margy en haar vrienden? Geloof me, niemand die zich daar druk maakt over het feit of je wel of niet te dik bent. Trouwens, je bent toch niet écht dik?'

*Je bent toch niet écht dik?* Dank u zeer, dokter.

Het kon me weinig schelen of Dan wel of niet vond dat ik het lijnen overdreef. Ik hield het konijnendieet stug vol en trof voorbereidingen voor mijn korte vakantie. Babs zou Jeff overdag nemen. ('Ik hoef geen extra geld,' zei ze. 'Breng maar een presse-papier van het Empire State Building voor me mee, je weet wel, met van die sneeuw.') Ook Estelle had er geen enkel probleem mee en ik regelde een taxi die me 's ochtends vroeg naar het vliegveld zou brengen.

Alles was in kannen en kruiken, mijn weekendtas was al drie dagen van tevoren gepakt en ik was klaar voor het vertrek. Margy belde om te zeggen dat ze twee dagen vrij had genomen en me van het vliegveld kwam afhalen.

Twee dagen voor mijn vertrek was ik in de bieb druk bezig met inruimen. Ik zette er vaart achter, omdat ik zo snel mogelijk weer verder wilde lezen in E.B. Whites *This is New York*, toen Dan binnenkwam. Ik keek op de klok aan de muur, zag dat het vijf over elf was en het moment dat ik hem zag, wist ik dat er iets mis was.

'Wat is er?' vroeg ik meteen.

'Mijn vader... Hij heeft een hartaanval gehad.'

Ik deed mijn ogen dicht en, ik geef toe dat het heel zelfzuchtig van me was, ik wist meteen dat ik dat weekend helemaal nergens heen zou gaan.

'Is het ernstig?'

'Nogal. Hij was op zijn werk. Toen ze op de ambulance wachtten, dacht iedereen dat hij dood was. Ze hebben zijn hart weer aan de praat gekregen, maar ze vrezen dat hij hersenbeschadiging heeft opgelopen en...'

Hij beet op zijn lip en deed zijn best zich goed te houden. Ik sloeg mijn arm om hem heen, waarop hij zijn hoofd op mijn schouder liet rusten en snikte. 'Ik heb net met de zaalarts gesproken. Hij zei dat het een wonder zou zijn als hij nog een week leeft.'

'Kun je weg?'

'Ik heb tot drie uur afspraken. Zuster Bass heeft al gebeld voor vervanging. Dat is gelukt, maar ik kan maar een week wegblijven omdat de vervanger dan weer terug moet en...'

Ik legde mijn vinger tegen zijn lippen en zei: 'Het gaat er nu even om dat je bij je vader kunt zijn. Gaat er een vlucht?'

'Ja, maar dan moet ik over New York, daar overstappen en met zo'n klein kistje naar Syracuse, dan nog twee uur met de bus naar Glens Falls. Zuster Bass heeft het reisbureau gebeld. Een retour kost vierhonderd dollar, dus ik ga maar met de bus. Er vertrekt er een om vier uur uit Lewiston. Hij rijdt nogal om, dat wel, via Burlington en dan het hele stuk door de staat New York.'

'Waarom pak je de auto niet?'

'Omdat jij die nodig hebt. In Glens Falls kan ik in die van mijn vader rijden.'

'Twaalf, dertien uur in de bus? Dat is toch gekkenwerk?'

'Ik ga niet met de auto. Op het ogenblik zie ik mezelf dat roteind niet rijden, daar ben ik veel te...' Hij maakte zich van me los, droogde zijn tranen en keek op zijn horloge. 'Er zitten patiënten te wachten.'

'Ik vind het zo naar allemaal...'

Hij haalde zijn schouders op en liep weg. Die middag bracht ik hem naar het busstation in Lewiston. Onderweg zei hij niet veel, alleen: 'Het spijt me echt van je weekend.'

'Daar valt nou even niets aan te doen.'

'Dat weet ik, maar... Nou ja, zodra dit allemaal achter de rug is, moet je gaan.'

'New York loopt niet weg.'

Ik zette hem af. Hij kneep me even in de wang en zei: 'Ik bel je morgen om te vertellen hoe het gaat.' Hij graaide mijn pakje sigaretten van het dashboard, pakte zijn tas en liep zonder om te kijken het naargeestige busstation in.

Op de terugweg probeerde ik mijn teleurstelling te verbijten.

Margy was al even ongelukkig als ik. 'Gewoon domme pech,' zei ze. 'Voor ons allemaal. Ik had echt zin in een ruig weekend.'

'Zodra alles hier in orde is...'

'Wanneer de oude heer erin blijft, bedoel je?'

'Ja. Het moment dat hij onder de groene zoden ligt, zie je me verschijnen.'

'Hoe is Dan eronder?'

'Tja, Dan is Dan.' Ik hoefde het verder niet uit te leggen.

'Reken maar dat hij vreselijk geschrokken is,' zei ze.

'Ja, hij kon zich met moeite goed houden.'

'Wees nou maar lief voor hem. Het is niet niks om je vader te verliezen.'

'Natuurlijk niet. Hij houdt zich flink, maar ik heb weer het gevoel dat hij me buitensluit.'

'Omdat je weekeindje New York niet doorgaat?'

'Dat is het niet alleen, Margy.'

'Het gaat wel over, meisje, echt. Voor je het weet, zit je hier. Tot het zover is, moet je echt...'

Ja ja. Kop op, het valt allemaal wel mee, bied hem een schouder om op uit te huilen...

Dan belde de volgende middag. Hij was doodop. De bus had er veertien uur over gedaan, dus hij was pas om zes uur 's ochtends in Glens Falls aangekomen en linea recta naar de intensive care gegaan.

'Ik zal er niet omheen draaien,' zei hij. 'Mijn vader is hersendood, het hartspierweefsel functioneert niet meer, maar het hart klopt nog wel. Hij moet een gigantische drang tot overleven hebben en dat betekent dat het weken, misschien zelfs maanden kan duren...'

Ik zei dat ik erg met hem meeleefde.

'Kon ik maar op de bus springen en naar huis komen,' zei hij, 'maar reken er maar op dat dit een langdurig sterfbed wordt.'

Tegen zes uur die avond werd er op de deur geklopt. Het was Billy. Hij lachte verlegen en sloeg zijn ogen neer. 'Ik heb het gehoord van de vader van de dokter,' zei hij. 'Dat vind ik heel erg.'

'Dat zal ik aan hem doorgeven.'

'Oké.' Hij knikte en viel stil.

'Is er verder nog wat, Billy?'

'Ik vroeg me af of er nog wat gedaan moest worden.'

'Nee, dankzij jou functioneert alles opperbest.'

Hij grijnsde en sloeg zijn ogen weer neer. 'Ik ben vandaag bezig geweest in het huis van dokter Bland. De loodgieter van meneer Sims liet het afweten, dus moest hij mij wel bellen.'

'Schiet het daar een beetje op?' vroeg ik beleefd, hoewel ik zo snel mogelijk van hem af wilde komen.

'Over een week of vijf, zes moet het gepiept zijn.'

'Dat valt dan nog mee.'

Weer een wat ongemakkelijk zwijgen en godzijdank begon Jeff zich te roeren. 'Ik moet me nu echt met de baby bezighouden,' zei ik. 'Tot ziens maar weer.'

'Ja, oké...'

'Fijn dat je even bent langsgekomen.'

'Weet u zeker dat er niets te repareren valt?'

'Als er iets gedaan moet worden, ben jij de eerste die het hoort.'

Ik deed de deur dicht en liep naar de box waar Jeff nu lag te brullen. Ik pakte hem op en net toen ik hem op de vloer had gelegd om hem te verschonen en een veiligheidsspeld losmaakte, ging de telefoon. Even was ik bang dat het Billy zou zijn en ik vroeg me af hoe ik met die wat enge aandacht van hem moest omgaan.

Het was een man, maar niet Billy. 'Hannah Latham?'

'Hannah Buchan om precies te zijn.'

Hij grinnikte. 'O ja, je bent getrouwd.'

'Met wie spreek ik?'

'Met Toby Judson.'

'Met wíé?'

Weer een lachje. 'Weet je het niet meer? Tobias Judson.'

Het kwartje viel. 'Wacht even, die van de sitdownstaking bij Columbia University?'

'Klopt helemaal. Ik heb je trouwens een keer ontmoet, een jaar of twee geleden. Je was toen met je vader in Boston. Weet je nog?'

Of ik dat nog wist. Het was de dag dat ik mijn vader met een andere vrouw had gezien.

'Hoe kom je aan mijn telefoonnummer?'

'Van je vader.'

'Aha.'

'Hij zei dat ik als ik in Maine was zeker even bij je langs moest gaan.'

'Zit je nu in Maine?'

'Heb je wel eens gehoord van Goodwin's en hun "verschrikkelijke milkshake"?'

'Ben je in Bridgton?'

'Ja. O, eh... Wat ik me afvroeg... Kan ik vannacht misschien bij jullie pitten? Op de grond is prima, hoor.'

# 7

HET TWEE MINUTEN durende telefoongesprek met Toby Judson had me een beetje zenuwachtig gemaakt. Niet om iets wat hij had gezegd; integendeel, hij kwam heel charmant over. Hij had lachend gezegd dat hij 'op de vlucht' was voor zijn doctoraalscriptie (hij was er al een jaar te laat mee) en liftte door het land. Hij snapte best dat ik even met mijn man moest overleggen voor ik hem bij ons liet overnachten en gaf me het nummer van Goodwin's. Als ik hem had teruggebeld, zou hij een lift naar Pelham regelen. Er school niets achter zijn verzoek; het was heel normaal om vrienden van vrienden te bellen, uit te leggen wie je was en te vragen of je een nachtje kon blijven slapen. Toby was niet zomaar een vriend van een vriend, hij was een vriend van mijn vader, maar ook nog eens iemand die landelijke bekendheid genoot vanwege zijn inspanningen om van Columbia University een ideologisch slagveld te maken. Hij had de grote sitdownstaking daar georganiseerd, was alleen al om die reden een legendarische studentenleider geworden en ja, natuurlijk wist ik wie hij was.

Wat me een beetje ergerde, was dat – hoe moet ik het uitleggen – arrogante toontje, dat air van ons kent ons en dat gegrinnik toen ik mijn nieuwe achternaam noemde. Het was wel duidelijk dat hij me direct had ingedeeld als een gezapig lid van de bourgeoisie, met andere woorden: een echte burgertrut. En ja, misschien voelde ik me wat ongemakkelijk, want tenslotte was ik een getrouwde vrouw in een klein stadje. Desondanks noteerde ik het telefoonnummer van Goodwin's, hing op en draaide het nummer van mijn vader.

Tot mijn verbazing was hij thuis en beter nog, hij was niet zo afwezig als anders. Hij was oprecht begaan met de toestand van Dans vader en wilde van alles over Jeff weten, over alle mijlpalen die het kleintje had bereikt. 'Ik moet nodig eens langskomen,' zei hij, 'maar er gebeurt gewoon te veel.'

'Over langskomen gesproken...' Ik vertelde hem van Toby's telefoontje.

'Echt iets voor hem. Judson is een van de intelligentste jonge kerels die ik ken, maar als het gaat over doelen stellen, over de lange termijn, dan geeft hij niet thuis. Hij is een fantastische spreker, grappig en helder formulerend, plus dat hij goed schrijft en enorm belezen is.

Je zou zijn artikelen in *The Nation* en *Ramparts* eens moeten lezen. Zijn stijl is fenomenaal, hij heeft een analytisch vermogen om u tegen te zeggen en...'

'Kortom, een intelligent heerschap,' onderbrak ik hem.

'Kun je hem een paar nachtjes hebben?'

'Nou ja, eh... Dan is er dus niet, en eh...'

'Ah! Je bedoelt dat de buren zullen gaan praten?'

'Iets in die richting, ja.'

'Laat het Dan en de buren dan meteen weten, dan snij je ze de pas af. Maak je maar geen zorgen, Toby heeft het niet de hele tijd over politiek. Zo is hij niet.'

Zodra ik had opgehangen, draaide ik het nummer in Glens Falls, maar er werd niet opgenomen. Ik keek op mijn horloge. Het was tegen halfacht en ik kon Toby niet de hele avond laten wachten. Ik wist zeker dat Dan het geen punt zou vinden, dus ik belde Goodwin's maar. Judson stond waarschijnlijk naast de telefoon, want hij nam meteen op.

'De hartelijke groeten van mijn vader,' zei ik.

'Ik hoop dat hij je heeft verteld dat ik geen vampier ben en doorgaans niet in een doodskist slaap?'

'Hij heeft alleen maar goede dingen over je gezegd.'

Weer dat lachje. 'Dat is mooi. Je man vindt het ook goed?'

'Die heeft op het ogenblik wel wat anders aan zijn hoofd. Zijn vader ligt op sterven.'

'Balen.'

Niet erg fijntjes, vriend. Ik zweeg en hij moet gemerkt hebben dat ik zijn reactie niet erg kon waarderen.

'Sorry, ik ben niet erg goed in het overbrengen van medeleven,' zei hij.

'Maakt niet uit. Ik kan je twee nachten onderdak bieden.'

'Twee nachten. Prima.'

Ik legde uit waar we woonden.

'Dat moet lukken. Ik ga proberen een lift te regelen, oké?'

Nadat ik had opgehangen, ruimde ik een beetje op, deed de afwas, vouwde de paar luiers op die voor de kachel te drogen hingen, boende de wc en de wastafel in de badkamer en dacht: je bént ook echt een burgertrutje. Ik trok mijn tuinbroek met de spetters babyvoeding uit en deed een spijkerbroek aan met de Mexicaanse blouse die ik een paar jaar eerder in een hip zaakje in Boston had gekocht. Ik keek in de spiegel en dacht: ja, best *groovy*...

Ik draaide het nummer in Glens Falls nog een keer, maar kreeg weer geen gehoor, dus belde ik zuster Bass thuis. Zoals gewoonlijk blèrde de televisie op de achtergrond. 'Zet 'm eens wat zachter, verdomme!' hoorde ik haar schreeuwen, waarna ze vroeg: 'Is de vader van de dokter dood?'

'Nee, dat niet. Ik heb mijn best gedaan Dan te pakken te krijgen, maar er wordt niet opgenomen.'

'Het is acht uur. Hij zit vast in het ziekenhuis.'

'Dat neem ik aan. Ik weet dat hij je iedere avond belt om te horen of er nog wat is gebeurd in de praktijk. Als je hem spreekt voordat hij mij aan de lijn heeft gehad, wil je hem dan zeggen dat een vriend van ons een paar nachtjes komt overnachten? Zeg maar dat hij me tot een uur of twaalf kan bellen.'

Ik weet dat het een beetje geforceerd overkwam, een beetje erg nadrukkelijk, maar dat kon me niet schelen. Stel dat ze 's ochtends een vreemde man de trap af zag komen, dan had dat me de rest van mijn dagen in Pelham achtervolgd. Margy zou gezegd hebben: heel slim, Hannah. Je kunt het maar beter vóór zijn.

Zuster Bass trapte erin, dat wil zeggen, die indruk maakte ze. 'Om wie gaat het?'

'Een oude studievriend,' zei ik. Ik wenste haar een prettige avond en hing op.

Het toeval wilde dat Dan me een halfuur later belde. Hij klonk moe. 'Zijn hart heeft vanmiddag twee keer stilgestaan,' zei hij, 'maar ze hebben hem gereanimeerd.'

'Was dat nou wel een goed idee?'

'Nee, natuurlijk niet, maar artsen hebben een eed afgelegd dat ze een patiënt in leven houden, zelfs al gaat het om iemand die hersendood is.'

'Zo te horen ben je aan het eind van je Latijn.'

'Ben ik ook. Het kan niet lang meer duren. Als hij nog een keer een hartstilstand heeft, is die fataal.'

'We missen je, Dan. Heb je zuster Bass al gesproken?'

'Nog niet.'

Ik vertelde hem over de boodschap die ze zou overbrengen en legde hem uit wie de onverwachte gast was.

'Als hij maar gevlogen is als ik thuiskom, vind ik het allemaal best.'

'Ik doe het voor mijn vader. Ze waren strijdmakkers, hebben samen op de barricaden gestaan.'

'Als hij je in de weg loopt, dan zet je hem er wel uit hoor. Hé, wel slim van je om zuster Bass op die manier in te lichten.'

'Zorg dat je wat slaap krijgt, schat.'

'Ik mis je.'

Ik had nog niet opgehangen, of ik besefte dat dit het gezelligste gesprek was dat we in weken, maanden zelfs, hadden gevoerd. Een uur
verstreek en Toby was er nog steeds niet. Nog een uur. Ik was net van
plan een briefje op de voordeur te plakken met het bericht dat ik was
gaan slapen en dat de sleutel onder de mat lag, toen er op de deur
werd geroffeld.

Het was alweer twee jaar geleden dat ik hem had ontmoet en ik
was die avond zó afgeleid door het gedrag van mijn vader, dat ik hem
niet goed opgenomen had, maar het moment dat ik de deur opendeed, dacht ik: leuk.

De gedachte had zich nog niet gevormd, of ik herzag mijn oordeel
al. Best leuk, dat wil zeggen, als je houdt van intellectuele types met
baarden.

Eigenlijk was het geen baard, meer een stoppelbaardje dat zijn
hoekige trekken wat verzachtte. Hij was lang, mager, had een wilde
bos donker haar en droeg zo'n rond John Lennon-brilletje. Hij was
gekleed in een buttondown overhemd dat aan de boord een beetje
versleten was, daarover een donkerblauwe trui met ronde hals en een
paar gaatjes in de mouw, een grijze ribfluwelen broek met wijde pijpen en stevige, hoge wandelschoenen. Ondanks zijn wat slordige uit-
monstering zag ik direct dat hij van goede komaf was, al was het alleen maar door dat prachtige gebit waar een tandarts een vermogen
aan had verdiend.

Hij keek me lachend aan en zei: 'Sorry dat ik zo laat ben. Het probleem met de weg van Bridgton naar hier is dat er 's avonds haast
geen auto's langskomen.'

'Ach, natuurlijk. Sorry, ik had je moeten waarschuwen.'

'Zo? Heb jij dan ervaring met liften in het donker?'

'Nee, zelfs niet overdag.'

'Waarom staan we hier excuses uit te wisselen? Kan ik binnenkomen?'

'Ach, natuurlijk. Sorry.'

Hij zette zijn rugzak neer. Het ding was dan wel gemaakt van ca-
mouflagemateriaal, ik zag meteen dat het onder de modder zat. Ook
zijn slaapzak was niet bepaald fris meer.

'Zo te zien ben je al een tijdje onderweg,' zei ik.

'Het heeft me drie dagen gekost om van Chicago hier te komen. Ik
raad het niemand aan.'

'Heb je dan nergens overnacht?'

'Nee, afgezien van een zes uur durende rit achter in een vrachtwagen met koelkasten, van Pittsburgh naar Albany. Toen kon ik even gestrekt gaan.' Hij keek om zich heen en zei: 'Gezellig.'

'Klein, zul je bedoelen.'

'Is dit de woonruimte die ze de dokter hier te bieden hebben?'

'Niet helemaal,' zei ik en ik legde hem de situatie uit.

'Dat krijg je van dat doe-het-zelven. Typisch het tijdverdrijf van de burgerij die denkt dat je het zonder het vakmanschap van het daartoe opgeleide proletariaat kan stellen.'

'Ik zie klussen meer als een tijdverdrijf voor in het weekend, niet zozeer om geld te besparen.'

'Dat bedoel ik nou. Het proletariaat wordt buitenspel gezet door de beter opgeleiden die denken dat, ik noem maar wat, het vervangen van de oude bedrading een hobby is. Je weet dat Marx een heel hoofdstuk van *Het kapitaal* heeft gewijd aan "loodgieten en de herdistributie van kapitaalgoederen"?'

'Meen je dat nou?'

Hij imiteerde de stem van Groucho Marx en zei: 'Mevrouwtje, als u dát gelooft, gelooft u alles.'

'Ik geloofde het toch niet?'

'Je lijkt je vader wel. Die heeft me ooit gezegd dat een goede historicus niet zonder een uiterst fijne sensor voor gemanipuleerde feiten kan.'

'Heeft hij die wijsheid niet van Hemingway?'

'Slechte dichters imiteren, goede dichters jatten.'

'Dat is van T.S. Eliot,' zei ik.

'Kijk eens aan! Niet slecht,' zei hij.

'Aan lezen kom je hier wel toe. Ga zitten, doe alsof je thuis bent.'

'Dank je,' zei hij en hij ging op de vloer zitten.

'Er staat een bank, hoor.'

'Ja, maar mijn broek is zo vuil dat het voor je meubilair beter is als ik op de grond zit.'

'Aha. Ook jij behoort dus tot de bourgeoisie,' plaagde ik.

'Die zit. Om precies te zijn, tot wat de Fransen *la grande bourgeoisie* noemen, de betere kringen. Je weet wel, van die families waar verwende dochters het middelpunt van het gezin zijn.'

'O? En hoe zit het met de verwende zoons?'

'... die worden allemaal fiscalist.'

'Wat is er bij jou dan misgegaan?'

'Ik raakte niet alleen verslaafd aan politiek, maar ook aan het verstoren van de openbare orde.'

'Wil je een biertje?'

'Ja, lekker.'

Ik liep naar de koelkast, pakte er twee blikjes uit en gaf hem er een aan.

Hij keek naar de opdruk en zei: 'Aha! Schaeffer. Goed, robuust Amerikaans bier.'

'Goed? Goedkoop.'

'Het verbaast me dat een dokter en zijn vrouw zo op de centen moeten letten.'

'Dan is nog maar in opleiding en vergeet niet dat dit Nergenshuizen is. Niemand verdient hier veel.'

'Stalin zei het al. "Een jaar in Siberië is goed voor de ziel."'

'Dat heeft hij nooit gezegd.'

'Die sensor van jou werkt opperbest.'

'Reken maar. Ik laat me geen onzin vertellen.'

Jeffrey begon te huilen.

'Hé, ik wist niet dat je een kind had.'

'Dan weet je het nú.' Ik ging de slaapkamer in, haalde Jeffrey uit de wieg en gaf hem een kusje. Ik rook een vieze luier, dus nam hem mee naar de woonkamer en zei: 'Dit is Jeffrey Buchan. Jeff? Zeg eens "Dag, Toby"?'

Ik legde Jeffrey op het kleedje voor de tv, maakte de veiligheidsspelden los en deed zijn vieze luier af. Toby keek toe en zei: 'Jij liever dan ik.'

'Zeg, het is maar poep en dat, zo zei je vriend Marx ooit, is de essentie van het leven.'

'Karl Marx? Vergeet het maar.'

'Oké, maar het klinkt aardig, nietwaar? Nu we het toch over vieze luchtjes hebben, ik kan ruiken dat je drie dagen reizen en trekken achter de rug hebt.'

'Sorry. Mag ik een bad nemen? Even lekker weken zou me goed doen.'

'Het mág niet alleen, het moet. Geef me je kleren ook maar meteen, dan gooi ik die in de wasmachine.'

'Je bent mijn werkster niet.'

'Het gaat me om die lijflucht die om je heen hangt, dus hoe eerder je die kleren uitdoet, hoe beter.'

'Ik vat 'm.'

Terwijl ik Jeffrey een schone luier gaf, pakte hij zijn rugzak en diepte er een spijkerbroek, sokken, een overhemd en ondergoed uit. Het zag er allemaal niet geweldig uit, maar het stonk in elk geval niet. Ik liep naar de slaapkamer, pakte een kussensloop uit de wasmand en gaf hem die aan. 'Stop de vuile boel hier maar in.'

Hij ging naar de badkamer. De deur ging dicht, maar even later ging hij even open en zag ik een arm. Hij liet de kussensloop met de vuile spullen vallen, de deur ging weer dicht en ik hoorde water lopen.

Het was een wonder, maar Jeff sliep weer. Ik legde hem in de wieg, pakte de vuile was en nam die mee naar de ruimte achter de praktijk waar de wasmachine en droger stonden. Toen ik weer buiten stond, hoorde ik een stem achter me.

'Ha, mevrouw Buchan.'

Verdorie. 'Dag, Billy. Wat moet jij nog zo laat op straat?'

'Ik ga wel vaker even een blokje om. Doet de wasmachine het goed?'

'Hoe weet je dat ik een was draai?'

'Waarom zou u daar anders om elf uur 's avonds uit komen?'

Dat was ook weer waar.

'Ik zie dat u bezoek hebt.'

Ik verstijfde. 'Hoezo zie je dat?'

'Ik zag hem eerder op de avond over straat lopen en bij u naar binnen gaan.'

'Net zei je dat je even een blokje om ging.'

Hij vermeed mijn onderzoekende blik en zei: 'Vanavond heb ik wat langer rondgelopen.'

'Dat blijkt. Mijn bezoek is een oude studievriend.'

'Het gaat me verder niks aan, mevrouw. Ik zag hem lopen, dat is alles. Ik wil u verder niet lastigvallen of zo.'

Dat doe je dus wel, Billy. Ik vraag me af óf en zo ja waaróm je me in de gaten houdt, dacht ik. 'Nee hoor,' zei ik. 'Slaap lekker.'

'U ook, mevrouw.'

Ik ging de trap op en prentte me in dat ik Estelle morgen moest vragen of Billy bekendstond als stalker of dat ik de eerste was die me in zijn speciale aandacht mocht verheugen. Zodra ik binnen was, keek ik of Jeffrey er goed bij lag en ik zag dat hij lekker sliep. De badkamerdeur was nog dicht. Een halfuur lang verdiepte ik me in Thomas Pynchons *Regenboog van zwaartekracht* en ik vroeg me af of het aan de schrijver lag of aan mij dat ik er nauwelijks doorheen kwam.

Ik legde het boek neer, liep naar de badkamer en luisterde of ik een teken van leven hoorde. Niets. Ik klopte op de deur. Geen antwoord. Ik klopte weer. Niets. Ik riep hem twee keer. Ik werd een beetje zenuwachtig, dus ik klopte nog een keer, wat harder, en deed de deur open. 'Toby?'

Hij lag in het bad te slapen, zijn hoofd net boven het water. Ik trok mijn hoofd snel terug en riep hem weer. Eindelijk hoorde ik wat water klotsen. Hij vroeg zich vast af wat hem in godsnaam wakker had gemaakt.

'Godver...' hoorde ik.

'Ook goedemorgen,' zei ik.

'Hè? Is het ochtend?'

'Nee, dat niet, maar je hebt zeker een halfuur liggen slapen. Ik was bang dat je verdronken was of zo.'

'Sorry...'

'Geeft niets. Ik ben blij dat je nog leeft. Wil je wat eten?'

'Dolgraag.'

'Een omelet, lijkt dat je wat?'

'Heerlijk.'

Tien minuten later kwam hij gladgeschoren en in een schone spijkerbroek en een kraakhelder T-shirt tevoorschijn. 'Ik ben blij dat je me uit die peilloze diepten hebt gered,' zei hij. 'Niet echt een dood die een mens zich wenst.'

'Hoor eens, daar vraag je om als je in drie dagen maar zes uur slaap pakt.'

Hij ging aan de keukentafel zitten. Ik deed het gas aan, bood hem nog een biertje aan en vroeg waarom hij liever liftte. 'Is zo'n Greyhound-pas niet handiger?'

'Had ik kunnen doen, maar het hele idee achter deze trip is dat ik dat wil ervaren wat Jack Kerouac heeft beschreven in *Onderweg*. Ik wil gewoon het hele land, van kust tot kust, liftend zien. Wie weet kan ik er na afloop een artikel over schrijven of een boek.'

'Hoe ben je in Maine terechtgekomen?'

'De eerste die me oppikte was een vrachtwagenchauffeur die naar Akron, Ohio ging, de tweede rit was naar Pittsburgh, daarna eentje van Albany naar Plattsburg, waar ik de hele nacht in een koffiehuis heb gezeten, en toen had ik het geluk dat een gepensioneerde marineofficier me helemaal tot Manchester, New Hampshire, meenam. Wat een stad trouwens. Het stikt er van de fascisten.'

'Heb je dat tegen hem gezegd?'

'Natuurlijk niet. We hebben het helemaal niet over politiek gehad. Ik was allang blij dat ik een lift had, dus ik keek wel uit. Na Manchester had ik weer een vrachtwagen tot aan Bangor. De chauffeur had een scharrel in Lewiston. Hij was zo vriendelijk een beetje voor me om te rijden en heeft de afslag Bridgton genomen, omdat ik...'

'Omdat mijn vader je had gezegd dat als je in Maine was en onderdak nodig had, je mij maar moest bellen.'

Hij haalde zijn schouders op. 'Toen ik hem vertelde dat ik er een tijdje tussenuit wilde, zei hij dat jij in Maine woonde en heeft me je nummer gegeven. Ik heb trouwens een hele zwik adressen en telefoonnummers van vrienden van vrienden bij me. Als je het hele land wilt doorkruisen, is Maine een goed uitgangspunt. Mooi ver weg en noordelijker kan haast niet.'

'Je professor is vast erg te spreken over je plannen.'

'Zegt de dochter van een professor... Nee, hij vindt het best. Als ik er een boek uit weet te persen, is dat goed voor mijn loopbaan. Ach ja, ik ben natuurlijk heimelijk wel een streber.'

'Niet zo heimelijk als je denkt. Waar moet je scriptie over gaan?'

'Loodgieten als hobby en de herdistributie van kapitaalgoederen.'

'Geestig.'

'Nou, in feite is het niet zo grappig. De scriptie gaat over het doe-het-zelfmarxisme van Allende in Chili.'

'O? Ben je daar geweest?'

'Wou je beweren dat je mijn uitstekende reportages uit Santiago die in *The Nation* hebben gestaan, niet hebt gelezen?'

'Nee, ik houd het bij de *Playboy*. Voor de interviews, weet je.'

Hij lachte. 'Die zit.'

'Juist.'

'Je gevoel voor humor bevalt me wel.'

Ik bloosde nog net niet, maar het scheelde weinig. 'Dus,' zei ik, 'toen je missies om het Amerikaanse leger uit Vietnam en de CIA uit Chili te krijgen mislukt waren, ben je maar weer in je ivoren toren geklommen?'

'Au... Je windt er geen doekjes om, moet ik zeggen, maar je hebt wel gelijk.'

Ik schoof de omelet op zijn bord, pakte nog twee biertjes en luisterde naar de verhalen over zijn tijd in Chili, waar hij een relatie had met een wat oudere verzetsstrijdster genaamd Lucía, die achteraf voor de Amerikaanse regering bleek te werken en naderhand een hoge positie bekleedde in het regime van Pinochet. 'Staatssecretaris van Chileens-Amerikaanse Zaken, waar ze dankzij ondergetekende al het nodige van wist.'

'Je mag blij zijn dat ze je niet heeft laten vierendelen.'

'Meteen na Allendes zogenaamde zelfmoord heeft een geschikte kerel van onze ambassade me laten weten dat ik op de dodenlijst stond. Hij raadde me aan zo snel mogelijk het land te verlaten. Ik ben als een gek naar het vliegveld gereden en heb mezelf op de laatste stoel op de allerlaatste vlucht van die dag weten te praten. Bleek dat ik naar Miami vloog. Ik heb later gehoord dat de bullebakken van Pinochet een uur nadat ik was opgestegen mijn kamer zijn binnengestormd.'

'Nou snap ik waarom je de luwte van het academisch leven hebt opgezocht.'

'Klopt. Je kunt niet altijd en eeuwig op de barricaden staan. Hoewel... je vader is misschien de uitzondering op die regel.'

Hij begon aan een uitgebreide lofzang op mijn vader, die volgens hem een absolute kei was in historische feiten, oprecht geïnteresseerd in zijn kameraden, nooit badinerend was of de wijze oude man speelde en dat het hem in tegenstelling tot veel figuren in de vredesbeweging om 'de zaak' ging en niet om zijn ego.

'Ik geloof niet dat hij nou bepaald wars is van aandacht,' wierp ik tegen.

'Zei Lenin niet dat revolutionaire leiders een gezond ego moeten hebben?'

'Zo te horen is dat eerder iets voor Freud.'

'Best mogelijk. Ik zei ook maar wat. Lekkere omelet, trouwens.'

'Daar zijn wij huisvrouwen ook voor: kinderen verzorgen en eten op tafel zetten.'

'Ik kan me niet voorstellen dat je alleen maar een huisvrouwtje bent.'

'Dat ben ik ook niet. Ik werk parttime in de bibliotheek hier. En zeg nou niet: "Wat interessant", want dan praat ik niet meer tegen je.'

'Wat interessant.'

We zwegen. Hij keek me aan en ik kreeg de indruk dat hij me verlegen wilde maken, me probeerde te laten lachen of wat dan ook. Hij had succes, want ik begon te giechelen.

'Je bent me er eentje,' zei ik.

Hij grinnikte. 'Moet je horen. Mijn vader zegt tegen me: "Toby, waarom ben je zo'n zlemiel die denkt dat hij voor Emma Goldman moet zpelen? De heren van de FBI waren aan de deur. Ze zeiden dat je de grondwet wilt afschaffen en je sterk maakt voor een markzistische ztaatzvorm, waarop ik maar zei dat je die revoluzionaire denkbeelden alleen aanhing omdat de vrouwtjes ervoor vallen."'

'Praat hij écht zo?'

'Scheelt niet veel. Hij is begin jaren dertig uit Wroclaw hierheen gegaan, vlak voordat de Poolse joden het daar zwaar te verduren kregen.'

'Heeft hij dat echt tegen de FBI gezegd?'

'Hij zegt van wel.'

'En? Was dat inderdaad de motivatie van de grote studentenleider?'

'Kijk, radicale ideeën zijn natuurlijk wel een afrodisiacum.'

'Een uitspraak van... Sonny Liston, de bokser?'

Hij lachte en vroeg: 'Heb je het naar je zin in die bibliotheek?'

'Niet echt. Ik wil het onderwijs in, maar wat dat aangaat liggen de baantjes in Pelham niet direct voor het oprapen. Bovendien was ik net bevallen.'

'Smoesjes, smoesjes en nog eens smoesjes.'

Ik zweeg.

'Pijnlijk onderwerp?'

'Eigenlijk wel ja.'

'Ik kan me natuurlijk verontschuldigen, maar dat zou niet gemeend zijn.'

'Je bent in elk geval eerlijk.'

'Eerlijker kan gewoon niet.'

'Nog een biertje?'

'Om je de waarheid te zeggen, ik zou het liefst gaan pitten.'

'Goed idee. Het is best laat en ik bén een werkende moeder, dus ik moet vroeg op. Wat ga je morgen doen?'

'Als ik je hier in de weg zit, steek ik morgen mijn duim weer in de lucht.'

'Je zit me niet in de weg. Je wilt toch zeker wel een dag of wat bijkomen?'

'Dat zou te gek zijn.'

'Mijn man komt pas over een paar dagen terug, dat wil zeggen, als zijn vader niet vóór die tijd overlijdt. In dat geval moet ik meteen met Jeffrey naar Glens Falls. Hoe het ook zij, je kunt zeker nog een dag of twee blijven.'

Hij legde zijn hand op mijn arm en zei: 'Bedankt.'

Ik voelde dat ik bloosde en hoopte maar dat het niet te zien was. Waarom bloosde ik in godsnaam?

We legden de kussens van de bank op de vloer en maakten een soort bed. Hij rolde zijn slaapzak uit en ik zag dat die nog smeriger was dan ik dacht.

'Die moet je me morgen maar geven, dan was ik hem voor je.'

'Je hoeft me echt niet te verzorgen, hoor.'

'Ik verzorg je toch niet? Ik zeg alleen dat ik dat vieze geval morgen wel even in de wasmachine gooi, meer niet. Jullie hadden thuis zeker personeel en daarom voel je je altijd een beetje bezwaard als iemand iets voor je doet?'

Hij zweeg en ging verder met het opmaken van zijn bed. 'Nee, personeel hadden we niet, alleen een zwarte huishoudster genaamd Geneva.'

'Ah! Toch iets om tegen te rebelleren.'

Jeffrey slaakte een paar kreten en ik wist dat als ik hem niet snel oppakte, er een huilbui zou volgen. 'Ik moest me maar even met meneer daar bezighouden.'

'Het was een gezellige avond,' zei hij en hij keek me met die slaapkamerogen van hem aan.

Ik wilde zo snel mogelijk mijn slaapkamer in lopen. 'Ga nou maar slapen,' zei ik.

Jeff was na een paar minuten gekalmeerd. Ik kleedde me uit, kroop in bed en probeerde me op mijn boek te concentreren, maar de conversatie bleef maar door mijn hoofd spoken. *Hij heeft je op een hoger plan gebracht. Straks denkt hij nog dat je zo'n slimme New Yorkse bent, maar dat komt omdat hij je serieus neemt.* Ik deed het licht uit en probeerde de slaap te vatten, maar het lukte van geen kant, dus ik knipte het weer aan. Het beeld van Toby languit in bad doemde even op, maar ik pakte mijn boek en las nog twee uur in Pynchon. Ik moest mezelf dwingen me te concentreren op diens visie op het zo ontspoorde Amerika. Een keer of twee hoorde ik Toby zich omdraaien. Ik spitste mijn oren om te horen of hij was opgestaan, maar de geluiden werden gevolgd door ritmisch, licht gesnurk. Ik gaf mezelf een standje omdat ik me gedroeg als een verliefde tiener, deed het licht uit en viel eindelijk in slaap.

Zes uur later wekte Jeff me. Ik sloop naar de keuken om zijn flesje op te warmen en zag dat Toby nog sliep, zijn hoofd en naakte schouders net boven de slaapzak. Toen ik een uur later naar de badkamer ging, sliep hij nog steeds. Ik kleedde me aan, voerde Jeff pap, schreef Toby een kattenbelletje waar de ontbijtspullen stonden en of hij voor het middaguur, 'als je alle bezienswaardigheden van Pelham hebt gehad', bij de bibliotheek wilde langskomen.

Ik volgde mijn ochtendlijke routine: ik leverde Jeff bij Babs af en kocht een pakje sigaretten bij Miller's.

'Ik hoor dat je een logé hebt,' zei Jessie Miller langs haar neus weg.

Mijn antwoord was al even achteloos. 'Klopt. Een oude studievriend van ons.'

'Hoe is het met de vader van de dokter?'

'Die leeft nog, maar het kan niet lang meer duren.'

'Als je de dokter spreekt, zeg maar dat ik met hem meeleef.'

'Zal ik doen.'

Ik was de bibliotheek nog niet binnen of Estelle zei: 'Ik heb gehoord dat je een eenzame man op sleeptouw hebt genomen.'

'Och, hemel...'

'Welkom in Pelham, wijfie.'

Toen we samen koffiedronken, gaf ik haar antwoord op al haar vragen en hield ook tegenover haar vol dat hij een oude studievriend was. Een uur later, ik was net bezig met het terugzetten van een stapel boeken, ging de deur open en hoorde ik Toby vragen of ik er was.

'Aha,' zei ze, 'dus jij bent de lange, donkere vreemdeling die gisteren is aangekomen.'

Hij lachte. Ik kwam snel tussen de boekenkasten vandaan en sloeg het stof van mijn handen. 'Luister maar niet naar mijn cheffin,' zei ik. 'Ze is een *agent provocateur.*'

'Daar heb ik een zwak voor,' zei hij terwijl hij zijn hand uitstak en zich aan haar voorstelde. Ik zag dat Estelle hem eens goed bekeek en haar best deed (niet dat het lukte) een glimlach te onderdrukken.

'Dus jij hebt met Dan en Hannah in Burlington gestudeerd?' vroeg ze.

Ik zag Toby grote ogen opzetten en één afschuwelijk ogenblik dacht ik dat hij iets ging zeggen in de trant van: 'Hoe kom je dáár nou bij?' maar ik moet toegeven dat hij er direct goed op inspeelde. 'Klopt. Bij Hannahs vader.'

Ze knikte en leek het te slikken, maar ik had meteen een ander angstvisioen. *Stel dat ze erachter komt wie Toby is? Ze heeft vast gelezen over de sitdownstaking op Columbia University en dat Tobias Judson de grote aanstichter was. Dan denkt ze natuurlijk dóór en vraagt zich af waarom ik tegen haar heb gelogen...*

Ik zou haar nog gelijk geven ook. Waarom had ik niet gewoon de waarheid verteld? Het probleem met liegen is dat je jezelf altijd in een bepaalde hoek manoeuvreert en het is maar zelden dat je daar ongeschonden uit komt.

'Goed geslapen?' vroeg ik aan Toby.

'Als een blok. Ik voel me weer een beetje mens. En ik heb zelfs al een halfuurtje Pelham bezichtigd. Leuk stadje. Ik was nog niet in dat eettentje... Hoe het ook alweer?'

'Miss Pelham.'

'O, ja. Ik was nog niet binnen, zat nog maar nauwelijks, of de serveerster zegt: "Bent u toevallig de studievriend die bij dokter Buchan en zijn vrouw logeert?"' Hij knipoogde en ik wist zeker dat Estelle begreep dat we een complot hadden beraamd.

'Hier in Pelham weet iedereen alles van elkaar. We hebben een lokale inlichtingendienst waar de CIA jaloers op kan zijn. Mensen die ook maar een beetje van de norm afwijken, iemand die tijdens de afwezigheid van haar echtgenoot een man te logeren heeft, daar moeten ze niets van hebben.'

'Aha,' zei Toby. 'Was het niet Joseph Conrad die zei: "Degenen die niets doen, maken ook geen fouten"?'

'Klopt. *Hart der duisternis?*' opperde Estelle.

'Nee. *Outcast of the Islands.*'

'Zeg Toby, heb je nog plannen voor vandaag?' kwam ik ertussen.

'Niet echt. Ik ben in voor goede suggesties.'

'Als je van natuur houdt, valt er hier heel wat te beleven,' zei Estelle.

'Ja,' viel ik haar bij. 'Je kunt naar het Sebagomeer en een kano huren, als je tenminste weet hoe je in zo'n ding moet varen.'

'Dat lukt wel. Net als ieder kind dat in Shaker Heights is opgegroeid, ben ook ik naar zomerkampen gestuurd.'

'Hé, kom je daarvandaan?' vroeg Estelle.

'Helaas wel.'

'Een oudtante van me is met iemand uit Shaker Heights getrouwd. Alisberg heet ze. Ken je die?'

'Nee.'

'Mijn oudtante leeft nog, nou ja, ternauwernood dan. We bellen elkaar eens per maand. Ze kent iedereen daar. De volgende keer dat ik haar spreek, vraag ik haar wel of ze jouw familie kent. Hoe zei je ook alweer dat je achternaam was?'

'Dat heb ik nog niet gezegd, maar ik heet Mailman. Ik betwijfel of je tante de naam kent, want mijn ouders zijn vijftien jaar geleden naar Florida verhuisd.'

'Ruthie heeft een fantastisch geheugen. Wat deed je vader?'

'Hij was advocaat.'

Ik moest hem redden. 'Als je naar het meer wilt, kun je mijn auto nemen,' zei ik.

'Graag.'

'Het is geen automaat. Weet je hoe je moet schakelen?'

'Ja hoor.' Hij knikte, maakte een hoofdbeweging en ik begreep dat hij wilde dat ik met hem mee naar buiten liep. 'Leuk je ontmoet te hebben,' zei hij tegen Estelle.

'Insgelijks.'

Ik pakte mijn sigaretten van de balie (hemel, wat had ik behoefte aan een sigaret!) en zei tegen Estelle dat ik zo terug zou zijn.

Eenmaal buiten bood ik hem een sigaret aan, maar hij sloeg die af. Ik stak er een op en terwijl ik diep inhaleerde, vroeg hij met opgetrokken wenkbrauwen: 'Leg eens uit waarom je iedereen hier hebt wijsgemaakt dat ik een studievriend ben?'

'Omdat ik dacht dat ze dan niet zouden...'

'Ik hoor het al,' zei hij. 'Ik had het al door toen die serveerster erover begon. Stel je voor dat je een manspersoon over de vloer hebt die de dokter, die aan het sterfbed van zijn vader zit, niet kent.'

'Hou maar op. Ik ben een lafbek.'

'Nee, je bent gewoon voorzichtig en daar kan ik heel goed inkomen. Ik weet wel dat als ik die Estelle mijn echte naam had gegeven, ze er zeker achter was gekomen wie ik ben en dat we helemaal geen studievrienden waren in Vermont. Stel je voor, ik op díé universiteit?'

'Niet zo arrogant, oké?'

'Toegegeven, ik ben een snob. Als ze erachter komt wie ik in werkelijkheid ben, dan is er nog geen man over boord. Je zegt gewoon iets als: "Soms maakt hij vanwege dat radicale verleden van hem gebruik van een andere naam." Ik weet dat het allemaal een beetje pretentieus overkomt, maar ik krijg de indruk dat ze niet bepaald op haar achterhoofd gevallen is en ik reken er eigenlijk op dat ze uitvindt hoe of wat.'

'Man, wat heb jij een groot ego.'

'Om indruk op jou te maken, natuurlijk.'

'Je bent een heel doortrapte grote boze wolf.'

'Dat vat ik maar op als een compliment. Weet je zeker dat je de auto kunt missen?'

'Als je hem maar heel laat. Het is de oranje Volvo die achter de praktijk staat. Het meer is een minuut of twintig rijden.'

'Waarom gaan we daar vanmiddag dan niet heen?'

'Wé?'

'Jij, Jeffrey en ik. Als je het goedvindt, wil ik eerst even naar Bridgton om wat dingen voor het avondeten in te slaan. Daarna nodig ik jou en Jeffrey uit voor een kanotochtje op het meer. Het is tenslotte een prachtige herfstdag.' Hij stak zijn hand uit om de autosleutels aan te pakken. 'Goed idee?'

'Mij best.'

Hij vroeg hoe laat ik uit mijn werk kwam. 'Mooi. Dan hebben we zeker twee uur om op het meer te dobberen. Trouwens, ik heb het appartement niet afgesloten toen ik wegging. Is dat erg?'

'Nee. In Pelham weten ze dan wel wat roddelen is, van diefstal hebben ze nog nooit gehoord. Ik zie je om halfdrie.'

Ik ging weer naar binnen. Estelle schonk me een veelbetekenende glimlach en zei: 'Erg aantrekkelijk...'

'Ja, en ik ben erg getrouwd.'

'Zeg, ik constateer alleen maar een feit. Toch, als ík alleen met hem daar in dat kleine stulpje van je zat...'

'Ik bén niet alleen met hem. Mijn zoon is er ook nog.'

'Hap nou niet zo. Ik plaag je alleen maar.'

'Je weet hoe ze hier zijn, Estelle.'

'Iedereen weet toch dat hij een vriend van jullie allebei is? En daarbij, stel dát je hem in de veilige beschutting van je eigen huis met je ogen zou uitkleden, geen haan die ernaar kraait.'

'Haha.'

'Driemaal "ha" en je lacht. Over lachen gesproken, wat moet een jongen uit Shaker Heights nou op de universiteit van Vermont? Daar gaat toch geen mens heen die daar niet uit de buurt komt?'

'Hij was een fanatieke skiër.'

'Dat verklaart alles. Behalve... een skifanaat die Joseph Conrad leest?'

'Mens, wat draaf je toch door.'

Na mijn werk haalde ik Jeffrey op en toen ik thuiskwam, was Toby net terug uit Bridgton. Ik zag echte olijfolie, verse knoflook, Italiaanse salami, een flink stuk parmezaanse kaas en een heuse fles chianti uit de plastic tasjes komen. Ik kon mijn ogen niet geloven.

'Waar heb je dat allemaal vandaan?'

'Weet je dan niet dat hier in Pelham een Italiaanse delicatessenzaak zit?'

'Geloof je het zelf? Vertel op.'

'Gewoon. Ik heb her en der mijn licht opgestoken.'

'Waar dan?'

'In de supermarkt in Bridgton, waar ze afgezien van blikjes tomatenpuree niet veel Italiaanse dingen verkopen. Daar hoorde ik van iemand dat de enige Italiaanse delicatessenzaak die de staat rijk is in Portland zit, om precies te zijn in een zijstraat van Congress Street. Ik ben erheen gereden en *presto*! Ziehier de ingrediënten voor een fantastische *rigatoni con salsiccia*.'

'Ben je helemaal naar Portland gereden?'

'Het is toch maar een uurtje rijden? Je Volvo doet het trouwens goed op die hobbelige landweggetjes hier. Portland is niet echt bijzonder, maar de delicatessenzaak was een goede vondst. De eigenaar heet Paolo. Zijn vader komt oorspronkelijk uit Genua. Hij zat eerst in de zeevisserij, is een kruidenierszaakje begonnen en nu is zijn zoon er de baas. Zoonlief heeft me niet alleen zijn hele familiegeschiedenis verteld, maar me ook een bakkie opperbeste espresso aangeboden.'

'Ik weet niet wat ik hoor.'

'Vraagt en gij zult vinden. Wat kijk je nou raar? Ik heb gewoon zin om Italiaans te koken.'

'Ik ben er helemaal stil van.' Toegegeven, ik schaamde me een beetje dat een buitenstaander me moest vertellen dat er op een uur rijden een Italiaanse winkel was. Niet dat ik ooit veel verder kwam dan dat afschuwelijke Lewiston, overigens. Vraagt en gij zult vinden. Dat was het 'm: ik vroeg ook nooit wat.

Toby borg de andere boodschappen op, draaide zich om en zei: 'Zullen we dan nu maar naar het meer gaan? We hebben nog twee uur voor het donker wordt.'

Hij stond erop te rijden. De kanoverhuur zat aan de andere kant van het meer, dus hij nam een route die ik niet kende.

'Hoe weet je nou waar die verhuur zit?' vroeg ik.

'Van de uitbater van het benzinestation in Bridgton.'

'Vraagt en gij zult vinden.'

'Zoals Jezus ooit tegen Karl Marx zei.'

'Amen.'

Het was maar een klein stukje lopen van het parkeerterrein naar het houten schuurtje van de bootverhuur.

'U bent mijn eerste klanten vandaag,' zei de man die er werkte. 'Als het eenmaal oktober is, dan zie je hier geen mens meer.'

Ik keek naar de smalle kano's en besefte hoe snel ze konden omslaan. 'Is een roeiboot niet veiliger?' vroeg ik hem.

'Kom op,' zei Toby. 'Ben je in Maine, dan moet je met een kano het Sebagomeer overgevaren zijn. Er staat geen zuchtje wind en het water is zo kalm als wat.'

'Uw man heeft gelijk,' zei de verhuurder. 'Kijk maar. Het water is spiegelglad. Je glijdt er als het ware overheen. Trouwens, in een roeiboot kun je ook omslaan. Een zwemvest is natuurlijk altijd raadzaam.'

Toby bedankte. Hij vond het spannender zonder, zei hij.

'Neem me niet kwalijk, "lieverd", dat ik zo'n bangerd ben, maar Jeff en ik voelen ons veiliger mét.'

'Natuurlijk, "schat". Niet iedereen is zo zelfverzekerd als ik.'

Wat het water betrof, had hij helemaal gelijk. Het was zo'n zeldzame herfstdag met een stralende zon, de lucht zwanger van de naderende winter en er stond geen zuchtje wind. Ik zat voorin, mijn zoon dicht tegen me aan, en Toby peddelde naar het midden van het meer. Waar je maar keek, je zag niets anders dan water en bossen; de bladeren in hun felrode en gele herfsttooi. Ik leunde achterover en staarde naar de lucht, een helblauwe koepel die niets verried van het naderende onheil. Ik zoog de pure, koele lucht diep in mijn longen en kreeg een licht gevoel in mijn hoofd. Heel even was ik los van de werkelijkheid, van alle zorgen, van mijn twijfels, van de bagage die ik dag in dag uit meetorste. Een paar heerlijke minuten viel alles van me af: ik had geen verleden, geen toekomst, geen problemen, geen minderwaardigheidscomplex, schuld of spijt. Er was alleen het heden: de bomen, de eindeloze lucht, de zon die zijn laatste stralen op mijn gezicht wierp, mijn zoon die tegen mijn borst lag te slapen. Dit is wat ze geluk noemen, dacht ik, dat zeldzame moment dat je alles vergeet en alleen in het heden verkeert.

Toby had zijn peddel naast zich neergelegd en staarde naar de blauwe lucht. 'Geloof jij in God?' vroeg hij.

'Niet echt, nee. Ik wou dat ik het in me had.'

'Hoezo?'

'Vanwege de zekerheid die het biedt, denk ik. Het idee dat je er niet helemaal alleen voor staat, dat er na dit leven nóg iets is.'

'Aha, een leven na de dood...' mijmerde hij. 'Ja, dat zou een ontdekking zijn. Om je de waarheid te zeggen, na alles wat ik over het onderwerp gelezen heb, lijkt het paradijs me nogal saai. Wat moet je er doen? Tevreden zijn dat je er bent? Ik denk dat er niets te ageren valt.'

'Hoe weet je zo zeker dat je in de hemel terechtkomt?'

'Dat is een goeie. Best mogelijk dat God banden had met het bestuur van Columbia University.'

'Ja, stel je voor. Je hebt daar inderdaad wat aangericht.'

'Dat hadden ze ook aan zichzelf te wijten.'

'Wie?'

'De universiteitsraad, het bestuur. Zíj verleenden de CIA in het geniep faciliteiten om gebruik te maken van de universitaire denktanks, zíj hebben giften aangenomen van bedrijven die napalm produceerden, zíj hebben toegestaan dat de laboratoria werden ingezet voor militaire doelen.'

'Heb je wat kunnen bereiken?'

'Ze hebben die besmette giften teruggegeven en de faculteit chemie weigert sindsdien bepaalde opdrachten van het Pentagon.'

'Kijk aan.'

'Je bent niet erg onder de indruk, merk ik.'

'Moet dat dan?'

'Je kunt de dingen niet à la minute veranderen, zeker niet in het diepgewortelde kapitalistische stelsel dat we hier hebben. Het werkt hier anders dan in het Rusland van vóór de bolsjewieken. Het proletariaat in dit land heeft de illusie dat het zich door arbeid kan opwerken tot de middenklasse. In het tsaristische Rusland had je een doodarm proletariaat. De uitbuiting van de arbeidersklasse gaat hier onder het mom van materialisme. De mensen wordt gewoon wijsgemaakt dat ze die nieuwe auto moeten hebben, die wasmachine, die nieuwe afstandsbediening. Het draait hier allemaal om kopen, kopen en nog 's kopen en het is te wijten aan het kapitalistische stelsel dat hier werkelijk de spuigaten uit loopt.' Hij keek me aan en vroeg: 'Verveel ik je?'

'Nee, ik luister.'

'Je verkeert in hogere sferen, als ik het goed inschat.'

'Dat kun je me gezien de omgeving niet écht kwalijk nemen.'

'Die zit.'

'Ik ben er helemaal niet op uit om te scoren.'

'Nee, maar ik praat weer veel te veel.'

'Je bent onderhoudend genoeg.'

'Meen je dat?'

'Ja, hoor eens, dat weet je best. Het is interessante materie.'

'Maar liever niet op een dag als deze, midden op een meer.'

'Klopt.'

Het was even stil.

'Waarom vroeg je me daarnet of ik in God geloofde?' vroeg ik.

'Omdat ik zo'n gevoel heb dat je... Nou moet ik oppassen dat het niet te idioot klinkt... dat je op zoek bent naar de betekenis van het leven,' zei hij.

'Dat zijn we toch allemaal? Het geloof is me te vlak, te gemakkelijk. "God hoedt over je en zorgt er wel voor dat je problemen verdwijnen. Als je hier op aarde volgens de regels leeft, kom je vanzelf in de hemel." Ik geloof er geen bal van.'

'Geloof je dan nergens in?'

'Bedoel je zoals jij in de revolutie gelooft en mijn vader in vreedzame acties? Om heel eerlijk te zijn, ik geloof nog het meest in mezelf.'

'Leg uit.'

Ik wist niet of ik wel moest ingaan op de dingen die me dwarszaten. Het was allemaal zo banaal, zo 'huisvrouwerig', zeker als je mijn onvrede afzette tegen Toby's hoogdravende idealen, maar meer nog omdat het vreemd (om niet te zeggen laag) was als ik met mijn zoon zo dicht tegen me aan een potje ging zitten klagen. 'Wat ik bedoel,' zei ik, 'is dat de zogenaamde burgerlijke moraal me in het gareel houdt, voorkomt dat ik uit de band spring. Aan de andere kant voel ik me beperkt door diezelfde moraal. Ik zou nooit iets radicaals doen zoals man en kind verlaten, om maar wat te noemen.'

'Dat snap ik. We zijn niet allemaal even vrij als Trotski. Het valt niet mee conventies te doorbreken, zeker als er een kind in het spel is. Dat neemt niet weg dat je zo nu en dan best een kleinschalige protest-actie tegen het alledaagse van je bestaan mag houden.'

'Zoals?'

Hij glimlachte en zei: 'Zoals dingen doen die tegen de huwelijksbe-lofte indruisen, eens lekker níét doen wat er van je verwacht wordt, je eens níét conformeren.'

Het was even stil.

'Dat kan ik helemaal niet.'

'Wat niet?'

'Wat je net suggereerde.'

'Ik suggereer helemaal niets. Ik wou eigenlijk alleen maar zeggen dat je man zich vast niet realiseert wat een bofkont hij is, wat een fantastisch mens je bent.'

'Dat is wat je noemt vleierij.'

'Kan zijn, maar het is wél waar.'

'Hoezo ben ik fantastisch?'

'Gewoon, de manier waarop je de dingen bekijkt, het feit dat je er zo goed uitziet.'

'Nu praat je wartaal.'

'Heb je altijd al last gehad van een minderwaardigheidscomplex?'

'Ja, en ik heb in tijden niet zo gebloosd, niet sinds...'

'Gisteravond.'

Ik reageerde niet en bloosde nog heviger. 'Ander onderwerp graag.'

'Komt goed uit, want het wordt tijd om de wal weer eens op te zoeken.'

Hij pakte de peddel, rechtte zijn rug en begon aan de halfuur du-rende tocht naar de oever. De zon was bijna onder en het was al een beetje aan het schemeren. Op de terugweg zeiden we niet veel. Ik dacht na over de complimentjes die hij me had gemaakt en wat hij nog meer had gezegd. *Het valt niet mee conventies te doorbreken, ze-ker als er een kind in het spel is. Dat neemt niet weg dat je zo nu en dan best een kleinschalige protestactie tegen het alledaagse van je be-*

*staan mag houden.* Het waren juist die kleinschalige protestacties die ik als een enorme stap zag; daar lag de grens die ik niet kon overschrijden zonder me enorm schuldig te voelen.

We waren bij de oever aangekomen, leverden de kano in en stapten in de auto. Jeffrey was wakker geworden en liet weten dat hij wilde drinken, dus ik ging op de achterbank zitten en gaf hem zijn flesje.

'Is die melk wel op de juiste temperatuur?' vroeg hij.

'Honger is honger. Trouwens, wat weet jij nou van flesjes?'

'Ik heb twee nichtjes.'

'Heb je ooit een luier verschoond?'

'Nee, mij niet gezien. Dat deed mijn zusje wel.'

'Heb je veel broers en zusjes?'

'Nee, ik had één zusje.'

'Hád?'

'Ze is een paar jaar geleden gestorven.'

'Wat erg.'

'Ja,' zei hij zachtjes, 'dat is het zeker.'

'Was ze ziek of zoiets?'

'Zoiets.' Hij zei het op een toon waardoor ik wist dat hij het daarbij wilde laten.

Het was al donker toen we Pelham binnenreden. Hij zette de auto achter de praktijk. Zuster Bass was nog aan het werk. Ze keek op en ik kreeg stellig de indruk dat ze een en ander goed in zich opnam: Toby zat achter het stuur, hij hielp me met dingen de trap op dragen en we waren die middag met zijn drietjes op pad geweest. Ik zwaaide en trok een gezicht. Ze keek meteen weg en richtte zich weer op de papieren die ze voor zich had.

Ik verschoonde Jeffrey, voerde hem en legde hem in de box. Toby stroopte zijn mouwen op en begon de knoflook te hakken.

'Kan ik me nuttig maken?' vroeg ik.

'Ja, door uit de keuken weg te blijven.'

'Zeker weten?'

'Ja.'

'Dus ik kan even in bad gaan?'

'Natuurlijk. Als de kleine zich laat horen, geef ik hem een glas chianti, oké? Reken maar dat hij zich dan gedeisd houdt.'

Ik kon me niet meer herinneren wanneer er iemand voor me gekookt had of hoe lang geleden het was dat ik de luxe had gekend van een bad van een uur. Zelfs 's avonds, als Dan thuis was en Jeffrey sliep, vond ik uitgebreid badderen een te grote uitspatting, al was het alleen maar omdat Dan me er altijd (heel vriendelijk overigens) aan herinnerde dat er nog dingen in het huis gedaan moesten worden.

Genoeg redenen dus om eens lekker te genieten totdat Jeffrey me nodig had of het eten klaar was. Voor het geval mijn logé niet wist wat hij moest doen als mijn zoon een keel opzette, liet ik de deur op een kiertje staan, maar zo te horen konden hij en Jeffrey het uitstekend vinden. Na een klein uur riep Toby dat ik nog twintig minuten had, dus ik stapte uit het bad, droogde me af, deed een badjas aan en vloog de slaapkamer in. Ik koos een lange, gebloemde rok uit en een dunne, wit katoenen blouse waar ik gek op was, maar die ik zelden droeg.

'Je ziet er prachtig uit,' zei hij toen ik de kamer in kwam.

'Hou op,' zei ik.

'Waarom ga je altijd blozen als ik iets aardigs tegen je zeg?'

'Omdat ik dat niet gewend ben én omdat je mijn man niet bent.'

'Het is maar een complimentje, meer niet.'

'Dan is het goed.'

'Glas wijn?'

'Lekker, maar ik moet eerst Dan even bellen.'

Ik ging op de bank zitten en draaide het nummer in Glens Falls. Hij nam na drie keer overgaan op en klonk alsof hij de wanhoop nabij was. 'Het ziekenhuis belde vanochtend vroeg om te zeggen dat zijn toestand verslechterd was. Ik ben er natuurlijk meteen heen gegaan, maar toen ik er was, leek het weer wat beter te gaan. De zaalarts zei dat hij nog nooit zoiets had meegemaakt, dat mijn vader op een bokser leek die bijna was uitgeteld, maar telkens toch weer opkrabbelde. De goede man heeft een ijzeren wil. Geef hem eens ongelijk. Als dit zo doorgaat, moeten ze mij nog eerder wegdragen dan hem.'

'Kom dan naar huis,' zei ik, hoewel dat wel het laatste was wat ik op dit moment kon gebruiken.

'Dat ben ik ook zeker van plan,' zei hij. 'Over een dag of twee, drie.'

Ik gaf hem een aangepast verslag van wat ik die dag had gedaan, verzweeg de kanotocht, maar zei wel dat de logé er nog was.

'Alles goed met hem?' vroeg hij weinig geïnteresseerd.

'Ja hoor, best.'

'Sorry dat ik een beetje afwezig overkom. Oké, ik moet weer eens ophangen. Geef Jeffrey een dikke pakkerd van me en zeg maar dat zijn papa hem erg mist.' Hij nam snel afscheid en hing op. Ik legde de hoorn op de haak en pakte een sigaret.

Toby gaf me een glas wijn aan en vroeg: 'Gaat het een beetje?'

'Ja hoor.' Na een slok wijn en een trek van mijn sigaret, zei ik: 'Nou, om je de waarheid te zeggen: niet echt eigenlijk.'

'Heb je het dan over de toestand van zijn vader?'

'Onder andere. Laten we het er maar niet over hebben. Het eten ruikt veel te lekker.'

Hij schonk mijn glas bij en zei: 'Kom op. Aan tafel.'

Ik legde Jeff in de wieg, maar hij wilde niet en zodra ik mijn hielen had gelicht, zette hij het op een huilen. 'Fijn hoor. Dat kan er ook nog wel bij,' verzuchtte ik.

'Hij is jaloers.'

'Kan zijn. Misschien wil hij nog wat wijn.'

'Waarom haal je hem niet? Wedden dat onze conversatie hem ogenblikkelijk in slaap sust?'

Ik volgde zijn raad op, pakte Jeff uit de wieg en nam hem op schoot. Het eten was goddelijk. *Rigatoni con salsiccia*, een lange, holle pasta met salami en zelfgemaakte tomatensaus, het geheel gegratineerd met parmezaanse kaas. Het was de lekkerste Italiaanse schotel die ik ooit had gegeten. Het knoflookbrood was perfect omdat Toby niet alleen verse knoflook en oregano had gebruikt, maar ook authentiek Italiaans brood. Halverwege de maaltijd was Jeff zo verveeld door het gesprek dat hij in slaap viel.

'Waar heb je zo goed leren koken?' vroeg ik toen Toby de tweede fles wijn ontkurkte.

'In de bak.'

'Dat zal wel.'

'Ik heb twee keer gezeten.'

'O, ja? Hoelang?'

'Twee dagen maar. Ik ben nooit officieel aangeklaagd, dus moesten ze me wel laten gaan. Het heeft ook absoluut geen zin mensen te vervolgen voor burgerlijke ongehoorzaamheid. Nee, wat dat koken betreft, dat heb ik geleerd van ene Francesca die ik op de universiteit heb leren kennen.'

'Aha. Een Italiaanse?'

'Ja, uit Milaan. Haar ouders waren communisten, dus had ze Marcuse en Che Guevara met de paplepel binnengekregen. Daarnaast kleedde ze zich fantastisch en kon ze uitstekend koken.'

'Dit recept heb je van haar?'

'Ja.'

'Die Italiaanse communiste was ongetwijfeld beeldschoon en een echte vrouw van de wereld?'

Een glimlach. 'Tweemaal raak en... je bent jaloers.'

'Klopt, omdat ik graag een beeldschone vrouw van de wereld had willen zijn.'

'Wat heb ik je op het meer nou gezegd?'

'Dat was alleen omdat je iets aardigs wilde zeggen.'

'Het is de waarheid.'

'Als ik dat eens kon geloven.'

'Je man heeft je aardig wat complexen aangepraat, hè?'

'Hij niet alleen.'

'Je moeder?'

'Ze was... is nogal kritisch.'

'Ja, dat is een felle, hè? Je vader heeft het daar wel eens over gehad. Trouwens, het viel vast niet mee om op te groeien met een vader die zo in het middelpunt van de belangstelling staat.'

'Met name die van vrouwen.'

'Daar is niets mis mee.'

'Natuurlijk niet.'

'Je zegt maar wat. Je vond het vreselijk dat je vader zo'n Don Juan was, al was het alleen maar omdat jíj nooit uit de band zou springen.'

'Hoe weet jij dat nou?'

'Omdat je dat uitstraalt.'

We zwegen. Ik stak een sigaret op en vroeg: 'Wil je me nog een keer bijschenken?'

Hij schonk de wijn in en vroeg: 'Was ik een beetje al te direct? Het is wel waar, toch?'

'Wat maakt het jou verder uit?'

'De waarheid is niet altijd even mooi.'

'Je hoeft me niet te vertellen wat ik al weet.'

'Oké.'

'Je vindt me echt een tut, hè?'

'Dat vind je zélf. Je doet me zó aan mijn zusje denken.'

'Je overleden zusje?'

'Ja. Dat was een goed mens, misschien zelfs té goed. Ze deed altijd vreselijk haar best het iedereen naar de zin te maken en cijferde zichzelf volledig weg. Ze was heel intelligent, is cum laude afgestudeerd, maar zat gevangen in haar huwelijk met Mel, een accountant. Binnen vier jaar had ze drie kinderen en wist ze dat ze geen kant op kon, niet in de laatste plaats omdat haar man van mening was dat het aanrecht haar enige recht was. Ze durfde zich niet los te maken en was de slaaf van haar verplichtingen. Ze is langzaam weggezakt in een depressie. Mel, altijd al vol begrip voor anderen, vond het maar lastig, iemand die altijd down was. Toen het steeds slechter met haar ging, dreigde hij haar zelfs in een inrichting te laten opsluiten. Drie dagen nadat ze me dat vertelde, is ze met haar auto ergens bij het Eriemeer tegen een boom geknald. Ze had geen autogordel om, dus...' Hij zweeg even en staarde in zijn glas. 'De politie vond een briefje op het dashboard en in dat keurige handschrift van haar had ze geschreven: *Het spijt me dat het zo is gegaan, maar er is iets niet goed in mijn hoofd en dat maakt mijn leven wel erg moeilijk.*' Hij viel weer even stil. 'Een maand na haar zelfmoord ben ik gearresteerd omdat ik bij de rellen tijdens de Democratische Conventie in Chicago een traangasgranaat naar de politie heb teruggegooid en twee maanden daarna organiseerde ik in New York het beleg van het universiteitsgebouw. Het overlijden van mijn zusje en die acties hebben wel degelijk iets met elkaar te maken. Wat er met haar gebeurd is, heeft me volkomen geradicaliseerd en me op scherp gezet. Ik haatte iedere conservatieveling. Dat is het probleem hier: we moeten ons schikken in de rol die voor ons is uitgestippeld, zo niet, dan worden we door de gemeenschap uitgekotst. Daar vechten mensen als je vader en ik nou tegen: de afbreuk van het individu door een maatschappij die bestaat uit slaafse volgelingen, het klootjesvolk. Ellen wilde zich vrijmaken, maar het werd haar fataal. Zo gaat het je als je niet...'

Zijn hand schoof over tafel en zijn vingers omstrengelden de mijne.

'Maak je zin eens af.'

Hij kneep even in mijn hand en zei: 'Als je je niet vrijmaakt.'

'Hoe maakt een mens zich vrij?'

'Dat is niet zo moeilijk,' zei hij. 'Je moet je gewoon geven...' Hij zoende me op mijn mond en ik hield hem niet tegen; integendeel, hier had ik al de hele dag naar verlangd. Voor ik het wist, verkende hij mijn lichaam. We stonden op en vielen op de bank neer, hij boven op me. Ik deed mijn benen uit elkaar, duwde mijn bekken tegen het zijne en voelde zijn harde geslacht in zijn spijkerbroek. Hij begon aan mijn rok te sjorren, ik klauwde met mijn nagels in zijn rug, mijn tong in zijn mond en...

De baby begon te huilen. In het begin negeerde ik hem, maar algauw werd het gejammer een keihard blèren.

'Heel fijn,' zei Toby en hij rolde van me af.

'Sorry,' zei ik en ik sprong op. Ik trok mijn rok goed en liep naar de slaapkamer. Zodra ik Jeff had opgepakt, was hij rustig. Ik wiegde hem even, deed een speen in zijn mond, ging op de rand van het bed zitten en hield hem dicht tegen me aan. Ik werd overmand door schuldgevoelens, mijn hoofd tolde en ik voelde me afschuwelijk.

'Alles oké daar?' riep Toby vanuit de kamer.

'Ja, best. Ik kom eraan.'

Jeff werd weer slaperig, dus ik legde hem voorzichtig terug in zijn wieg, trok het dekentje over hem heen en bleef even naar hem staan kijken. Ik moest me aan de rand van de wieg vasthouden om mijn evenwicht te bewaren.

Ik kan het niet… Ik kan het écht niet.

De deur ging open en Toby stond met twee glazen wijn in zijn hand in de deuropening. 'Ik dacht dat je dit wel kon gebruiken,' fluisterde hij.

'Dank je.' Ik nam het glas aan, waarop hij zich naar me toe boog en me zoende. Ik beantwoordde zijn kus, maar hij merkte meteen dat er wat twijfels in me geslopen waren.

'Alles kits?' vroeg hij.

'Ja hoor.'

'Mooi.' Hij zoende me in mijn nek, maar ik duwde hem met mijn schouder van me af en zei: 'Niet hier.'

We gingen naar de woonkamer en zodra de slaapkamerdeur dicht was, liet hij zijn handen weer over mijn lichaam gaan, maar nu duwde ik hem zachtjes van me af.

'Wat is er nou?' vroeg hij.

'Ik kán het niet.'

'Vanwege je zoon?'

'Ja, en…' Ik maakte mijn zin niet af en liep naar het raam.

'Bourgeois schuldgevoelens?'

'Ja, zo kan-ie wel weer.' Ik bleef met mijn rug naar hem toe staan.

'Hé.' Hij kwam op me af, sloeg zijn armen om me heen en zei: 'Ik zie dat je gevoel voor humor je even in de steek laat.'

Ik draaide me om en keek hem aan. 'Ik wil wel, maar…'

Hij zoende me. 'Zó erg is het toch niet?'

'Ik…'

Weer een zoen.

'Niemand die het hoeft te weten.'

'Behalve ik dan.'

Nog een zoen. 'Nou, en?' Weer een zoen. 'Schuldgevoel is iets voor nonnetjes.'

'Dan ben ik moeder-overste.'

Hij lachte en zoende me weer. 'Je bent zo mooi.'

'Hou op.'

'Je bent het einde.' Weer een zoen.

'Niet hier. Nu niet,' zei ik.

Weer een zoen. 'Wanneer dan wel?'

Tja, wanneer. Die vraag had me mijn hele leven al gekweld. *Parijs? Wanneer dan? New York? Natuurlijk, maar wanneer? Carrière, ja, maar wanneer? Onafhankelijkheid? Wanneer?* Mijn voorgekookte, altijd toepasselijke antwoord was: *nu niet.* Hij had gelijk. *Wanneer dan wel? Wanneer zou ik mijn nek eens uitsteken?* Weer een zoen.

Je bent het einde.

Had Dan dat ooit tegen me gezegd?

Weer een zoen. Ik voelde zijn hand naar beneden gaan en mijn rok optrekken.

'Niet hier,' fluisterde ik. We stonden nog voor het raam.

'Wacht,' zei hij terwijl hij de luxaflex langzaam liet zakken. 'Het is laat. Er is geen hond op straat.'

De luxaflex was nog niet helemaal neer en ik kon nog net een blik naar buiten werpen. Ik zag iemand staan... een figuur die beneden in het donker naar ons stond te kijken.

'Wie is dat?' fluisterde ik.

Toby keek uit het raam. 'Je ziet spoken.'

'Echt?'

De luxaflex was neer. Hij omhelsde me en zei: 'Maak je nou maar geen zorgen.'

Weer een zoen. Nog een. Nog een. Ik leidde hem mee naar de slaapkamer.

Jeff sliep als een blok.

Ik draaide me om, trok hem op het bed en dacht: *maak je nou maar geen zorgen.*

## 8

DIE NACHT BEDREVEN we de liefde twee keer. Toby viel pas tegen drieën in slaap, maar ik was toen nog klaarwakker: doodmoe, leeg, uitgeput, gespannen. Mijn zoon sliep op nog geen meter afstand van het bed waarin die ongebreidelde passie zich had uitgeleefd, het bed waarin ik tot op die nacht alleen met Dan had gelegen.

Zodra Toby sliep, wurmde ik me uit zijn heerlijke omhelzing en ging even bij Jeff kijken. Mijn zoon was helemaal van de wereld en had geen idee wat daarin omging. Tijdens het vrijen had ik een angst-visioen van Jeff die rechtop in zijn wiegje stond en de hartstochtelij-ke lichamelijke activiteit gadesloeg. Ik wist natuurlijk dat zijn zes maanden jonge hersentjes het allemaal niet konden bevatten, maar het feit dat ik in het bijzijn van mijn zoon met een andere man had gevreeën...

Ik ging terug naar bed en drukte het kussen tegen mijn oren om het boze, beschuldigende stemmetje dat zei wat een immoreel mon-ster ik was niet te hoeven horen. Maar ik hoorde ook een andere stem, een veel rationelere, die van de slechte vrouw in me: *hou toch eens op met dat calvinistische gezeur. Toby heeft gelijk: schuld is iets voor nonnetjes. Waarom zou je jezelf straffen voor de neukpartij van je leven?* Ik genoot toch na van een heerlijke vrijpartij, van een ont-stijgen aan mijn eigen lichaam, van de manier waarop hij me had ontsloten.

Ik stond op, liep naar de woonkamer, pakte mijn sigaretten en ging naar het keukenkastje waar de enige sterkedrank in het huis stond, een fles Jim Bean whisky. Ik schonk een glas in en sloeg het meteen achterover. Ik maakte mijn sigaret uit en stak er meteen weer een op. Ik schonk nog wat Jim Bean in en sloeg ook dat achterover. De drank verdoofde mijn keel en slokdarm, maar niet mijn zenuwen. Ik zocht afleiding en begon aan de afwas, inclusief alle potten en pannen die Toby had gebruikt. De vloer van de keuken was niet erg schoon, dus ik pakte een emmer en een dweil en boende het lino-leum. Daarna waren het aanrecht en de badkamer aan de beurt. Ik zwoegde op de vettige rand in het bad en dacht: *zo vier je het feit dat je de beste seks van je leven hebt gehad? Is dat zielig of niet?*

Ik beken.

Nadat ik de badkamer had gedaan, werd ik overvallen door vermoeidheid. Ik zette alle schoonmaakspullen op hun plaats terug, liet me op de bank vallen, stak nog een sigaret op en smeekte God me te kalmeren, maar mijn schuldgevoel won het weer. Het was net een virus dat om zich heen greep en waar geen kruid tegen gewassen was.

Morgenochtend moet hij écht weg. Hij moet zijn rugzak inpakken en voor zonsopgang verdwenen zijn. Ik ga het beddengoed wassen, minimaal twee keer. Ik moet de slaapkamer zuigen zodat al zijn sporen zijn uitgewist en dan proberen dit alles uit mijn geheugen te wissen, het in de map 'Afgehandeld' te stoppen zodat ik het kwijt ben.

*Maar niet heus!*

In een poging de gekmakende discussie die ik met mezelf voerde tegen te houden, liet ik mijn vuist hard op de salontafel neerkomen. Ik keek op mijn horloge. Kwart over vijf. Het was al ochtend en de dag die komen ging, werd ongetwijfeld lang, vermoeiend en vol verwijten. Nog één sigaret en dan hopelijk een uurtje slaap voordat Jeff wakker werd.

Net toen ik mijn vierde sigaret van die met schuld doordrenkte nacht opstak, ging de deur van de slaapkamer open. Toby stommelde poedelnaakt en slaapdronken de kamer in. Hij kneep zijn ogen tot spleetjes, alsof het hem moeite kostte me in zijn halfslaap te ontwaren.

'Vertel me nou niet dat je je schuldig voelt,' zei hij terwijl hij afstevende op de fles whisky die nog op het aanrecht stond.

'Hoezo?'

'Ja, hoor eens,' zei hij. Hij schonk zich een glas in en zei: 'Je spookt de halve nacht rond, doet de afwas, maakt het huis schoon. Ik heb het allemaal kunnen volgen.' Hij kwam met het glas in de hand naast me zitten.

'Sorry,' zei ik.

'Je hoeft je niet schuldig te voelen.' Hij bracht zijn hand naar mijn gezicht en zei: 'En al helemaal niet over de seks. Seks is niet meer dan dat, een weldaad voor de geest. Zie het maar als een vuist tegen de geldende normen en waarden, tegen gevangenschap, tegen de dood.'

'Ja, het zal allemaal wel.'

'Ik heb je volledig overtuigd, maar niet heus. Is er wat?'

'Nee hoor.'

'Waarom kun je dan niet slapen?'

'Omdat... dit allemaal volslagen nieuw voor me is.'

'Vertel me nou niet dat je nadenkt over het "verraad" dat je hebt gepleegd of dergelijke ouderwetse begrippen.'

'Ik doe mijn best.'

'Een beetje laat, nietwaar? Als je niet met me wilde neuken, had je het niet moeten doen.'

'Daar gaat het niet om.'

'Waar gaat het dan wel om? Laten we alles even op een rijtje zetten. Je wilde met me naar bed, hoewel je voorzag dat je je er naderhand schuldig over zou voelen. Je deed het toch, hoewel je wist dat je er later spijt van zou hebben. Met andere woorden: je hebt de keuze gemaakt je te laten gaan terwijl je wist dat je een bloedhekel aan jezelf zou krijgen. Dat komt op mij over als masochisme. Heb ik gelijk of niet?'

Ik liet mijn hoofd hangen.

'Ach, gossie. Je lijkt wel een schoolkind dat een standje krijgt.'

'Je geeft me toch een standje?'

'Nee. Het enige wat ik wil bereiken, is dat je je niet meer schuldig voelt. Wat heb je eraan? Je bewijst jezelf er écht geen dienst mee.'

'Jij hebt makkelijk praten. Jij bent niet getrouwd.'

'Het is maar hoe je het bekijkt, een gebeurtenis vertaalt, inkleurt en ermee omgaat. Je moet het zien voor wat het is.'

'Misschien ben jij een van die bofkonten die niet weten wat een bezwaard gemoed is.'

'Misschien ben jij er een die zichzelf altijd straf oplegt en niet kan genieten van het moment.'

Ik liet mijn hoofd weer hangen. Niemand vindt het prettig als iemand hem een spiegel voorhoudt.

' "Het brein is autonoom. Het kan van de hemel een hel maken en vice versa." Die strofe ken je, neem ik aan?'

'Ja, Milton, *Het paradijs verloren*. Dat heb ik gelezen.'

Hij legde zijn vinger onder mijn kin en ik moest hem wel aankijken. 'Milton had het bij het rechte eind, geloof je ook niet?'

Ik knikte.

'Dan moet je eens ophouden met alles tot een hel te maken, oké?'

Ik zweeg. Hij gaf me een zoen op mijn mond en zei: 'Zo. Was dat nou hels of niet?'

Ik reageerde niet en hij gaf me weer een zoen. 'Hels, hè?'

'Hou op,' zei ik, maar ik beantwoordde zijn zoen.

'Als je liever hebt dat ik wegga...' Hij zoende me weer. '... moet je dat zeggen.'

Weer een zoen. Ik trok hem naar me toe. 'Nog niet,' zei ik.

We bedreven de liefde op de bank; heel kalm, heel langzaam, zonder besef van iets anders dan het hier en nu, genietend van het buitengewone moment. Toen het voorbij was, hield ik hem stevig in mijn armen. Ik wilde hem niet laten gaan en snikte.

'Aha... is dat schuldgevoel nou eindelijk verdwenen?'

Nee. Ik snikte omdat ik besefte dat ik voor hem gevallen was, maar dat hij niet bij me kon blijven.

'Blijf nog een paar dagen.'

'Graag,' zei hij. 'Dat lijkt me heerlijk.'

'Mooi.'

De herfstzon straalde al door de spleten in de luxaflex. Jeff roerde zich, wat voor Toby het sein was een bad te nemen. Ik wijdde me aan mijn zoon – voeren, baden, schone luier – legde hem in de box en zette koffie. Toen Toby uit de badkamer kwam, gingen we aan de keukentafel zitten en dronken koffie. We zeiden weinig, niet alleen omdat we allebei moe waren van een vrijwel slapeloze nacht, maar meer nog omdat er niet veel te zeggen viel.

Na de koffie nam ik een douche en kleedde me aan. Toen ik de kamer in kwam, zag ik Toby op zijn knieën bij de box zitten en gekke gezichten trekken. Jeff giechelde onbedaarlijk. *Ik wou dat hij mijn man was*, dacht ik. In een dromerige flits trok een leven met Toby aan me voorbij: goede gesprekken, fantastische seks, respect, lotsverbondenheid...

*Nou gedraag je je toch écht als een verliefde tiener. Hij is een vrije vogel, die zich niet bindt, niets moet hebben van verplichtingen als vrouw en kinderen. Dit is het type dat nergens lang blijft hangen. Voor hem ben je niet meer dan een lustobject, meer niet.*

Hij pakte Jeff uit de box, hief hem boven zijn hoofd en onder het maken van de raarste geluiden begroef hij zijn hoofd in Jeffs buik. Mijn zoon kwam niet meer bij van het lachen en op dat moment wist ik dat ik een kind van hem wilde.

*Mens, mens... Doe niet zo belachelijk.*

Hij legde Jeff weer in de box, liep op me af en gaf me een kus op mijn mond. 'Je ziet er fantastisch uit.'

'Voor een wrak misschien.'

'Je vindt het gewoon fijn om jezelf naar beneden te halen.'

Ik gaf hem een zoen en zei: 'Als je in de buurt blijft, kun je me misschien zien afkicken.'

'Ik neem de uitnodiging graag aan.'

'Wat ga je doen vandaag?'

'Allereerst maar weer even naar bed.'

'Bofkont.'

'Jij kunt na je werk toch een tukje doen?'

Ik nam zijn hoofd in mijn handen en trok hem naar me toe. 'Alleen als jij naast me ligt.'

'Afgesproken.'

Er volgde nog een laatste, lange zoen, maar na een blik op mijn horloge zei ik: 'Ik moet nu écht gaan.'

'Schiet maar op. Beloof me dat je niet de hele dag rondloopt met het idee dat de mensen zien dat je een vreselijk geheim bij je draagt.'

Dat was nou precies een van de angstvisioenen die me 's nachts hadden achtervolgd, dat de mensen zodra ik me ergens vertoonde zouden zien wat er aan de hand was, dat het van me afstraalde.

*Gewoon doen alsof er niets aan de hand is. Er is ook niets aan de hand, tenzij je zelf aangeeft van wél...*

Ik leverde Jeff af bij Babs.

'Liefje, je ziet eruit of je geen oog hebt dichtgedaan,' zei ze.

Ik glimlachte maar wat en zei zo nonchalant mogelijk: 'Klopt. Jeff had last van krampjes.'

'Dat is balen. Toen Betty een halfjaar was, heb ik twee weken niet geslapen door die verdomde krampjes. Op een gegeven moment dacht ik dat ik gek zou worden.'

'Zo voel ik me nou ook en dat al na één nacht.'

'Hij heeft je logé vast ook wakker gehouden.'

'Eh... Nee.'

'Nou, dan is het een gezonde slaper.'

Schonk ze me nou een veelbetekenende blik of, erger nog, bloosde ik? Zag ze dat ik me schuldig voelde?

'Dat moet wel, want ik heb hem niet gehoord.'

'Dan was-ie volkomen uitgeput. Wil je die jongen van je weer op de gebruikelijke tijd?'

'Wat? Wie?' vroeg ik verward.

'Je kind. Wie anders?'

'Sorry. Het gebrek aan slaap doet me geen goed.'

'Als je vanmiddag een tukje wilt doen, dan kom je hem maar later halen.'

Het leek me een fantastische oplossing, want het betekende dat ik een uur of twee met Toby zou hebben. 'Is dat niet lastig?'

'Dat kind bezorgt me nooit last. Als ik je zo bekijk, zie ik dat je wel even een paar uur alleen kunt gebruiken.'

*Wat wil je daarmee zeggen?* 'Dat zou heerlijk zijn, Babs. Ik ben je reuze dankbaar.'

'Neem lekker de tijd, oké?' zei ze met een knipoog.

Terwijl ik naar Miss Pelham liep, vroeg ik me af wat die verrekte knipoog betekende. Had ze me dan zó snel door, had ze een en een bij elkaar opgeteld en was ze op drie uitgekomen, of had ze me gewoon een beetje gesard om te kijken hoe ik zou reageren? Waarom zou ze? Vermoedde ze dan wat?

Ik wipte bij Miller's binnen om *The Boston Globe* en sigaretten te kopen.

'Wat zie jij er afgetrokken uit,' zei Jessie.

'Beetje drukke nacht met de baby,' zei ik.

'O.' Ze gaf me de krant en de sigaretten aan en vroeg: 'Wanneer komt de dokter weer terug?'

'Een dezer dagen,' zei ik.

'O.' Dat klonk nogal kortaf en was eigenlijk typisch Jessie, of bedoelde ze zoiets als 'mij hoef je niets wijs te maken'? Waarom had ze zo nadrukkelijk naar Dan gevraagd?

Ik was de bibliotheek nog niet binnen, of Estelle zei: 'Nou, iedereen heeft het erover of je wat met die vent hebt.'

'Godverdegodver,' zei ik, in de hoop dat dat afdoende zou zijn.

'Het is maar kleinsteeds geroddel, hoor. Iedereen weet dat er niets aan de hand is. Je zou wel gek zijn om iets te beginnen in een gat als dit waar iedereen direct een oordeel klaar heeft. Ze willen gewoon iets hebben om over te kleppen, meer niet. Als jij tijdens Dans afwezigheid een goed uitziende vent over de vloer hebt, kunnen ze hun eigen onbeduidende probleempjes even vergeten, zie je.'

Die middag na het werk vertelde ik Toby maar niet wat Estelle had gezegd, alleen al omdat Toby zag dat ik Jeff niet bij me had en me meteen weer het bed in sleurde. Ik stribbelde niet tegen, hoewel ik besefte dat we ons precies boven de spreekkamer bevonden. Het bed kraakte flink, dus ik stond erop dat we de matras op de grond legden. Toby was niet erg te spreken over de onderbreking, want toen ik het me bedacht waren we al half uitgekleed. Had ik mijn verstand gebruikt, dan zou ik überhaupt niet midden op de dag aan een matras hebben staan sjorren terwijl mijn minnaar me in mijn hals zoende en met mijn borsten speelde.

'Help eens een handje,' zei ik.

'Dit is veel leuker,' zei hij.

'Dat matras is zwaar, weet je.'

'Ben je nou paranoïde over dat bed?'

'Je weet hoe het kraakte gisteravond.'

'Nee, ik was te druk bezig.'

'Heel grappig.'

Hij begroef zijn gezicht in mijn hals.

'Kom op. Het is zo gepiept,' zei ik terwijl ik steeds natter werd.

'Goed dan.' Hij pakte een hoek van het matras en trok het in één keer van het bed op de grond. Ik liet me erop vallen. Hij volgde mijn voorbeeld en ik leidde hem meteen bij me binnen, wanhopig, maar tegelijkertijd bang dat we te veel lawaai zouden maken. Uit alle macht probeerde ik wat zich buiten de kamer afspeelde te vergeten, maar desondanks vroeg ik me af of we beneden te horen waren. Wat kon het me eigenlijk schelen. Zodra we klaar waren, moest hij opkrassen. Ik wilde hem zolang mogelijk bij me houden. Ik vroeg me af of dit nou liefde was, gaf mezelf meteen antwoord en zei dat het allemaal van de gekke was, maar dat ik hoopte dat er geen einde aan zou komen.

Na afloop bleven we zwijgend liggen. Hij streek met zijn vinger over mijn gezicht en zei: 'Pech, hè?'

'Hoezo?'

'Dat je getrouwd bent.'

Ik legde mijn vinger op zijn lippen en zei: 'Daar heb ik het nou even niet over. Dit is een veel te fijn moment om...'

Hij onderbrak me. 'Morgen of overmorgen, als je man terug is, hoe kijk je hier dan op terug? Als *une petite aventure*, zoals de Fransen het zeggen, *un rêve*, die naarmate de tijd verstrijkt steeds mooier wordt?'

'Toby? Verpest het nou niet...'

'Wat niet? De illusie dat het meer betekent dan het in werkelijkheid is?'

Ik werd een beetje bezorgd over de richting die dit gesprek opging. 'Het is wat het is, bedoel je dat?'

'Ik verlaat me zo vaak op de goedheid van vreemden,' zei hij.

'Wat is dat voor rotopmerking?'

'Het spijt me.'

'Nee, het spijt je helemaal niet.'

'Je hebt gelijk. Spijt voel ik niet, wel iets van woede dat je jezelf opsluit in een uitzichtloos huwelijk in dit hopeloze gat, dat je niet met me meegaat.'

'Wil je dat dan?'

'Reken maar.'

'O, Toby...' Ik sloeg mijn armen om zijn hals.

'Niks "O, Toby". Je bent veel te schijterig om alles achter je te laten.'

'Hoe bedoel je, "alles"? Mijn beschermde, bourgeois leven? Mijn slaafse huisvrouwenbestaantje? Mijn behoefte de traditionele Amerikaanse normen op te houden? Ik ben bereid er zó uit te stappen, weg van dit huwelijk, weg uit dit rotoord, ware het niet dat ik een zoon heb.'

'Hij mag geen beletsel vormen.'

'Een beletsel? Jeffrey? Dat je dat over je lippen krijgt, bewijst dat je er geen idee van hebt wat het is om een kind te hebben. Ook al is hij een handenbindertje, als iemand het ook maar in zijn hoofd zou halen hem bij me weg te halen, zou ik hem of haar de ogen uitkrabben. Voor ikzelf moeder werd, wist ik ook niet dat ik het in me had, hoor.'

'Aha, het moederdier.' Het sarcasme droop eraf. 'Zie je jezelf alleen nog maar als een moedertje?'

'Doe niet zo vervelend.'

'Ik wil je alleen maar bevrijden uit dat zelfgenoegzame be...'

'Ik bén verdomme niet zelfgenoegzaam.'

'Als je hier blijft hangen, komt dat vanzelf wel. Wat ik je kan bieden...'

'Ik wéét wat je me kunt bieden: romantiek, hartstocht, avontuur, intelligent gezelschap. Denk je dat ik daar niet naar snak, dat ik de hele zooi hier niet wil ontvluchten? Heus, geloof me, maar niet ten koste van mijn zoon; dat kán en wíl ik niet.'

'Dan blijf je de rest van je leven het doktersvrouwtje.'

Ik verstijfde. 'Hoe weet jíj dat nou?'

'Omdat mensen in wezen niet veranderen.'

'Zie je altijd alles zo zwart-wit?'

'Waarom zit je nou meteen op de kast? Omdat je weet dat ik er niet ver naast zit?'

Ik stond op en graaide mijn kleren bijeen. 'Ben je altijd zo vervelend?'

'Word jij altijd kwaad als iemand je met de neus op de feiten drukt?'

'Hoezo, feiten? Je lult maar wat.'

'Het is maar hoe je het bekijkt.'

'Inderdaad.' Ik trok mijn spijkerbroek aan. 'Wil je weten hoe ik het bekijk? Ik zie in dat ik een heel grote fout heb gemaakt.'

'Daarnet tijdens het vrijen kreeg ik toch écht een heel andere indruk.'

Ik draaide me om en keek hem aan. 'Ik weet best hoe jij dit alles ziet: het was niet meer dan een grote neukpartij.'

'Tja, wat was het anders? Liefde?' Hij sprak het woord met zoveel verachting uit, dat ik het ervoer als een klap in mijn gezicht. Ik kleedde me verder aan en vermeed zijn cynische blik. 'Ik ga Jeff ophalen,' zei ik.

'En dan?'

'Dan zet ik je met alle plezier op het busstation in Lewiston af.'

'Gooi je me eruit?'

'Ik verzoek je vriendelijk te vertrekken.'

'Alleen omdat ik je heb gevraagd met me mee te gaan?'

'Nee, dat is het niet.'

'O. Zeker omdat ik het lef heb je uit te dagen over jezelf na te denken, omdat ik je bijzonder genoeg vind om iets met je te beginnen? En wat doe jij? Je wordt kwaad, beschuldigt me van alles en nog wat, en vraagt me vriendelijk om op te krassen. Ik ben nogal direct, dus misschien heb ik het wel verdiend, maar ik weet waarover ik het heb als het erom gaat iemand om te turnen, of het nou op het politieke of persoonlijke vlak is: als je iemand wakker wilt schudden, moet je soms met grof geschut komen.'

'Mij wakker schudden? Dat is écht niet nodig.'

'Ik denk van wel. Trouwens, ik vertel je niets nieuws. Je hebt het zelf donders goed door. Het is natuurlijk heel makkelijk om de boodschapper uit te kafferen. En voor je me weer wat toevoegt, je hoeft me niet naar Lewiston te brengen. Ik pak mijn spullen in en ga wel liften. Als jij thuiskomt, ben ik verdwenen.'

'Mooi,' zei ik, maar toen ik bij de voordeur was, draaide ik me om en zei: 'Blijf anders tot morgenochtend.'

'Hoezo?'

'Dan heb ik wat meer tijd om erover na te denken.'

Ik liep met opzet langs de praktijk om te zien hoe zuster Bass reageerde. Zoals gewoonlijk zat ze achter de balie. Ze keek even op, knikte afgemeten en concentreerde zich weer op dat stomme blaadje dat ze altijd las, *Het Beste*. Niets in haar gedrag verried dat ze Toby en mij had gehoord. Ik liep naar haar huis en sprak mezelf toe dat ik rustig na moest denken, alles wat door mijn hoofd spookte op een rijtje moest zetten. Ik had me niet zo moeten opwinden. Hij had gewoon gelijk. Ik zat in de val, ontbeerde liefde, en het was mijn eigen schuld. En ja, ik was ondersteboven van het feit dat Tobias Judson, de beroemde radicaal, de man die door alle progressieve vrouwen in het land werd aanbeden, me had gevraagd met hem mee te gaan. Hij meende het, zelfs in die mate dat hij er ruzie over maakte. Hij had de spijker op de kop geslagen toen hij beweerde dat ik schijterig was en me in mijn lot schikte. En wat wilde ik graag weer met hem naar bed.

Maar, maar, maar... Een stemmetje diep binnen in me zei: 'Stel dát je met hem meegaat, dat je met die eindeloze meneer Judson de wijde wereld intrekt, het betekent wél dat je je zoon bij je man moet achterlaten. Natuurlijk, je komt nog eens ergens, je ontmoet zijn beroemde makkers. In Washington lunch je met George McGovern, je gaat naar Chicago en ontmoet Abbie Hoffman, je zit in New York, gaat naar Columbia University, waar hij als een held wordt onthaald, als een hedendaagse John Reed. Je slaapt in hotels, motels en in de logeerkamers van vrienden. Iedere nacht seks met minimaal drie orgasmen. Je bent bij vergaderingen met de redacteuren van *Ramparts*, of bij Victor Navatski van *The Nation* om een idee voor een artikel te bespreken. Een lunch met de uitgever van Grove Press met wie het plan voor een boek wordt doorgenomen. Je ouders zijn zeer te spreken over de stap die je hebt gezet en maken geen stampei over het feit dat je man en kind voor hem hebt verlaten. ('Het werd tijd dat je eens wat risico's nam,' zegt je moeder. 'Ik had de professor en jou moeten verlaten toen je vijf was en ik doorhad dat jij mijn leven zou vergallen'.) Alle vrouwen die Toby's lezingen bijwonen, zijn jaloers op je (naast al het andere heeft hij ook erg veel lezingen). Je warmt je aan zijn roem, maar diep in je hart weet je dat je er maar een beetje bij hangt. Hoe goed de seks ook is, hoe interessant de mensen die je ontmoet ook zijn... Je hebt je zoon verlaten, verraden, en je weet dat je beslissing de rest van zijn leven van grote invloed zal zijn. Je hebt als moeder gefaald.

Je mist Jeff vreselijk, hebt vreselijk veel verdriet om wat je hem hebt aangedaan, en dan opeens zegt je minnaar dat hij zich niet echt vrij voelt met een vrouw aan zijn zijde, dat het tijd is om 'te experimenteren met alternatieven' (of dergelijke nonsens). Je bent er helemaal kapot van, bang dat hij je verlaat. Je smeekt hem je nog een kans te geven, maar het heeft geen zin. 'Alles is vluchtig, aan alles komt een eind,' zegt hij. Je pakt de Greyhoundbus en gaat terug naar Pelham, waar je wordt gezien als een 'gevallen vrouw'. Je man slaat de deur voor je neus dicht en voegt je toe dat het te laat is voor excuses, voor een herkansing. Van een verzoening is geen sprake, al helemaal niet omdat Dan in het ziekenhuis in Bridgton een heel leuke, ongebonden verpleegster heeft leren kennen die hem helpt bij de opvoeding van Jeff. Het kind beschouwt haar als zijn moeder en zodra hij het kan bevatten, vertelt Dan hem dat zijn biologische moeder hem uit puur egoïsme heeft verlaten.

Tegen de tijd dat ik bij het huis van Babs aankwam, was ik helemaal van de kaart. Ik belde aan en Babs deed open, met Jeff op de arm.

'Ik kan je niet genoeg bedanken voor de extra uurtjes,' zei ik.
'Hij is heel zoet geweest,' zei ze. 'Heb je nog wat kunnen slapen?'
'Een beetje.'

'Je ziet eruit of je net uit je bed komt. Als ik je een raad mag geven, kruip er vanavond maar eens vroeg in. Zo te zien kun je wel wat extra uurtjes gebruiken, als je het niet erg vindt dat ik het zeg.'

'Godzijdank komt het weekend eraan.'

'Wat je zegt. Prettige dag nog.'

Toen ik mijn voordeur opendeed, kwam de geur van knoflook en tomaten me al tegemoet. Toby stond in de keuken en roerde gehakt in een grote pan met olijfolie. 'Dat had echt niet gehoeven,' zei ik.

'Wat nou? Ik houd van koken, we moeten toch echt wat eten en ik dacht dat het een welkom zoenoffer zou zijn.'

Ik legde Jeff in de box, liep naar de keuken en sloeg mijn armen om zijn hals. 'Zoenoffer geaccepteerd,' zei ik en ik kuste hem. 'Het spijt me dat ik zo...'

Hij legde zijn vinger op mijn lippen en zei: 'Je hoeft niets uit te leggen.'

Nog een lange zoen. 'Er staat nog ergens een fles chianti,' zei hij. 'Zin om die te ontkurken?'

Ik deed wat hij me vroeg. Terwijl ik met de kurkentrekker in de weer was, keek ik in de slaapkamer en zag dat hij het matras netjes op het bed had gelegd. Zelfs het bed was opgemaakt.

'Je bent netjes opgevoed,' zei ik en ik gebaarde naar de slaapkamer.

'Tja. Mijn moeder dreigde altijd mijn zakgeld in te houden als ik mijn bed niet opmaakte.'

De telefoon ging. Ik nam op en verwachtte Dans stem te horen, maar het was iemand die ik niet kende.

'Hoi. Kan ik Jack Daniels even spreken?' Een zachte, maar dwingende stem.

'Wie?'

Toby hield op met in de pan roeren en keek mijn richting uit.

'Jack Daniels,' klonk het een beetje ongeduldig.

'Er is hier niemand die zo heet.'

'Hij zei dat hij op dit nummer te bereiken was.'

'Dan hebt u toch écht een verkeerd nummer gedraaid.'

'Nee, dit nummer heb ik van hem gekregen.'

'Ik zeg u dat hier geen Jack Daniels is.'

'Jawel,' hoorde ik Toby's stem achter me. Hij kwam aangelopen en pakte de hoorn uit mijn hand. 'Ja, met mij,' fluisterde hij in de hoorn.

'Toby? Wat is er aan de hand?' zei ik, maar hij maakte een wegwerpgebaar en draaide zich om. Met grote ogen staarde ik naar zijn rug en ik vroeg me af waarom iemand hem hier belde, waarom die wat vreemd klinkende man hem Jack Daniels noemde. Toby wilde blijkbaar niet dat ik hem in het gezicht keek, want steeds als ik om hem heen liep en hem wilde aankijken, draaide hij zich om. Van het gesprek dat hij voerde, werd ik ook niet veel wijzer, want hij eindigde met: 'Ja... Goed... Aha... Zeker weten? Sinds... Dat heb je gezien, zeg je? Nou... Oké... In orde... Afgesproken... Meteen ja... Vanavond nog... Ja.' Hij hing op en ontweek nog steeds mijn blik, maar ik zag dat hij wit was weggetrokken en zenuwachtig deed. 'Verdomme, de saus.' Hij rende naar de keuken en roerde in de aangebakken prut.

'Wie was dat?' vroeg ik.

Geen antwoord. Hij bleef in de pan roeren.

'Is er wat?' Geen antwoord. Ik liep naar hem toe, draaide het gas laag en pakte hem de spatel af. 'Wat is hier aan de hand?' zei ik dwingend.

Hij liep naar de keukentafel, schonk zichzelf een glas chianti in en sloeg het in één teug achterover.

'Je moet me vanavond nog met de auto naar Canada brengen.'

# 9

Ik MOEST HET even laten bezinken. Ik keek hem aan en zei: 'Zeg dat nog eens?'

Hij moest me wel in de ogen kijken en zei: 'Je moet me vanavond naar Canada brengen.'

Het was de gebiedende wijs die het 'm deed. Hij zei niet: 'Zou je me alsjeblieft...' maar: 'Je moet...'

Ik keek hem strak aan. 'Ik moet niets, Toby,' zei ik zo kalm mogelijk.

'Jawel,' zei hij. 'De FBI kan hier ieder moment op de stoep staan.'

De FBI? Ik schrok natuurlijk, maar deed mijn best dat niet te laten merken. 'O? En wat heeft de FBI hier dan te zoeken?' vroeg ik alsof het de normaalste zaak van de wereld was.

'Mij.'

'Hoezo?'

'Omdat...' Hij zweeg.

'Waarom, meneer Jack Daniels? Is dat een codenaam of zo?'

'Als we telefoneren noemen we elkaar vanwege hun afluisterpraktijken nooit bij onze echte naam.'

'Waarom zou iemand zich in godsnaam voor jouw telefoontjes interesseren?'

'Om wat ik ben, wat ik doe.'

'Om wat je doet? Omdat je een onruststoker bent, omdat je universiteitsgebouwen bezet, zo nu en dan een wijsneuzerig artikeltje publiceert in een links tijdschrift dat geen hond leest?'

'Dat mag allemaal zo zijn, maar het gaat om mijn banden met een bepaalde groepering...'

'O? Vertel eens.'

Hij schonk zich nog een glas wijn in. 'Met The Weather Underground.'

O shit, o shit, o shit... The Weather Underground was de radicale, gewelddadige vleugel van de SDS, Studenten voor een Democratische Samenleving, die werd bemand door een stel onduidelijke 'revolutionairen' dat er niet voor terugdeinsde springstof in de strijd te gooien om hun 'politieke doelen' te bereiken.

'Jij? Een Weatherman?'

'Niet echt. Zoals ik al zei, heb ik banden met ze.'

'Banden? Wat betekent dat nou weer? Ben je een onderaannemer of zo?'

'Als leider van de SDS van Columbia University had ik contact met een groot aantal radicale groeperingen, van de Black Panthers tot aan de Weathermen, en omdat de meeste Weathermen voortkomen uit de SDS, was dat contact nogal intensief. Zo intensief, dat toen ik naar Chicago verhuisde, ze me daar hebben gebeld. Kijk, ik keur het gebruik van geweld niet goed, hoewel ik geloof dat je om een revolutie te ont...'

'Waarom zit de FBI achter je aan?'

Hij zweeg en zijn hand ging weer naar de fles wijn.

'Heb je nou echt meer drank nodig om me dat uit te leggen?'

Hij liet de fles onberoerd, pakte een sigaret, nam twee flinke trekken en vroeg: 'Heb je toevallig een week of twee geleden iets gehoord over een bomaanslag in Chicago?'

'Dat was toch een overheidsgebouw?'

'Ja, een dependance van het ministerie van Defensie.'

'Heb jij die bom geplaatst?'

'Nee, natuurlijk niet. Ik heb toch net gezegd dat ik niet achter geweld sta.'

'O? Je staat alleen achter mensen die geweld gebruiken?'

'Voor politieke verandering heb je theoretici, activisten en anarchisten nodig. Ja, de Weathermen zijn verantwoordelijk voor die bomaanslag. Dat ding was afgesteld om midden in de nacht af te gaan, wanneer er geen mensen in het gebouw zouden zijn. Wat ze niet wisten, was dat Defensie voor 's nachts een particuliere bewakingsdienst had ingehuurd. Toen de bom ontplofte, waren er twee mensen in het gebouw en die zijn allebei om het leven gekomen.'

'Ach ja, het waren maar domme nachtwakers, dus in jouw gedachtewereld was hun dood een onbeduidend offer voor de omwenteling.'

'Zo denk ik helemaal niet.'

'Ik geloof er geen bal van, maar daar gaat het nou even niet om. Hadden die nachtwakers een vrouw en kinderen?'

Hij nam een trek. 'Ik geloof van wel.'

'Je gelóóft van wel?'

'Ja. Ze waren getrouwd en samen hadden ze vijf kinderen.'

'Ik neem aan dat je erg tevreden was over je vriendjes bij de Weathermen.'

'Het zijn mijn vriendjes niet,' zei hij kwaad.

'Kameraden dan.'

'Wat maakt het uit?'

'Als jij niets met die bomaanslag te maken hebt, waarom zit de FBI dan achter je aan?'

'Na die aanslag heb ik twee mannen een paar dagen onderdak verleend.'

'Met andere woorden: je hebt een stel moordenaars in bescherming genomen.'

'Ik heb ze even een paar dagen tot rust laten komen, meer niet.'

'Het is een misdaad om moordenaars te verbergen.'

'Het zijn geen moordenaars.'

'Als ze twee mensen hebben gedood, zijn het wat mij betreft moordenaars. En zeg nou niet dat het anders ligt als het voor een politieke zaak is.'

'Het is maar hoe je het bekijkt. Toen de gemoederen een beetje tot rust waren gekomen, zijn ze met onbekende bestemming vertrokken. Vrienden hebben me aangeraden ook maar even te verdwijnen. Het was niet ondenkbaar dat de FBI en de politie een en een bij elkaar op zouden tellen en dat ze erachter zouden komen dat ik die twee onderdak had verleend. En zo is het ook precies gegaan.'

'Vertel.'

'Ik heb daarnet niet alle details doorgekregen, maar het lijkt erop dat we een mol in de gelederen hebben, want ik hoor net dat de FBI afgelopen nacht mijn appartement heeft doorzocht. Volgens degene die me zojuist belde, hebben ze het kladblok gevonden waarop ik het telefoonnummer van Eastern Airlines had geschreven. Het was een fluitje van een cent om uit te vin...'

'Wacht nou even. Je bent hier toch liftend gekomen?'

Hij maakte zijn sigaret uit en stak een volgende op. 'Dat was een leugen. Ik ben van Chicago naar New York gevlogen en van New York naar Portland.'

'En waarom ben je naar Portland gegaan?'

'Dat wil je niet weten.'

'Vertel het me toch maar.'

'Toen we het vermoeden hadden dat we geïnfiltreerd waren en ik te horen kreeg dat ik me beter een tijdje schuil kon houden, heb ik in paniek je vader gebeld.'

'Zeg dat nog eens?'

'Kijk, je vader is altijd een heel trouwe kameraad geweest. Ik heb hem wel vaker om raad gevraagd.'

Ik kon mijn oren niet geloven. 'Heeft híj tegen je gezegd dat je maar hier bij mij moest gaan zitten?'

Hij ontweek mijn woedende blikken. 'Niet met zoveel woorden, maar hij zei wel dat als ik ooit in Maine zou zijn...'

'Gelul!' schreeuwde ik. 'Je moest je een tijdje schuilhouden, hebt John Winthrop Latham om advies gevraagd en die zei...'

Ik maakte mijn zin niet af. Ik herinnerde me bijna letterlijk wat mijn vader had gezegd toen ik hem vertelde dat Toby had gebeld, al liftend door het land trok om maar niet aan zijn scriptie te hoeven beginnen. *Echt iets voor hem. Judson is een van de slimste jonge kerels die ik ken, maar als het gaat over doelen stellen, over de lange termijn, dan geeft hij niet thuis. Hij is een fantastische spreker, grappig en helder formulerend, plus dat hij goed schrijft en enorm belezen is. Je zou zijn artikelen in* The Nation *en* Ramparts *eens moeten lezen. Zijn stijl is fenomenaal, hij heeft een analytisch vermogen om u tegen te zeggen en...*

Toen: *kun je hem een paar nachtjes hebben?*

Mijn vader wíst wat Toby op zijn kerfstok had, dat hij op de vlucht was. Mijn vader had me eringeluisd.

'... en die zei: "Mijn dochter woont in Maine, in een heel rustig stadje op maar een paar uur rijden van de grens met Canada. Het toeval wil dat haar man er op het ogenblik niet is."'

'Zo is het niet helemaal gegaan.'

'Wat ik niet begrijp,' zei ik, 'is dat als jij wordt gezocht en je foto in alle kranten staat...'

'Volgens degene die net belde, heeft de FBI nog geen opsporingsbericht doen uitgaan. Ze hebben mijn appartement doorzocht en willen me ondervragen, maar ik sta echt niet op de lijst van meestgezochte misdadigers of zo. Ze weten wie de bomaanslag heeft gepleegd en verdenken mij er alleen van een handlanger te zijn.'

'Waarom ben je niet meteen naar Canada gegaan?'

'Dat heb ik overwogen. Ik heb het met mijn vrienden besproken en die waren bezorgd dat de FBI de boel daar al in de gaten hield. Kijk, ze zaten toen nog niet achter me aan, maar voor iemand als ik, over wie ze een dik dossier hebben, is het haast onmogelijk zomaar het land weer in te komen. De kans is groot dat ik bij de grens word gearresteerd en dan heb je de poppen aan het dansen.'

'Dus ben je, met mijn vaders zegen, nog maar even niet naar Canada gevlucht en heb je je in dit gat hier verscholen.'

'Iets in die geest, ja.'

'Terwijl je gastvrij door de dochter van de beroemde radicale professor werd ontvangen, dacht je: ach, waarom maak ik van de nood geen deugd en ga ik met haar naar bed?'

'Ik heb de stellige indruk dat dat een gezamenlijk besluit was.'

'Klopt, maar als je hier niet was komen aanwaaien, had ik die stap nooit genomen en zat ik nu niet in de puree.' Ik balde mijn vuisten en dwong mezelf helder na te denken. 'Nou, dan lijkt het me het beste dat je je spullen pakt en meteen opkrast. Geen haar op mijn hoofd die eraan denkt je ook maar naar het eind van Main Street te rijden, laat staan naar de grens.'

'Je zult wel moeten.'

'Hou toch op. Zelfs al weet de FBI dat je in Maine zit, dan nog komen ze er met geen mogelijk...'

'Wat? Dat ik op dit adres zit? Jezus, je bent écht naïef. Wat denk je nou? Als ze vermoeden dat ik in Maine zit, trekken ze al mijn contacten na en ik verzeker je dat ze binnen de kortste keren het dossier van je vader voor zich hebben. Ze zien dat zijn dochter in Maine zit...'

'Verdomme! Dat weten ze toch helemaal niet?'

'Kalm nou maar. Bij de FBI staat je vader bekend als een van de grootste onrustzaaiers, erger nog, hij is een verrader van het establishment, een radicaal die het eigen nest bevuilt. Ik verzeker je dat ze zo'n uitgebreid dossier over John Winthrop Latham hebben dat ze niet alleen weten wie zijn bijslaapjes zijn, maar ook nog waar, wanneer en hoe hij ze geneukt heeft.'

'Hou je kop.'

'Omdat ze alles grondig doen, hebben ze jou en je man ook nagetrokken. Geloof me maar als ik zeg dat ze donders goed weten dat je in Pelham woont. Ze weten dat ik in Maine zit, dus dat verband is snel gelegd.'

'Oké, oké,' zei ik. Ik was me ervan bewust dat ik angstig klonk, maar hoewel ik al óm was, ik wilde me niet zonder slag of stoot als handlanger opwerpen en hem naar de grens brengen. 'Kijk,' zei ik zo kalm mogelijk, 'als ze hier voor de deur staan en jij bent er niet, dan heb ik sowieso al een probleem, maar als ze erachter komen dat ik je naar de grens heb gebracht, dan wordt het allemaal nog ernstiger.'

Hij pakte de chianti, schonk zichzelf nog eens in en sloeg de inhoud in één keer achterover. Hij keek me minachtend aan en zei: 'Ik wist wel dat je eronderuit zou willen komen, maar dat gaat dus niet door. En ik zal je vertellen waarom. Als je me niet wegbrengt en ze pakken me hier, dan vertel ik de heren dat jij me al die tijd dat ze me zochten onderdak hebt verleend. Ik laat voor de volledigheid ook nog wel even vallen dat we met elkaar naar bed zijn geweest. Stel dat ik veilig en wel in Canada aankom, dan zorg ik ervoor dat The Weather Underground een persbericht doet uitgaan waarin staat dat ik ben gevlucht en "dankzij de moed van enkele kameraden in Maine" de grens heb kunnen oversteken. Ik beloof je dat als de FBI dát leest, de link met je vader, met jou, snel gelegd is en dat ze binnen de kortste keren met zijn tienen hier in het dorp met mijn foto zullen leuren. Komen ze erachter dat ik hier onder valse naam een paar dagen heb doorgebracht, dat jij wist wie ik was...'

'Klootzak.'

'Je zegt het maar. Feit is dat het oorlog is en tijdens een oorlog is alles geoorloofd. Hoe je over mij en mijn acties denkt, zal me een zorg zijn. Ik weet alleen dat je me zodra het donker is naar Canada brengt. Als je het niet doet en ik in mijn eentje moet...' hij graaide de autosleutels die op de keukentafel lagen weg '... dan pak ik je auto en ga ik zelf de grens wel over. Bel je de politie, dan vertel ik hun...'

'Oké, ik breng je.'

Hij vroeg of ik een kaart van Maine had. Ik zei dat er een in de auto lag en hij vroeg of ik hem even wilde pakken. Ik liep de trap af en ging naar de Volvo. Ik leunde tegen het portier en dacht even dat ik moest overgeven. *Verstand op nul, verstand op nul. Gewoon doen wat hij je opdraagt, des te eerder ben je weer thuis. Stel dat ze hier voor de deur staan, dan kun je je van de domme houden.*

Ik deed het portier open, pakte de kaart uit het dashboardkastje en liep de trap op.

Toby zat voor de box en speelde met Jeffrey. 'Hij werd een beetje verdrietig toen je de deur uit ging, dus ik heb hem maar even afgeleid.'

Ik liep langs hem heen en pakte mijn zoon op. 'Ik wil niet hebben dat je zelfs maar naar hem kíjkt.'

Hij lachte gemeen en zei: 'Dat zal me verder een zorg zijn, maar hij gaat wel mee.'

'Dacht je nou heus dat ik hem zou achterlaten?'

'Nee, maar misschien was je van plan hem naar die oppas te brengen.'

'Zouden mensen dat niet een beetje verdacht vinden?'

'Ben ik helemaal met je eens. Fijn dat we op dezelfde golflengte zitten. Mag ik die kaart nu even zien?' Ik gaf hem de plattegrond aan. 'Waarom warm jij de saus niet even op terwijl ik de route uitstippel? Gooi meteen even wat spaghetti in de pan.'

'Ik heb geen honger.'

'Bedenk wel dat je de hele nacht in de auto zit en dat er onderweg niet gegeten wordt, dus wees verstandig.'

Ik deed het gas onder de sauspan aan, pakte de grote pan voor de pasta, vulde die met water en zette hem op het vuur. Terwijl ik wachtte tot het water kookte, pakte ik Jeffrey uit de box, zette hem in de kinderstoel en voerde hem een potje appelmoes. Toby pakte nog een sigaret en wenkte me.

'Het is nogal rechttoe rechtaan,' zei hij en hij wees op de kaart. 'Eerst naar Lewiston, dan via de grote weg naar Waterville, daar pakken we de 201 en dan is het één rechte lijn naar Jackman en de grens. We houden ons netjes aan de maximumsnelheid. Het is een kleine vijf uur tot aan de grens. Als we over een uurtje vertrekken, zo rond halfacht, dan ben je morgenochtend rond zeven uur thuis, met inbegrip van tweemaal paspoortcontrole. Het is morgen zaterdag, dus je kunt overdag lekker pitten.'

Ik zei niets en knikte alleen maar.

'Ik doe het eten verder wel,' zei hij en hij stond op. 'Pak jij de spullen die je nodig hebt, dan kun je daarna je man bellen.'

Ik ging naar de badkamer, kleedde me uit en nam even snel een douche, het water zo warm als ik kon verdragen. Ik wilde alles wat me aan Toby Judson herinnerde van me afspoelen. Tot twee keer toe stond ik op het punt in huilen uit te barsten, maar voor zelfmedelijden was nu geen plaats. *Flink zijn, flink zijn.* Ik draaide de kraan dicht, droogde me af en trok gemakkelijke kleren aan: een T-shirt, een spijkerbroek en een trui. Ik haalde de bevlekte lakens van het bed, pakte een schoon stel uit de kast en maakte het bed op. Daarna pakte ik een weekendtas met spullen voor Jeffrey: een paar schone luiers, veiligheidsspelden, wat kleertjes en een busje talkpoeder.

'Het eten is klaar!' hoorde ik Toby roepen.

Ik liep de slaapkamer uit met de bundel vieze lakens en zei: 'Ik ben zo terug.'

'Moet je per se nú een was draaien?'

Ik draaide me om. 'Ja zeker. Ik wil ieder spoor van jou uitwissen.'

Ik ging naar beneden, stopte de lakens in de wasmachine, deed er twee scheppen waspoeder bij en zette hem aan. Boven nam ik een bord spaghetti van hem aan en at het staande op.

Hij grinnikte en zei: 'Je moet het zelf weten.'

Met een klap zette ik het bord op het aanrecht en zei: 'Nou moet je eens goed luisteren. Ik volg je orders op, doe alles wat je me opdraagt en zal je in Canada afzetten, als ik je maar kwijt ben. Verder wil ik niets meer met je te maken hebben. Ik zeg geen woord meer tegen je, hoogstens iets van praktische aard. Is dat duidelijk?'

'Zoals je wilt.'

Ik at mijn bord leeg en zette het koffiezetapparaat aan. Terwijl ik wachtte tot de koffie was doorgelopen, pakte ik een paar potjes ba-byvoeding, maakte twee flesjes en deed die in de weekendtas. Ik schonk de koffie in een thermosfles en nam twee pakjes sigaretten uit de slof die ik in de voorraadkast had liggen. Ik wist dat er die avond veel gerookt ging worden.

'Een niet onbelangrijk detail...' zei Toby. 'Heb je een geldig pas-poort?'

Ja, dat had ik. Ik had het drie jaar daarvoor, toen ik dacht dat ik naar Frankrijk zou vertrekken, aangevraagd. Ik knikte.

'Mooi. Pak het geboortebewijs van je zoon ook maar. Ik denk niet dat je het nodig hebt om Canada in te komen, je kunt meestal ge-woon doorrijden, maar het kan zijn dat we een dienstklopper tref-fen.'

Ik ging terug naar de slaapkamer, deed de deur van de hangkast open en pakte de benodigde documenten uit het geldkistje dat daar stond. Ik liep de woonkamer weer in en ging naast de telefoon zitten.

'Ga je je man bellen?'

Ik knikte.

'Zeg maar dat...'

'Laat dat nou maar aan mij over,' zei ik bits. Ik draaide het num-mer en liet één, twee, drie, vier, vijf, zes keer overgaan, maar er werd niet opgenomen. Hij was er niet en dat betekende dat hij mij die avond nog zou bellen, dus we konden niet weg. Stel dat Dan tegen tienen belde en me niet thuis trof, dan zou hij ongetwijfeld ongerust worden. Misschien zou hij zuster Bass vragen even poolshoogte te nemen. Stel dat ze langskwam, mij niet thuis trof en de auto niet zag staan.

Aan de andere kant, als we pas na tienen zouden vertrekken, zou ik pas halverwege de ochtend terug zijn. En als iemand zag dat mijn auto er 's ochtends niet stond...

Zeven, acht, negen...

'Niemand thuis?' vroeg Toby.

Ik haalde mijn schouders op.

'Hang maar op. We wachten wel tot...'

Er werd opgenomen. Het was Dan, buiten adem.

'Dan? Hoe gaat het?'

'Ik kom net binnen. Is er wat?'

'Is er wat? Ja, ik wil weten hoe het met je vader gaat.'

'Sorry. Ik schrok even. Normaal gesproken bel ik jou, vandaar.'

'Vertel nou.'

'Hij leeft nog. Hij is uiteraard nog steeds in coma, maar zijn hart doet het eigenlijk steeds beter. Ik kom morgen thuis.'

Dat kon er ook nog wel bij. 'Fijn,' zei ik zo enthousiast mogelijk. 'Kom je met de bus?'

'Nee, ik ga vliegen.'

Het zat me niet mee. 'Kost dat geen fortuin?'

'Nee. Een oude schoolvriend van me, Marv English, heeft een reisbureau en die heeft een ticket voor me geregeld. Ik vlieg van Syracuse naar Boston en dan van daaruit naar Portland voor maar vijftig dollar.'

'Niet gek. Hoe laat kom je aan?'

'Ik ga hier al vroeg de deur uit. Ik vlieg om kwart over zeven naar Boston, maar daar moet ik twee uur wachten.'

Godzijdank.

'Al met al hoop ik om halfelf in Portland te landen. Heel wat beter dan een bustocht van veertien uur. Kom je me afhalen?'

'Eh... Ja, natuurlijk.'

'Hoe zit het met die logé?'

'Die gaat morgenochtend vroeg weg.'

'Dat komt dan mooi uit.'

'Ja.'

'Is er wat?'

'Hoezo?'

'Je klinkt zo afwezig.'

'Ik ben een beetje moe. Een zware nacht met de kleine. Hij is de laatste dagen een beetje van slag.'

'Dat gaat vanzelf wel over. Ik verheug me zo op morgen.'

'Anders ik wel,' loog ik.

We namen afscheid en hingen op.

'Oké, we kunnen gaan,' zei ik.

'Mooi.'

Ik liep naar het raam en keek naar buiten. Het was donker. Ik keek op mijn horloge en zag dat het vijf over halfzeven was. De winkels waren dicht en er was niemand op straat.

'Is de kust veilig?' hoorde ik achter me.

'Ja.'

'Vooruit dan maar.'

Toby liep voor me uit met zijn rugzak en mijn weekendtas. Ik verschoonde Jeffrey nog even snel, zette hem in zijn nieuwe kinderzitje en dacht er zelfs aan twee fopspenen en wat speeltjes mee te nemen. Ik liet het licht in de kamer aan (voor het geval er iemand langs het huis liep en naar boven keek), pakte mijn zoon op en droeg hem de trap af. Halverwege begon hij te huilen, waarschijnlijk omdat hij op dat uur de kille herfstavond in moest. Ik zette hem op de achterbank en hield mijn hand naar Toby op om de sleuteltjes in ontvangst te nemen.

'Geen geintjes,' zei hij. 'Als je naar het politiebureau rijdt, dan...'

'Kop houden. Geef me de sleutels.'

Hij lachte en liet ze in mijn uitgestoken hand vallen. Ik stak ze in het contact, schakelde en reed richting Main Street. Jeff huilde nog steeds.

'Moeten we daar tot aan de grens van genieten?' vroeg Toby.

'Jammer dan.'

Ik reed Main Street in. Er was geen mens op straat, maar toen...

'O, shit...' zei ik.

'Gewoon doorrijden.'

'Daar heb je Billy.' Ik herkende het vreemde loopje en het hangende hoofd. Toen de auto dichterbij kwam, keek hij op.

'Zwaaien,' gebood Toby.

'Je hoeft me niet te vertellen wat ik moet doen,' zei ik. Toen we Billy passeerden, knikte ik in zijn richting. Hij keek verlegen op, maar ik zag dat hij goed keek wie er in de auto zaten.

'Als hij morgen wat zegt, vertel je hem maar dat je me naar het busstation in Lewiston hebt gebracht.'

'Dat had ik zelf al bedacht.'

'Goed zo. Hier naar rechts.'

'Ik ken de weg naar Lewiston wel, hoor.'

We zwegen en daar kwam de vijf uur durende rit geen verandering in. Voor we wegreden, had ik een pakje sigaretten op het dashboard gelegd en tijdens het rijden raakte dat langzaam leeg. Van Pelham tot Lewiston was er geen verkeer. We reden de grote weg op en ik hield me aan de maximumsnelheid, hoewel ik daar het liefst een kilometer of tien boven was gaan zitten. Ik hield het klokje op het dashboard goed in de gaten. Tegen de tijd dat we bij Waterville waren en de 201 namen, was Jeffrey in slaap gevallen. Ik zette de radio aan en stemde af op het programma van José, de diskjockey die zo te horen twee joints te veel had gerookt en platen draaide van Pink Floyd, The Iron Butterfly en soortgelijke psychedelische bands. Toby leek in gedachten verzonken. Hij rookte aan één stuk door, keek peinzend uit het raam en had blijkbaar geaccepteerd dat ik geen woord met hem wilde wisselen.

Er spookte van alles door mijn hoofd. Ik dacht aan mijn vader, aan mijn man, het onmens naast me, aan het verraad van mijn vader, aan het feit dat ik mijn man had belazerd. En dat alles door deze figuur die ons allemaal had gebruikt om zijn doel te bereiken. Wat was ik de afgelopen twee dagen verkeerd bezig geweest.

Als ik Margy maar in vertrouwen kon nemen, maar stel dat de telefoon werd afgeluisterd, dat de FBI me morgenochtend opwachtte of, erger nog, me bij de grens zou arresteren. Ik vroeg me af om mijn huwelijk daartegen bestand zou zijn, of Dan als ik aangeklaagd werd, zou proberen de voogdij over Jeffrey te krijgen. Wat ik wel wist, was dat ik mijn vader na wat hij me had geflikt niet meer wilde zien en dat ik nog nooit eerder zo bang geweest was.

'Stop daar maar even,' zei Toby. Hij wees naar het benzinestation bij de splitsing met de 201. 'Je moet tanken en ik ga even naar de plee.'

Ik reed erheen en stond stil bij een pomp. Ik zette de motor af, waarna Toby de sleuteltjes uit het contact nam. Hij stak ze in zijn zak en zei: 'Die houd ik maar even bij me.'

Het scheelde niet veel of ik was een scheldkanonnade begonnen, maar ik was te moe, te gespannen om ook maar iets uit te kunnen brengen, dus ik zei: 'Mij best.' Jeffrey sliep als een blok. Ik keek op mijn horloge. Het was kwart over negen. Als alles goed ging, was het nog drie uur rijden tot aan de grens en tot nu toe zaten we op schema.

De pompbediende, een oudere man met een tandenstoker in zijn mond, kwam het gebouwtje uit gelopen, gooide de tank vol, spoot wat water op de voorruit en maakte hem schoon.

Toby kwam met drie pakjes sigaretten aangelopen. 'Die kunnen we wel gebruiken,' zei hij.

'Vast wel,' zei ik. 'Sleutels graag. Nu wil ik even naar de wc.'

'Dacht je nou heus dat ik er met je zoon op de achterbank vandoor zou gaan?'

Nee, om eerlijk te zijn, dat leek me vergezocht, maar ik wilde dat hij wist dat ik hem voor geen cent vertrouwde. Ik hield mijn hand op en knipte met mijn vingers. Hij grijnsde en liet ze in mijn hand vallen.

Ik ging de gore wc in en hield mijn adem in om maar niets te hoeven ruiken. Ik deed een plas en plensde wat water op mijn gezicht. Ik vermeed in de gebarsten spiegel boven de wastafel te kijken. Het laatste wat ik wilde, was mezelf in de ogen kijken.

Toen ik terugliep, zag ik Toby met de pompbediende afrekenen. Ik ging achter het stuur zitten en hoorde hem tegen Toby zeggen: 'Zo? U laat haar rijden? Dat noem ik nog 's moedig.'

'Ja, maar dat betekent dat ik mooi even kan dutten,' was Toby's antwoord. Hij stapte in, sloeg het portier dicht en zei: 'Wat een seksistische eikel.'

'Moet jij nodig zeggen.'

Tweehonderd kilometer lang zeiden we geen woord. De weg naar het noorden voerde door bossen, en het dichte bladerdak blokkeerde het maanlicht, dus ik moest me goed op de weg concentreren. We kwamen door een paar gehuchten, maar dat waren dan ook de enige bakens op een verder verlaten route. Ik realiseerde me hoe leeg en verlaten (alsof ik daaraan herinnerd moest worden) Maine eigenlijk was. Stel dat we autopech kregen, dan konden we voor het licht werd met geen mogelijkheid hulp vinden en tegen die tijd...

Ik pakte een sigaret en keek op de klok. Tien uur drieëntwintig. Het laatste uur was voorbijgevlogen.

'Koffie?' vroeg Toby.

'Ja.' Hij pakte de thermosfles en schonk een papieren bekertje vol. Ik zette het tussen mijn benen en nam zo nu en dan een slok. Toen het leeg was, gaf ik het hem zwijgend aan. Ik pakte nog maar een sigaret en inhaleerde diep.

De radiozender werd steeds zwakker en liet alleen nog maar gekraak horen, dus ik zocht een andere op en hoorde een diskjockey die razendsnel Frans sprak. Quebec was niet ver meer. Ik gaf wat meer gas en zag een bord met FRONTIÈRE 24 KILOMETER langsschieten.

Een kwartier later, om tien over twaalf, reden we Jackman binnen. Toby zei dat ik moest stoppen en ik zette de auto voor de plaatselijke rechtbank.

'Ik rijd,' zei hij. 'Dat staat beter. Jij gaat op de achterbank zitten en doet net of je slaapt. Als de Canadese douane je wat wil vragen, maakt hij je wel wakker, maar ik vermoed dat ze ons zo doorlaten. Als je je slapende houdt, laat hij je wel met rust en dat is de bedoeling, nietwaar?'

'Ja.'

'Geef mij voor de zekerheid je paspoort en het geboortebewijs maar even.'

Ik legde ze op het dashboard, stapte uit en ging op de achterbank zitten. Jeff bewoog even en sputterde wat. Ik zag dat zijn speen uit zijn mond was gevallen en tastte ernaar op de donkere vloer. Ik maakte de speen schoon en stopte hem in zijn mondje, waarna ik naast het kinderzitje een slaaphouding aannam.

'Ben je zover?'

'Ja,' zei ik en ik deed mijn ogen dicht.

Het was nog een minuut of vijf rijden. Hij zette de radio uit en ik merkte dat hij vaart minderde. We stonden even stil, toen trok hij op, om meteen daarna weer tot stilstand te komen. Ik hoorde dat er een raampje omlaag werd gedraaid en iemand met een Frans accent zeggen: 'Welkom in Canada. Paspoorten graag.'

Ik hoorde wat geritsel van papieren, toen even niets en daarna: 'Wat gaat u in Canada doen, meneer Walker?'

*Meneer Walker?*

'We gaan vrienden in Quebec opzoeken.'

De lichtbundel van een zaklantaarn viel op mijn gezicht. Ik knipperde met mijn ogen en deed alsof ik net wakker werd. Ik rekte me uit en keek de douanier een beetje verstoord aan.

'*Désolé*,' zei hij. 'Sorry, *madame*.'

'Ga maar weer slapen, schat,' zei Toby.

Ik ging weer liggen en bedekte mijn gezicht met mijn handen.

'U bent nog laat op weg,' zei de man.

'Klopt. Ik kom pas om zes uur van mijn werk. Daarbij, met die kleine daar is het beter om 's nachts lange afstanden te rijden. Dan slaapt hij tenminste.'

'Hou maar op,' was het antwoord. 'Mijn twee meiden beginnen al te zeuren als we een halfuur in de auto zitten. Hebt u wat aan te geven?'

'Niets.'

'Sigaretten, drank, levensmiddelen?'

'Niets van dat alles.'

'Hoelang denkt u in Canada te blijven?'

'Tot zondagavond.'

'Prettig weekend dan maar.'

'Dank u.' Toby schakelde en we reden langzaam verder. Na een minuut gaf hij gas en zei: 'Nog niet gaan zitten. Je weet maar nooit.'

'Goed.'

'Zo, dat is in elk geval gelukt. Niet dat ik grote problemen verwachtte. Huisvadertjes worden nou eenmaal altijd coulant behandeld.'

Nog een reden waarom hij wilde dat Jeffrey en ik meegingen: met vrouw en kind aan boord zou de Canadese douane weinig vragen stellen en zonder meer geloven dat het om een korte vakantie ging.

'Oké,' zei hij na een paar kilometer, 'je kunt weer gaan zitten.'

'Moet jij er niet uit?' vroeg ik toen we een bord voorbijreden met WELKOM IN DE GEMEENTE ARMSTRONG.

'Nee.'

'Waar dan wel?'

'Een kilometer of zestig verderop, in St. Georges.'

'Zestig kilometer? Dan kan ik nog minstens anderhalf uur bij de hele expeditie optellen!'

'Jammer dan. Mijn rendez-vous is in St. Georges.'

'Je rendez-vous?'

'Je dacht toch niet dat ik me een paar honderd meter over de grens zomaar liet droppen? Ik ben geen dienstweigeraartje. We hebben hier contacten die mensen zoals ik terzijde staan.'

'Dus je wist van meet af aan dat we naar St. Georges gingen?'

'Wat kan het je schelen? Nog zo'n zestig kilometer en je bent van me verlost. Je bent inderdaad misschien pas tegen negen terug in Pelham zodat manlief even op je zal moeten wachten.'

Jeff was wakker geworden en begon te huilen. Ik haalde hem uit het kinderzitje en nam hem op schoot. 'Al goed, al goed.' Ik hield hem dicht tegen me aan en tastte in de weekendtas, op zoek naar een flesje. Toen ik het had gevonden en de speen naar zijn mondje bracht, duwde hij die weg en zette het op een schreeuwen.

'Stop even,' zei ik. 'Hij moet verschoond worden.'

'Het rendez-vous staat gepland voor halfeen en we lopen al een beetje achter op schema. Je zoekt het maar uit.'

'Ga naar de kant van de weg,' zei ik.

'Geen sprake van.' Hij gaf wat meer gas.

Wonder boven wonder kreeg ik het voor elkaar Jeff te verschonen, zij het dat er twee flinke gaten in de weg zaten waardoor hij zowat van de achterbank viel. Ik liet de vieze luier op de grond liggen en moest me bedwingen de inhoud niet op Toby's hoofd te deponeren, maar daarvoor leek het niet het juiste tijdstip. Hoe eerder we er waren, hoe beter.

Om tien over één doemden de lichtjes van een wat grotere plaats voor ons op en een paar minuten later waren we aan de rand van het stadje. Langs de weg stond een groot gebouw, een oude fabriek, en toen we eropaf reden, gaf Toby groot licht, dat werd beantwoord met een knipperend licht. Hij reed naar het gebouw en deed de lichten uit, maar algauw baadde de Volvo in het licht van een ons tegemoetkomende auto. Toby minderde vaart, remde en zette de motor uit.

'Wat is dit nou weer?' beet ik hem toe.

'Ze moeten zeker weten dat ik het ben en niet iemand die doet alsof. De politie, bijvoorbeeld.'

Ik hoorde een portier opengaan, naderende voetstappen en zag het silhouet van een man. Daarom hadden ze hun groot licht op ons gericht; door het felle schijnsel konden we niets onderscheiden. Ik zag de contouren van het hoofd van een man naast het raampje aan de bestuurderskant en hoorde twee roffels. Toby hief een gebalde vuist, waarna de man wegliep en de koplampen werden gedoofd. Het was opeens pikkedonker. Ik knipperde even met mijn ogen. Jeff begon te jammeren, dus ik deed de speen van het flesje in zijn mond. Dat werkte.

'Oké,' zei Toby. 'Ik ga er hier uit. Even een paar dingen. Ik stap uit, pak mijn rugzak en loop naar die auto daar. Jij blijft rustig op de achterbank zitten en je vertrekt pas vijf minuten nadat wij zijn weggereden. Houd je daar aan, want anders gebeuren er ongelukken.' Hij tastte in zijn broekzak, diepte er een pakje bankbiljetten uit op en legde een biljet op de passagiersstoel. 'Hier heb je twintig Canadese dollars om van te tanken.'

'Ik hoef je geld niet,' zei ik en ik besefte dat de schoft al die tijd Canadees geld bij zich had gehad.

'Wat de terugweg betreft: neem de 204 richting Lac Megantic. Ben je daar voorbij, pak dan de 161 naar Woburn. Van daar is het maar een paar kilometer naar *la frontière américaine*. Als alles meezit, ben je tegen drieën weer in het land van de onbegrensde mogelijkheden. Het kan zijn dat de Amerikaanse douane je vraagt waarom je midden in de nacht met een baby op de weg zit, maar verzin maar dat je bij vrienden in Montréal zat en dat je man belde om te zeggen dat zijn vader in het ziekenhuis is opgenomen, dus dat je... enzovoort, enzovoort. Als hij het zaakje niet vertrouwt, doorzoeken ze de auto misschien, maar als ze niets vinden, kan hij je moeilijk terugsturen omdat hij je verhaal niet gelooft. Woburn ligt een stuk zuidelijker dan Jackman, dus als je eenmaal de grens over bent, dan is het verder één rechte lijn via Lewiston naar Pelham.'

'Wat zeg ik als de FBI bij me voor de deur staat?'

Hij lachte. 'Dat gebeurt niet.'

'Ze weten toch dat je van Chicago naar Maine bent gevlogen?'

'Nee, dat is helemaal niet zo. Ik ben komen liften, juist omdat het gezien de omstandigheden veiliger leek. Het is best mogelijk dat ze busstations en vliegvelden in de gaten hielden.'

'Wacht eens even. Je zei toch dat ze het nummer van Eastern Airlines bij je thuis hadden gevonden en...'

'Dat was om je bang te maken zodat je mijn orders zou opvolgen. Ik geef toe: het is allemaal erg min van me en ik heb je flink belazerd, maar wel in het kader van de revolutie. Bedankt voor je geringe, maar niet uit te vlakken bijdrage.'

'Donder op jij.'

'U zegt het maar. Nog één ding. Nu je me zonder al te veel problemen veilig hebt afgeleverd, beloof ik dat ik, mocht me ooit gevraagd worden wie me heeft geholpen, nooit ofte nimmer zal zeggen dat jij het was. Mijn advies aan jou is: vergeet wat er gebeurd is, wis het uit je geheugen.'

'Dat was ik al van plan. Wegwezen jij.'

'Doe jezelf een lol, Hannah, en geef de rol van het lieve, volgzame meisje nou eens op.'

'Opdonderen.'

Hij schonk me een mierzoet glimlachje. Waarom dachten kerels als hij toch altijd dat ze beter waren dan de rest? *Geef de rol van het lieve, volgzame meisje nou eens op.* Het rare was dat ik me de afgelopen dagen allesbehalve lief en volgzaam had gedragen. Integendeel, ik had alles wat me dierbaar was op het spel gezet voor die...

Hij seinde tweemaal met het grote licht, wat werd beantwoord met eenzelfde code. 'Vijf minuten wachten, weet je nog? Het ga je goed verder, voorzover dat mogelijk is, natuurlijk.'

We werden beschenen door de koplampen van de andere auto. Toby stapte uit en sloeg het portier dicht. Hij liep naar de achterkant van de Volvo, ik hoorde de vijfde deur open- en dichtgaan, daarna het knerpen van voetstappen op het grind. Een paar seconden later startte de andere auto. De lichtbundel verplaatste zich, scheen een andere kant op en verdween in de nacht.

Ik deed precies wat me was opgedragen en bleef rustig op de achterbank zitten. Jeffrey dicht tegen me aan. Het liefst was ik in huilen uitgebarsten, maar ik wist dat als ik alle ellende van de afgelopen uren zou ontladen, ik niet meer zou kunnen ophouden. Het was veel belangrijker dat mijn zoon en ik zo snel mogelijk veilig thuis waren.

Toen de vijf minuten om waren, zette ik Jeff in het kinderzitje, wat een luid protest opleverde. Ik klom naar de bestuurdersplaats, ging achter het stuur zitten en stak de sigaret op waar ik de afgelopen twintig minuten zo naar had gesnakt. Ik schonk wat koffie in en ging op weg.

Het was even na twee uur. Ik nam de route die Toby me had aangeraden en reed langzaam door het slaperige St. Georges, waar ik de 204 pakte richting Lac Megantic. Ik moest me inhouden geen plankgas te geven, maar de tweebaansweg was nogal smal en er zaten gemene bochten in. Tot mijn grote opluchting zag ik het bord met de afslag voor de 161, richting Woburn en *la frontière américaine* op-doemen, maar ik merkte dat de 161 nog smaller en minstens even donker was.

De grens was niet ver meer. Ik prentte me in dat ik me heel gewoon moest gedragen. *Heel gewoon doen, dan trapt hij er wel in en kom je zonder problemen het land in. Als hij ziet dat je bang bent, dat je wat te verbergen hebt, dan eindig je nog in een piepklein kamertje waar je antwoord moet geven op vragen die je even niet kunt gebruiken.*

Om de vijf kilometer stond borden waarop ik zag dat de grens dichterbij kwam. Met elk bord dat ik zag, werd ik een beetje zenuw-achtiger. Ik zei tegen mezelf dat ik me geen zorgen moest maken, maar ik was zo van streek dat ik alle redelijkheid uit het oog had ver-loren. Hoe je het ook uitlegde, ik had een misdadiger geholpen het land te verlaten en hoewel ik onder dwang had gehandeld – hij had gedreigd dat hij onze kortstondige relatie aan de grote klok ging han-gen – was ik wel degelijk medeplichtig. Ik zag het al voor me: een oude, knorrige rechter die me streng aankeek, zei dat ik uit angst dat mijn overspel aan het licht kwam het onderscheid tussen goed en kwaad volledig uit het oog had verloren en dat hij niet anders kon dan me veroordelen tot...

LA FRONTIÈRE AMÉRICAINE – 3 KILOMÈTRES.

Even snel tanken en over een kleine tien minuten zou ik er zijn. *Rustig blijven. Rustig nou.* Geloofde ik maar in God, in Jahweh, in yin en yang, in wat dan ook. Als er ooit een moment was om te bid-den, dan was het nu, maar had ik de afgelopen dagen al niet hypo-criet genoeg gehandeld? Het was één grote puinzooi, ook zonder het aanroepen van een opperwezen waar ik niet in geloofde.

In plaats van te bidden, maakte ik een afspraak met mezelf. Als ik deze ellende ongeschonden doorstond, zonder problemen het land binnenkwam, de FBI me niet zou ondervragen, die engerd van een Toby Judson niets zou loslaten over wie hem had geholpen, mijn man er niet achter kwam dat ik hem ontrouw was geweest, dan zou ik me de rest van mijn leven voorbeeldig gedragen. Ik zou me schik-ken in mijn lot als Dans vrouw, hem volgen, waar zijn carrière hem ook zou brengen, hem tot steun zijn en alle heimelijke gedachten over een ontsnapping uitbannen. Ik zou er zijn voor Jeff en eventue-le andere kinderen die we zouden krijgen. De kinderen en Dan zou-den op de eerste plaats komen. In de wetenschap dat ik alles zou ver-liezen als bekend werd wat ik had gedaan, moest ik aanvaarden dat mijn leven een aaneenschakeling van compromissen en beperkingen werd. Alles heeft zijn prijs. Mocht ik me in de toekomst ooit beklagen dat ik mijn vrijheid eraan had gegeven, dat ik een uitgestippeld leven leidde, dan zou ik daar meteen op laten volgen dat ik het aan mezelf te wijten had en dat ik er eigenlijk nog goed van afgekomen was.

LA FRONTIÈRE AMÉRICAINE – 1 KILOMÈTRE.

Verderop was een benzinestation. Ik gooide de tank vol, wierp de vieze luier in de afvalbak en leegde de overvolle asbak. Ik bevrijdde Jeff uit het kinderzitje en liep even met hem in de koele herfstlucht. De pomp gaf elf Canadese dollars aan (wat was benzine hier duur!) en ik ging naar binnen om te betalen. Met het wisselgeld kocht ik vijf pakjes Craven A-sigaretten, twee repen chocola en een beker koffie. Ik zette Jeff weer in het kinderzitje en gaf hem zijn favoriete rubberen rammelaar, in de hoop dat hij zich koest zou houden als we de grens overgingen. Ik ging achter het stuur zitten, haalde eens diep adem, draaide het contactsleuteltje om en reed weg.

Canada uitgaan was geen enkel probleem; het enige wat ik ervan merkte was een groot bord met BEDANKT VOOR UW BEZOEK EN TOT ZIENS. Na een halve kilometer niemandsland zag ik een houten huisje met een vlaggenstok en een Amerikaanse vlag, plus een groot bord met WELKOM IN DE VERENIGDE STATEN.

Op dit late uur was ik de enige reiziger. De douanier, een gezette man van een jaar of dertig in een kaki uniform en met een hoed op met een brede rand, kwam tergend langzaam het huisje uit. Hij knikte, liep naar de voorkant van de Volvo, keek even naar het nummerbord, liep achter de auto om en bleef staan bij het raampje dat ik omlaag had gedraaid.

'Goedenavond, mevrouw.'

Ik dwong mezelf te glimlachen en zei: 'Goedenavond.'

'U bent nog laat op pad... of is het vroeg?'

Ik legde hem uit dat ik bij vrienden in Quebec was en dat mijn man een paar uur geleden had gebeld met het bericht dat zijn vader op sterven lag. 'Ik had kunnen wachten tot het daglicht werd, maar als ik daardoor te laat kwam, had ik dat mezelf nooit vergeven.'

'Dat begrijp ik. Hoelang bent u in Canada geweest?'

'Twee dagen.'

'Kunt u zich legitimeren? Uzelf en de baby?'

Ik gaf hem mijn paspoort en het geboortebewijs.

'Dat ziet er keurig uit, mevrouw.' Hij bekeek de papieren aandachtig, gaf ze me terug en vroeg of ik wat invoerde.

'Een paar pakjes Craven A, dat is alles.'

'Jakkes. Rookt u dat?'

'Het was mijn vaders merk, dus ik heb het van hem, denk ik.'

'Veel te Frans naar mijn smaak. Goed, u kunt gaan. Goede reis nog.'

Ik stak mijn hand op en reed weg. *De eerste horde was genomen.* Ik keek op het klokje op het dashboard: tien minuten over drie. Als ik er een beetje haast achter zette, kon ik om halfnegen in Pelham zijn, had ik genoeg tijd om de afwas te doen, het appartement even snel te inspecteren, een douche te nemen en naar het vliegveld te racen.

Jeff liet zich tijdens de rit naar het zuiden flink gelden. Ik stopte twee keer om hem een flesje te geven, te verschonen en even te wiegen. Ik moest door, dwong mezelf alert te blijven en maakte me op voor een heel lange dag.

Om kwart over zeven kwam de zon op en vijftig minuten later reed ik Pelham binnen. Eenmaal thuis legde ik Jeff meteen in de box en hij sliep binnen de minuut. Ik benijdde hem: ik was de hele nacht op geweest, had de nacht ervoor ook al niet geslapen (wakker gehouden door seks en schuldgevoelens), dus ik rekende uit dat ik al twee etmalen slaap had ontbeerd.

Tijd om er lang bij stil te staan had ik niet: het huis moest op orde gemaakt worden en daarna moest ik weer op weg. Ik deed de afwas, dweilde de badkamer, zoog de slaapkamer en verzekerde me ervan dat ik niets over het hoofd zag. Ik zette een pot koffie en nam snel een douche, in de hoop dat die me wakker zou houden. Ik rende de trap af met een bundeltje vuile was en tot mijn verbazing zag ik dat de lakens die ik de avond ervoor in de wasmachine had gestopt, aan de waslijn hingen. Net toen ik dacht dat ik gek was geworden en vergeten was dat ik ze had opgehangen, hoorde ik een stem achter me. 'U vindt het toch niet erg dat ik even heb geholpen, mevrouw?'

Ik draaide me om en zag Billy staan. Hij had een emmer in zijn hand en een ladder onder zijn arm.

'Heb jij de lakens opgehangen?'

'Ja,' zei hij met een brede grijns. 'Gisteravond zag ik dat u ze in de wasmachine deed, vlak voor u met die gast wegging.'

'Hè? Je zag me de wasmachine vullen?'

'Ja, ik was toevallig in de buurt enne...'

'Billy,' zei ik zo kalm mogelijk, 'de wasmachine staat hier, dus de enige manier waarop je kunt zien dat iemand hem vult, is als je je ergens verschuilt en...'

'Ik bespioneerde u niet of zo,' zei hij in de verdediging gedwongen. 'Ik zag het alleen.'

'Ik ben niet boos hoor,' zei ik. Ik had nu geen zin in een discussie over het verschil tussen iets zien en iemand bespioneren.

'Echt niet?'

'Echt niet.'

'Gelukkig maar. Ik was van plan de ramen te doen, ziet u.'

'Dat hoeft niet.'

'Dat heb ik de dokter vorige week beloofd. Voor hij wegging.'

'Nou, ga je gang dan maar.'

'Bent u écht niet kwaad op me?'

'Natuurlijk niet. We zijn toch vrienden?'

Dat viel in goede aarde, want hij glimlachte weer. 'Zeker weten, mevrouw. Ik zal ook nooit tegen iemand zeggen dat u gisteravond met die persoon bent weggegaan.'

*O, Heer.*

'Klopt. Ik heb hem naar het busstation in Lewiston gebracht.'

'De hele nacht?'

'Hoe weet jij dat?'

'Omdat de auto pas vanochtend terug was.'

'Ik had een lekke band en moest in een motel slapen.'

'Met die gast?' vroeg hij met een grijns.

'Nee hoor. Toen ik die lekke band had, zat hij al in de bus.'

'Hebt u hem een kus gegeven toen hij de bus in ging?'

'Pardon?'

'Ik heb een keer gezien dat u hem een kus gaf.'

'Wanneer dan?'

'U stond voor het raam.'

'Wanneer?'

'Eergisteren of zo.'

'Hoe laat was dat?'

'Erg laat. Ik maakte een ommetje, zag het licht branden en keek naar boven. Ik zag u staan en u stond met die man te zoenen.'

'Zijn er meer mensen die dat gezien hebben?'

'Vast niet. Er was geen hond op straat. Ik was helemaal alleen.'

'Heb je het verder verteld?'

'O, nee. U en ik zijn vrienden, dus dat zou ik nooit doen.'

Ik stond op het punt mijn hand op zijn arm te leggen, maar ik herinnerde me dat hij daarvan geschrokken was, dus dat leek me niet verstandig. 'Dat vind ik fijn, Billy. Vrienden moeten elkaar vertrouwen en samen geheimen kunnen hebben.'

'Gaat u voor die man bij de dokter weg?' vroeg hij argeloos.

'Natuurlijk niet. Het was maar een kusje voor het slapengaan.'

'Wel een heel lang kusje, geloof ik.' Hij grijnsde weer. Ik vroeg me af of hij iets in zijn schild voerde of dat het gewoon zijn manier van doen was.

'Hoor eens. Het was gewoon een onschuldig kusje, maar als je iemand anders vertelt wat je hebt gezien of dat ik de hele nacht ben weggebleven, dan kon ik daar wel eens moeilijkheden mee krijgen.'

'Zou u dan geen vrienden meer met me zijn?'

'Kijk, als jij me zou vragen een geheim te bewaren en ik vertelde het toch aan iemand, wat zou jij dan van me denken?'

'Dan was u geen vriend meer.'

'Zie je wel? Vrienden kunnen een geheim bewaren.'

'Zeker weten.'

'Dus ik kan je vertrouwen, Billy?'

'Natuurlijk.'

'Mooi zo.'

Hij grijnsde weer en vroeg: 'Mag ik de ramen nu gaan doen?'

Tijdens de rit naar het vliegveld was ik ziek van angst dat Billy zijn mond voorbij zou praten en dat alles uit zou komen. Ik maakte een nieuw pakje Craven A open en in het uur dat het kostte naar het vliegveld te rijden, rookte ik drie sigaretten. Mijn longen waren rauw van het kettingroken van de afgelopen achttien uur.

Dan zag ons zodra hij de slurf uit kwam. Hij zwaaide, gaf me een dikke zoen en nam Jeffrey van me over. 'Dag, ventje van me,' zei hij.

We zaten nog niet in de auto, of hij keek me aan en zei: 'Allemachtig! Wat een rookhol.'

Ik zei niets en was al blij dat hij reed. Ik maakte het me gemakkelijk en hoorde zijn verhalen aan over het gebrek aan kwaliteit van het 'tweederangs' ziekenhuis in Glens Falls en over de onverschilligheid van de buren van zijn vader.

'Luister je?' vroeg hij.

Ik was in slaap gesukkeld en zat meteen rechtop. 'Neem me niet kwalijk, maar je zoontje heeft nogal gespookt vannacht. Als ik twee uur heb geslapen, is het veel.'

'Wat een week...' zei hij.

Ik streek even over zijn wang en zei: 'We zijn erg blij dat je er weer bent.'

'Is die logé al weg?'

'Sinds gisteravond.'

'Heb je last van hem gehad?'

'Ach, wat heet... Het was zo'n alternatief figuur die het de hele tijd over de revolutie heeft.'

'Nou ja. Je hebt er je vader een plezier mee gedaan.'

'Zo is het.'

We deden een paar boodschappen in Bridgton en toen we Pelham in reden, had ik een angstvisioen dat Billy ons voor de praktijk opwachtte en me toeriep: 'Ik heb nog niemand verteld dat u die meneer hebt gezoend', maar hij was godzijdank in geen velden of wegen te bekennen.

Dan deed de voordeur open, keek even om zich heen en zei iets over contact opnemen met die 'verdomde aannemer, die Sims' en wanneer we eindelijk konden verkassen naar huize Bland. Ik maakte een lunch en legde Jeff in zijn wieg.

Ik plofte neer op de bank. Dan streek over mijn dij en knikte in de richting van de slaapkamer. Ik kon wel janken, zo moe was ik, maar ik zei niets, deed mijn benen uit elkaar en probeerde wat hartstocht te veinzen.

Ik viel in slaap en werd pas wakker toen ik de telefoon hoorde. Ik keek om me heen en zag dat het donker was. De klok wees kwart voor zes aan, wat betekende dat ik een uur of drie had geslapen.

De deur ging op een kier open. Dan stak zijn hoofd naar binnen en vroeg: 'Ben je een beetje bijgekomen?'

'Ik geloof van wel. Fijn dat je me hebt laten slapen.'

'Spreekt voor zich. Ik heb je vader aan de lijn.'

'Zeg maar dat ik hem terugbel.'

Die avond belde ik hem niet. De volgende ochtend om halfnegen ging de telefoon weer. Het was niet mijn vader, maar zuster Bass die Dan wilde spreken. Toen hij had opgehangen, pakte hij zijn jas en zei: 'De zoon van Josie Adams heeft last van zijn amandelen. Ik moet ervandoor. Ik ben binnen het uur terug.'

Vijf minuten later ging de telefoon. 'Hannah? Met je vader.'

Ik zweeg.

'Hannah?'

'Ja?'

'Is er wat?'

Ik reageerde niet.

'Hannah?'

'Ja?'

'Ben je boos of zo?'

'Waarom zou ik boos zijn?'

'Wat er ook is, ik wilde alleen maar even zeggen dat ik onze wederzijdse vriend heb gesproken. Hij zei dat hij je zeer erkentelijk was voor je hulp. Erg fijn dat je hem...'

Ik hing op en pakte de stoelleuning om mijn evenwicht te bewaren. *Ben je boos of zo?* Hield hij dan echt nooit rekening met de gevoelens van een ander? Was hij zó met zichzelf bezig? Wist hij dan niet dat hij mij in de problemen zou brengen toen hij die vent op mijn dak stuurde? Waarom had hij Toby anders 'onze wederzijdse vriend' genoemd?

Alweer de telefoon. 'De verbinding werd zeker verbroken.'

'Ik heb de hoorn erop gegooid.'

'Hannah... Het was echt niet mijn bedoeling je in de problemen te brengen.'

'Kijk 's aan. Dat is dus niet gelukt.' Ik begon te snikken. De opgekropte emoties van de afgelopen dagen zochten een uitweg. Ik hing op. De telefoon rinkelde weer. Ik rende naar de badkamer, liet de wastafel vollopen met koud water en hield me staande aan de rand. De telefoon bleef maar rinkelen. Het kostte me een kwartier om weer bij mijn positieven te komen. Ik plensde wat water op mijn gezicht en keek naar mijn spiegelbeeld met de rode ogen, de donkere wallen. Het was duidelijk dat ik een stuk ouder was geworden, maar zeker niet wijzer.

Ik droogde mijn gezicht af, ging naar de keuken en zette een pot koffie, waarna ik de fles whisky pakte, mezelf een glas inschonk en de inhoud achteroversloeg. Ik schonk nog maar eens in en liet het weldadige vocht zijn werk doen. De koffie was doorgelopen, dus ik schonk een mok vol en zuchtte eens diep. De telefoon ging weer.

'Hannah...'

'Ik wil niet met je praten.'

'Luister nou even.'

'Nee.'

'Het spijt me zo.'

'Kijk aan. Dat is ook wel het minste,' zei ik en ik hing op.

Hij bleef maar bellen en ik nam niet meer op.

Uiteindelijk gaf mijn vader het op en de dagen erna bleef het rustig. Toen, een dag of drie daarna, Dan was al naar de praktijk, werd er een aangetekende brief bezorgd. Het poststempel was Burlington, Vermont, en ik herkende het nette, krachtige handschrift van mijn vader. Ik tekende voor ontvangst, verscheurde de brief ongelezen en mikte hem in de prullenbak. Ik bracht Jeff naar Babs, ging langs Miller's om *The Boston Globe* en sigaretten te kopen, en liep naar de bibliotheek. Toen ik met een kop koffie voor me zat, sloeg ik de krant open en viel mijn oog op een bericht op pagina 7, in de kolom met kort binnenlands nieuws.

Tobias Judson, 27, de studentenleider die in 1967 mede verantwoordelijk was voor de bezetting van Columbia University in
New York, is naar Canada gevlucht. Hij wordt verdacht van
betrokkenheid bij de bomaanslag van 26 oktober op het regionale kantoor van het ministerie van Defensie in Chicago. Het
IRP, het Internationale Revolutionaire Persbureau, meldt dat
Judson een verklaring heeft afgelegd waarin staat dat hij geen
lid is van The Weather Underground – de groepering die de verantwoordelijkheid voor de aanslag heeft opgeëist – maar dat hij
toch heeft gemeend zijn 'kameraden in de strijd' bij te moeten
staan om aan arrestatie te ontkomen. Desgevraagd deelde de
FBI mee dat men al jaren op de hoogte is van Judsons banden
met The Weather Underground. Hij wordt ervan verdacht de
twee bommengooiers, James Joseph McNamee en Moestafa
Idiong, na de aanslag onderdak te hebben verleend. De explosie
in Chicago heeft het leven gekost aan twee employees van een
particuliere bewakingsdienst. De FBI en de Royal Canadian
Mounted Police werken nauw samen om Judson op te sporen.
De Amerikaan is het laatst gesignaleerd in Montréal.

Ik las het artikel twee keer en was opgelucht dat er geen foto bij
stond of gewag was gemaakt van zijn diverse schuilnamen, waarvan
hij er in Pelham minstens één had gebruikt, Tobias Mailman. Estelle
spelde de krant iedere morgen, maar ik dacht niet dat ze zonder foto
de link tussen de man over wie het artikel ging en de man over wie ze
in Pelham zo verlekkerd had gedaan, zou leggen. Sinds Dan weer
thuis was had ze het niet meer over Toby gehad, hoewel ze die maandagochtend een opmerking had gemaakt in de trant van: 'Terug in de
sleur van het huwelijk?'
    Ik keek alle kranten die de bieb rijk was door om te zien of Judson
erin stond of dat er een foto van hem was geplaatst. De *Portland
Press Herald* had in feite hetzelfde artikel als *The Globe*, maar het
was ingekort tot een regel of vijf en ergens onder aan een pagina weggestopt. Die avond zette ik het nieuws aan, maar geen woord over
Judson, ook niet op de radio.
    Iedere ochtend werd ik wakker met het angstige besef dat het die
dag ging gebeuren: de FBI stond op de stoep, Judson laat vanuit zijn
schuilplaats in Canada een verklaring uitgaan en heeft het over mij,
Billy vertelt zuster Bass dat ik voor het raam heb staan zoenen met

mijn logé, mijn vader belt aan en wil weten waarom ik hem niet te woord sta. Met andere woorden: de waarheid was aan het licht gekomen en mijn ondergang was een feit.

Niets van dat alles. Ik stond op, verzorgde Dan en mijn zoon en deed wat ik altijd deed: naar mijn werk gaan, Jeff ophalen en naar huis. Dan kwam thuis, avondeten, een beetje kletsen, nieuws kijken en lezen. Twee keer per week weinig interessante seks. Het werd weer weekend en daarna diende de werkweek zich weer aan en dat was dat. Er gebeurde helemaal niets.

Ja, toch wel. Mijn vader schreef me nóg een brief en ook die gooide ik ongelezen weg. Mijn moeder belde en zei dat ze alleen maar even wilde weten hoe het ging. We praatten over koetjes en kalfjes, de nieuwe expositie waarmee ze bezig was en toen, heel terloops: 'Je hebt toch geen ruzie met je vader of zo?'

'Nee,' antwoordde ik doodkalm. 'Hoezo?'

'Omdat je dichtklapt zodra ik het over hem heb. Toen ik hem ernaar vroeg, kreeg ik eenzelfde reactie, dus vertel me nou maar eens wat er is.'

Tot mijn grote verbazing bleef ik heel rustig onder haar ondervraging. 'We hebben geen ruzie.'

'Wat dan wel?'

'Er is niets aan de hand.'

'Wat ben je toch een slechte leugenaar.'

'Mam, ik moet weer eens ophangen.'

'Toe, Hannah. Draai er nou niet omheen.'

'Ik draai nergens omheen.'

'Vind je niet dat ik het recht heb te…'

'Nee, dat vind ik niet.'

Die middag belde ze nog drie keer, maar ik hield mijn poot stijf en liet niets los. Ik was tot de slotsom gekomen dat ik wat betreft mijn moeder toch niets goed kon doen en dat het dus geen zin had haar op andere gedachten te brengen. Het feit dat ik niet meer hunkerde naar haar goedkeuring, betekende dat ze geen macht meer over me had.

'Je moet me vertellen wat er aan de hand is!' riep ze.

'Ik heb niets te zeggen.' Ik verbrak de verbinding. Het uur daarop belde ze nog een paar keer, maar ik nam niet op.

Er viel natuurlijk een heleboel te zeggen en net als ieder ander met een vreselijk geheim, wilde ook ik niets liever dan erover praten.

De dag erna belde Margy en ze ontstak direct in een onderhoudende monoloog. 'Ik zit hier aan een duf bureau in een duf kantoor te werken in een duffe baan en ik vroeg me af hoe het met mijn beste vriendin gaat, die ik in geen maand heb gesproken.'

'Hoor eens,' zei ik, 'ik kan nu even niet praten en...'

'Wat is er?'

'Het schikt nu niet. Ben je er morgen om een uur of vier?'

'Ja.'

'Zorg dat je op je plaats zit. Ik bel je.' Ik hing op en draaide het nummer van Babs om te vragen of Jeffrey de volgende dag tot een uur of halfzeven mocht blijven omdat ik een paar boodschappen in Portland wilde doen. Die avond vertelde ik Dan dat ik had gehoord dat er in Portland een Italiaanse delicatessenzaak zat en dat ik van plan was er eens te gaan kijken.

'Verkopen ze daar echte parmezaanse kaas?'

'Volgens de *Portland Press Herald* wel.'

'Dan moet je zeker gaan.'

Ik ging een uur eerder weg van mijn werk en was even na twee uur in Portland. Ik vond het Italiaanse winkeltje en was dertig dollar kwijt aan wijn, pasta, echte Napolitaanse tomaten in blik, knoflook, brood, bitterkoekjes, koffie en een espressoapparaatje. Normaal gesproken leefden we een week van dertig dollar, maar daar zat ik verder niet mee. De eigenaar van het zaakje stond erop een van zijn beroemde sandwiches voor me te maken. Op zijn kosten smeerde ik mijn keel met twee glazen chianti, dus toen ik bij het hoofdpostkantoor aankwam en een telefooncel in stapte, was ik een beetje licht in mijn hoofd.

Margy nam meteen op. 'Hannah?'

'Hoe wist je dat ik het was?'

'Omdat het vier uur is. Je hebt me vreselijk ongerust gemaakt. Wat is er aan de hand?'

'Een heleboel.'

'Zoals?'

'Om te beginnen: ik bel je vanuit een cel in het postkantoor in Portland omdat ik bang ben dat de FBI mijn telefoon thuis aftapt.' Twintig minuten lang was ik aan het woord. Margy, die nooit iemand liet uitpraten, interrumpeerde me niet één keer en zelfs toen ik mijn verhaal had gedaan, bleef het stil aan de andere kant van de lijn.

'Ben je daar nog?' vroeg ik.

'Ja zeker.'

'Neem me niet kwalijk als ik je de oren van het hoofd heb gekletst.'

'Nee, ik ben er stil van.'

'Wat moet ik doen?'

Het was even stil. 'Niets.'

'Niets?'

'Wat kun je doen? Hij is foetsie, de FBI is niet op komen dagen, je man weet nergens van, die Billy zal jullie vriendschap niet op het spel zetten door uit de school te klappen en reken maar dat je vader zijn mond houdt. Ik vind overigens wel dat je het je vader moet vergeven, maar ik denk dat je dat zelf ook vindt.'

We zwegen even.

'Zo te horen heb je verder niets te vrezen.'

'Denk je?'

'Ja, dat denk ik.'

'Dus je voorziet geen onaangename gevolgen?'

'Nee. Ik zei toch dat je niets te vrezen hebt? Tenzij je de boel zelf verpest.'

'Dat bedoel ik dus. Hoe moet ik hier nou verder mee leven?'

'Je slaat je er wel doorheen.'

'Ik weet niet of dat me lukt.'

'Wat niet? Bedoel je dat je niet weet of je het jezelf kunt vergeven?'

'Zoiets.'

'Je zult het toch écht moeten proberen. Zo'n misdaad was het toch niet?'

'Margy! Dat is nou net het punt.'

'Een misdaad? Hou toch op. Volgens mij is het hoogstens een overtreding. Kop op, meissie. Waar hebben we het helemaal over? Het vlees was zwak en dat stuk schorem heeft daar misbruik van gemaakt door je onder druk te zetten. Je bent ook maar een mens.'

'Kon ik het ook maar zo zien.'

'Dat komt nog wel.'

'Denk je?'

'Zo gaat het altijd. Op het ogenblik hangt het als een molensteen om je nek, maar over een tijdje besef je dat het allemaal reuze meevalt en op een gegeven moment ben je het helemaal kwijt. Het spijt me, maar ik moet ophangen. Ik heb een vergadering.'

We namen afscheid en beloofden elkaar de week erop te bellen. Ik liep het postkantoor uit en stapte in de auto. Op de terugweg naar Pelham dacht ik: uiteindelijk ontloopt niemand zijn straf. Of gold dat alleen voor mensen die nog iets van een geweten hadden?

Ik maakte geen haast en toen ik tegen zeven uur Pelham binnenreed, zag ik dat Dan thuis was en dat hij Jeff al had opgehaald. Toen ik binnenkwam, keek mijn zoon even op, maar hij had het al snel weer druk met het uit de box gooien van zijn houten speeltjes. Dan kneep in mijn wang, gluurde in de boodschappentassen en vroeg: 'Hadden ze de kaas?'

Ik knikte en zette de boodschappen op het aanrecht. Dan kwam naast me staan en viste de kassabon uit een van de tasjes. Hij floot en zei: 'Wauw!'

'Ach, we mogen toch best eens uit de band springen?'

'Natuurlijk wel. Het is toch lekker jezelf zo nu en dan eens goed te verwennen.'

'Zin in een onvervalste Italiaanse lasagne?' vroeg ik.

'Ik kan niet wachten. Zullen we dan meteen maar een fles chianti openmaken?'

Ik knikte en terwijl Dan de kurkentrekker pakte, draaide ik me om en keek naar mijn prachtige zoon. Ik dacht aan het pact dat ik met mezelf had gesloten en realiseerde me dat als Jeffrey er niet was geweest, ik hier niet zou staan.

Dan draaide zich om en zag dat ik in gedachten verzonken was. 'Gaat het wel goed met je?' vroeg hij.

Alles heeft zijn prijs.

Ik glimlachte, gaf hem een zoen op zijn wang en zei: 'Het kon niet beter.'

# DEEL TWEE

*2003*

ZODRA IK IN de auto stapte, begon het te sneeuwen. Alleen in Maine kon je eind april nog een sneeuwstorm verwachten. Ik was in het noordoosten geboren en getogen en hield van de strenge winters, maar de laatste tijd deed het klimaat nogal raar en hadden we winters met maar een paar vlokken gehad. Die januari was het kwik echter gedaald tot zeker vijftien graden onder nul. Zelfs nu Pasen eraan kwam, schommelde de temperatuur nog rond het vriespunt en sneeuwde het.

Zoals gewoonlijk startte mijn jeep meteen en nog voor ik het parkeerterrein af was, werd het al warm in de auto. Ik had hem voor mijn vijftigste verjaardag gekregen. Onlangs zei Dan dat we hem misschien moesten inruilen voor een nieuwer model of een andere terreinwagen, maar ik had dat resoluut afgewimpeld. Het was al erg genoeg dat ik met een dergelijke bak in Portland rondreed – hoewel het me met de sneeuw best goed uitkwam – maar mijn auto inruilen voor een nieuwere, en dat terwijl mijn model uit 2000 het nog zo goed deed, leek me overbodig. Dan ruilt zijn Lexus iedere twee jaar in.

'We kunnen het ons écht permitteren,' zegt hij wanneer ik vraagtekens zette bij dergelijke uitspattingen.

Ik zette de radio op NPR. Er werd een concert van het Boston Symphony Orchestra uitgezonden; de Tweede van Sibelius, gedirigeerd door Levine; perfecte klanken voor een donkere winteravond.

Ik manoeuvreerde de jeep door de straten van het centrum en reed langs een rij voormalige kantoorgebouwen, gebouwd in de jaren dertig, die jarenlang hadden leeggestaan. Ooit stonden ze op de lijst om gesloopt te worden, maar dat was voor de hoogtijdagen van de jaren negentig toen zuid-Maine werd overspoeld door yuppen die de grotere steden waren ontvlucht en het kleinsteedse dat Portland uitstraalde waardeerden. Iedere keer dat een tijdschrift als *Town & Country* een artikel plaatste dat Portland een van de prettigste plekken was om te wonen, schoten de prijzen van het onroerend goed tien procent omhoog. Vandaar dat de oude kantoorgebouwen in de binnenstad waren omgetoverd tot aantrekkelijke appartementen die een half miljoen dollar opbrachten, ook al waren ze maar rond de honderdvijftig vierkante meter.

Ons huis in Falmouth was... Ach, laat ik er maar over ophouden. Als je dezer dagen ergens in Portland bij iemand te eten bent gevraagd, komt het gesprek altijd op de huizenmarkt. Ik ben van mening dat men hier eindelijk gelijke tred houdt met de rest van het land, maar blijf het vreemd vinden dat iedereen het altijd heeft over wat men bezit en wat men nog zou wíllen hebben.

Van het centrum van Portland rijd je in vijf minuten langs de kust naar Falmouth Foreside. Het Maine Medical Center – het beste ziekenhuis in Maine, waar Dan werkt – staat op een heuvel ergens vlak bij waar we wonen. Het bevalt Dan uitstekend zo.

Net toen ik de afrit Falmouth nam, ging mijn mobiele telefoon. 'Hannah? Met Sheila Platt.'

'Hé, hoe gaat het?' Ik deed mijn best niet al te koeltjes over te komen. Sheila was lid van het leesclubje waar ik onderdeel van uitmaakte. In het begin lazen en bespraken we alleen boeken, maar ik had het plan gelanceerd ook toneelstukken te lezen. Wat dat zo leuk maakte, was dat we de diverse rollen konden verdelen en die hardop lezen. Ik had de zes leden weten te overtuigen dat het best aardig zou zijn eens wat anders te doen dan *Trots en vooroordeel* van Charlotte Brontë te lezen. Die avond hadden we de eerste twee bedrijven van *Maat voor maat* van Shakespeare behandeld en zoals te doen gebruikelijk was de discussie geëindigd in een verbale strijd tussen Sheila en haar *bête noire* in de groep, Alice Armstrong. Alice gaf tekenles op de middelbare school. Ze was gescheiden en deed daar op een nogal geestige manier zuur over. Haar ex, ook tekenleraar, had haar verlaten voor een jonge advocate bij een groot kantoor die hem bij de scheiding met verve had geadviseerd hoe hij Alice een poot uit kon draaien. ('Ik was zo kwaad op die zak dat ik zo stom ben geweest akkoord te gaan met zijn idiote eisen. Ik wilde laten zien dat ik hem écht niet nodig had, maar ik kan je vertellen dat trots je duur komt te staan.') Ze was heel slim en stond haar mannetje. Ze was een getalenteerde illustratrice, maar het viel niet mee daar in Maine iets mee te doen, dus gaf ze tekenles om haar twee kinderen te kunnen onderhouden. Ze had een vlijmscherp gevoel voor humor, wist vrij veel van politiek en had iets opstandigs. Daarom was het beter geweest als ik haar niet de vrije hand had gegeven en een van Shakespeares moeilijkste stukken uit had laten kiezen. Niet alleen is *Maat voor maat* interessant vanwege de complexe ethische onderwerpen, maar het roept ook nogal wat vragen op over de relatie tussen politieke en seksuele macht, de smalle grens tussen religie en hypocrisie. Sheila Platt daarentegen was een vrome christen. Haar bewondering voor onze huidige president en Alice Armstrongs progressieve standpunten, met name inzake abortus, bleken genoeg voor een felle woordenstrijd. Misschien was het Alice daar ook wel om te doen geweest, had ik me later bedacht.

'Het toneelstuk gaat mijns inziens over hypocrisie,' zei ik na ons rollenspel. 'Over de hypocrisie van de puriteinse maatschappij.'

'Verklaar je nader,' had Alice gezegd. 'Als je "hypocrisie" zegt, bedoel je dan schijnheiligheid of bedrog?'

'Allebei, denk ik. Antonio is een man wiens strikte normen en waarden worden ondermijnd door zijn maar al te menselijke behoefte aan seks.'

'Die seks is meer een zoeken naar liefde,' had Sheila gezegd.

'Nee,' wierp ik tegen. 'Het ging hem gewoon om seks en de macht die dat geeft.'

'Hij verklaart haar anders wel zijn liefde,' wierp Sheila tegen.

'Volgens mij,' zei Alice, 'is Antonio een typische op macht beluste politicus die net doet of hij een vrome christen is, het constant heeft over de zwakheden van anderen, maar ondertussen wel een non aan zich onderwerpt, puur voor de seks. Wat dit stuk zo interessant maakt, is dat Shakespeare heeft begrepen dat de mensen die het hardst met hun vingertje zwaaien, vaak het schijnheiligst zijn. Denk maar eens aan die hypocriete Newt Gingrich. Na dat stomme gedoe van Clinton met Monica Lewinsky noemde hij Clinton een zondaar, maar ondertussen had hij wel mooi zélf een buitenechtelijke relatie.'

'Het verschil is natuurlijk wel dat Gingrich geen president was,' zei Sheila.

'Oké, maar wel voorzitter van het Huis van Afgevaardigden,' zei Alice.

'... en híj heeft niet onder ede gelogen.'

'Nee, maar hij orkestreerde wel eventjes de ondergang van een politieke tegenstander wiens overspel lang niet zo serieus was als dat van hemzelf.'

'Ja, hoor 's,' zei Sheila, die nu flink geïrriteerd raakte, 'je wilt het verleiden van een stagiaire toch niet gelijkstellen met...'

'Ze was ouder dan eenentwintig en dus een volwassene die precies wist wat er gebeurde. Inderdaad, ik geloof niet dat je laten pijpen even ernstig is als je vrouw stelselmatig bedriegen.'

Sheila en nog een paar anderen slaakten een diepe zucht.

'Is dit soort vunzige praat nou nodig?' vroeg Sheila.

'Goed, laten we weer even teruggaan naar het stuk,' suste ik de gemoederen.

Hemel, ik was een echte frik. Als er dergelijke meningsverschillen waren, moest ik altijd als gespreksleider fungeren en een neutrale positie innemen. Natuurlijk, ik vond het enig dat Alice haar mening niet onder stoelen of banken stak. Ze ging met opzet de confrontatie aan met Sheila, omdat Sheila – zo vertelde Alice me een maand geleden onder het genot van een glas wijn – alles vertegenwoordigde wat ze zo haatte aan het Amerika van George W. Bush. Sheila op haar beurt had me ooit verteld dat ze Alice maar een 'ouwe hippie' vond.

Die avond waren ze écht te ver gegaan. Ik kon me niet aan de indruk onttrekken dat de een de ander zo had aangevallen dat het slachtoffer wel moest opstappen.

'Schikt het even?' vroeg Sheila me terwijl ik de afslag nam.

Eerlijk gezegd schikte het nooit. Ze ergerde me mateloos met dat schijnheilige gedoe over 'het goede in ieder mens', hoewel ze zo'n conservatieveling was dat ze campagne had gevoerd vóór het herinstellen van de doodstraf en tegen het homohuwelijk. Daarnaast stond ze bekend als een gemene roddeltante die met een poeslief gezicht de afschuwelijkste dingen kon zeggen.

Ik kon haar eigenlijk niet uitstaan, maar zei dat nooit hardop. Na dertig jaar in Maine had ik geleerd mijn oordeel over mensen voor me te houden.

'Hannah? Schikt het even?'

'Ja hoor,' zei ik.

'Ik had na afloop even iets met je willen bespreken, maar ik zag dat je nogal een zwaar gesprek had met die Armstrong.'

Het was nauwelijks een zwaar gesprek te noemen, maar ik liet het maar zitten.

'Wat ik je wilde zeggen, is dat ik een stemming onder de leden van de leesclub ga houden om te peilen of iedereen het wat betreft Alice met me eens is.'

'O? Stel dat dat zo is, wat dan?'

'Dan zeggen we dat ze niet meer hoeft te komen.'

'Dat kun je niet maken.'

'Nou en of. Als de meerderheid haar een storende factor vindt...'

'Hoor eens, Sheila. Er zijn ook mensen die jóú een storende factor vinden.'

'Dat hoor ik voor het eerst.'

'Dat kan wel zijn, maar ik weet dat het zo is. Als je het qua politieke opvattingen niet met haar eens bent, dan is dat jammer. Wij respecteren jouw mening toch ook?'

'Zelfs al ben je het niet met me eens?'

'Voorzover ik weet, heb ik nooit een politieke discussie met je gevoerd. Ik geloof niet dat ik ooit bijtend commentaar heb geleverd als jij je mening gaf.'

'Oké, maar iedereen weet dat jij vrij links bent.'

Ik greep het stuur wat steviger vast en hield me met moeite in. 'O? Iedereen weet dat ik links ben?' zei ik koeltjes. 'Hoezo dat?'

'Het is overduidelijk dat je geen Republikein bent, plus dat je nogal dik bent met Alice en die is zonder meer links.'

'Mijn vriendschap met Alice heeft niets te maken met onze politieke overtuiging, maar stel dat het wél zo zou zijn, dan heeft dat nog niets met de leesclub van doen. Ik vind het nogal kortzichtig van je dat je denkt dat ik haar kant kies omdat we allebei linkse sympathieën zouden hebben.'

'Aha! Nu zeg je het zelf.'

'Pardon? Zeg, we dwalen af. Waar belde je eigenlijk voor?'

'Over mijn plan om een stemming te houden om Alice vanaf volgende week uit de club te gooien.'

'Als je dat doorzet, organiseer ík een stemming om jou eruit te gooien en ik kan je verzekeren dat de meerderheid daarvóór zal stemmen.'

'Reken daar maar niet op.'

'Wat zeur je nou eigenlijk? Goed, Alice is het niet met je eens, maar wat zou dat? Als je alleen maar wilt omgaan met gelijkgestemde mensen, moet je lid worden van de countryclub.'

'Dat ben ik al.'

'Dat verbaast me niets.'

'Heel grappig. De eerste bijeenkomst na de paasdagen ga ik het in stemming brengen.'

'Mij best, maar dan gaan we ook over jou stemmen.'

Het was even stil en ik wist zeker dat ze er niet gerust op was. Ze moest toch weten dat veel mensen een hekel aan haar hadden?

'Misschien begin ik wel een eigen leesgroepje.'

'Ga vooral je gang, Sheila. Prettige avond,' zei ik en ik zette mijn mobieltje uit. Er zijn maar weinig mensen die mijn geloof in de mens doen wankelen, maar Sheila is er een van. Veel mensen hebben er last van. Een andere zienswijze wordt niet gewaardeerd en een levendig debat met mensen met een tegenovergestelde mening behoort niet tot de mogelijkheden. Haar zienswijze is de enig juiste. Ach, je ziet het dagelijks op televisie, waar de conservatieve schreeuwers iedereen die het niet eens is met hun enge, patriottistische visie onder de tafel willen krijgen.

Net Jeff, mijn zoon.

Jeff zou het maar wat leuk vinden de degens te kruisen met Alice Armstrong, want mijn zoon deed niets liever dan met linkse figuren discussiëren. Tijdens Thanksgiving was dat weer eens gebleken. Jeff en zijn vrouw Shannon waren met hun dochtertje Erin uit Hartford overgekomen en toevallig kwam Alice een glaasje wijn drinken. Ik stelde haar voor aan mijn zoon de jurist en op de een of andere manier kwam het gesprek op het feit dat president Bush zich liet leiden door zijn christelijke waarden. Ik was vergeten dat ik haar had verteld dat Jeff hoofd Juridische Zaken was bij de verzekeraar Standard Life in Connecticut, actief was in de Republikeinse Partij en (tot mijn grote schrik) een belijdend christen was geworden. Alice begon een tirade over dat Jeffs geliefde partij in handen was gevallen van religieus rechts, omdat 'het merendeel van die enge hotemetoten die de koers van de partij bepalen opeens bijbelvast zijn geworden, alleen vanwege het gelovige electoraat in de godvrezende zuidelijke staten'.

Ik moet zeggen dat Jeff niet eens kwaad werd toen Alice dat zei, hoewel mijn dertigjarige zoon snel opgewonden raakt als iets hem niet zint. Toen hij klein was, had ik dat maar al te vaak meegemaakt. Op de middelbare school was hij een voorbeeldige leerling die met iedereen goed overweg kon. Zijn enige probleem was dat hij een enkele keer een driftbui had. Als ouderejaars was hij een keer thuisgekomen met zijn rechterhand in het verband. Dan had hem uitgehoord en Jeff had bekend dat hij uit pure woede de ruit van zijn kamer op de campus had ingeslagen toen hij de afwijzing van de juridische faculteit van Harvard in de bus had gekregen. (Hij werd wel toegelaten tot de universiteit van Pennsylvania, waar ook niets mis mee was.) Shannon had zo te zien geen probleem met zijn driftbuien, al was het alleen maar omdat ze zich de rol van het perfecte huismoedertje had aangemeten. Ze had het er altijd over hoe heerlijk ze het vond Erins luier te verschonen, dat ze de stuwende kracht was achter Jeffs carrière en ze haalde haar neus op voor werkende vrouwen. Ze wist heel goed dat ik toen we van Pelham naar Milwaukee waren verhuisd een baan in het onderwijs had aangenomen en dat ik afgezien van een korte onderbreking toen Lizzie werd geboren, altijd had gewerkt. Jammer dat Sheila Platt er die Thanksgiving niet bij was, want die was vast en zeker gecharmeerd van mijn conservatieve zoon en Shannons antiabortushouding. Ik wist van Shannon dat ze zo nu en dan demonstreerde bij een abortuskliniek in de achterstandswijk van Hartford en ik vroeg me af of ze dat ook deed in de rijke wijk in West Hartford waar ze woonde. Waarschijnlijk niet, want haar deftige medehuisvrouwtjes, allemaal Republikeinen natuurlijk, zouden er begrijpelijkerwijs bezwaar tegen hebben als iemand hun recht op zelfbeschikking aanvocht.

Dergelijke dingen zei ik natuurlijk nooit in hun bijzijn. Zo zit ik niet in elkaar en dat geldt ook voor Dan. Toegegeven, Dan heeft nooit een uitgesproken mening over dingen die niet te maken hebben met orthopedische chirurgie, de artsenvereniging, zijn geliefde Lexus of tennis, dat hij vol overgave speelt en waar hij graag naar kijkt. Toen Jeff zijn 'vaste verkering' aan ons had voorgesteld, voorspelde ik Dan dat Shannon het prototype van het ideale huisvrouwtje zou worden. Hij had zijn schouders opgehaald en gezegd dat ze goed bij elkaar pasten.

'Ik heb er wel moeite mee dat ze zo verrekte conservatief is,' zei ik.

'Jeff is toch zeker ook geen links-radicale figuur?'

'Dat bedoel ik. Ze gaan natuurlijk trouwen en dan zit hij vast in een vreselijk traditioneel huwelijk.'

'Blijkbaar wil hij niet anders,' zei Dan. Hij pakte het sportkatern van *The Boston Globe* en verdiepte zich in het verslag van de partijen op Wimbledon.

'Dat begrijp ik, maar ik maak me zorgen over het feit dat onze zoon een verstokte Republikein uit de school van Eisenhower is geworden.'

'Vergeleken bij Jeff was Eisenhower nog een linkse rakker,' zei hij.

Ik moest glimlachen. Mijn man is dan misschien niet iemand met een enorm gevoel voor humor, maar hij kan wel eens leuk uit de hoek komen en als dat gebeurt, besef ik dat die anders zo degelijke (en succesvolle) arts, toch iets leuks over zich heeft.

Ik reed de afrit op en legde de anderhalve kilometer af over de tweebaansweg die naar Chamberlain Drive voerde. In 1981, het jaar dat Dan zijn aanstelling als orthopeed in Maine Medical kreeg, hadden we in Freeport een vrijstaand huisje gevonden met een kleine tuin. In tegenstelling tot tegenwoordig was Freeport toen nog een slaperig stadje, zij het dat L.L. Bean, de grote fabrikant van vrijetijdskleding, er ook toen al zat. Het huis stond aan een bosweggetje en hoewel het klein was en lage plafonds had, was het oergezellig. Vergeleken met dat afschuwelijke appartementje formaat schoenendoos in Pelham was ieder huis een paleis. Wat ons huis in Freeport zo heerlijk maakte, was dat we geen andere huizen konden zien, terwijl we maar een kilometer van de weg af zaten. Het was net of we buiten woonden, afgesloten van de moderne tijd, zeker op een prachtige ochtend in januari als je wakker werd met de winterzon, uitkeek over besneeuwde velden en de bomen met rijp.

Destijds was het niet zo moeilijk een baan in het onderwijs te krijgen en na een paar maanden had ik al een aanstelling op de middelbare school van Freeport. Als ik erop terugkijk was het leven toen heerlijk ongecompliceerd. Jeff en Lizzie zaten op de basisschool en Dan had het druk, maar ook niet té. We kwamen niet bepaald om in het geld, maar we konden er goed van leven. Ik was bijna dertig en... ik wil het woord 'gezapig' niet meteen gebruiken, maar het dekt de lading wel. Laat ik het zo zeggen: het gevoel dat ik de eerste jaren van mijn huwelijk had, dat ik iets miste en mezelf tekort had gedaan, was vervangen door het besef dat ik al met al niet mocht klagen. Ik hield van mijn werk, genoot van het moederschap en was gek op mijn kinderen. Het was heerlijk ze te zien opgroeien, zich ontwikkelen en te ervaren hoe ze in de wereld stonden. Jeff was een zelfstandig ventje, heel geconcentreerd, een echte perfectionist. ('Hij is erg ambitieus,' zei de juffrouw van de derde klas van de basisschool tegen me, 'en als hij een fout maakt, is hijzelf zijn grootste vijand.') Lizzie was heel creatief. Toen ze vijf was, had ze een complete poppenkast ontworpen en op haar achtste was ze (naar eigen zeggen) bezig met het schrijven van een roman. Ze was wel gauw van haar stuk gebracht, bijvoorbeeld als een klasgenootje onaardig tegen haar deed of als ze gepasseerd werd voor een rol in een toneelstuk.

Als ik daaraan terugdenk... Ik deed altijd mijn best haar gerust te stellen, legde uit dat het niet was omdat ze haar niet mochten, maar dat je nou eenmaal niet voor alles gekozen kon worden en dat het leven niet altijd rozengeur en maneschijn was. 'Jij bent mijn beste vriendinnetje,' zei ze een keer na een dergelijk gesprek. Dat deed me zo goed. Ik vond het fijn dat mijn kinderen me niet alleen als moeder zagen, maar ook als een vriendin.

We hebben in Freeport rustige, gelukkige jaren gekend, maar op een goede dag ging Dans baas in het ziekenhuis met pensioen en werd Dan benoemd tot hoofd Orthopedie. Ons leven raakte in een stroomversnelling. Hij maakte weer dagen van vijftien uur, vloog het hele land door voor congressen, moest talloze handen drukken, leerde veel en was druk bezig met netwerken. Hij had een ambitieus plan: de afdeling Orthopedie van Maine Medical moest de beste van de oostkust worden. Binnen zes jaar had hij dat plan ook verwezenlijkt, maar het betekende wel dat we hem amper zagen. Dagen van vijftien uur werden dagen van zeventien uur, een tweedaagse reis naar een congres werd een tweeweekse reis door het hele land. Gemiddeld een weekend per maand had hij tijd voor de kinderen en zelfs dán werd er wel eens gebeld voor een spoedoperatie of moest hij aantreden als er kopstukken van de medische wereld op werkbezoek waren. Dat alles, zo hield hij vol, ter verwezenlijking van zijn grote droom.

Om de een of andere reden liet ik het me allemaal aanleunen. Zodra hij veel geld ging verdienen, beweerde hij dat het hoofd Orthopedie van Maine Medical en zijn gezin toch echt groter moesten wonen. Ik vond een prachtig, modern huis met vijf slaapkamers, een puntdak, hoge plafonds, eiken vloeren en veel licht, dat ook een beetje achteraf stond, met uitzicht op de baai. Dan was echter van mening dat een Zeer Belangrijke Dokter in een Zeer Belangrijk Huis in de Beste Buurt van Portland moest wonen. Zo kwamen we terecht in een Zeer Grote Villa met een Zeer Ruime Tuin in het Zeer Exclusieve Falmouth Park.

Ons huis is niet eens zo groot, hooguit vierhonderdvijftig vierkante meter, inclusief het souterrain, maar in Portland weet iedereen dat de mensen in die buurt flink wat geld hebben. Laat ik het anders zeggen: de mensen die er wonen zijn niet onbemiddeld, maar schreeuwen dat niet van de daken. Ons huis is eigenlijk vrij eenvoudig: de buitenkant is van wit geschilderd hout, het is goed onderhouden, groot genoeg, maar niet overdreven. We hebben geen zwembad, geen tennisbaan, geen protserige vijver en geen beelden in de voortuin. En ik heb het huis helemaal zelf ingericht, zonder de hulp van een binnenhuisarchitect. Het is rustiek met veel hout. Om precies te zijn, de stijl is Shaker, maar veel belangrijker vind ik dat het er gezellig is. Dan heeft het souterrain ingericht als studeerkamer annex jongenskamer, compleet met een biljart, computers en een stereo-installatie die zo verfijnd is dat je Pavarotti's hart kunt horen kloppen. Er staat ook zo'n gigantische plasmatelevisie, die ik absoluut niet boven wil hebben omdat ik ze ten eerste erg lelijk vind en ten tweede omdat het al heel veel is als ik vijf uur per week tv-kijk. Op de begane grond heb ik ook een klein werkkamertje, maar dat is heel wat eenvoudiger. Ik heb er een simpel houten bureau, een gemakkelijke stoel, een cd-speler, een radiootje, een laptop, overvolle boekenplanken en een tweezitsbank met een schemerlamp in staan. Ik heb wel eens aan het bureau gezeten met alwéér een leesverslag van *De scharlaken letter* of *Franny en Zooey* en me afgevraagd: is dit nou wat je uit je arbeidzame leven hebt gepeurd? Het gebeurt me alleen op dagen dat ik een beetje down ben, wanneer ik mezelf moet dwingen iets van betrokkenheid te ervaren, maar gelukkig is dat maar zelden het geval. Ik vind het nog steeds een genot om voor de klas te staan, de uitdaging van een lokaal vol jongelui met al hun problemen, die over het algemeen maar weinig geïnteresseerd zijn in immateriële zaken. Het is steeds weer een uitdaging de kinderen warm te maken voor Hawthornes visie op het puriteinse Amerika of voor Hemingways vernieuwende proza. Ik kan alleen maar hopen dat ik hun aandacht even vang, laat staan dat ze zich in de materie verdiepen, dat een paar dingen beklijven en dat ze eens over iets nadenken, als is het maar heel even. Meer mag je als leerkracht ook niet verwachten.

Ik reed het garagepad op, parkeerde de jeep en stapte uit. Ik bleef even naar de vallende sneeuw staan kijken in de hoop dat ik daardoor een beetje tot rust zou komen.

Het was donker in huis, maar zodra ik over de drempel stapte, hoorde ik dat de televisie beneden aanstond. Ik liep de trap af en trof Dan aan met zijn benen omhoog, een glas rode wijn in de hand. Hij keek naar Discovery, wat al een paar maanden een soort fixatie van hem was. Ik liep op hem af en gaf hem een kusje op zijn voorhoofd.

'Jíj bent vroeg,' zei hij.

'Ik had geen zin om met Alice wat te gaan drinken,' zei ik en ik liep naar de huisbar in de hoek. Ik pakte een wijnglas en schonk mezelf een glas wijn in. 'Maar nu snak ik ernaar.'

'Hoezo dat?' vroeg hij en scheurde zich voor een paar tellen van de jagende poema's los.

'Sheila Platt heeft weer eens een grote mond opgezet.'

'Je hebt écht een probleem met dat mens, hè?'

'Zeg dat wel. Ik kan eenvoudigweg niet tegen domme mensen met een grote bek die ook nog denken dat ze intelligent zijn.'

'Als dát zo was, kon je niet op een middelbare school lesgeven. Maar vertel even over je leesclub. Waar zijn jullie mee bezig?'

Ik bracht verslag uit en nam nog een slok. 'Lekker wijntje.'

'Zeker. Komt van een betrekkelijk nieuwe wijngaard in Washington State, ergens bij de grens met Canada. Raban Estates, heten ze. Het neusje van de zalm. De pinot van 2002 had een prachtige recensie in de *Wine Gourmet* van deze maand.'

'Duur zeker?'

'Vijfendertig dollar per fles.'

Ik keek hem met grote ogen aan en nam nog maar een slok. 'Voor die prijs is het zeker een goed wijntje. Heb je het druk gehad?'

'Twee kunstheupen, een kraakbeenoperatie, een ijshockeyspeler van een jaar of zestien die onderweg naar school zijn Mazda Miata in de prak heeft gereden en een verbrijzeld bekken en scheenbeen heeft.'

'Wie geeft zijn kind nou ook een Mazda Miata?'

'Een welgestelde ouder.'

'Hoe weet jij nou wat voor auto hij reed?'

'Omdat ik het hem heb gevraagd voor hij onder narcose ging.'

'Een persoonlijke benadering. Wel leuk van je.'

Hij glimlachte.

'Mag ik uit het feit dat je een glaasje drinkt opmaken dat je morgen niet opereert?' zei ik.

'Dat mag je. Ik heb alleen maar spreekuur. Hoe laat ga je naar Burlington?'

'Om een uur of negen. Ik moet nog het een en ander aan nakijkwerk doen, dus ik laat je maar alleen met je... wat zijn dat voor enge beesten?'

'Poema's. Ze komen voor in de Canadese Rockies. Daar is dit opgenomen.'

'Prachtig landschap.'

'Zeker. Misschien moeten we ook eens in Banff op vakantie gaan.'

'Om daar door een poema te worden opgevreten? Mij niet gezien.'

'Die kans is net zo groot als dat je door een meteoriet wordt geraakt. We hebben het trouwens al eerder over Banff gehad.'

'Jíj hebt het over Banff gehad, om nog maar te zwijgen over de Benedenwindse Eilanden, het Grote Barrièrerif, Belize en wat je ook verder op Discovery hebt zien langskomen. Het wordt vast weer gewoon Bermuda. Dat is niet zo ver en je kunt nou eenmaal niet te lang weg, hè?'

'Wel erg voorspelbaar allemaal.'

'Zeg dat wel.' Ik stond op en gaf hem nog een kus op zijn voorhoofd. 'Ik neem nog even een glaasje en buig me de rest van de avond over vijfentwintig slecht geschreven boekbesprekingen van Longfellows *Evangeline*.'

'Dan kun je wel een glaasje gebruiken.'

'Ik maak het niet te laat.'

'Zodra de poema's een kudde herten hebben opgepeuzeld, ga ik naar bed. O, je hebt een boodschap van Lizzie. Niets bijzonders, geloof ik, maar zo te horen was ze niet echt blij. Heeft ze weer liefdesverdriet of zo?'

'Geen idee. Ik bel haar wel even. Het is best mogelijk.'

'Was ze maar zo verstandig een lieve dokter te zoeken.'

Ik keek hem aan en zag hem gemeen grijnzen.

'Ik zal je advies direct doorgeven,' zei ik lachend. Terwijl ik de trap op ging, merkte ik al dat ik zenuwachtig werd. Voor de derde keer in twee jaar had een vriendje Lizzie de bons gegeven. Ik begreep best dat ze zich afgewezen voelde, maar deze keer was haar reactie ronduit manisch. Ik begon me echt zorgen over haar te maken. *Was ze maar zo verstandig een lieve dokter te zoeken.* Dan ook altijd met zijn droge humor, dacht ik, maar hij had wel gelijk. Tot op een week geleden had ze gedurende een halfjaar een jonge dokter gehad, een huidarts nog wel, wat overigens beter was dan iemand die zich specialiseerde in aandoeningen van de endeldarm. Dan wist nergens van. Lizzie had het hem niet verteld, omdat de vriend in kwestie getrouwd was en wel eens op televisie was. Ik had haar meer dan eens gezegd dat haar vader niet moeilijk zou doen over het feit dat hij getrouwd was, maar ze had me op het hart gedrukt het aan niemand te vertellen.

Het was niet de eerste keer dat mijn dochter me in vertrouwen had genomen, noch was het de eerste keer dat ze er niets voor voelde haar vader in haar privé-leven toe te laten. Niet dat ze een slechte verhouding met hem had of dat Dan zich star opstelde. Integendeel, hij was altijd ontspannen met zijn kinderen omgegaan, dat wil zeggen: als hij er was, natuurlijk. Ik heb me wel eens afgevraagd of Lizzies niet-aflatende zoektocht naar de juiste man en Jeffs conservatisme iets te maken hadden met Dans eeuwige afwezigheid, maar het antwoord was: verdorie, ze zijn in een harmonieus gezin opgegroeid, hebben genoeg aandacht gekregen, we hielden veel van hen en het ontbrak hun aan niets. Als ik van die vijfentwintig jaar in het onderwijs iets heb opgestoken, dan is het dat kinderen met bepaalde bagage op de wereld worden gezet en daar kan geen goede of slechte opvoeding iets aan veranderen. Toch moet ik bekennen dat ik me nog altijd zorgen over hen maak, zeker over Lizzie, die heel gevoelig is en vaak zo ongelukkig overkomt.

Op het eerste gezicht zou je denken: wat heeft zij nou te klagen? Ze heeft veel om jaloers op te zijn: met lof afgestudeerd aan Dartmouth, een jaar op de universiteit in Aix-en-Provence (was ik even jaloers!) en gedurende haar hele studietijd een leuke vriend. Ze had het uitgemaakt toen hij rechten ging studeren aan Stanford. Ze had me opgebiecht dat ze er een eind aan had gemaakt omdat ze niet net als haar ouders wilde trouwen met haar eerste echte liefde. Na haar afstuderen had ze een jaar bij het Peace Corps gezeten en in Indonesië lesgegeven (ik was dat hele jaar bang geweest dat ze door fanatieke militanten ontvoerd zou worden). Terug in Amerika had ze al haar vrienden en mij verrast door niet in het onderwijs te gaan zoals ze altijd had gezegd, maar was teruggegaan naar Dartmouth voor een studie economie. 'Ik wil niet afhankelijk zijn van een man,' zei ze. 'Het onderwijs verdient te slecht. Op zich is het een mooi beroep, maar ik voel er weinig voor om op een houtje te bijten, dus ik ga iets studeren waarmee ik een goedbetaalde baan kan krijgen, meteen flink sparen en als ik een jaar of vijfendertig ben, kan ik altijd nog zien.'

Het klonk allemaal weldoordacht en hoewel ik haar heb gewaarschuwd dat het leven nooit volgens plan verloopt, stond haar besluit vast.

Aan ambitie ontbrak het haar niet. De economische faculteit van Dartmouth staat bekend als een van de beste van het land en ze was nog niet afgestudeerd, of ze werd al benaderd door een grote beleggingsmaatschappij in Boston. Ze had meteen een salaris van honderdvijftigduizend dollar, maar volgens haar was dat in het bank- en beleggingswezen maar een fooitje. Van haar dertiende maand deed ze een aanbetaling voor een zolderverdieping in het Leather District in Boston, dat ze sober inrichtte met meubels van beroemde ontwerpers. Ze schafte zo'n hippe Mini Cooper aan en de schaarse vakantiedagen die ze had (maximaal twee weken) werden doorgebracht in dure resorts op Nevis of Baja California.

Op papier leek het een prachtbestaan, maar er was één minpuntje: ze had een hekel aan haar werk en vond het beheren van andermans geld maar saai en onbelangrijk. Wanneer ik haar zei dat ze die baan dan gewoon moest opzeggen, wierp ze tegen dat ze een fikse hypotheek had en een geldverslindende levensstijl. 'Nog zes à zeven jaar een dertiende maand en ik heb mijn zolderetage afbetaald,' zei ze. 'Daarna ga ik mooi doen waar ik zin in heb.' Het vooruitzicht om nog jaren te moeten werken in een omgeving die je niet aanstaat, leek mij een ramp en bijna iedere keer dat we elkaar belden (minimaal drie keer per week), vertelde ze me over aanvaringen op het werk, ruzie met een collega of dat ze al weken slecht sliep.

Haar liefdeleven was ook al problematisch. Eerst had ze een saxofonist in een jazzband annex muziekleraar genaamd Dennis. Ze was straalverliefd op hem, ook al (zo bekende ze me naderhand) had hij haar meteen gewaarschuwd dat hij niet het type was om zich te binden. Zodra hij het idee kreeg dat ze te veel aan hem hing, maakte hij het uit. In het begin had ze het er heel moeilijk mee en belde hem iedere avond om hem te smeken haar nog een kans te geven. Als ze mij sprak, barstte ze in tranen uit en zei dat ze nooit van haar leven nog een man als Dennis zou tegenkomen, dat het allemaal haar schuld was en als hij haar nou maar één kans wilde geven...

Na een week sprong ik in de auto, reed naar Boston en (ik had geluk) zag haar net uit haar werk komen. Ze zag er moe uit en het leek alsof ze op haar laatste benen liep. Ik geloof dat het haar niet eens verbaasde me daar op de stoep te zien staan. Ze werkte in het Presidential Center en ik stelde voor dat we naar de Ritz zouden lopen en onszelf op een fikse martini trakteren. Net toen we voor de ingang stonden, vlak voor de prachtige Unitarian kerk bij Arlington Street, legde ze haar hoofd op mijn schouder en barstte in snikken uit. Ik sloeg mijn arm om haar heen en onder de verbaasde blikken van de overige voetgangers leidde ik haar naar een bankje in het park. Zeker tien minuten zaten we daar, ik met mijn armen om haar heen, zij snotterend van het huilen, en ik dacht: dit is geen normale reactie op het einde van een relatie van nauwelijks zes maanden. Toen ze een beetje was gekalmeerd, wist ik haar zover te krijgen die martini te gaan drinken. Ik suste haar door te zeggen dat het best moeilijk is om je over een teleurstelling heen te zetten, om met een afwijzing om te gaan, maar – en het was een grote maar – dat we nooit moeten vergeten dat het leven maar kort is, dat alles tijdelijk is en het hart een heel veerkrachtige spier is. Tegen het eind van de avond kreeg ik de indruk dat ze een en ander in het juiste perspectief zag.

De maanden erna was ze helemaal hyper. Ze stortte zich volledig op haar werk, bracht dagelijks twee uur in de sportschool door en kocht een mountainbike waar ze ieder weekend lange toertochten op maakte. Rond die tijd kwam de dokter in haar leven. Mark McQueen was huidarts in Brookline, de mooiste buurt van Boston. Hij was vijfenveertig, getrouwd, had twee kinderen en volgens Lizzie was hij enorm succesvol. 'Hij is een pionier op het terrein van littekens van pokdalige mensen.' Het feit dat Lizzie, die anders altijd nogal cynisch was, dat zonder enige reserve zei, vertelde me dat ze écht gek op hem was. Hij presenteerde een televisieprogramma over huidverzorging dat *Gezichtspunten* heette en dat gericht was op huisvrouwen. Het werd goed bekeken en was zelfs aangekocht door een televisiezender elders in het land. ('Hij heeft een contract getekend voor een boek dat ook *Gezichtspunten* gaat heten,' zei Lizzie dolenthousiast tegen me.)

Hoe het ook zij, op een van die fietstochten was McQueen door een vriend van hem meegenomen en zo had hij Lizzie ontmoet. Het was een totale *coup de foudre*, liefde op het eerste gezicht, en al na twee maanden vertelde ze me dat hij voor haar 'de ware' was. Ik probeerde haar enthousiasme wat te temperen door te zeggen dat een affaire met een getrouwde man meestal geen *happy ending* kent, maar ze wilde er niet van horen. Ze waren straalverliefd, vertelde ze me. Ik heb hem één keer gezien, tijdens een weekend dat ik bij haar logeerde. Hij nam ons mee naar een goed, peperduur restaurant, het Rialto in het Charles Hotel, in Cambridge. Ik herinner me dat hij Lizzie overdreven veel aandacht schonk, een beetje al te geïnteresseerd was in mijn werk en dat hij dolgraag kennis wilde maken met Dan.

'Toen ik hoorde dat Lizzies vader een collega van me was, wist ik meteen dat het geen toeval is dat uw dochter en ik elkaar hebben gevonden.'

*Doe normaal, ja.*

Ik zag dat hij een BMW uit de 7-serie had, dat hij de zomers in Martha's Vineyard zat en van plan was Lizzie mee te nemen naar Venetië. ('We logeren natuurlijk in het Cipriani.') Hij liet de naam van een bekende uitgever in New York vallen en vertelde me dat hij sinds zijn tv-programma in Californië werd uitgezonden, regelmatig werd gebeld door filmsterren. Ik moest ook aanhoren dat hij in het tennisteam van de universiteit van Cornell had gezeten, dat hij lid was van de Brookside Lawn Tennis Club en les kreeg van Brooks Barker, die ooit was doorgedrongen tot de kwartfinales op de US Open. Tegen die tijd had ik het wel gehad met de man.

Toen Lizzie even naar de wc ging, had hij zich voorovergebogen en gezegd: 'Weet u dat uw dochter het beste is wat me ooit is overkomen?'

'Wat fijn voor je,' drukte ik me voorzichtig uit.

'Mijn huiselijke omstandigheden zijn momenteel nog een beetje ingewikkeld, maar…'

'Ja, Lizzie vertelde dat je nog bij je vrouw woont.'

'Daar komt binnenkort verandering in.'

'Weet je vrouw van Lizzie af?'

'Nog niet, maar ik vertel het haar…'

'Heeft ze een vermoeden?'

Hij verstrakte en zweeg even. 'Dat geloof ik niet,' zei hij uiteindelijk.

'Dan weet je het goed te verbergen, dokter.'

'Ik wil niemand verdriet doen.'

'Dat lijkt me onvermijdelijk. Als je je vrouw en kinderen in de steek laat. Ze zijn negen en elf, klopt dat?'

Hij knikte.

'Dan doe je al drie mensen verdriet en mocht je het ooit uitmaken met mijn dochter…'

'Dat gebeurt niet. Lizzie is mijn grote liefde. Ik voel me heel zeker over ons. Ik neem aan dat u uit eigen ervaring weet hoe dat is.'

Het lag op het puntje van mijn tong iets te zeggen als: 'Toen mijn man en ik elkaar ontmoetten, was hij niet getrouwd en daarbij, wat is dat voor gezeur over je zeker voelen?' Lizzie kwam aangelopen, dus ik slikte het maar in. In plaats daarvan fluisterde ik: 'Je hebt vast wel gemerkt dat ze wat de liefde betreft nogal kwetsbaar is. Als je haar ongelukkig maakt, weet ik je te vinden.'

Ik zag dat hij schrok en dat hij niet had gerekend op een dreigement uit de mond van een degelijke lerares als ik.

Zes weken daarna maakte hij het natuurlijk uit.

'Zeg maar niets tegen papa,' zei Lizzie toen ze me het nieuws vertelde.

'Liefje, ik heb het er helemaal nooit met je vader over gehad en dat blijft ook zo. Dat hadden we toch afgesproken? Aan de andere kant, je hoeft echt niet bang te zijn voor je vader. Je weet dat hij niet snel oordeelt over mensen.'

'Hij zal het wel vreselijk dom van me vinden dat ik me weer heb laten beduvelen.'

Ze vertelde me alles. Mark had zijn vrouw op de hoogte gebracht, die volledig was ingestort en met zelfmoord had gedreigd. Mark had Lizzie gebeld en haar gezworen dat hij van haar hield, maar dat hij voor het blok stond en de enig juiste beslissing moest nemen. Lizzie had hem gesmeekt de relatie clandestien voort te zetten, maar zijn besluit stond vast.

Ik had het hele verhaal een week daarvoor aangehoord en sindsdien belden we elkaar iedere dag. Wat me een beetje verontrustte, was dat Lizzie er zo kalm onder was. De laatste paar dagen had ze me gerustgesteld dat ze alles in de hand had, het in het juiste perspectief zag en dat ze het allemaal heel zen benaderde. Het vreemde is dat ze fluisterde en ze klonk een beetje onthecht. Hoewel ze me verzekerde dat alles in orde was, had ik zo mijn twijfels.

Ik ging aan mijn bureau zitten, toetste de code van onze voicemail in en luisterde naar haar bericht.

'Ha, mam, ha, pap. Ik ben het maar. Mam, als je tijd hebt, bel me even. Het geeft niet hoe laat. Ik ben op.'

Weer kreeg ik de indruk dat ze er niet helemaal bij was. Ik vroeg me af of ze aan slapeloosheid leed of pillen slikte. Ik keek op mijn horloge. Het was vijf over halftien en voor Lizzie was het nog vroeg. Ik nam een flinke slok wijn en toetste haar nummer in.

Ze nam meteen op. 'Mam?'

'Alles in orde daar?'

'Ja hoor.'

'Zeker weten?'

'Wat nou? Geloof je me niet?' Het klonk vlak, toonloos haast.

'Je klinkt een beetje duf.'

'Ik slaap slecht, maar dat is voor mij niets bijzonders, dus...' Ze maakte haar zin niet af en zweeg.

'Hoe gaat het op je werk?' vroeg ik om de stilte op te vullen.

'Mijn cliënten boeren goed, dus dat zit wel snor.'

Het was weer even stil. Ik vroeg: 'Dat slechte slapen van je... Heb je dat iedere nacht?'

'Zo'n beetje. Weet je wat ik doe als ik lang wakker heb gelegen? Ik pak de auto en rijd naar Brookline.'

'Wat moet je daar?'

'Daar woont Mark.'

*Mijn god.*

'Ga je midden in de nacht naar zijn huis?'

'Geen paniek, hoor. Ik bel niet aan of zo. Ik zet de auto in de straat en wacht.'

'Waar wacht je dan op?'

'Op Mark.'

'Ik neem toch aan dat hij dan slaapt.'

'Ja, maar hij staat vroeg op om te gaan joggen. Ik heb hem gewaarschuwd dat hij zijn knieën ermee molt, maar ja.'

'Ziet hij je dan?'

'Natuurlijk.'

'Zegt hij dan wat tegen je?'

'Nee. Hij kijkt me even aan, draait zich om en gaat joggen.'

'Ben je ooit op hem afgestapt of heb je aangebeld?'

'Nog niet.'

'Hoe bedoel je?'

'Als hij me niet heel binnenkort te woord staat, dan kan ik niet anders. Dan bel ik aan en ga ik eens met zijn vrouw babbelen.'

Haar doodkalme toon verontrustte me. 'Heb je al vaker geprobeerd hem te spreken te krijgen?'

'Ja, ik heb hem gebeld.'

'En?'

'Hij wil me niet te woord staan, maar hij heeft het ook vreselijk druk. Dat komt nog wel.'

'Bel je naar zijn huis?'

'Nee, zover is het nog niet gekomen, maar als hij me blijft ontwijken, zit er niets anders op.'

'Dus je belt hem op zijn werk.'

'Ja, en zijn mobiele nummer.'

'Hoe vaak bel je hem dan?'

'Ieder uur op het hele uur.'

Ik trok een lade van mijn bureau open en diepte er het pakje Marlboro Lights uit. Ik rookte lang niet zoveel als vroeger en wist het te beperken tot drie sigaretten per dag. Slim is het natuurlijk nog steeds niet, maar minder slecht dan het anderhalve pakje per dag van vroeger, en god weet dat ik nu een sigaret kon gebruiken. Ik stak er een op, inhaleerde flink, blies de rook uit en zei: 'Liefje, je begrijpt toch wel dat dit stalken is?'

'Als ik bij hem in de straat sta? Ik spreek hem toch niet aan of zo? Wat dat bellen betreft, als hij me nou maar eens te woord zou staan...'

'Wat denk je ermee te bereiken?'

'Nou eh...' Het was even stil. 'Ik weet niet...' Weer een stilte. 'Misschien dat hij als ik hem eenmaal heb gesproken van gedachten verandert.'

'Kindje... Het feit dat hij niet naar de auto toe komt en je telefoontjes niet beantwoordt, zegt toch genoeg?'

'Hij móét met me praten!' zei ze fel, hysterisch haast, maar meteen daarna viel ze weer stil. Mijn maag maakte een radslag en mijn hersens maalden op volle kracht. Ik vroeg me af of ik niet in de auto moest springen en naar Boston rijden. Wat me tegenhield, was dat ik de dag erop in Burlington werd verwacht en daarbij vroeg ik me af of mijn aanwezigheid haar wel goed zou doen.

'Lizzie? Hoor eens, kindje. Doe jezelf nou een lol. Laat het bad vollopen, neem een lekker lang bad, zet een pot kruidenthee en ga naar bed. Zeg tegen jezelf dat je vannacht goed gaat slapen en pas morgenochtend wakker wordt. Mocht je toch midden in de nacht wakker worden, dan wil ik dat je me belooft dat je de deur niet uitgaat.'

'Stel dat hij morgenochtend nou met me wil praten?'

'Het enige wat ik vraag, is dat je vannacht binnenblijft. Je moet eens lekker doorslapen, anders...'

'Ik functioneer prima op drie uur slaap.'

'Heb je een slaapmiddel?'

'Ja.'

'Is dat het enige wat je slikt?'

'De dokter stelde Prozac voor, maar ik weet dat als Mark weer met me wil praten, dat het dan veel beter...'

'Misschien moet je het met de dokter nog maar eens over Prozac hebben.'

'Mam! Als ik Mark maar heb gesproken, komt het allemaal heus wel goed.' Weer die hysterische toon.

'Goed dan,' zei ik rustig. 'Beloof je me dat je de deur niet uit gaat?'

'Mam...'

'Toe?'

Stilte, toen: 'Als het je geruststelt...'

'Ik zou het heel fijn vinden, ja.'

'Oké, maar als ik hem morgen om deze tijd niet aan de lijn heb gehad, ga ik toch echt naar zijn huis en bel ik mooi aan.'

Een paar minuten daarna hingen we op, maar niet voordat ik haar had laten beloven dat ze me, al was het midden in de nacht, zou bellen als ze daar behoefte aan had. Ik pakte het visitekaartje dat McQueen me tijdens dat vreselijke etentje in Cambridge had gegeven. Op de achterkant had hij zijn nummer thuis en zijn mobiele nummer gekrabbeld. Hij had me toen gezegd dat we 'zowat familie waren' en dat ik hem altijd kon bellen.

Dat 'altijd' was aangebroken, dus ik toetste zijn mobiele nummer in. Ik kreeg de voicemail en belde zijn thuisnummer. Een vrouw nam op en toen ik naar Mark had gevraagd, vroeg ze nogal bits wie ik was.

'Hannah Buchan,' zei ik. 'Ik ben een patiënt.'

'Weet u wel hoe laat het is?'

Rustig maar, mevrouwtje, dacht ik. Ik ben ook de vrouw van een arts en kwart voor tien 's avonds is écht niet zo laat. 'Wilt u hem zeggen dat het urgent is?'

Ze hing op. Een paar minuten later ging de telefoon. Het was Mark. Hij klonk gespannen en ik kreeg de indruk dat hij een toneelstukje opvoerde.

'Dag, mevrouw Buchan,' zei hij. 'Hannah, toch? Helpen de nieuwe medicijnen die ik heb voorgeschreven?'

'Ik moet je spreken,' zei ik zachtjes.

'Ik begrijp dat u zich zorgen maakt,' zei hij op een monter dokterstoontje, 'maar het is een niet ongebruikelijke reactie op dat geneesmiddel. We kunnen het er morgen wel wat uitvoeriger over hebben.'

'Niet ophangen, anders bel ik meteen terug.'

'Gaat het dan zo slecht? Momentje, ik zet u even over naar mijn werkkamer. Niet ophangen.'

Dat zou je wel willen, vriend.

Een paar tellen later hoorde ik een klik. 'Waarom belt u me thuis?' fluisterde hij.

'Het is een spoedgeval.'

'U bent al even maf als uw dochter.'

Ik verstijfde en voelde de woede in me opborrelen. 'Nu moet je eens goed luisteren. Het gaat heel slecht met Lizzie en...'

'Alsof ík dat niet weet. Ze belt me iedere ochtend, middag en avond. De hele dag door. Ze houdt de wacht voor mijn huis en...'

'Omdat jij haar hebt laten stikken.'

'Ik kon niet anders. Mijn gezin gaat...'

'Dat heb ik je al tijdens dat etentje gezegd.'

'Ik wist niet dat ze zo zou reageren.'

'Geen mens kan voorspellen hoe een ander reageert, zeker niet als je hebt laten doorschemeren dat het serieus was. Ze had er geen idee van dat je een spelletje met haar speelde.'

'Het was geen spelletje.'

'Je bent getrouwd, dus reken maar dat het een spelletje was.'

'Ik hield écht van haar.'

'Híéld? Sinds wanneer houd je dan niet meer van de vrouw van wie je zei dat ze de ware was of iets dergelijks...'

'Om precies te zijn: sinds ze hier voor de deur heeft postgevat.'

'Het is je eigen schuld.'

'Doet u me toch een lol. Ze wist dat ik getrouwd ben, dus...'

'Jíj hebt haar voorgehouden dat ze je grote liefde was!'

'Als ik haar nog één keer hier voor de deur zie staan, bel ik de politie.'

'Dan schrijf ik de medische tuchtraad en dien een klacht tegen je in.'

'Een klacht? Dat ik naar bed ben geweest met een halvegare?'

'Nee, met een patiënt.'

'Ze was helemaal geen patiënt van me. Misschien dacht ze dat ik haar dermatoloog was, maar ik heb haar tien minuten in de spreekkamer gehad en toen meteen naar een ander doorverwezen.'

'Tien minuten? Voor de tuchtraad is ze dan een patiënt.'

'U zet wel erg hoog in.'

'Inderdaad. Wil je weten waarom? Omdat Lizzie mijn dochter is.'

'Die klacht wordt zonder meer ongegrond verklaard.'

'Wie weet, maar denk eens aan de slechte pers die het zal geven. Wat denk je? Zou een dergelijk onderzoek je carrière als televisiedokter schaden?'

Het was even stil.

'Wat wilt u nou eigenlijk van me?' vroeg hij.

'Dat je haar belt zodra wij opgehangen hebben en een afspraak maakt.'

'Dat verandert verder niets aan de zaak.'

'Als je geen contact opneemt, verzeker ik je dat ze morgenavond bij je aanbelt.'

'Wat moet ik tegen haar zeggen?'

'Dat zoek je zelf maar uit.'

'Ik ben niet van plan weer een relatie met haar te beginnen.'

'Dat moet je haar dan maar heel voorzichtig vertellen.'

'En als dat niet helpt? Wat als ze me blijft lastigvallen?'

'Dan moeten we professionele hulp inroepen, maar voor we die stap zetten, wil ik dat je haar thuis belt en voor morgen een afspraak maakt.'

'Ik heb de hele dag patiënten.'

'Je vindt wel een gaatje.'

'Oké.'

'Dus je belt nu? Ik heb haar net gesproken, dus ze is thuis.'

'Goed. Ik bel haar meteen.'

We hingen op en ik liet mijn hoofd in mijn handen rusten. Ik voelde me schuldig en was bang. Ik was bang omdat Lizzie in die donkere tunnel zat en voelde me schuldig omdat ik me afvroeg wat we fout hadden gedaan waardoor ze een angstig vogeltje was geworden, dat leed onder verlatingsangst. Het was vroeger toch een heel spontaan kind en ik had altijd een hechte relatie met haar gehad, maar daar had ik nu even weinig aan. Ik stond op het punt nog een sigaret op te steken, maar ik bedacht me en liep de trap naar het souterrain af. Onder de gegeven omstandigheden was het onmogelijk Lizzies geheim te bewaren. Ik moest met Dan overleggen en hoopte maar dat hij me raad kon geven.

Ik deed de deur open, zag dat alle lichten uit waren, dus ik liep terug naar boven. Het licht in onze slaapkamer was ook uit, afgezien van het nachtlampje in de hoek. Dan lag in bed, het dekbed over zich heen, en hij was al helemaal van de wereld. Het liefst had ik hem wakker gemaakt en hem alles verteld, maar het kon morgen ook wel. Nee, verdorie, ik moest naar Burlington. Nou ja, ik kon een briefje neerleggen of hij me op mijn mobiele nummer wilde bellen. Ik was niet van plan eromheen te draaien, zou gewoon zeggen dat het de uitdrukkelijke wens van Lizzie was dat hij niet van de affaire afwist en dan maar hopen dat hij het goed opvatte.

Ik ging weer naar het souterrain, pakte de fles wijn en nam hem mee naar mijn werkkamer. Ik schonk mezelf nog eens in, pakte een sigaret en wilde dolgraag Margy bellen. God, wat zou ik graag even met haar praten. Ze was nog steeds mijn beste vriendin, maar ze had zo haar eigen problemen. Hoewel, misschien was het niet eens zo'n gek idee als ze zich eens bezig kon houden met de problemen van een ander. ('Ik ben gek op andermans nood', heeft ze me ooit toevertrouwd.) Margy had nogal wat lichamelijke klachten en ik had geen idee of ze nog wakker was. Ik stak de sigaret op (aan de regel van drie per dag zou ik me niet houden), nam nog een slok wijn en probeerde me te concentreren op de dertig opstellen die de volgende dag nagekeken moesten zijn. Ik was nog maar net klaar met het tweede, toen de telefoon ging. Ik nam meteen op.

'Goed nieuws, mam,' viel Lizzie met de deur in huis. 'Hij heeft me net gebeld.'

Doe zo normaal mogelijk, zei ik tegen mezelf. 'Dat ís goed nieuws.'

'Hij wil me spreken.'

'Daar ben ik blij om.'

'Ik weet haast zeker dat hij weer bij me terugkomt. Ik weet het gewoon. Dat kan niet anders.'

'Verwacht er nou niet te veel van,' zei ik. 'Je weet maar nooit.'

'Maak je nou maar geen zorgen, mam.'

'Oké. Kun je nou een beetje slapen, denk je?'

'Zeker weten.'

'Bel me morgen maar in Burlington om te vertellen hoe het gegaan is.'

'Ja-ha, mam.' Ze klonk als een kind van vijftien dat te horen heeft gekregen dat ze om elf uur thuis moet zijn. Ik vatte het maar op als een teken dat ze er beter aan toe was dan een halfuur daarvoor, tegen beter weten in misschien, want het zou me niet verbazen als ik van Burlington meteen door zou moeten naar Boston.

'Je kunt me altijd bellen, dat weet je,' zei ik.

'Dat heb je al gezegd, mam. Het komt allemaal heus goed.'

Vergeet het maar, dacht ik, maar ik zei niets. Het enige waarop ik kon hopen, was dat McQueen een oplossing aandroeg die haar niet te zeer uit haar evenwicht zou brengen. Ik had geen idee hoe hij dat ging aanpakken, want wat ze zo dolgraag wilde, kon hij haar niet geven. Dat was nou precies het probleem. Lizzie was ervan overtuigd dat hij bij haar terugkwam en ik maakte me vreselijk zorgen over hoe ze het slechte nieuws zou verwerken.

Het was halfelf. De volgende dag stond me naast alle emoties ook nog een autorit van vier uur te wachten, dus ik moest de wijn maar opdrinken en een homeopathische slaappil innemen, wat ik wel vaker deed als ik dacht dat ik niet kon slapen. Tot overmaat van ramp lagen er ook nog zevenentwintig opstellen op me te wachten.

Ik nam het volgende voor me, dat van Jamie Wolford, een sufferd die tijdens de les niets anders deed dan briefjes doorgeven aan Janet Craig, het meisje op wie hij stapelverliefdd was. Janets vader had een Toyota-garage in de buurt van het winkelcentrum en het zou me niet verbazen als zijn dochter voor haar eindexamen volgend jaar zwanger was van een jongen als die Wolford (de ster van het football-team). Jamie was een enorme macho, maar telkens als ik een wedstrijd zag, werd hij volledig weggespeeld door de verdediging van de tegenstander.

Ik las de eerste zin: 'Evangeline is een heel ongelukkige vrouw.'

Ik weet niet waarom, maar ik moest opeens huilen. Misschien lag het aan het late uur, aan de drie glazen wijn, aan het gesprek met Lizzie, aan mijn slapende echtgenoot of aan de gekmakende sleur van almaar dezelfde lessen geven aan kinderen die steeds minder leken te snappen van wat ik zei. Best mogelijk dat het kwam omdat ik drieënvijftig was, wist dat ik tweederde van mijn leven achter de rug had en me afvroeg wat het nou eigenlijk voor zin had gehad. Of was het de ontluisterende gedachte dat alle gebeurtenissen maar onbeduidende bouwsteentjes waren van een dito bestaan?

Hoe het ook zij, ik liet mijn emoties de vrije loop en zat een paar minuten te janken. Ik had me in tijden niet zo laten gaan, niet sinds de ellende met mijn moeder.

Toen ik een beetje was gekalmeerd, stond ik op, liep naar de badkamer en plensde wat water op mijn gezicht. Ik vermeed het in de spiegel te kijken (iets wat ik de laatste tijd toch al niet graag deed) en liep terug naar mijn werkkamer. Ik ging weer aan mijn bureau zitten, stak nog maar een sigaret op, inhaleerde flink en trok de opstellen weer naar me toe.

Op dergelijke momenten is er in feite maar één remedie: werken.

## 2

DE RIT VAN Portland naar Burlington, Vermont, is lang, maar mooi. En ik kan het weten, want ik maak hem al tientallen jaren. Er is geen snelweg, dus je bent aangewezen op secundaire wegen, voornamelijk tweebaans. De route kronkelt door kleine stadjes, langs meren en het mooiste bergland van het noordoosten. In 1980 zijn we naar Maine teruggegaan en ik denk dat ik de rit naar Burlington ruim honderd keer heb afgelegd. Hoewel ik iedere bocht in de weg ken, de saaiere rechte stukken, de dichte bossen, het prachtige uitzicht op de White Mountains en de groene corridor die naar het koninkrijk Vermont leidt, heb ik me nog nooit verveeld. Iedere keer zie ik iets wat me nog niet eerder op was gevallen en realiseer ik me dat je zelfs in iets zo vertrouwds wat nieuws kunt ontdekken.

Die ochtend echter had ik zoveel aan mijn hoofd dat ik weinig oog had voor het landschap. De nacht ervoor was ik pas om halfdrie klaar met de opstellen. Ik legde een kattenbelletje voor Dan neer dat hij als hij opstond de wekker op halfacht moest zetten en me zodra hij tijd had op mijn mobiele nummer moest bellen. Ik had slecht geslapen, door de weinig heilzame combinatie van zorgen, te veel rode wijn, negen sigaretten en de angst dat Lizzie me zou bellen. Toen ik wakker werd, was Dan al weg. Er stond niets op de voicemail. Ik nam een douche, kleedde me aan en belde Lizzie op haar werk, alleen om te horen of alles goed was, hoewel ik de kans liep dat ze dat niet zou waarderen. Ik kreeg een van haar collega's aan de lijn, vroeg naar mevrouw Buchan en kreeg te horen dat ze in vergadering zat. Ze vroeg of ze een boodschap kon aannemen, maar ik zei dat ik het later nog wel een keer zou proberen.

Het deed me goed dat ze op haar werk was. Ik nam aan dat ze McQueen die avond na het werk zou treffen en wist dat ik er de hele dag aan zou lopen denken. Misschien moest ik haar voicemail inspreken en vragen of ze me direct nadat ze hem had gesproken wilde bellen.

Nee, geen goed idee. Het zou betuttelend overkomen en daarbij, misschien sprak ze hem pas laat op de avond, tijdens een etentje (ach nee, hij wilde het natuurlijk zo snel mogelijk afhandelen) en wie weet duurde het gesprek wel een paar uur. Misschien had ze wel een afspraak met een vriendin gemaakt (kleine kans; ze hoopte vast en zeker met hem in bed te belanden). Wie weet ging ze het op de sport-school afreageren en als ze het erg moeilijk had, zou ze mij natuurlijk bellen, alhoewel...

*Ophouden. Je kunt er verder niets aan doen. Het is al een goed teken dat ze op haar werk is, dus concentreer je nou maar op je eigen zaken, daar heb je het moeilijk genoeg mee.*

Ik dronk twee mokken koffie en begon te hoesten. Negen sigaretten. Ik zwoer dat ik twee dagen niet zou roken, vulde de thermosfles met koffie, pakte een weekendtas en om negen uur zat ik in de auto. Ik reed naar school, leverde de opstellen in op de administratie, griste in het voorbijgaan een paar nutteloze memo's uit mijn postvakje en binnen tien minuten was ik op weg. Het deed me goed dat het paasvakantie was en dat ik de school pas over tien dagen weer zou zien.

Ik reed door de woonwijken van Portland, eerst door Park Street met de vele oude huizen en toen langs woonkazernes die in de jaren dertig van de vorige eeuw waren opgetrokken. Ik vond ze altijd nogal kitscherig, maar nu beschouwde ik ze als een voorbeeld van heel aardige 'retro'. Daarna kwam ik door een wijk met saaie arbeiderswoningen waar iedere middelgrote stad in het noordoosten er een van had, toen volgden de buitenwijken en binnen een paar minuten had ik de bebouwde kom achter me gelaten. Dat was een van de dingen die me zo aan Maine bevielen: het landschap is er zo overweldigend, dat de bevolkingscentra erbij in het niet vallen. De natuur is altijd maar een luttel aantal kilometers van je voordeur verwijderd.

Ik nam route 25 in westelijke richting en na een halfuur zag ik de borden met Sebagomeer, Bridgton en Pelham voor me opdoemen.

Pelham. Ik was er in tijden, om precies te zijn sinds de zomer van 1975 toen we uit dat vervelende oord waren vertrokken, niet meer geweest. Zelfs toen we dat vreselijke appartementje hadden verruild voor het huis van die dokter... (Hoe heette hij ook alweer? Achtentwintig jaar is natuurlijk wel een hele tijd.) ... Bland. Goed, we woonden toen wel iets beter, maar Pelham had ons ervan overtuigd dat we nooit ofte nimmer in een kleine stad gingen wonen. Natuurlijk, ik ging gebukt onder de schuldgevoelens na die toestand met... (zelfs nu, na al die jaren, kostte het me moeite om eraan terug te denken). Ik deed net of er niets was gebeurd, schikte me in de rol van doktersvrouw en moeder, en op de een of andere manier hield ik mezelf voor dat als ik Dan gelukkig maakte en geen misstappen meer beging, hij achter me zou blijven staan als de FBI me kwam halen, de behoudende pers in Maine me uitmaakte voor de madame Lafarge van The Weather Underground en ik tot twee tot vijf jaar gevangenisstraf was veroordeeld.

De FBI was nooit komen opdagen en de rampscenario's die ik in mijn hoofd helemaal had uitgewerkt, werden nooit werkelijkheid. Geen mens had het ooit nog over mijn logé gehad en die arme Billy (zou hij nog leven?) had woord gehouden en gezwegen over wat hij die avond had gezien. Jarenlang geselde ik mezelf en was ik ervan overtuigd dat ik ooit zou boeten voor mijn misstappen, maar er gebeurde niets. De winter ging voorbij, het werd voorjaar en er gebeurde niets, afgezien van het overlijden van Dans vader. De arme man had ruim een halfjaar in coma gelegen en zijn overlijden was zowel voor Dan als voor mijzelf een opluchting. Niet lang daarna ging ik eindelijk naar New York. Tijdens het lange, wilde weekend met Margy (ik kon mezelf wel wat aandoen dat ik pas zo laat had kennisgemaakt met die wonderbaarlijke stad, dat symbool van dynamiek en van alles wat we destijds 'helemaal het einde' vonden, ook al waren de jaren zeventig voor New York nou niet bepaald hoogtijdagen) kwamen we terecht in een jazzclub ergens in de buurt van Columbia University. We luisterden naar Sammy Price, een fantastische boogiewoogiepianist, en ik had beslist een glaasje te veel op. Na de laatste set – het was halftwee en tegen die tijd hadden we een aardige kegel – vroeg Margy of ik het ooit met iemand anders had gehad over mijn avonturen met (daar is die naam...) Tobias Judson.

'Nee. Alleen met jou.'

'Houden zo.'

'Reken daar maar op.'

'Voel je je nog steeds schuldig?'

'Ik wou dat ik het van me af kon zetten, dat het een griepje was waar ik na een paar dagen van af was.'

'Een griepje van een halfjaar? Pijnig jezelf toch niet zo. Het is allemaal verleden tijd. Trouwens, stel dat de Mounties in Canada hem hebben opgepakt, zou hij dan over jou gaan zitten kleppen? Wat heeft hij daar nou aan? Ik denk dat hij je allang vergeten is, dat je niets anders was dan een onbeduidend avontuurtje, een mogelijkheid om het land uit te komen. Geloof me, die vent heeft allang een ander voor zijn karretje gespannen.'

'Je hebt vast gelijk.'

'Heb je het je vader al vergeven?'

'Nee.'

'Wordt dat zo langzamerhand niet eens tijd?'

'Ik vind van niet.'

Ik hield een kleine twee jaar voet bij stuk. Na mijn Canadese avontuur deed mijn vader er alles aan de banden weer aan te halen, maar ik brak hem altijd af en zei dat ik het er niet over wilde hebben. Een paar keer kwamen we als gezin bij elkaar en dan was ik beleefd, maar afstandelijk. Dan had natuurlijk wel door dat er wat was, maar hij maakte er weinig woorden aan vuil, behalve een: 'Hebben jullie ruzie of zo?' Hij nam genoegen met mijn vage verklaring dat we 'even niet zo goed met elkaar overweg konden'.

Mijn moeder deed natuurlijk vreselijk veel moeite uit te vinden wat er aan de hand was, maar ik hield mijn kaken op elkaar. Ik weet dat ze mijn vader aan zijn kop heeft gezeurd, want uiteindelijk had hij zich gewonnen gegeven en bekend wat hij me had aangedaan. God weet wat hij zich daarmee op zijn hals heeft gehaald, maar wat ik wél weet, is dat mijn moeder me op een goede dag in de bieb belde en zei: 'Nou, ik heb eindelijk uit je vader gekregen hoe de verwijdering tussen jullie is ontstaan. Geloof me als ik zeg dat hij met zijn staart tussen zijn benen rondloopt, want ik heb hem geweldig op zijn flikker gegeven.' Wat drukt ze zich toch altijd subtiel uit, dacht ik nog. 'Ik kan me voorstellen dat je witheet, woedend, des duivels bent. Hij had je op zijn minst moeten waarschuwen dat die vent op de vlucht was voor...'

'Mam? Waar heb je het over?'

'Ben je bang dat de FBI je afluistert? Wees gerust. Ik bel expres niet van thuis en jij zit op je werk. Ik wil alleen maar zeggen dat je vader goed fout zat.'

'Goed fout? Dat is nog zacht uitgedrukt.'

'Oké, hartstikke fout. Hij heeft jou meegesleurd in een situatie waar je helemaal niets mee te maken had. Toch heb jíj uiteindelijk de beslissing genomen die figuur naar Canada te brengen. Ik moet bekennen dat ik dat heel moedig van je vind, om niet te zeggen nobel. Je had hem ook kunnen laten stikken.'

Nee, dat kon niet. Hij heeft me gechanteerd, maar als ik dat zou zeggen, moest ik ook vertellen waarmee. Dat geheim zou ik, afgezien van Margy, nooit aan iemand vertellen. Het idee dat ik mijn moeder in vertrouwen zou nemen, was überhaupt gruwelijk, maar als ik het haar vertelde, zou ze het op de een of andere manier tegen me gaan gebruiken. 'Je hebt helemaal gelijk,' zei ik dus maar, 'ik had hem moeten wegsturen, maar vergeet niet dat hij al een paar dagen bij ons zat en als de FBI daarachter was gekomen... Ik kon geen kant op.'

'Er zouden genoeg mensen geweigerd hebben, maar jij hebt het wel gedaan en dat vind ik zeer bewonderenswaardig.'

Het was voor het eerst dat mijn moeder me een pluim gaf.

'Dan weet er niets van, zeker?'

'Hemel, nee.'

'Houden zo. Hoe minder mensen ervan weten, hoe beter, maar ik vind wel dat je het je vader zo langzamerhand moet vergeven.'

'Jij hebt makkelijk praten.'

'Vergeet het maar. Hij heeft gedurende ons niet al te beste huwelijk wel meer dingen gedaan die moeilijk te vergeven zijn, maar uiteindelijk is het verstandiger dat wel te doen, al was het alleen maar omdat hij mij ook dingen heeft vergeven. Hij kan vreselijk bot zijn, maar daar heb ik ook een handje van, dus wat dat betreft doen we niet voor elkaar onder. Wat jou aangaat: je vader heeft zijn goede wil getoond. Hij vindt het heel naar allemaal en heeft je zijn excuses willen aanbieden. Hij lijdt er vreselijk onder.'

Ik hield het nog een jaar vol. We woonden in Madison, waar Dan zijn co-schappen orthopedie deed. Ik was zwanger van Lizzie en gaf les op een particuliere school. Op zekere dag ging de telefoon in de enge bouwval die we huurden (het huis was zeer geschikt voor de Addams Family!).

'Ik wilde alleen even je stem horen.'

Nee, de ontknoping was anders dan in sentimentele televisiefilms. Ik begon niet te huilen, zei niet dat ik hem miste (dat was natuurlijk wel zo), noch sprak ik de magische woorden 'ik vergeef het je'. Voor hem gold hetzelfde: geen snikken, geen larmoyante uitspraken als 'je bent de liefste dochter van de wereld'. Zo zaten we niet in elkaar, daar waren we te gereserveerd voor. Na zijn openingszin was het even stil en gedurende die paar seconden realiseerde ik me dat ik weer normaal met mijn vader wilde omgaan. Natuurlijk, hij had fout gehandeld, maar als ik heel eerlijk was, strafte ik niet alleen hem, maar ook mezelf, voor mijn misstap.

'Fijn dat je belt, pap,' zei ik daarom. We hadden het over koetjes en kalfjes, over de kansen dat Jimmy Carter de zittende president Gerald Ford in november kon verslaan, over Nixons generaal pardon, mijn baan en het feit dat ik weer in verwachting was. We hielden het luchtig, lachten om elkaars grapjes en slechtten de muur met de stilzwijgende afspraak dat we de hele toestand maar moesten vergeten. Wat konden we er verder nog over zeggen? Heel geleidelijk aan pakten we de draad weer op en werd de band die we altijd hadden hersteld.

Als ik erop terugkijk, nu ik weet dat iedereen conflicten heeft met zijn of haar kinderen, begrijp ik dat mijn vader net als alle interessante mensen een complexe persoonlijkheid is, vol tegenstellingen. Ik besef dat het destijds verre van eenvoudig moet zijn geweest een evenwicht te vinden tussen de publieke figuur die hij was en zijn rol in het gezinsleven. Op zijn eigen manier, hoe vreemd hij ook in elkaar zit en hoe gebukt hij ook ging onder zijn slechte huwelijk, heeft hij altijd zijn best gedaan een goede vader voor me te zijn.

We hebben het nooit meer over de zaak-Toby Judson gehad, zelfs niet toen de kranten vol stonden met het bericht dat hij het na vijf jaar Canada op een akkoordje had gegooid met het Openbaar Ministerie. In ruil voor zijn getuigenverklaring tegen de twee Weathermen die de bom in Chicago hadden geplaatst (de FBI had de daders ergens in New Mexico opgespoord), mocht Judson het land weer in en hij werd veroordeeld tot een paar maanden gevangenisstraf. Het proces, dat in 1981 werd gevoerd, stond in het teken van het afzweren van zijn radicale opvattingen. Nergens, ook niet in de links-radicale pers of wat daar nog van over was, las ik ook maar één letter over het feit dat hij zijn vroegere kameraden had verraden. Moord was moord en het tweetal werd tot levenslang veroordeeld, met dank aan Judson. Toen hem na afloop werd gevraagd hoe hij op zijn radicale verleden terugkeek, zei hij: 'Ik zou het graag op jeugdige onbezonnenheid schuiven, maar de realiteit is dat ik helemaal fout zat. Door de twee moordenaars in bescherming te nemen, heb ik de familieleden van de twee onschuldige slachtoffers veel verdriet gedaan. Ik hoop dat de nabestaanden van deze goede mensen dankzij mijn optreden iets van genoegdoening zullen ervaren, maar wees ervan verzekerd ik me de rest van mijn leven schuldig voel aan hun dood.'

*Ach, ach. Meneer heeft een geweten*, dacht ik nog. Ik moest het allemaal maar vergeten. Het leven ging door en na zijn optreden tijdens het proces was Judson uit de publieke belangstelling verdwenen.

Ik reed rustig door en zag het Sebagomeer opdoemen. Het was niet bevroren, maar de recente sneeuwval had de oevers wit gekleurd. Het zag er prachtig uit en een fractie van een seconde zag ik me weer met Jeff in die kano zitten; de bomen op de heuvels rondom in herfstooi, de valse charmes van de revolutionair waar ik subiet voor gevallen was. Godsamme, wat was ik naïef geweest en wat voelde ik me achteraf schuldig. Die schuldgevoelens waren allengs natuurlijk afgenomen, maar soms werd ik er nog wel eens door overvallen. Aan de belofte die ik tijdens de rit van Canada naar Pelham had gedaan, heb ik me altijd gehouden: ik bleef bij Dan, hoewel ik vaak ongelukkig was, en was hem nooit meer ontrouw. Wat ik eraan heb overgehouden?

*Stabiliteit?* Ik wist de enorme ellende die een scheiding met zich meebrengt en waar zoveel vrienden van ons onder te lijden hadden, te vermijden. Dat was natuurlijk een enorm pluspunt, want zelfs gescheiden mensen die een slecht huwelijk hadden, zeiden dat een scheiding bijzonder traumatisch was. *Een heerlijke jeugd voor de kinderen? Geborgenheid?* Natuurlijk, maar moet je hen nu eens zien. *De wetenschap dat Dan er is als ik 's avonds thuiskom?* Ik ben altijd als eerste thuis. *Een voortkabbelend, niet écht spannend bestaan met weinig ups en downs?* Is dat een pre?

Ik nam een bocht en het meer verdween uit mijn blikveld. Mijn mobieltje ging over.

'Hé,' zei Dan. 'Hoe gaat het?'

'Niet al te best.'

'Ik zag je briefje liggen. Is er wat?'

'Ik moet je wat bekennen,' begon ik. 'Iets opbiechten... Ik heb iets voor je achtergehouden, maar alleen omdat Lizzie me dat had gevraagd.'

Zo beknopt mogelijk vertelde ik hem wat ik wist over Lizzies relatie met Mark McQueen. Toen ik mijn verhaal had gedaan, vroeg hij me niet eens waarom ik Lizzies verzoek niet in de wind had geslagen en dat waardeerde ik zeer. Hij vroeg wel of ik bang was dat Lizzie zichzelf wat zou aandoen.

'Ze is naar haar werk, dus dat is in elk geval een goed teken,' zei ik.

'Wanneer ziet ze hem?'

'Vandaag, maar vraag me niet wanneer precies. Het spijt me dat ik het er niet eerder met je over heb gehad.'

'Beloofd is beloofd natuurlijk, maar des...'

'Dat weet ik. Ik voel me er heel rot over.'

'Ik hoop niet dat Lizzie bang is dat ik haar hierom veroordeel, want je weet dat ik niet zo in elkaar zit.'

'Ja. Daar gaat het ook niet om. Ik denk dat ze zich schaamt voor haar emotionele reactie en bang is dat jij je zorgen zou maken. En ík ben flink bezorgd.'

'Zou ze je bellen?'

'Ik heb het haar wel gevraagd, maar of dat ook werkelijk gebeurt? Het zal er wel van afhangen hoe de dokter zich opstelt.'

'Hoe laat verwacht je in Burlington te zijn?'

'Over een uur of drie.'

'Ga je meteen door naar je ouders?'

'Ja...'

'Zo te horen heb je er écht zin in.'

'Ik sla me er wel doorheen. Zodra ik weet dat het goed gaat met Lizzie, kan ik me een beetje ontspannen.'

'Oké. Als je haar hebt gesproken...'

'Natuurlijk. Je hoort meteen van me.'

'Als het er slecht uitziet, rijd ik vanavond nog naar Boston.'

'Ik hoop niet dat dat nodig is.'

'Goed. Bel me zodra je wat weet.'

'Doe ik.'

'Ik hou van je.'

'Ik ook van jou.'

Na het telefoontje voelde ik me meteen een stuk beter, niet omdat de situatie veranderd was, maar omdat we er nu samen voor stonden en ik niets voor hem achter hoefde te houden.

Ik was niet ver van New Hampshire en de weg steeg langzaam. Aan de horizon zag ik de toppen van de White Mountains. Ik zag nu meer sneeuw in de berm en het verkeer reed langzaam, maar dat kon me niet schelen, want ik luisterde naar een zender die Brahms' 'Ein Deutsches Requiem' uitzond. Ik had de muziek nog nooit gehoord, maar toen de omroeper vooraf uitlegde dat het muziekstuk ging over het aangrijpende, zo moeilijk te bevatten feit dat alles sterfelijk is en om die reden vluchtig, was ik direct geïnteresseerd. Ik werd meteen gegrepen door de krachtige tonen, door de ernst van het onderwerp en hoe de componist die droevige, maar allesomvattende constatering had verluchtigd met oprecht optimisme. In de op de liturgie gebaseerde teksten had hij het niet over een hiernamaals en alleen daarom al was Brahms een man naar mijn hart. Hij had het helemaal door: of je het nou een plezierige gedachte vindt of niet, je doet er goed aan tijdens het leven te beseffen dat dít het is en verder niets.

Mensen zien hun leven als eeuwigdurend en hoewel we natuurlijk weten dat er een eind aan komt, is je eigen sterfelijkheid moeilijk te bevatten. Er komt een dag dat we er niet meer zijn en je doet er verstandig aan te beseffen dat we niets anders zijn dan passanten. Ik vraag me wel eens af of alle ellende die we onszelf op de hals halen en anderen aandoen, een natuurlijke reactie is op het besef dat het met onze eigen dood allemaal afgelopen is, wát we ook doen, wát we ook bereiken. Ik herinner me een verhaal dat Margy me ooit vertelde. Een jaar of vier geleden was ze met echtgenoot nummer drie op vakantie in Zuid-Afrika en had een paar dagen doorgebracht in een magnifiek (haar stopwoordje) stadje op het zuidelijkste puntje van het continent.

'Er is niet veel te zien in Aniston,' zei ze. 'Afgezien van de buiten-huizen van de welgestelden van Kaapstad en een paar armzalige huisjes van hun personeel, heb je er alleen maar uitgestrekte stranden waar je geen mens ziet. Er is één magnifiek hotel, en daar zaten Charlie en ik. Pal tegenover dat hotel is een golfbreker met een gedenk-plaat voor de mensen die zijn verdronken bij een scheepsramp. In 1870 voer er een schip met vrouwen en kinderen van de Britten die het land destijds bestuurden van India naar Engeland. Twee mijl uit de kust is het schip in moeilijkheden geraakt en gezonken. Er zijn meer dan tweehonderd mensen bij verdronken. Daar stond ik in 1999 voor die gedenkplaat uit te kijken over het eindeloze water waar honderddertig jaar daarvoor zoveel mensen de dood hadden gevonden. Ik neem aan dat de ramp destijds flink in het nieuws is ge-weest, maar toen ik daar over zee stond te turen, was het afgezien van dat monumentje in een geïsoleerd stadje in Zuid-Afrika, totaal vergeten. Bedenk je eens hoe vreselijk, hoe traumatisch het allemaal geweest moet zijn. Tweehonderd mensen, voor het overgrote deel vrouwen en kinderen. Denk eens aan de mannen en vaders, de groot-ouders, de broers en zusjes die ze achterlieten. De nabestaanden wa-ren uiteraard getekend voor het leven. Het enige wat er van over is, is die gedenkplaat, meer niet. Dat heeft me nou zo aangegrepen, dat al dat lijden, al die pijn van minimaal twee generaties, nu er geen na-bestaanden meer in leven zijn, in het niets is opgelost.'

Die Margy. Wat mannen betrof zat het haar niet mee en ze werkte de één na de ander af. Klaplopers waren het, stuk voor stuk. Met haar carrière ging het wel naar wens. Sinds 1990 leidde ze een goed-lopend pr-bedrijf en had het erg naar haar zin, hoewel ze het jammer bleef vinden dat ze niet in de journalistiek terechtgekomen was. Ze betreurde het dat ze geen kinderen had, maar zei altijd: 'Ik werk zes dagen per week zestien uur per dag en val nou eenmaal op nietsnut-ten, dus dat is eigenlijk maar goed ook. Na al die jaren, na veel te-leurstellingen, tegenslagen en verdriet (maar succes in haar werk) had ze nog steeds die eigenzinnige, humoristische kijk op de dingen.

'Ach, ik zie het leven als één lange strijd,' zei ze toen ze echtgenoot nummer drie de laan had uitgestuurd. Ze was erachter gekomen dat hij in het geniep vijftigduizend dollar had weggesluisd om te investe-ren in een halfbakken internetbedrijfje. 'Wat moet je anders? We hebben toch geen keus?'

Nu moest Margy de strijd van haar leven leveren. Vier maanden geleden was bij haar de diagnose longkanker gesteld. Ze had het me een paar weken voor Kerstmis tijdens ons wekelijkse telefoongesprek op die typische Margy-manier verteld. Ik was haar net aan het vertellen dat Shannon me had beloofd dat ze voor het kerstdiner een speciale vulling voor de kalkoen zou meebrengen, dat ze al twee weken aan het kokkerellen was om het recept te perfectioneren en dat ze tijdens het diner zou onthullen wat er allemaal aan te pas kwam. Ik maakte een opmerking over hoe vreselijk het was dat ik een schoondochter had die al haar energie stopte in het demonstreren voor abortusklinieken en de perfecte vulling en zei tegen Margy dat ze meer dan welkom was om Kerstmis met ons te vieren omdat ik wist dat ze na haar (vierde) scheiding en zonder directe familie de feestdagen alleen zou zijn.

'Ik zou het dolgezellig vinden,' zei ze, 'om in je kerststalletje te komen zitten, maar het heeft er alles van dat ik die dagen bezet ben.'

'Met andere woorden...'

'Jawel. Er is weer iemand in mijn leven.'

'Kun je onthullen wie de gelukkige is?'

'Natuurlijk. Hij is mijn oncoloog.'

Ze zei het zo langs haar neus weg, zo achteloos, dat ik even dacht dat het een macabere grap was.

'Moet ik dat geestig vinden?'

'Nee hoor,' zei ze, 'want verdomme, dat is het helemaal niet. Over longkanker maak je geen geintjes. Het ergste is dat het zo'n achterbakse kanker is. Mijn galant, dokter Walgreen, zegt dat longkanker zo gemeen is omdat die zich in het algemeen pas openbaart als er uitzaaiingen naar andere organen zijn. De hersenen, om maar wat te noemen.'

'Grote god.'

'Ja, Zijn hulp kan ik op het ogenblik best gebruiken, dat wil zeggen, als ik geloofde dat Hij en Zijn zoon de touwtjes op deze wonderlijke planeet in handen hadden. Laat ik nou eerst maar eens wennen aan het idee dat ik ziek ben. Enfin, het goede nieuws is dat het nog niet naar mijn kop is gestegen, om het zo maar eens uit te drukken.'

Ze vertelde dat de kanker was ontdekt toen ze een röntgenfoto had laten maken voor iets anders. 'Ik was net terug van een zakenreis naar Honolulu waar ik heb gejaagd op het account van het toeristenbureau van Hawaï. Die stad noemt zichzelf de hoofdstad van het paradijs, maar wat mij betreft is het de hoofdstad van de smog. Toen ik terug was, bleef ik maar hoesten en omdat ik een jaar of twee geleden longontsteking heb gehad, dacht ik dat die de kop weer had opgestoken, hoewel ik geen koorts had en er geen tekenen waren van een ontsteking. Ik heb de dokter gebeld en die heeft me doorverwezen naar het ziekenhuis om even "een fotootje" te laten maken, en de röntgenfoto vertoonde een vervaarlijke grijze vlek daar waar je bronchus zich splitst. De ene vertakking gaat naar de longkamer linksboven, de andere naar die eronder. Ze hebben trouwens twee foto's gemaakt; één van voren en één van opzij en daarom konden ze de tumor zo duidelijk aanwijzen. Op die foto's was overigens niet te zien dat de bovenste kamer van mijn linkerlong is ingeklapt. Daarom hoestte ik zo. Het slijm blijft erin hangen en sijpelt naar je luchtwegen, wat je lichaam weer probeert op te lossen door het op te hoesten. Nou, wat denk je? Maak ik een kans op een baan bij het *Journal of Medicine?* Ik weet het nog maar een week en ben nu al zo'n fanaticus die alles wil weten over de aandoening die haar fataal gaat worden.'

'Zeg dat nou niet.'

'Hoezo? Omdat het niet strookt met jouw altijd maar optimistische kijk op de dingen? Ik ben je beste vriendin en ik ken je goed genoeg om te weten dat je in feite net zo'n pessimist ben als ik.'

'Zie het dan maar als puur egoïsme. Ik wil niet dat je doodgaat.'

'Wat denk je van míj? Het goede nieuws is dat ik lijd aan de minder agressieve variant, die niet meteen een doodvonnis is.'

Ze vertelde over de bronchoscopie. Ik pakte pen en papier om het allemaal te noteren, niet alleen om Dan te kunnen vragen wat het precies inhield, maar ook omdat ik me aldoende met de klinische feiten bezighield en niet met wat het voor mijn vriendin betekende.

'Het is pas sinds gisteren echt definitief,' ging ze verder. 'Ze zeggen dat ik niet-kleincellige longkanker heb, wat een meevaller is, want kleincellige is veel ernstiger. De tumor heeft de bovenste bronchus zowat afgesloten en de onderste wordt al bedreigd, maar het schijnt gunstig te zijn dat het een echte tumor is, niet wat ze een laesie noemen. Dokter Walgreen vindt dat een gunstig teken. Ik moet zeggen dat ik niet veel ervaring heb met oncologen, maar die van mij is écht een vrolijkerd. Hij heeft me uitgelegd dat hoe harder de tumor of de laesie is, des te kleiner de kans dat er cellen in de bloedstroom terechtkomen en uitzaaien naar andere organen.'

Tegen de tijd dat we ophingen, had ik al plannen gemaakt om vrijdag, de dag nadat ze geopereerd zou worden, na school naar New York te vliegen.

'Wat heb je daar nou aan?' vroeg ze. 'Ik weet nu al dat ik geen leuk gezelschap ben.'

Ik ging toch, maar niet voordat ik alles met Dan had doorgenomen. Hij raadpleegde een longarts en die had bevestigd dat het inderdaad een minder agressieve variant was, maar dat het wel degelijk fataal kon zijn. 'Pas als ze de long hebben weggehaald,' legde Dan uit, 'kunnen ze bepalen in welk stadium de ziekte is. Met één long valt best te leven, maar als de andere long ook is aangetast, kan ze misschien wat tijdwinst boeken met een longtransplantatie, maar...' Hij hief zijn armen om aan te geven dat hij het ondenkbare niet over zijn lippen kon krijgen en ging verder: 'Dat is nou wat me aan orthopedie bevalt. Je hebt in elk geval niet met levensbedreigende ziektes te maken.'

Vrijdagavond zat ik in het ziekenhuis. Ik had verwacht Margy in comateuze toestand aan te treffen en hoewel ze aan allerhande buizen en slangen gekoppeld was, zat ze rechtop in bed naar CNN te kijken. Ze zag er vreselijk bleek en verzwakt uit, maar schonk me een duivelse glimlach en zei: 'Ik hoop dat je sigaretten voor me hebt meegebracht.'

Ik zat het hele weekend aan haar bed en overnachtte in haar appartementje. (Toen ik zei dat ik wel een hotel zou zoeken, stond ze erop dat ik in haar flatje ging slapen. 'Ik denk zo dat ik er de komende twee weken niet veel zal zijn.') Ze bleef me verbazen. Ze weigerde toe te geven aan zelfmedelijden en vertelde me dat ze wat haar toestand betrof 'de tactiek van de verschroeide aarde' zou toepassen. 'Na al die echtgenoten weet ik maar al te goed hoe ik moet omgaan met tegenslagen en als ik vecht, gebruik ik ook alle middelen.'

Toch maakte ik me 's nachts als ik in haar bed lag vreselijk zorgen. Ik wist dat ze zich voor míj groothield, maar ik las de angst die ze niet wilde verwoorden in haar ogen. Het was niets voor haar om zwakte te tonen, zelfs niet aan mij. Ik wist dat ze vaak eenzaam was en ook daar praatte ze nooit over, maar toen ik in mijn eentje in haar appartement zat, werd ik me daar weer bewust van. Ik had er wel vaker gelogeerd, maar dit was de eerste keer zonder haar uitbundige aanwezigheid. Eindelijk had ik eens de tijd rustig rond te kijken in het kleine, onpersoonlijke tweekamerflatje in het uit wit zandsteen opgetrokken gebouw dat veel weg had van een koelkast. Niet dat ik New York nou zo goed kende, maar ik kreeg de indruk dat de hele Upper East Side bestond uit dat type gebouwen. Het verbaasde me dat ze zo'n klein flatje had. Ze was toch eigenaar van een succesvolle pr-firma? Ze had me verteld dat ze het kleinschalig wilde houden (zij en drie medewerkers) en dat ze zichzelf geen gigantisch salaris gaf omdat het hun aan liquide middelen ontbrak. Daarbij was ze 's avonds haast nooit thuis en in het weekend zat ze meestal bij vrienden in de Hamptons of in Connecticut. Ze sliep er, kleedde zich er aan en uit en de enkele avond dat ze thuis was, schikte ze zich in haar lot. Ze had het vijfentwintig jaar geleden gekocht van het erfenisje van haar moeder en tijdens haar huwelijken verhuurde ze het. ('Alle drie de keren moet ik geweten hebben dat het niet helemaal goed zat, want ik stond er altijd op bij hen in te trekken, ik denk omdat het dan gemakkelijker was de deur achter me dicht te trekken en terug te gaan naar mijn eigen stekkie.')

Toen ik na het ziekenhuisbezoek over de drempel stapte, viel me op hoe steriel en stil het er was. Het was schaars gemeubileerd met een beige bank en stoel, een kleine eettafel, een onopvallend tweepersoonsbed. Nergens zag ik iets wat wees op een beetje smaak, om nog maar te zwijgen over het gebrek aan persoonlijke spullen. Ik zag geen familiefoto's, geen kunst aan de muur, afgezien van twee affiches van het Whitney Museum. Er stond een geluidsinstallatie met maar een twintigtal cd's: licht klassiek (Andrea Bocelli, De drie tenoren) en wat gouwe ouwen. Ik zag een televisie, een dvd-speler en een plank met een paar recente bestsellers. Verder stond er een drankkastje uit de jaren zeventig, waar ik een fles whisky en een paar pakjes sigaretten in aantrof. Ik schonk mezelf een glas in en was dankbaar voor de medicinale werking van alcohol (het is saai, maar ik ben een matige drinker). Ik nam het onpersoonlijke interieur in me op en vroeg me af waarom ik nooit eerder had gezien hoe steriel het was. Ik bedacht hoe vreemd het was dat ik nooit had stilgestaan bij het feit dat een zo wereldwijze, chique vrouw zich terugtrok in een dergelijk karakterloos geheel. Het gebeurt maar zelden dat we een glimp opvangen van het echte bestaan van onze vrienden. Misschien filteren we dat wat we niet willen zien er wel uit, omdat we geloven dat hun leven zo veel interessanter is dan dat van onszelf. Blijkbaar heb ik dat met Margy gedaan. Ik was best een beetje jaloers op haar leven in de grote stad, op al het gereis en dat ze met wie ze maar wilde het bed in kon duiken, maar waar ik haar het meest om benijdde, was dat ze zo veel tijd voor zichzelf had, een luxe die ik voor de kinderen het huis uit gingen nooit had gekend. Toch, als Margy bij ons logeerde (zeker toen Jeff en Lizzie nog klein waren), wist ik dat zij op haar beurt jaloers was als ze de kinderstemmetjes hoorde en alle drukte in ogenschouw nam. We verlangen altijd naar hetgeen we niet hebben en hebben zo onze twijfels over het leven dat we voor onszelf hebben gecreëerd, hoe succesvol we ook zijn. Er is iets in de mens wat hem ervan weerhoudt tevreden te zijn met zijn werkelijkheid, met de plaats die hij inneemt. Toen ik in Margy's appartement rondkeek, was ik blij dat ik getrouwd was, dankbaar voor mijn gezin en ons huis. Toch zat ik nog steeds met een heleboel vragen over hoe we beslissingen nemen en waarom het zo moeilijk is tevreden te zijn.

De volgende dag vroeg ze: 'Was je eenzaam bij mij thuis?'

'Niet echt,' loog ik.

'Je hoeft niet beleefd te doen hoor, alleen omdat ik kanker heb. Het is ingericht in een stijl van niks. Het is mijn eigen schuld en alweer een bewijs dat ik alleen leef voor mijn werk, voor de volgende vergadering, voor een contract dat in de maak is, voor het zoveelste domme onderhoud met een stomme journalist van zo'n tijdschrift dat in vliegtuigen wordt verspreid. De optelsom van mijn bestaan: onbeduidend, onbelangrijk, on...'

Ik pakte haar hand en zei: 'Hou eens op.'

'Waarom? Ik heb wel wat met zelftuchtiging. Om precies te zijn: ik ben er vrij goed in. Mijn moeder zei altijd dat ik veel te kritisch was waar het mijzelf betrof en dat ik daar nog last van ging krijgen.'

'Ik zou zeggen dat het iemand juist sterker maakt.'

'Het leidt tot paniekerige, slapeloze nachten, kan ik je vertellen.'

'Die hebben we allemaal op zijn tijd.'

'Akkoord, maar ik heb ze zes keer per week.'

'En de zevende nacht?'

'Dan drink ik een stuk in mijn kraag en ben ik zó lam dat ik acht uur slaap, om de volgende ochtend met een gigantische kater op te staan. Mens, dat je dit allemaal wilt aanhoren! Ik zwelg in het zelfmedelijden. Je zou haast denken dat ik niets anders aan mijn kop heb.'

'Je hebt een zware operatie achter de rug en...'

'Nee, dat met mezelf bezig zijn heeft niets met mijn ziekte te maken, eerder met gebrek aan nicotine. Denk je dat je zo'n nicotinepleister kunt binnensmokkelen?'

'Ik heb zo'n idee dat die oncoloog dat niet echt goed zou vinden.'

'Wat dan nog? De operaties en de chemokuren die ze hebben gepland zijn alleen maar doekjes voor het bloeden. Ik ga hieraan ten onder.'

'Gisteren zei je nog dat het zich allemaal niet zo ernstig liet aanzien.'

'Klopt, maar vandaag trek ik me op aan "De kracht van het negatief denken". Het is best troostrijk te weten dat je gedoemd bent.'

'Ophouden jij,' zei ik streng. 'Je hebt toch een niet zo ernstige vorm van kanker?'

'Zeg, kan het tegenstrijdiger?'

De dag erop vloog ik terug naar huis, maar ik belde haar meteen om te horen of de uitslag van de biopsie er al was.

'Hoogstwaarschijnlijk zijn er geen uitzaaiingen,' meldde ze.

'Fantastisch.'

'Dat nou ook weer niet, maar het kon erger. Om volledige zekerheid te krijgen, willen ze nog een handjevol onderzoeken doen. Ze zeiden wel dat ik zodra ik van de operatie ben hersteld een aantal chemokuren moet ondergaan. Zeg nou niet dat het allemaal goed klinkt, want dan hang ik op, oké?'

Het nieuws was wel degelijk goed. Dan – de schat – had zijn collega de longarts in Maine Medical gevraagd om Margy's oncoloog in New York te bellen (ze hadden samen op Cornell University gezeten) om eens te informeren hoe het er nou werkelijk voorstond. Waar het op neerkwam, was dat ze zeker wisten dat ze de hele tumor hadden verwijderd, nog een paar onderzoeken moesten doen om te zien of er uitzaaiingen waren, maar er vrijwel zeker van waren dat ze niets zouden vinden. Er was echter één 'maar': (artsen hielden altijd een slag om de arm) ze konden niets uitsluiten, vandaar de onderzoeken.

De dagen na de operatie onderging ze een aantal onderzoeken en behandelingen, waaronder een chemokuur die eventuele, verdwaalde kankercellen moest doden. Ze vertelde me dat je tijdens een chemokuur de hele middag met een slang die gif in je arm druppelt in een gemakkelijke stoel zit. Na haar eerste kuur vloog ik weer naar New York. Ze was thuis, maar had een mevrouw ingehuurd die boodschappen deed en voor haar kookte. De chemo had haar vreselijk verzwakt, haar haar begon uit te vallen, haar huid was gelig geworden en ze had eigenlijk overal pijn, vertelde ze. 'Verder gaat het retegoed.'

Het was ongelooflijk, maar ze was alweer aan het werk. Er lag een aantal hangmappen op haar bed en toen ik me hardop afvroeg of dat nou wel een goed idee was, antwoordde ze: 'Heb ik dan wat beters te doen? Vergeet niet dat mijn werk mijn leven is.'

Ik bleef me verbazen over haar doorzettingsvermogen. De eerste chemokuur was aangeslagen, dus gingen ze ermee door. Tegen die tijd ging ze weer naar haar werk en als de bijverschijnselen haar te veel werden, bleef ze een dag of twee thuis. Ze heeft ook nog een week in het ziekenhuis gelegen na een lobectomie, een operatie waarbij het littekenweefsel in de bovenste bronchus werd weggehaald.

'Je hebt het vast al op CNN gezien,' zei ze een paar dagen na die laatste operatie, 'maar de onderste bronchus was niet beschadigd, wat betekent dat ik de longkwab daar kan houden. Net een televisiequiz, vind je niet? "Jammer dat je de supermoderne koelkast niet hebt gewonnen, maar je hebt in elk geval de longkwab."'

Ik moest lachen, maar nog voor ik kon reageren, zei ze: 'Zeg nou niet hoe heerlijk het is dat ik mijn gevoel voor humor nog heb, want de humor is natuurlijk ver te zoeken. Het enige wat in de buurt van humor komt, is dat ik op mijn vijftiende ben begonnen met roken omdat ik dacht dat het sexy was. Reken maar dat oncologen dat aan de lopende band te horen krijgen, dat de patiënt de eerste sigaret opstak omdat ze zo onzeker was over haar uiterlijk en hoopte dat ze door te roken de jongens van zich af zou moeten slaan. Enfin, wat het allemaal nog erger maakt, is dat ik ondanks alle medische toeren die er met me zijn uitgehaald, snak naar een sigaret.'

De radio kraakte en Brahms' 'Ein Deutsches Requiem' was niet meer te horen. Ik zat nu in de White Mountains. In de verte zag ik de robuuste, strakke contouren van Mount Washington opdoemen. Ik moest denken aan de dag dat ik de berg met Dan had beklommen. Wanneer was dat ook alweer? We hadden vakantie en ik geloof dat het 1970 was. Het was zijn idee en ik herinner me dat ik tijdens de eerste paar kilometer bospad veelvuldig had geklaagd, maar juist toen ik op het punt stond voor te stellen terug te gaan, kwamen we een bocht om en waren we het bos uit. Voor ons lag een gigantisch ravijn, een enorme kom, gehuld in wolkensluiers. Midden in het ravijn was een gletsjer, met rechts een pad waar geen sneeuw lag en daarboven een terrein met enorme rotsblokken. Ik keek naar de top, die zo'n tweeduizend meter hoog was, en toen naar het ravijn beneden ons. Als ik eerlijk ben, was ik goed bang, maar tegelijkertijd dankbaar dat ik iets ondernam wat niet iedereen gegeven is.

Dan had mijn gedachten geraden, want hij zei: 'Maak je maar geen zorgen. Heus, we halen de top.'

En zo geschiedde, maar niet voordat we een gigantische hagelbui hadden getrotseerd, gevolgd door een halfuur durende storm. Op een gegeven moment gleed ik weg en het scheelde niet veel of ik was honderd meter naar beneden gestort, wat zonder meer fataal was geweest. Intuïtie en geluk hebben mijn leven gered, want terwijl ik weggleed, zag ik links voor me een kleine rots. Als die rots mijn gewicht niet had gedragen, was ik zonder meer naar beneden gestort, maar hij hield het en dat heeft mijn leven gered. Het duurde alles bij elkaar maar een paar seconden: het wegglijden, de paniek, het klauwen en mijn linkerhand die de rots vond. Dan liep voor me en had niets gemerkt. Ik moest even op adem komen en klom verder. Toen ik een kwartier later naast hem stond en hij me vroeg of het ging, maakte ik er maar een geintje over. 'Mijn voet is weggegleden en het scheelde niet veel of ik was naar beneden gestort, maar verder gaat het best.'

'Mooi. Doe voorzichtig, hè?'

*Doe voorzichtig.* Vertel mij wat. Afgezien van twee misstappen was ik mijn hele leven voorzichtig geweest. Met Toby Judson had ik toegegeven aan stupide romantische gevoelens. De misstap op de berg was gewoon pech, maar wel pech die me als ik geen instinct tot overleven had gehad, fataal was geweest. Hoe moeilijk het leven soms ook is, overleven willen we uiteindelijk allemaal. Ik hield me vast aan een rots, Margy vocht tegen een ziekte die ze vermoedelijk zelf had veroorzaakt en als zij de kanker niet overwon, zou de kanker haar overmeesteren.

Ik was bijna in Vermont. Er lag niet zo veel sneeuw meer en de' heuvels waren minder imposant. De staat waar ik ben geboren ontbeert het overweldigende bergland van New Hampshire en de rotsige kustlijn van Maine. Vermont heeft een veel rustiger, serenere schoonheid, maar wel een die me altijd weet te bekoren, al was het alleen maar omdat het betekende dat ik thuis was.

Ik zette de radio op de plaatselijke zender van NPR en luisterde naar een discussie over de gevolgen van politieke tegenstellingen binnen het gezin, over de brede kloof die was ontstaan tussen ouders die in de jaren zestig actief waren geweest en hun conservatieve kinderen.

Vergeet de kleinkinderen niet, dacht ik. Mijn vader was geschokt toen hij tijdens een weekend in Boston ergens had gegeten met Lizzie en zij erop had gestaan te betalen. Toen de keurige, ridderlijke man in hem had geprotesteerd en zei dat grootvaders altijd betaalden, had ze gezegd: 'Ik ben geen arm studentje, hoor. Ik verdien honderdvijftigduizend dollar per jaar.'

Mijn vader was ondersteboven van dat bedrag. Een dergelijk salaris had hijzelf nog nooit gehad en eigenlijk druiste het in tegen zijn socialistische opvattingen. Toch, het feit dat Lizzie zo veel geld verdiende, vond hij veel minder erg dan het feit dat Jeff een fervente Republikein was die pal achter Bush stond. Daar kon de goede man helemaal niet bij. Hij heeft zich wel eens hardop afgevraagd waar Dan en ik de fout waren ingegaan, maar het enige wat ik erop kon zeggen was: 'Het is geen kwestie van zich afzetten, want hij is niet opgevoed in een *ashram,* zijn ouders zaten echt niet de hele dag te blowen en we hebben hem nooit naar jeugdkampen van de socialistische beweging gestuurd. Kortom, ik heb geen idee. Toegegeven, Dan is zo behoudend als wat, maar hij heeft het zelden over politiek. Jeff daarentegen is écht fanatiek. Amerika is Gods eigen akker en de Republikeinen staan voor de juiste normen en waarden. Soms denk ik wel eens dat hij een wat verlate puberteit doormaakt, dat hij nú pas opstandig is geworden.'

Mijn vader trok het zich nogal aan. Wat hem betrof was Jeffs houding een totale afwijzing van alles waarvoor hij zijn hele leven had gestaan. Vorig jaar vierde mijn vader Kerstmis bij ons en de nog altijd energieke tweeëntachtigjarige hoopte dat hij met Jeff in discussie kon treden. Als er één ding is waar mijn vader gek op is, dan is het een goed debat, maar Jeff voelde daar niets voor. Zodra mijn vader zich uitliet over zijn afkeer van Bush, veranderde Jeff gauw van onderwerp of hij liep de kamer uit.

'Waarom wissel je niet eens met hem van gedachten?' vroeg ik Jeff toen mijn vader zijn twijfels had uitgesproken over de Patriot Act.

'Ik praat toch met hem?' was zijn antwoord.

'Kom, nou. Hij had de naam van je geliefde president nog niet genoemd of je excuseerde jezelf en ging naar boven.'

'Ik moest even bij Erin kijken. Trouwens, Bush is net zo goed jóúw president.'

'Er zijn er die zeggen dat Al Gore de verkiezingen heeft gewonnen.'

'Daar gaan we weer. Typisch zo'n voorbeeld van linkse vooringenomenheid.'

*Daar gaan we weer.* Had Reagan daar in het verleden ook niet mee gescoord, tijdens een televisiedebat met Carter?

'Nooit geweten dat ik vooringenomen was.'

'Dat geldt voor iedereen hier. Het zit in de genen.'

'Overdrijf je niet een beetje?'

'Ik geef toe dat papa geen linkse rakker is.'

'Hij is lid van de Republikeinse partij.'

'Maar hij staat wél aan de kant van politici die voor abortus zijn. Wat mijn geliefde opa betreft, zijn verleden en het dossier dat de FBI van hem heeft, spreken voor zich.'

'Je hebt het wel over een tweeëntachtigjarige man die je heel hoog heeft zitten, dus...'

'Opa? Die houdt alleen maar van zijn eigen stemgeluid. Ik heb genoeg gelezen over zijn "heldendaden" in de jaren zestig en zijn "strijd" tegen alles waar dit land voor staat.'

'Dan heb je het over meer dan vijfendertig jaar geleden. Hemel, je was nog niet eens geboren! Als jij in die jaren op de universiteit had gezeten, had je ook op de barricaden gestaan.'

'Dat weet ik nog zo net niet. Mijn overtuiging heeft namelijk niets te maken met wat er momenteel mode is of wat niet.'

Het lag op het puntje van mijn tong iets te zeggen als: *kijk aan. Het is vandaag de dag toch mode om conservatief te zijn? Mijn god, jij en je politieke vrienden hebben zelfs een nieuwszender die je vierentwintig uur per dag vertelt wat je wilt horen. Daar zit een hele zwik commentatoren die eenieder die het niet met hen eens is, een grote mond geven. Na 11 september staat iedereen op zijn achterste benen. Wie ook maar het lef heeft zich af te vragen of de regering of wie dan ook de verkeerde weg is ingeslagen, krijgt meteen naar zijn hoofd geslingerd dat hij geen patriot is.*

*Patriottisme... wat is dat toch een enge term.*

'Jeff,' probeerde ik, 'het is Kerstmis en als belijdend christen moet je toch weten dat het van essentieel belang is dat de mensen tolerant zijn, zeker nu.'

'Behandel me nou niet als een kind van twaalf, mam, en ik heb er weinig zin in me door een atheïst de les te laten lezen, oké?'

'Ik ben helemaal geen atheïst. Ik ben voor totale vrijheid van geloof.'

'Dat komt op hetzelfde neer.'

Die avond – Jeff en Shannon waren al naar bed, Dan zat naar *Nightline* te kijken en Lizzie was met een stel vrienden naar een of andere yuppentent in de stad – zat mijn vader bij het haardvuur in de zitkamer te mijmeren, een glas whisky ('De dokter zegt dat het goed is voor de bloedsomloop') in de hand.

'Ben je het met me eens als ik zeg dat de tragiek van het ouder worden niet alleen is dat je weet dat je einde nabij is, maar ook dat de wereld in feite aan je voorbij is gegaan?'

'Ik denk dat iedereen die ouder wordt dat wel eens denkt,' zei ik.

'Dat zal wel,' zei hij en hij nam een slok. 'Het leven is als een politieke carrière: in het gunstigste geval heb je spijt van je beslissingen en als het tegenzit, besef je dat het allemaal voor niets is geweest.'

'Wat ben je somber.'

'Met dank aan je lieve zoontje. Wat scheelt dat joch eigenlijk?'

'Die knul is tegen de dertig en het probleem is dat hij denkt dat hij de waarheid in pacht heeft.'

'Overtuigd van zijn eigen gelijk, hè? Een enge karaktertrek, als je het mij vraagt.'

'Zo was jij toch vroeger ook?'

'Nou, ik geloof niet dat ik dacht dat ik de waarheid in pacht had. Destijds ageerden we tegen een corrupte regering en een volslagen foute oorlog. We zitten nu in hetzelfde schuitje, maar ik zie weinig mensen op de barricaden staan.'

'Iedereen heeft het veel te druk met geld verdienen en dat vervolgens uitgeven.'

'Dat is zonder meer waar. Geld uitgeven is vandaag de dag de populairste vrijetijdsbesteding.'

'Zeg dat maar niet tegen Jeff. Het bedrijf waarvoor hij werkt is – hoe zei hij het ook alweer – "de grootste verzekeraar van zakelijk onroerend goed ter wereld". Zeg er maar niets over, want volgens hem zijn ze een van de steunpilaren van de economie.'

'Hij heeft een hekel aan me.'

'Helemaal niet. Ja, aan je politieke opvattingen, maar het is niets persoonlijks. Hij heeft gewoon weinig op met andersdenkenden. Ik heb me wel eens afgevraagd hoe hij zich had ontwikkeld als we hem streng gereformeerd hadden opgevoed, hem hadden verboden om te gaan met niet-kerkelijke vriendjes of naar een strenge militaire academie hadden gestuurd.'

'Dan las hij nu de geschriften van Naomi Klein en demonstreerde hij tegen de globalisering. Trouwens, een níet-strenge militaire academie is ondenkbaar, dus wat je net zei is een pleonasme.'

'Wat ben je toch een betweter.'

'Je lijkt je moeder wel.'

'Nee,' zei ik, 'die zou hebben gezegd "een verdomde betweter".'

'Dat is helemaal waar.'

'Ben je er nog geweest de laatste tijd?' vroeg ik.

'Twee weken geleden. Haar toestand blijft hetzelfde.'

'Ik voel me schuldig dat ik niet wat vaker ga,' zei ik.

'Ze weet niet dat je er bent, dus ik vraag me af of het wel zin heeft. Ik ben in twintig minuten bij haar en kan het hoogstens ééns in de twee weken opbrengen. Om je de waarheid te zeggen, als ze in dit verrekte land niet zo spastisch deden over euthanasie... Ik weet zeker dat je moeder liever dood was. Wat een ellende is die ziekte van Alzheimer toch.'

Ik slikte moeizaam en kon mijn tranen nauwelijks bedwingen. Ik zag haar weer voor me in het verpleeghuis, een tere, gebogen vrouw die de hele dag in een stoel voor zich uit zat te staren, zich niet bewust van haar omgeving, die op geen enkele manier kon communiceren. Haar geest was uitgewist, alle herinneringen van negenenzeventig jaar waren weggevaagd. Vijf jaar geleden was de diagnose gesteld en het was alsof we de kaars heel langzaam zagen doven. Zo nu en dan had ze een korte opleving, maar eigenlijk was er niets anders dan een hele serie kortsluitingen in haar hersenen. Twee jaar geleden met Kerstmis was het lichtje uitgegaan. Mijn vader was op een dag thuisgekomen van de universiteit – waar hij nog altijd een werkkamer had – en had gemerkt dat mijn moeder weg was. Ze zat er nog wel, maar haar geest had het opgegeven. Ze kon niet praten, keek hem niet aan en reageerde niet meer op een aanraking of zijn stem.

Hij had me meteen gebeld. Ik vroeg de directeur van de school of ik een paar dagen vrij kon krijgen en reed die nacht in één ruk door naar Burlington. Ik wist natuurlijk al jaren dat het moment eens zou komen, wat de ziekte van Alzheimer aangaat is er maar één afschuwelijke uitkomst, maar toen ik binnenkwam en mijn moeder helemaal van de wereld op de bank zag zitten, barstte ik in huilen uit. Ik dacht aan de energieke, levendige, lastige vrouw die zo'n stempel op mijn leven had gedrukt en zag dat ze was verworden tot een lege huls die de rest van haar dagen als een baby gevoerd en verschoond moest worden. Ik dacht terug aan alle problemen die we hadden gehad, hoe verstandig het was geweest als we elkaar het leven wat minder zuur hadden gemaakt en hoe onbeduidend onze ruzies in feite waren.

'Weet je...' zei mijn vader. Ik schrok op uit mijn overpeinzingen. 'Het gekke is dat we allebei zeker een keer of vijftien, twintig hebben gezegd: "Nu is het over en uit. Ik heb er genoeg van." We hebben elkaar veel verdriet gedaan, ieder op onze eigen wijze.'

'Waarom zijn jullie dan bij elkaar gebleven?'

'Het is niet zo dat we uit gemakzucht bij elkaar bleven of dat we bang waren voor veranderingen, maar ik kon me gewoon geen leven zonder Dorothy voorstellen en ik neem aan dat zij zich niet kon voorstellen zonder mij verder te moeten. Zo eenvoudig – of zo ingewikkeld – lag het.'

'Iemand kunnen vergeven is een groot goed.'

'Als ik in die tweeëntachtig jaar iets heb geleerd, is het dat kunnen vergeven en vergeven wórden heel belangrijk zijn en dat we het meest te lijden hebben van de mensen die ons na aan het hart liggen.' We hadden een blik van verstandhouding gewisseld en veranderden van onderwerp, maar dat was pas de tweede keer in al die jaren dat we het hadden over de verwijdering die tussen ons had bestaan.

Mijn mobiele telefoon ging over. Ik nam op.

'Hannah?' Mijn vader.

'Pap? Wat is er?'

'Moet er wat zijn? Ik wilde alleen even weten waar je zit.'

'Ik heb net St. Johnsbury gehad.'

'Als je het niet erg vindt, pik me dan maar op bij de universiteit, dan eten we even bij Oase.' Hij had het over het restaurant waar hij bijna iedere dag at.

'Goed idee. Je ziet me over een dik uur wel verschijnen.'

'We hoeven niet zo lang in het verpleeghuis te blijven.'

'Mij best,' zei ik. Hij wist dat ik de bezoekjes aan mijn moeder erg moeilijk vond.

'Je klinkt een beetje mat,' zei hij.

'Slecht geslapen, meer niet.'

'Zeker weten?'

Mijn vader vond het naar als ik dingen voor hem achterhield, dus ik zei: 'Het gaat niet zo goed met Lizzie.' Hij vroeg door, maar ik voelde er weinig voor het hele verhaal in de auto te vertellen, dus ik beloofde hem dat ik er tijdens de lunch op terugkwam.

Hij stond me al voor het faculteitsgebouw op te wachten. Zijn schouders waren een beetje gaan hangen en zijn haar was van peper en zout veranderd in spierwit, maar hij was nog steeds de aristocraat van weleer. Hij was gekleed in het uniform van zijn arbeidzame leven: een tweed sportjasje met suède stukken op de ellebogen, een grijze flanellen broek, een blauw buttondown overhemd, een stropdas en keurig gepoetste schoenen.

Hij glimlachte naar me en ik keek meteen of zijn ogen nog helder stonden. Vanaf het moment dat mijn moeder ziek werd, ben ik beter op hem gaan letten en iedere keer dat ik hem aan de lijn heb, ben ik er alert op dat hij zich nog goed uitdrukt. Mijn maandelijkse bezoeken aan Burlington zijn nuttig om met eigen ogen te kunnen zien of het goed met hem gaat. Iedere keer weer verbaas ik me over zijn scherpe geest en het lijkt haast wel of hij daarmee weerstand biedt aan het ouder worden. Toch, toen ik zijn glimlach beantwoordde en het portier voor hem opendeed, besefte ik weer dat de mens sterfelijk is en dat ik mijn vader over niet al te lange tijd zou kwijtraken. Ik doe mijn best het positief te bekijken en zeg tegen mezelf dat ik me gelukkig mag prijzen dat ik hem zo lang heb mogen behouden, dat hij zo vitaal is en dat hij nog jaren kan leven. Ondanks dat heb ik het er moeilijk mee dat hij er over niet al te lange tijd niet meer zal zijn.

Het was alsof hij mijn gedachten had gelezen, want zodra hij naast me zat en me een kusje op mijn wang had gegeven, zei hij: 'Als we in Parijs waren, zou ik zeggen dat je in een existentiële crisis verkeerde.'

'Maar dit is Vermont, dus...?'

'Dus zeg ik dat je vast zin hebt in een tosti.'

'Aha! De tosti als remedie voor alle onzekerheden in het leven.'

'Indien vergezeld van augurkjes.'

We reden naar de Oase en bestelden allebei een tosti van de streek mét augurken en een glas echte ijsthee (niet van die instantrommel). We hadden nog niet besteld, of hij zei: 'Oké. En nu even over Lizzie.' De volgende tien minuten bracht ik hem zo volledig mogelijk op de hoogte, waarna hij de rol van adviseur op zich nam, een rol die hij als professor natuurlijk graag vervulde. 'Die man moet zo snel mogelijk uit haar leven verdwijnen.'

'Ben ik helemaal met je eens. Ik weet dat die vent het daar ook helemaal mee eens is, zeker nu ze heeft gedreigd zijn huwelijk, zijn carrière, dat stomme televisieprogramma, eigenlijk alles in gevaar te brengen. Het is natuurlijk zijn verdiende loon, maar...'

'Je geeft jezelf toch niet de schuld, hoop ik?'

'Dat spreekt voor zich. Het vreet aan me dat Dan en ik ergens in de fout zijn gegaan, dat we iets gedaan hebben, of juist wat hebben verzuimd...'

'Een reden voor haar wanhopige zoektocht naar liefde en geluk?'

'Ja, iets in die geest.'

'Je weet best dat jullie jezelf in dat opzicht niets te verwijten hebben.'

'Waarom zit ze dan zo in de knoop?'

'Omdat het haar aard is, of liever gezegd, omdat het er héél langzaam is ingeslopen. Om te beginnen weten we dat ze een hekel aan haar werk heeft.'

'Dat kan wel zijn, maar ze heeft geen hekel aan het salaris dat ze vangt.'

'Dat is zo. Al dat geld, dat prachtige appartement, die mooie auto, de dure vakanties. Ze heeft het me allemaal verteld, en ook wat haar toekomstplannen zijn. Ze wil tien jaar lang veel geld verdienen, dan houdt ze ermee op. Op haar vijfendertigste is ze binnen en kan ze doen wat ze wil. Ze zei me dat de dans om het geld iedereen opbreekt. Het is kapitalisme ten top en als je niet presteert, kun je het wel schudden.'

'Het gekke is dat ze vreselijk goed is in haar werk.'

'Ja, maar het knaagt wel aan haar. In tegenstelling tot de meeste mensen in dat vak is Lizzie verre van oppervlakkig. Ze is zich juist erg bewust van wat er speelt, weet waar ze in het leven staat en weet dat ze zich beperkingen heeft opgelegd.'

'Zo moeder, zo dochter,' verzuchtte ik.

'Kijk Hannah, je wilt het misschien niet toegeven, maar ook jij staat je mannetje. Goed, Lizzie heeft de illusie dat al dat geld haar op een gegeven moment vrij zal maken, maar ik denk dat ze heel goed weet dat het gelul is. Ik zie dat wanhopige zoeken – die behoefte aan een man, ook al is het een getrouwde pias – als bewijs van zelfhaat, en die is ontstaan omdat ze in een wereldje zit waar ze niets mee heeft. Zodra ze ander werk heeft en iets doet waar ze écht bij betrokken is, denk ik dat het afgelopen is met dat manische gedoe, wat volgens mij een voorbode is van een echte depressie.'

Ik moest het hem nageven: hij had de spijker op de kop geslagen en het zó verwoord dat je meteen begreep waarom hij een gevierd historicus en schrijver was.

'Wil jij eens met haar praten?' vroeg ik.

'Dat heb ik al gedaan.'

'Wat vertel je me nou?'

'Ze belt me twee, drie keer per week.'

'Sinds wanneer?'

'Al een paar weken. De eerste keer belde ze laat op de avond, na twaalven om precies te zijn, en begon ze spontaan te huilen. Dat gesprek duurde toen zeker twee uur.'

'Waarom belde ze jou?'

'Dat moet je haar vragen. Na die eerste keer, toen het net uit was en ik er alles aan gedaan heb haar van een wanhoopsdaad af te houden, belde ze me bijna iedere dag. Ik heb een psychiater voor haar gezocht en...'

'Ze loopt bij een psychiater?'

'Ja, een heel goede vent van Harvard, Charles Thornton, die weer de zoon is van een studiegenoot van me op Princeton. Thornton is een expert op het gebied van obsessief-compulsief gedrag.'

'Ik geloof direct dat hij een genie is, want met minder neem je geen genoegen, maar wat me verbaast is dat je er nooit iets over hebt gezegd, dat je zelfs daarnet nog deed of je nergens van wist.'

'Dat begrijp ik, maar ik heb Lizzie beloofd mijn mond tegen je te houden. Wat dat betreft lijken we op elkaar: ik klap nooit uit de school.'

Ik reageerde daar maar niet op. Ik wist wat hij bedoelde. Het leek wel of het gezinsleven een aaneenschakeling was van 'Niet aan je vader en moeder vertellen, hoor', 'Hou het alsjeblieft voor je' en 'Zus of zo hoeft dit niet te weten'.

'Waarom heb je die belofte dan nu opeens gebroken?' vroeg ik.

'Omdat jij dat ook hebt gedaan.'

'Alleen omdat ze...'

'Dat snap ik. Dit is een crisis, je wist dat ik wel zou doorhebben dat er iets aan je knaagde en je vindt het vervelend dingen voor me achter te houden. Wat dat betreft zit je anders in elkaar dan ik: jij hebt geen talent om dingen voor je te houden.' Hij keek me aan en ik wist niet of ik nou moest gaan huilen of dat ik die karaktertrek in stilte moest bewonderen. Wat was hij er toch een meester in om alles keurig in vakjes te stoppen en wat kon hij goed leven met zijn inconsequente gedrag. Hij was altijd bereid dingen toe te geven, maar dan wel altijd achteraf. Afgelopen zomer had ik uitgevonden dat hij die twee jaar dat mijn moeder in het verpleeghuis zat, een soort relatie had met een jongere vrouw, ene Edith Jarvi. Als ik 'jongere vrouw' zeg, bedoel ik zevenenzestig, maar voor een tachtiger is dat uiteraard een groen blaadje. Net als al zijn eerdere vriendinnen, was ook Edith een leuk, intelligent mens (ik vraag me af of ze ooit naar bed is geweest met iemand die *The New York Review of Books* níét las). Ze was sinds kort gepensioneerd en had jarenlang een leerstoel Russisch gehad. Ze was getrouwd met iemand van het universiteitsbestuur, maar zat vaak bij mijn vader.

Toen ik erachter kwam en hem vroeg hoelang ze al met elkaar omgingen, deed hij een beetje moeilijk, dus rees het vermoeden dat hij al wat met haar had toen mijn moeder nog goed was.

Zelfs de manier waarop ik erachter was gekomen, was typisch Latham. Afgelopen juni belde ik hem 's avonds zomaar een keer op en kreeg ik een vrouw aan de lijn.

'Ben jij Hannah?' vroeg ze me. Ik was even een beetje van slag.

'Eh... ja. En wie bent u?'

'Ik ben Edith, een kennis van je vader. Ik hoop je de volgende keer dat je John opzoekt, te kunnen ontmoeten.'

*John.*

Ze gaf de hoorn aan mijn vader.

'Dat was Edith,' klonk het een beetje schaapachtig.

'Ja, dat heb ik begrepen. Een "kennis"?'

'Dat klopt.'

'Niet meer dan een "kennis"?'

Het was even stil, toen: 'Nou ja, wel iets meer dan dat.'

Ik kon mijn lachen maar net inhouden. 'Ik sta versteld van je, pap. Op jouw leeftijd draaien de meeste mannen zich op hun andere zij en snurken een eind weg, maar jij...'

'Het is pas begonnen nadat je moeder...'

'Ik neem het direct van je aan en om je de waarheid te zeggen: het maakt me niets uit.'

'Je bent niet boos?'

'Natuurlijk niet, maar je had het me wel eens wat eerder mogen vertellen.'

'Het is nog maar pril.'

Waarom ging hij toch altijd zo creatief om met de waarheid? Zijn onvermogen om open kaart met me te spelen had ons al een keer uit elkaar gedreven. Het was hopeloos en het scheelde niet veel of ik had hem eens goed de waarheid gezegd, maar ik hield me in. Mijn vader was tweeëntachtig en het was een illusie te denken dat hij door mijn gefoeter nog een eerlijker mens zou worden. Ik kon hem niet veranderen en moest hem maar nemen zoals hij was.

'Wanneer kan ik haar ontmoeten?' vroeg ik.

Een paar weken later was er een gezellig etentje bij hem thuis. Edith had alles georganiseerd en ik moet zeggen dat het een groot succes was. Ze voldeed volledig aan mijn verwachtingen: ze was een zeer ontwikkeld, aardig mens. Haar ouders waren immigranten uit Letland en ze was tweetalig opgevoed. Ze had Russisch gestudeerd aan Columbia University, had al dertig jaar een leerstoel op de universiteit van Vermont en (jawel!) schreef met enige regelmaat artikelen over Russische literatuur in *The New York Review of Books*. Ze vertelde me dat haar man – de gepensioneerde bestuurder – meestal in Boston woonde (ongetwijfeld met een knappe Kroaatse) en dat ze een 'open huwelijk' hadden. Ik nam dus maar aan dat haar man het geen punt vond dat ze met mijn vader naar bed ging.

Desondanks voelde ik me de avond van het etentje een beetje ongemakkelijk toen ze me tegen tien uur goedenacht wensten en samen de trap op gingen. Vraag me niet waarom. Gezien de toestand van mijn moeder was hij in feite een weduwnaar en ik wist natuurlijk dat hij tijdens zijn huwelijk niet direct een trouwe echtgenoot was. Ik vond het een raar idee dat hij in het bed waar hij met mijn moeder had gelegen met een ander lag, laat staan dat hij en Edith er de liefde bedreven (als dat die avond al het geval was). Het is ook mogelijk dat ik me ongemakkelijk voelde omdat ze het zo vanzelfsprekend vonden dat ik er geen bezwaar tegen had en ach, misschien behandelde mijn vader me gewoon als een vrouw van in de vijftig die daar niet moeilijk over zou doen.

De volgende morgen was Edith al op toen ik beneden kwam. Ze was bezig met het ontbijt en toen ze me een kop sterke koffie had ingeschonken, keek ze me onderzoekend aan en zei: 'Mag ik je wat recht op de man af vragen?'

'Eh... ga je gang,' zei ik. Ik bereidde me voor op wat voor onthulling dan ook (ze kon in elk geval niet zwanger zijn, dat was een hele opluchting).

'Je staat afwijzend tegenover me, hè?'

'Waarom denk je dat?' was mijn diplomatieke antwoord.

'Omdat ik het aan je zie.'

'Ik ben juist nogal onder de indruk van je, Edith.'

'Dat kan wel zijn, maar je bent niet erg te spreken over het feit dat ik een romance met je vader heb. Dat is namelijk precies wat het is: een "romance" en wat ons betreft heeft de voorzienigheid daar een handje in gehad.'

'Ik ben juist blij voor jullie,' zei ik, maar ik hoorde dat het er niet overtuigend uit kwam.

'Dat hoop ik dan maar. Je schiet er weinig mee op om er preuts over te doen, *n'est-ce pas?*'

Mijn vader heeft me nooit gevraagd hoe ik over haar dacht, maar ik moet zeggen dat ik haar na mijn aanvankelijke reserves (ik bén natuurlijk een beetje preuts) zeker ben gaan waarderen. Ik was blij dat mijn vader een 'romance' beleefde. Het deed hem zichtbaar goed en daarbij, het was natuurlijk een prettig idee dat er iemand was die voor hem zorgde.

'Niet boos zijn,' zei hij. Ik schrok op uit mijn overpeinzingen en keek naar de tosti die voor me lag.

'Dat ben ik ook niet. Ik maak me zorgen over Lizzie, dat ze aan jou heeft gevraagd om míj niets te vertellen en dat ík het er niet met Dan over mocht hebben.'

'De logica is ver te zoeken. Misschien denkt ze dat het op die manier allemaal intrigerender en theatraler wordt. Weet Dan ervan?'

'Ja. Hij maakte er geen punt van dat ik hem niet eerder op de hoogte had gebracht. Trouwens, heeft ze jou ook verteld dat ze 's nachts voor het huis van die dokter postvat?'

'Ja, dat weet ik. Ik ben blij dat ze vannacht thuis is gebleven en zes uur heeft geslapen. Voor haar is dat een hele ruk.'

'Hoe weet je dat allemaal?'

'Omdat ze me vanochtend vroeg heeft gebeld.'

'O? Hoe klonk ze?'

'Wanhopig optimistisch, als dat niet al te tegenstrijdig klinkt, maar ik denk dat het in dit geval een juiste observatie is. Ze heeft vanmiddag een afspraak met dokter Thornton, dus dat is in elk geval iets.'

'Ik heb beloofd haar vanavond te bellen,' zei ik.

'En zíj zou míj bellen. Weet ze dat je in Burlington bent?'

'Nee, daar hebben we het niet over gehad.'

'Bel jij haar dan maar eerst, dan wacht ik wel tot zij mij belt.'

Lizzie zat in een crisis en het nare was dat we er niets aan konden doen, vandaar dat we ons maar richtten op het volgende probleem in de familie.

Het verpleeghuis, een functioneel, modern gebouw, lag in een rustige woonwijk vlak bij de universiteit. Het personeel was kundig en zorgzaam, hoewel ik me ergerde aan die eeuwige glimlach die op hun gezicht gebeiteld was. De kamer van mijn moeder was redelijk smaakvol ingericht, in een stijl die het midden hield tussen een hotelkamer en een Ralph Lauren-bejaardentehuis. Desondanks kon ik het er hoogstens een halfuur uithouden. Toen we binnenkwamen, zat ze in haar leunstoel in de verte te staren.

Ik ging naast haar zitten en zei: 'Mam, ik ben het, Hannah.'

Ze keek me even aan, maar ik zag dat ze niets registreerde. Ze draaide haar hoofd weg en staarde naar de muur. Ik pakte haar warme hand, die slap in de mijne bleef liggen. Toen ze er net woonde, praatte ik veel tegen haar. Ik vertelde haar over de kinderen, over Dans werk, over school, maar na de eerste paar keer was ik daarmee opgehouden omdat ik merkte dat het helemaal niet tot haar doordrong en dat ik het meer voor mezelf deed dan voor haar. Mijn banale monologen onderstreepten de ernst van de situatie alleen maar en uiteindelijk schoot ik er zelf ook niets mee op. Sindsdien ging ik er alleen heen om mijn vader te steunen.

Hoewel hij het er vreselijk moeilijk mee had, deed hij zijn best dat niet te tonen. Hij zat rustig tegenover haar, pakte haar hand en bleef zo een tijdje zitten. Na een minuut of tien stond hij op, plaatste zijn wijsvinger onder haar kin en gaf haar een kusje op haar mond. Geen reactie. Zodra hij haar kin losliet, zakte die weer op haar borst en dat bleef zo.

Mijn vader knipperde met zijn ogen, slikte even en keek een andere kant op om rustig te worden. Hij pakte een zakdoek, depte zijn ogen, zuchtte diep en keek me aan. Ik had het liefst mijn armen om hem heen geslagen, maar ik wist dat je hem onder dergelijke omstandigheden beter met rust kon laten. Het was niet zo dat hij iedere keer huilde, maar als dat wel het geval was, wilde hij niet getroost worden. Hij was weinig aanhalerig, wat ik maar toeschreef aan zijn opvoeding, en huilen in het bijzijn van anderen zag hij als een teken van zwakte. Ik ging op zijn stoel zitten en nam mijn moeders hand nog even in de mijne.

Mijn vader schraapte zijn keel en zei: 'Zullen we maar weer?'

Ik gaf haar een zoen, stond op en liep achter hem aan richting de deur. Ik keek nog even om. Ze staarde glazig voor zich uit en ik kreeg de indruk dat ze afweziger was dan ooit. Ik kon met moeite een rilling onderdrukken.

'Ja, we gaan,' zei ik.

We zaten in de auto. Hij omklemde het stuur en deed zijn ogen dicht. Toen hij ze weer opendeed, zei hij: 'Als je eens wist hoe ik er iedere keer tegenop zie.'

'Het klinkt misschien vreselijk,' zei ik, 'maar je vraagt je af of ze haar niet iets kunnen geven om hier een eind aan te maken.'

'Op dat gebied zijn we niet zo verlicht als de Nederlanders. Als je hier het woord "euthanasie" maar in de mond neemt, staan ze al op hun achterste benen en roepen dat je moord wilt legaliseren. Het zijn dezelfde fanatiekelingen die tegen stamcelonderzoek zijn, waardoor een ziekte als Alzheimer misschien te genezen is, en dat alleen omdat er een eicel en een spermatozoïde in vitro worden samengesmolten. Intussen zit Dorothy daar weg te kwijnen.' Hij zweeg en slaakte een diepe zucht. 'Weet je wat me ook zo ergert? De tweehonderdduizend dollar die je moeder van haar ouders heeft geërfd, die ze Lizzie en Jeff wilde nalaten, gaan in zijn geheel naar dat verpleeghuis. Het kost veertigduizend dollar per jaar om haar in leven te houden. Waar is het goed voor, waar dient het toe? Ik weet zeker dat ze het vreselijk zou vinden als ze wist dat het geld dat voor haar kleinkinderen bestemd was...'

'Jeff en Lizzie verdienen allebei goed, pap, met dank aan de vrijemarkteconomie.'

'Dat zal best, maar ik wind me er flink over op.'

'Laten we dan maar gauw ergens een borrel gaan drinken, goed?'

Zijn greep op het stuur verslapte en hij zei: 'Misschien wel twee ook.'

We reden naar een aardig, sober ingericht café in het centrum. Twee drankjes werden er drie, vergezeld van – erg ouderwets – schaaltjes ongedopte pinda's. Ik kan me niet herinneren wanneer ik voor het laatst drie wodkamartini's achterover heb geslagen, maar we waren te ver heen om met de auto naar huis te gaan, dus vroeg ik de barkeeper een taxi te bellen. Ondanks zijn hoge leeftijd kon mijn vader heel goed tegen drank, wat niet wil zeggen dat hij niet een beetje tipsy was, maar hij bleef welbespraakt, zeker toen hij het over de president (die hij 'het presiventje' noemde) en diens 'junta' had. 'Geloof het of niet, maar ik heb zelfs een beetje heimwee naar de dagen van Nixon. Ongelooflijk dat het zover is gekomen.'

Tegen zes uur zette de taxi ons thuis af. Ik liep meteen door naar de keuken, keek in alle kastjes en vond alle ingrediënten voor spaghetti bolognese. Mijn vader ging in de leunstoel in zijn werkkamer zitten en viel meteen in slaap, terwijl ik op de een of andere manier een maaltijd in elkaar wist te draaien. Toen ik hem wilde zeggen dat het eten over twintig minuten op tafel zou staan en hem zo zag zitten, wachtte ik maar even met het koken van de pasta tot hij wakker was.

Ik had me net omgedraaid om weer naar de gang te gaan, toen mijn mobiele telefoon ging. Mijn vader was meteen klaarwakker.

Lizzie?

Ik keek op het schermpje en zag het kengetal van New York.

Het was Margy.

'Hallo,' zei ik. 'Ik heb vandaag nog aan je gedacht.'

'Schikt het even?' klonk het somber.

'Natuurlijk. Ik zit bij mijn vader in Burlington. Is er wat?'

'Kun je vrijuit spreken?'

'Gaat het over je gezondheid?'

'Nee, maar fijn dat je me daar even aan herinnert. Ik bel wel een andere keer.'

'Nee, wacht nou even. Ik ga wel…' Ik zei tegen mijn vader dat het Margy was en dat ik even met haar moest praten.

'Doe maar net alsof ik er niet ben. Ik moet die martini's even zien kwijt te raken.'

Ik liep naar de keuken, keek in de pan met saus en roerde erin. 'Zeg het maar,' zei ik. 'Wat ben je somber. Heb je slecht nieuws?'

'Nu jij er toch over begint. Ik heb vanochtend wat bloed opgehoest, dus ben ik als een speer naar mijn lieve oncoloog gegaan, die me meteen doorstuurde naar de radioloog om een foto te laten maken. Er was niets op te zien, dus ik heb een hele ochtend voor niks in de stress gezeten, om nog maar te zwijgen over de schrik. Toen ik op mijn werk aankwam, lag er een pakje op mijn bureau. Zoals je misschien weet, doen we tegenwoordig ook publiciteit voor uitgeverijen. Zo slecht gaan de zaken. Nee, ik maak maar een geintje. Er is een aantal uitgeverijen die de publiciteit uitbesteden en zo nu en dan krijg ik een zetproef toegestuurd om te zien of we daar iets mee kunnen. Goed, een dag of wat geleden ben ik benaderd door Plymouth Rock Books, een rechtse uitgeverij die het de laatste jaren nogal goed doet, zoals je zult begrijpen. Ze hebben een boek aangekocht van een figuur uit Chicago die zijn eigen radioprogramma heeft en in de buurt van het Michiganmeer de nodige fans heeft. De uitgeverij hoopt dat hij nationaal gaat doorbreken en dat het een bestseller wordt. Het gaat over zijn avonturen in de jaren zestig, toen hij een bekende radicaal was, de ondergrondse acties waaraan hij heeft meegedaan, zijn vlucht naar Canada en zijn bekering tot Grote Amerikaanse Patriot en Belijdend Christen.'

Ik hield op met roeren. 'Tobias Judson?'

'Ja.'

'Heb je het gelezen?'

'Helaas wel.'

Ik zette het gas uit, liep naar een keukenstoel en ging zitten. 'Ik hoef het niet eens te vragen...'

'Nee,' zei ze. 'Ja, je staat erin. Beter gezegd: hij heeft een heel hoofdstuk aan je gewijd.'

# 3

ZE POPELDE OM me te vertellen wat Tobias Judson over me had geschreven, maar ik was zo ondersteboven van het nieuws, dat ik niet helder kon nadenken en ik zei tegen haar dat ik er even geen zin in had. 'Laat maar even,' zei ik. 'Ik lees het later wel.'

'Meen je dat? Moet ik niet een tipje van de slui...'

'Nee, want dan word ik helemaal gek en doe ik 's nachts geen oog meer dicht.'

'Dat doe je toch al niet.'

'Klopt, maar dan in elk geval niet over wat jíj zegt dat híj heeft geschreven.'

'Het goede nieuws is dat hij je niet met name noemt.'

'Er blijft anders nog genoeg slecht nieuws over.' Ze zweeg, dus ik zei: 'Nou, het feit dat je dat niet tegenspreekt, zegt me genoeg.'

'Ik zeg niets. Ik stuur je het boek morgen per koerier op. Naar het adres in Maine?'

'Ja, dat is goed.' Ik had het nog niet gezegd, of ik bedacht me dat Dan donderdags wel eens vrij had. Hij maakte mijn post nooit open, maar als er iets per koerier werd bezorgd, wilde hij vast weten wat het was en moest ik me eruit zien te redden.

'Wacht even. Stuur het maar naar school,' zei ik.

'Oké. Als je het uit hebt, moet je me meteen bellen. Ik wil niet op de zaken vooruitlopen, maar misschien is het verstandig als je een woordvoerder inhuurt, iemand met een grote mond die het een en ander voor je kan rechtzetten.'

'Rustig aan. Ik beloof je dat ik zodra ik het heb gelezen contact met je opneem, maar tot die tijd kan ik er echt niets over zeggen.'

'Je bent er vrij rustig onder. Als het mij betrof, zat ik allang in de gordijnen.'

'Op het ogenblik heb ik wel wat anders aan mijn hoofd.'

'Mag ik vragen wat?'

Voor de tweede keer die dag vertelde ik het verhaal, met dien verstande dat ik er deze keer aan kon toevoegen dat mijn vader Lizzie al weken raadgaf. Toen ik klaar was, zweeg ze even, en zei toen: 'Weet je wat ik nou het ergst van alles vind? Jij en Dan zijn zulke fantastische ouders geweest, de kinderen zijn in een hecht gezin opgegroeid en alles liep altijd op rolletjes. Jullie waren er altijd voor de kinderen en...'

'Zo werkt het niet, Margy. Je doet wat je kunt en daarna is het in, eh, Gods handen, denk ik. Ouders hopen dat hun kinderen het goed zullen doen, dat hun ellende bespaard blijft, maar helaas, het loopt wel eens anders. Ik zit er vreselijk mee. Het is een zielig hoopje mens.'

'Zeg dat nou niet.'

'Hoezo? Het is toch waar?'

'Ze maakt een moeilijke periode door.'

'Je hoeft me niet te sparen, Margy. Lizzie stalkt een getrouwde man en zit voor zijn huis in de auto op hem te wachten. Als ze het over hem heeft, klinkt ze heel raar, met een verwrongen stem, maar doodkalm, alsof het de gewoonste zaak van de wereld is. De waarheid is dat ze in een neerwaartse spiraal zit.'

'Dan is het maar goed dat je vader haar naar die psychiater heeft gestuurd.'

'Tot nu toe heeft dat niet geleid tot een wonderbaarlijke genezing.'

'Geloof me als ik zeg dat therapie een lang en moeizaam proces is dat jaren kan vergen. En dan nóg mag je geen wonderen verwachten.'

'Als ik het een beetje goed inschat, hééft ze geen jaren meer. Ik houd mijn hart vast.'

'Had ik dit geweten, dan had ik je niet lastiggevallen met dat domme boek.'

'Ik ben blij dat ik het weet en ik hoor het liever van jou dan op een andere manier.'

'Volgens mij komt geen mens erachter dat hij het over jou heeft.'

'Nou maak je alweer toespelingen op de inhoud.'

'Sorry. Die grote mond van mij ook altijd.'

'Hou maar op. Je bent mijn beste vriendin, dat weet je.'

'Wanneer hoop je wat van Lizzie te horen?'

'Vanavond.'

'Laat me maar weten hoe het is gegaan.'

'Afgesproken. Zit je nog op je werk?'

'Inderdaad.'

'Vindt die oncoloog van je het wel een goed idee dat je jezelf zo afbeult?'

'Ik ben zijn grootste succesverhaal. Dat wil zeggen: tot op heden.'

'Ze beweren toch dat ze alles te pakken hebben? Dan zit het toch goed?'

'Je hoeft me niet te sparen, Hannah. Dokter Walgreen zegt dat ze in essentie alle kankercellen hebben vernietigd. Let wel, "in essentie". Hoe het ook zij, ik heb uren op de website van de Mayo-kliniek zitten kijken en alles gelezen over die fijne ziekte die ik aan mezelf te wijten heb. Wat ik heb begrepen is dat secondaire, tertiaire en... wat komt er na tertiaire? Nou ja, zelfs na alle MRI-scans en die stoet radioactieve infusen die ze chemo noemen, valt nog niet met honderd procent zekerheid te zeggen dat alles weg is.'

'Je hebt de strijd gewonnen, Margy.'

'In essentie, zul je bedoelen.'

Na het telefoongesprek ijsbeerde ik in de zitkamer en dwong mezelf tot rust te komen. Ik wist dat ik voorlopig niets kon doen aan Tobias Judson (de naam alleen al deed me rillen) en dat rotboek van hem. Omdat het paasvakantie was, zou ik het boek pas volgende week onder ogen krijgen. Het leek me verstandig er tot die tijd maar niet aan te denken.

*Ja ja. Succes ermee.*

Natuurlijk, ik wist dat ik me er de hele week over zou opwinden en het nare was dat ik het niet met mijn vader kon bespreken. Ik zou er alleen maar oude wonden mee openrijten. Als ik de hele geschiedenis zou oprakelen, weet ik zeker dat dat hem weer veel verdriet zou doen. Gezien zijn leeftijd en het gedoe met mijn moeder, was het beter...

'Hannah? Ben je nog steeds aan het bellen?' Mijn vader klopte zachtjes op de deur.

Ik haalde diep adem, zette een zo ontspannen mogelijk gezicht op en zei: 'Ik kom eraan, pap.'

Ik deed de deur open en zag hem naar de keuken lopen. Ik liep achter hem aan en hij stond al in de pan met saus te roeren. Het water van de pasta kookte.

'Ik wilde je niet haasten,' zei hij, 'maar ik denk dat de spaghetti wel gaar is.'

'Goed zo,' zei ik. 'We hadden net opgehangen.'

Hij keek me onderzoekend aan en vroeg: 'Alles goed?'

'Ze heeft het niet makkelijk.' Vlak voor Kerstmis had ik hem verteld dat ze ziek was en sindsdien hield ik hem op de hoogte van haar toestand.

'Arm mens,' zei hij. 'Longkanker is van alles wat een mens kan krijgen, wel het ergste.'

'Helemaal waar. Volgens mij is marchanderen met je lot onlosmakelijk verbonden met het ouder worden,' zei ik.

'Je bedoelt: "Toe, laat me niet doodgaan na een onwaardig, afgrijselijk sterfbed"?'

'Precies. Een van de nadelen van niet geloven in een God die alles leidt, is dat wanneer jou of iemand die je na staat iets overkomt, je jezelf niet kunt troosten met de gedachte dat het allemaal Gods wil is.'

'Ach ja, religie, dat "door motten opgevreten stuk brokaat dat ons wijsmaakt dat we onsterfelijk zijn".'

'Heb je die van jezelf?' vroeg ik.

'Was dat maar waar. Nee, van Philip Larkin, een Engelse dichter. Hij is misschien een zwartkijker, maar briljant als hij het heeft over de enorme, onuitgesproken angsten waarmee we in het leven te maken krijgen. Of beter gezegd: de angst voor de dood. "De meeste dingen gebeuren nooit, maar dit wel."'

'Is die spaghetti nou nog niet gaar?' vroeg ik.

Hij glimlachte. 'Een typisch Italiaanse reactie.'

'Hoe bedoel je?'

'Op onze sterfelijkheid. Als de gedachte aan het einde je te veel wordt, is er maar één oplossing: eten.'

Mijn vader had ergens in een keukenkastje een fles rode wijn gevonden die we tijdens het eten soldaat maakten. De wijn hielp me mijn zenuwen in bedwang te houden en om dat te bereiken, zou ik zelfs pure spiritus hebben gedronken. Zo nu en dan keken we op de klok aan de muur en vroegen ons af of we nog iets van Lizzie zouden horen.

'Hoe laat hebben ze afgesproken?' vroeg ik.

'Na het werk, dus dat kan zeven uur zijn, acht uur…'

'Als ik om tien uur nog niets heb gehoord, bel ik haar, op het gevaar af dat ze me een bemoeial vindt.'

'Onder de gegeven omstandigheden…'

Tegen negenen was de fles zowat leeg en we hadden nog niets gehoord. Mijn vader was zo te zien verkwikt door het door martini ingegeven dutje en zat op zijn praatstoel. Hij vertelde over een dronken episode in Londen, tijdens de oorlog. Hij had het adres van de dichter T.S. Eliot ergens opgeduikeld en samen met een studievriend van Harvard ging hij bij Eliots flat in Kensington aanbellen.

'Het was rond elf uur 's avonds. Hij was in pyjama en kamerjas. Hij vond het niet erg geslaagd dat er twee dronken Amerikaanse militairen op de stoep stonden en dan druk ik me nog voorzichtig uit. Hij vroeg wat we moesten. Ik herinner me zijn prachtige Britse uitspraak en dat hij zelfs in zijn kamerjas een groot man was. Goed, hij vroeg wat we moesten, dus ik moest wel wat zeggen. Het enige waar ik op kon komen was: "U, meneer Eliot."' Hij smeet de deur dicht, waarop mijn makker, Oscar Newton, me aankeek en zei: "Tja, de meester dichtte het al. April is de wreedste maand…" Drie weken daarna is Oscar trouwens in Frankrijk gesneuveld.'

De telefoon ging. We schrokken op. Mijn vader nam op en ik zag hem teleurgesteld kijken. 'Dag, Dan. Ja, die zit hier tegenover me. Nee, we hebben nog niets gehoord.' Hij gaf me de hoorn aan.

'Hannah? Nog geen bericht, hè?' zei Dan.

'We zitten te wachten.'

'Je hebt je vader op de hoogte gebracht?'

'Dat had Lizzie zelf al gedaan.' Ik vertelde hem dat ze al weken met mijn vader in contact stond en bereidde me er al op voor dat Dan zich nog meer buitengesloten ging voelen, dat hij zich hardop zou afvragen waarom Lizzie hém niet om hulp had gevraagd, maar haar grootvader. Dan bleef echter Dan en als hij al teleurgesteld was, liet hij het niet merken. 'Het is goed dat ze met haar grootvader praat, maar ik zou zo graag weten wat haar scheelt.'

'Dat geldt voor ons allemaal. Ik bel je zodra we meer weten.'

Om halfelf, mijn vader werd al een beetje slaperig, hadden we nog niets gehoord, dus belde ik haar mobiele nummer maar. Ik kreeg de voicemail, zei dat ik me afvroeg hoe het was gegaan, dat ze me de hele nacht kon bereiken en dat ik er voor haar was. Ik overwoog haar appartement nog te bellen, maar ik was bang dat het haar zou ergeren als ik ook daar een bericht achterliet. Ik keek mijn vader aan en zei: 'De hoogste tijd, pap.'

'Ze heeft me in het verleden wel vaker midden in de nacht gebeld, dus als ik wat hoor...'

'Maak me meteen wakker.'

'Ik zou het liefst in de auto stappen en naar Boston rijden, gewoon om te kijken of alles in orde is.'

'Als we morgenmiddag nog niets hebben gehoord...'

'Daar hou ik je aan,' zei hij.

Ik liep de trap op naar de logeerkamer, kleedde me uit, deed mijn nachtpon aan en kroop in bed met de bundel korte verhalen van John Updike die ik beneden ergens had gevonden. Ik hoopte dat Updikes klagerige beschrijving van zijn jeugd in Shillington, Pennsylvania, me in slaap zou sussen, maar dat gebeurde niet. Ik knipte het licht uit, trok het hoofdkussen naar me toe, rook het bleekmiddel dat de ouderwetse hulp van mijn vader altijd in de wasmachine goot (wie doet dat nou nog?) en wachtte op het moment dat ik zou wegzakken, maar na een halfuur zat ik alweer rechtop, knipte het licht aan en ging verder met Updikes saaie beschrijving van zijn puberale verlangens.

Er gingen twee uur voorbij. Ik stond op en ging naar beneden om een pot kruidenthee te zetten in de hoop dat die me slaperig zou maken. Toen ik de keuken in kwam, zag ik mijn vader aan de keukentafel zitten met de meest recente *Atlantic* voor zich.

'Ik vroeg me al af of je de nacht zou doorslapen,' zei hij en glimlachte. Hij herinnerde zich natuurlijk dat ik als kind al slecht sliep.

'Heerlijk, pap, dat er iemand is met wie ik tot aan de dageraad mijn zorgen kwijt kan,' zei ik.

'Nou, ook zonder zorgen slaap ik de laatste tijd niet erg goed. Nóg zo'n verschijnsel dat bij het ouder worden hoort: het lichaam heeft minder behoefte aan slaap omdat het weet dat het niet zo lang meer mee hoeft.'

'Dat noem ik nou echt opbeurende praat.'

'Tja, als je in je negende decennium zit... Enfin, gek eigenlijk dat alle grote gedachten over leven en dood in wezen zo banaal zijn. Het mooie is dat ik weet dat de dood eerder vroeg dan laat zal aankloppen, maar het is en blijft een heel raar idee. Er niet meer te zijn, helemaal weg, afgelopen...'

'Ik kan maar beter op dit uur niet met je praten.'

Hij glimlachte. 'Ik kan je wel vertellen dat ik jaloers ben op mensen die gelovig zijn, op die kleinzoon van me bijvoorbeeld. Geloof maakt het einde heel wat gemakkelijker.'

'In de tussentijd, vóór je naar het paradijs schuifelt, kun je de tijd die je rest mooi vullen met andere mensen vertellen hoe ze hun leven moeten inrichten.'

'Jeff bedoel je?' vroeg hij. 'Niet zo hardvochtig, Hannah.'

'Wacht even. Wie is hier hardvochtig? Híj toch zeker?'

'Het is moeilijk te zeggen hoe iemand politiek is gevormd. Ik vraag me wel eens af ik daar debet aan ben, dat hij zich voor mijn opvattingen schaamt.'

'Ik zou graag iets aardigs zeggen, iets als "hij houdt écht van je, hoor". Het kan het late uur zijn, dus vergeef me, maar ik weet niet eens of hij wel van míj houdt. En weet je wat ik nog het ergste van alles vind? Dat zijn intolerantie wordt gevoed door negativisme. Hij heeft meteen een oordeel klaar en heeft geen idee wat mededogen is. Natuurlijk, ik hou van hem, maar het spijt me dat ik het zeg, maar écht aardig vind ik hem niet.'

'Denk je dat Shannon hem beïnvloedt?'

'Ik weet wel dat hij door haar, en ik citeer, "in de Here" is gekomen. Je kent haar standpunt op het gebied van abortus, om nog maar te zwijgen over dat van haar vader, die een of andere evangelist is. Jeff is zo ondergedompeld in die wereld dat ik me afvraag of hij er, als hij dat zou willen, ooit nog uit kan stappen.'

'Misschien kunnen we hem als hij ergens op zakenreis is met een door ons geregelde prostituee betrappen.'

'Papa!'

'Rustig nou. Ik heb het over een heel leuke, nette callgirl, iemand die hem een prachttijd bezorgt en hem laat zien wat hij mist met Shannon.'

Ik kon mijn oren niet geloven en keek hem met grote ogen aan.

'Niet dat hij zijn baan erdoor kwijtraakt of zo. We laten die callgirl verklaren dat ze door "derden" is betaald om hem te verleiden, dat het een *practical joke* is van studievrienden, iets van dien aard en o ja, dat ze iets in zijn drankje heeft gedaan waardoor zijn beoordelingsvermogen een beetje vertroebeld was en dat hij daarom voor haar charmes is bezweken. Dat bedrijf waar hij voor werkt heeft verder geen problemen met zijn uitspatting, al was het alleen maar omdat hij veel geld voor hen binnenhaalt. Als het meezit, gooit Shannon hem het huis uit en hoewel het voor hun kind natuurlijk heel naar is allemaal, komt Jeff er zelf snel bovenop. Hij zweert dat enge fundamentalisme af, zegt zijn baan in het bedrijfsleven op, verhuist naar Parijs, huurt een hok in een eng *arrondissement* en verdient de kost met het schrijven van pornografische romans.'

'Hou je nou op,' smeekte ik, maar ik kon mijn lachen niet inhouden.

'Zeg nou maar niet dat mijn fantasietjes je niet aanspreken.'

'Ik weet niet of ik erom moet lachen of huilen.'

'Geef het maar toe. Je denkt dat ik een beetje aangeschoten ben.' Ik keek in zijn pretogen en dacht: wat leuk dat hij nog steeds zo tegendraads is en van die stoute gedachten heeft.

Even voor vijf uur stommelden we de trap op om nog een paar uur slaap te pakken en ik was nu zo moe dat ik meteen insliep.

De volgende ochtend werd ik gewekt door een vreemd geluid. Ik zat meteen rechtop in bed en zag het daglicht al door de dunne gordijnen komen. Het was mijn mobieltje.

Ik drukte de spreektoets in. 'Hallo?'

'Mam? Heb ik je wakker gemaakt?'

Goddank. Het was Lizzie.

'Nee,' loog ik. 'Ik lag alleen wat te doezelen.' Ik keek op mijn horloge en zag dat het tien voor halfacht was. 'Hoe is het gesprek met Mark gegaan?'

'Daar bel ik juist over,' klonk het opgewekt. 'Ik heb écht fantastisch nieuws.'

Ik verstijfde. 'O?'

'Hij heeft me ten huwelijk gevraagd.'

Ik was meteen wakker. 'Is dat even een verrassing,' wist ik uit te brengen.

'Ben je niet blij voor me, mam?'

'Natuurlijk, maar ik moet zeggen dat het me ook een beetje... verbaast. Gisteren wilde hij het toch nog uitmaken?'

'Ik wist wel dat ik hem kon ompraten.'

'Als ik zo vrij mag zijn. Wat heeft hem van gedachten doen veranderen?'

Ze giechelde, het soort giecheltje dat je eerder verwacht van een tiener die voor het eerst verliefd is. 'Dat is iets tussen hem en mij,' zei ze koket en ze giechelde weer.

Ik wist dat er iets helemaal fout zat en voelde een rilling over mijn rug gaan. Er was niets van waar. 'Lizzie? Ik begrijp het niet helemaal.'

'Wat niet?'

'Dat je hem zo gauw hebt kunnen ompraten.'

'Met andere woorden: je gelooft me niet?'

'Natuurlijk geloof ik je. Wat ik wil zeggen, is dat ik onder de indruk ben van je overredingskracht. Ik vraag me alleen af hoe...'

'Mark is al jaren niet gelukkig meer thuis. Hij heeft me verteld dat hij nooit met haar had moeten trouwen, maar dat hij het de kinderen niet kon aandoen weg te gaan, dus... Ik mag het eigenlijk niet doorvertellen, maar nu je zo aandringt. Ik heb hem gisteravond gezegd dat ik het geen punt vind als de kinderen bij ons komen wonen, vooral omdat Ruth, zijn vrouw, het er steeds over heeft dat ze naar Ierland wil emigreren om te gaan schrijven. Het plan is dat we mijn appartement onderverhuren, een groot huis zoeken voor ons viertjes en verder nog lang en gelukkig leven. Maar niet heus.'

Ik voelde meteen iets van opluchting. 'Je houdt me voor de gek, hè?'

'Helemaal niet,' klonk het kregelig. 'Dat "lang en gelukkig" was een geintje. Ik ben niet zo naïef te denken dat het eenvoudig wordt met twee stiefkinderen, maar als ik mijn best doe, hebben Bobby en Ariel...'

*Hij had een dochter die Ariel heette?*

'... en de kleine die onderweg is...'

Nu begon het me toch echt te duizelen. 'Wil je zeggen dat...'

'Ja, ik ben in verwachting.'

'Sinds wanneer?'

'Sinds gisteravond. Allemaal volgens plan, hoor. Ik zit midden in mijn cyclus en omdat we het allebei al tijden zo vreselijk graag willen, leek het ons een goed idee om de avond dat we het hadden bijgelegd en wisten dat we niet zonder elkaar verder wilden, een baby te maken.'

*Speel het spelletje mee, hou haar aan de praat...*

'Dat is geweldig, liefje.'

'Dus je bent er blij mee?'

'En of, maar vergeet niet dat ook al zit je midden in je cyclus, het niet zeker is dat je zwanger bent.'

'Ik weet gewoon dat het gelukt is. We hebben gisteravond zo heerlijk...' Ze zweeg even en giechelde weer. 'Mam? Mag ik jou eens wat vragen? Heb jij ooit zo heerlijk geneukt dat het net was of je uit je lichaam trad? Nou, zo was het gisteren met Mark. Het was net of we samensmolten. Het was zo puur, zo veel mooier dan wat ik ook met hem of met wie dan ook heb ervaren. Vandaar dat ik zeker weet dat ik zwanger ben, want toen hij klaarkwam en ik zijn zaad voelde...'

'Kindje...' Ik zweeg, want ik kon het niet over mijn lippen krijgen.

'Sorry, mam. Het was niet mijn bedoeling het zo aanschouwelijk te beschrijven,' zei ze giechelend. 'Het is gewoon... Ik kan niet eens goed onder woorden brengen hoe gelukkig ik ben, zó uniek is het allemaal. Wat ik wel weet, is dat als het kind dat ik draag oud genoeg is om het te bevatten, ik het ga vertellen dat het is gemaakt in een moment van pure hartstocht, van pure liefde.'

De tranen welden op in mijn ogen en dat kwam niet door al die romantische onzin. 'Lizzie? Waar ben je op het ogenblik?'

'Ik zit in de auto op weg naar mijn werk.'

'Denk je dat je vandaag kunt werken?'

'Na die onvergetelijke seks van vannacht, bedoel je? Je begrijpt dat ik niet veel heb geslapen, maar nu er een kind op komst is, moet ik toch echt wat geld opzij gaan leggen.'

'Heb je plannen voor vanavond?'

'Afgezien van een beetje slaap inhalen niet.'

'Ik heb een idee. Ik zit bij je grootvader en...'

'Hé, kan ik hem even spreken? Ik heb het je niet eerder verteld, maar ik heb opa al een tijdje geleden over Mark en mij ingelicht en ik denk dat hij wel blij zal zijn om te horen dat alles op zijn pootjes terechtgekomen is.'

'Hij slaapt nog. Hoor eens, wat vind je ervan als ik naar Boston kom, dan vieren we het vanavond met een etentje.'

'Sorry, mam. Ik heb al tijden niet goed geslapen en...'

'Je kunt na je werk toch even plat? Trouwens, hoe vaak krijg ik de kans te vieren dat mijn tweede kleinkind op komst is?'

'Daar zit wat in, maar je begrijpt dat ik nu ik in verwachting ben niet meer mag drinken.'

'Dan drink ik voor twee. Nou, is het een goed plan of niet?'

'Weet je zeker dat je dat hele eind wilt rijden om een toost op mijn kindje uit te brengen?'

'Reken maar. Omdat je mijn dochter bent, Lizzie, daarom.' Ik voelde iets achter in mijn keel branden en de tranen sprongen in mijn ogen. Ik hield het telefoontje bij mijn oor vandaan omdat ik niet wilde dat ze me hoorde snikken. Mijn arme meisje. 'Omdat er niets is wat ik niet voor je zou doen, dus kom, laten we gezellig uit eten gaan.'

'Nou eh... Ik weet het niet. Ik ben eh...' Ze aarzelde even. 'Nee, toch maar beter van niet, mam.'

'Morgen dan?'

Weer een korte stilte. Ik begreep dat ze me niet wilde zien omdat het ballonnetje van de wonderbaarlijke verzoening met de dokter dan zou knappen. 'Ik heb het morgen nogal druk, mam.'

'Zal ik je dan straks nog even bellen?'

Stilte. 'Goed dan,' zei ze. 'Ik ben om ongeveer zeven uur thuis.'

'Kindje... Je klinkt echt moe. Waarom meld je je niet ziek? Blijf toch lekker thuis.'

'Ik heb vandaag drie grote klanten, dus dat is onmogelijk. Bel me aan het eind van de middag maar, oké? Ik moet nu ophangen.'

Ik legde mijn telefoontje neer en begroef mijn gezicht in mijn handen. Ik moest helder nadenken. Het was twee minuten voor halfacht. Ik belde Dan thuis en op zijn mobiele telefoon, maar er werd niet opgenomen. Hij had waarschijnlijk een vroege operatie, dus ik liet een boodschap achter dat hij me zodra hij kon moest bellen. Ik stond op, liep de gang in en zag dat de kamerdeur van mijn vader nog dicht was. Het had geen zin hem wakker te maken en misschien kon hij het slechte nieuws beter verwerken als hij uitgeslapen was, dus ik ging naar de keuken, vulde de ouderwetse percolator met water en wachtte tot de koffie klaar was. Ik stelde mezelf gerust door te bedenken dat Lizzie met een goed plan misschien te redden was.

Misschien was het wel beter dat ik niet meteen in de auto stapte en naar haar toe reed, niet voor ik zekerheid had dat ze het hele verhaal volkomen uit haar duim had gezogen. Hoe vreemd het ook was, ik had een sprankje hoop dat het allemaal waar was. Er was maar één manier om daarachter te komen. Ik ging naar boven, pakte het visitekaartje uit mijn portefeuille en toetste het nummer in van Mark McQueen.

Zodra hij zijn naam had gezegd, hoorde ik al dat er iets goed scheef zat. Ik zei wie ik was en voor ik verder kon gaan, baste hij: 'Het is voor achten, mevrouw.'

'Ik heb Lizzie net gesproken en...'

'Wilt u nou een goed woordje voor haar doen, na wat ze me gisteren heeft geflikt?'

'Pardon?'

'Dat heeft ze u niet verteld?'

'Nee.'

'Wat heeft ze dan wél gezegd?'

'Dat ze je heeft gesproken en...'

'Ga door.'

Ik moest mijn woorden met zorg kiezen. 'Dat jullie weer bij elkaar zijn.'

'Zei ze dat?'

'Ja.'

'En verder?'

'Ze klonk erg gelukkig.'

'Gelukkig? Gelukkig?' Zijn stem schoot een octaaf omhoog. 'Niet te geloven! Dat mens is volkomen geschift. Ik zal u één ding zeggen: ik weet niet waar u en uw man tijdens de opvoeding in de fout zijn gegaan, maar dat mens is stapelgek.'

Ik stond op het punt hem van repliek te dienen, maar ik hield me in, al was het alleen maar omdat ik meer van hem wilde weten. 'Wat is er gebeurd, dokter?'

'Wilt u dat écht weten? Goed. Ik had met haar afgesproken in de bar van het Four Seasons Hotel en toen ze binnenkwam, zag ik al dat ze heel gelukzalig, zeg maar idioot, grijnsde. Ten overstaan van alle aanwezigen zoende ze me vol op de mond en begon ze een heel verhaal over dat ze wist dat het goed zou komen, dat ik voor haar de ware was, dat ze een kind van me wilde en dat we maar snel naar de balie moesten om een kamer te nemen waar we meteen aan die baby konden beginnen. U kunt u voorstellen, misschien ook niet, want ik heb de indruk dat u me als de kwaaie pier ziet, de getrouwde man die uw geweldige dochter in de ellende heeft gestort...'

'Vertel me nou maar gewoon wat er is gebeurd.'

'Ik heb haar heel vriendelijk uitgelegd dat ik bezet ben, me verantwoordelijk voel voor mijn vrouw en kinderen. Ja, natuurlijk, het is het cliché waar alle getrouwde mannen zich van bedienen, maar het is de waarheid. Inderdaad, ik heb haar ooit gezegd dat ik een toekomst voor ons zag en ze was ervan overtuigd dat ik mijn gezin in de steek zou laten. Onlangs heb ik haar verteld dat ik tot inkeer ben gekomen en voor mijn gezin kies. Ik heb het zo voorzichtig mogelijk gebracht en heb het zelfs gerepeteerd met mijn eh…' Hij maakte zijn zin niet af, maar ik begreep dat hij zijn psychiater bedoelde. 'Goed, Lizzie reageerde er niet goed op. Ze deed heel vreemd, begon te huilen en drukte me op het hart er nog eens over na te denken, dus ik heb opnieuw een poging gedaan haar uit te leggen dat mijn besluit vaststond. Toen raakte ze door het dolle heen en begon te schreeuwen, te krijsen en bedreigde me. Ik heb mijn best gedaan haar te kalmeren, maar dat had een averechts effect, want ze smeet een glas wijn in mijn gezicht, gooide het tafeltje waaraan we zaten om en al mijn pogingen haar tot kalmte te manen, waren tevergeefs. De bewakingsdienst is gebeld en toen de heren verschenen, was ze opeens zo mak als een lammetje. Ze ging gewoon met de heren mee, maar voegde me nog wel toe dat ik zou boeten voor…' Hij zweeg en ik meende te horen dat hij slikte. 'Weet u wat ze toen heeft gedaan? Ze is naar mijn huis gereden, heeft op de voordeur staan bonzen, is langs mijn vrouw naar binnen geglipt en naar de televisiekamer gerend, waar mijn kinderen zaten. Ze heeft hun verteld dat ze hun nieuwe moeder was, dat hun vader in tegenstelling tot hun moeder veel van hen hield en dat ze bij haar en papa kwamen wonen.' Hij zweeg even. Ik wist niet wat ik moest zeggen, zo ondersteboven was ik van het verhaal. Hij ging met gebroken stem verder: 'Ruth, mijn vrouw, heeft haar hoofd koel gehouden en Lizzie verzocht het huis ogenblikkelijk te verlaten omdat ze anders de politie zou bellen. Toen ze weigerde daar gevolg aan te geven…'

'Weigerde ze?'

'Ja, daarop heeft Ruth de politie gebeld en vlak voordat die op de stoep stonden, probeerde Lizzie de kinderen nog mee te krijgen, maar die waren onderhand hysterisch. Ruth heeft uw dochter vastgepakt en de kinderen naar boven gestuurd, zover mogelijk uit haar buurt, maar vlak voordat de politie er was, heeft ze zich losgerukt en is gevlucht.'

'Weet je waar ik haar kan vinden?'

'Hemel, nee.'

'Ze heeft hulp nodig.'

'Daar ben ik het helemaal mee eens. De politie zoekt haar en mijn advocaat is al bezig met een straatverbod. Mijn vrouw heeft gezegd dat als Lizzie nog één keer bij de kinderen in de buurt komt…'

'Dat gebeurt niet. Dat beloof ik je.'

'Wat heb ik aan beloftes? Ik wil die verknipte dochter van u nooit meer zien en om de waarheid te zeggen, ik heb er ook geen behoefte aan u nog te spreken.' Hij verbrak de verbinding.

Ik stond op, rende de gang in naar mijn vaders kamer en bonsde op de deur. 'Pappie?' riep ik.

Pappie? Dat zei ik als kind, maar alleen als ik bang was.

'Hannah? Wat is er?' Hij deed de deur open en keek me vragend aan. Ik vertelde hem wat McQueen me had gezegd. Hij keek me vol ongeloof aan en toen ik uitverteld was, zei hij: 'Bel haar nu meteen.'

Ik ging terug naar de logeerkamer, pakte mijn mobieltje en drukte de voorkeurtoets in, maar ik kreeg de voicemail. Ik belde naar haar werk, maar een collega nam op. 'Ze is er niet. Niemand weet waar ze is. Met wie spreek ik?'

'Met haar moeder.'

'Ik wil u niet bang maken, mevrouw, maar de politie heeft al twee keer naar haar gevraagd. Die willen blijkbaar ook weten waar ze zit.'

Ik gaf hem mijn mobiele nummer en vroeg hem of hij me wilde bellen zodra ze iets van haar of de politie hoorden. Ten slotte belde ik naar haar appartement, maar er werd niet opgenomen. Ik drukte mijn telefoon uit, keek mijn vader aan en zei: 'Ik ga naar Boston.'

'Dan ga ik mee.'

Twintig minuten later zaten we in de auto, op weg naar de 93. Tegen de tijd dat we New Hampshire binnenreden, belde Dan en bracht ik hem op de hoogte. Zoals altijd in een crisissituatie was Dan ook nu de rust zelve. Toen ik mijn verhaal had gedaan, zei hij: 'Ik stap nu in de auto en ik zie je in Boston.'

'Fijn,' zei ik.

'Voor ik wegrijd, bel ik de politie in Brookline wel even om te zeggen dat we eraan komen en willen helpen met de zoektocht. Ik hoor dan meteen wel of ze iets meer weten. Heeft je vader die kennis van hem, die Thornton, al gebeld?'

'Ja, een minuut of tien geleden. Hij heeft niets van haar gehoord, maar hij heeft mijn mobiele nummer voor het geval ze contact met hem opneemt.'

'Oké. Ik bel je nog,' zei hij.

'Dan? Denk je dat ze...'

'Geen idee.'

Typisch Dan. Nooit zou hij de zaken rooskleuriger voorstellen dan ze waren of zeggen dat iets in orde was als dat niet zo was, maar op dat moment had ik juist behoefte aan leugens en de verzekering dat alles goed zou komen, ook al wist ik heel goed dat daar geen sprake van was.

Anderhalf uur later, we hadden nog zo'n tachtig kilometer voor de boeg, ging mijn mobiele telefoon. Het was Dan. Hij zei dat hij de politie had gesproken en dat ze nog geen spoor van Lizzie hadden gevonden. Ze waren naar haar appartement en haar werk gegaan, hadden een mannetje bij het huis van McQueen zitten en van haar werk een foto gekregen die naar alle politiebureaus in Boston en Cambridge was gemaild. 'De rechercheur die ik heb gesproken, zei dat het voorlopig nog een vermissing was, dat McQueen volledig open kaart met hen had gespeeld, maar dat Mark wel hoopte dat er geen ruchtbaarheid werd gegeven aan het feit dat zijn vrouw en kinderen politiebescherming genoten.'

'Wat een zakkenwasser,' zei ik. 'Hij vindt zijn carrière belangrijker dan de hele toestand met Lizzie.'

'Daarna heb ik met haar psychiater gesproken.'

'O?'

'Je hebt me gisteren zijn naam gegeven, weet je nog, dus ik heb meteen Inlichtingen gebeld en zijn nummer gekregen. Ik had geluk, want hij was er, en ik moet zeggen dat ik nogal onder de indruk van hem ben. Hij is vreselijk bezorgd, maar hij stelde me gerust door te zeggen dat hij na de paar sessies met haar de indruk had dat ze zichzelf niets zou aandoen. Hij zei dat ze waandenkbeelden had, maar dat ze volgens hem niet leed aan een depressie of zelfhaat, wat meestal een voorbode is van zelfmoord. Toch sluit hij niet uit dat ze iets doet om aandacht te krijgen, een schreeuw om hulp.'

'Zoals?'

'Dreigen met zelfmoord, in de hoop dat de man die haar heeft laten zitten zich schuldig voelt en...'

'Ik snap het.'

'Thornton sluit niet uit dat ze zijn praktijk belt, omdat ze hem wel vaker belde als ze het niet meer zag zitten.'

'Duimen dus maar.'

'Zeg dat wel.'

Ik vertelde mijn vader met het (niet al te bemoedigende) nieuws. Hij dacht er even over na en zei: 'Ik voel me toch zó schuldig.'

'Waarom?'

'Omdat ik zodra ik van die verhouding hoorde, contact met je had moeten opnemen, dan hadden we tenminste kunnen overleggen en...'

'Hou 's op.'

'Weet je... Ik vond het heel prettig dat ze me in vertrouwen had genomen, dat ze me deelgenoot maakte van haar geheim.'

'Dat neem ik je ook helemaal niet kwalijk. Je bent tenslotte haar grootvader.'

'Ik heb niet doorgehad dat ze eraan kapotging en dat neem ik mezelf kwalijk.'

'Je hebt toch niet zitten niksen? Integendeel, je hebt een psychiater ingeschakeld en gedaan wat je kon.'

'Het was niet genoeg.'

'Pap, toe nou...'

We reden rechtstreeks naar Lizzies appartement in het Leather District. Mijn vader keek zijn ogen uit naar de nieuwe appartementen, de hippe interieurzaken, de dure lunchtenten en de yuppen in driedelig grijs. 'In de jaren zestig dachten ze met het opknappen van de binnensteden woonruimte te creëren voor de arme, autochtone bevolking, maar wat is ervan terechtgekomen? De yuppen met hoge inkomens hebben de boel weggekaapt en het onroerend goed is onbetaalbaar geworden.'

De huismeester van het complex zat op zijn plek. Hij vertelde dat hij Lizzie de dag ervoor 's ochtends vroeg had zien wegrijden, maar sindsdien niet meer had gezien. 'De politie is al geweest. Ze hadden een bevel tot huiszoeking bij zich en ik moest de deur openmaken. Ze hebben even rondgekeken, maar gelukkig niets overhoopgehaald. Ze zeiden dat uw dochter vermist werd. Haar auto staat in haar eigen parkeervak in de garage beneden. Er is een gesloten circuit dat vierentwintig uur per dag aanstaat, dus als ze de auto pakt, zie ik dat meteen.'

'Kunnen wij even boven kijken?'

'Zonder instructies van de eigenaar mag ik niemand binnenlaten en nu uw dochter er niet is...'

'Ik ben haar moeder en dit is haar grootvader.'

'Aangenaam. Ik zou u graag ter wille zijn, maar regels zijn regels.'

'Toe nou, meneer,' pleitte mijn vader. 'Misschien is er een aanwijzing...'

'Als het aan mij lag, had ik u de sleutel al gegeven, maar mijn baas is een keiharde. Als die merkt dat ik u heb binnengelaten zonder de toestemming van uw dochter, sta ik op straat.'

'Het is maar voor vijf, tien minuten.'

'Het spijt me écht, mevrouw, want tussen ons gezegd en gezwegen, uw dochter is een van de weinige vriendelijke bewoners van het hele complex. De overige bewoners zijn van die typische yuppen.'

We liepen naar Starbucks. Terwijl we aan de cappuccino zaten, belde Dan. Hij was al in Boston en ging meteen door naar het politiebureau in Brookline. Toen ik hem vertelde dat we het appartement niet in mochten, raadde hij aan de beheermaatschappij te bellen en het daar te vragen. 'Misschien is het een goed idee even met haar baas te praten,' zei hij. 'Kijk maar of we voor morgenochtend een afspraak kunnen maken.'

'Ik weet zeker dat we haar voor die tijd al hebben gevonden.'

'Vast wel,' zei hij, maar ik hoorde dat hij het niet echt meende. Hij zei het alleen maar om mij gerust te stellen. 'Ik heb het reisbureau gebeld,' ging hij verder, 'en ze hebben twee kamers voor ons gereserveerd in het Onyx, bij het North Station. De buurt is niet helemaal je dát, maar…'

'Lijkt me prachtig,' zei ik. De weinige keren dat ik had meegemaakt dat Dan gestrest was, had ik gemerkt dat hij met stress omging door van alles te regelen. Ook nu had hij het heft in handen genomen, dus ik liet hem rustig vertellen over de korting die hij van het hotel had gekregen, dat er twee gratis parkeerplaatsen voor ons waren en dat we ons het beste konden verspreiden om te helpen bij de zoektocht.

Tegen de avond hadden we al heel wat gedaan. Dan had gesproken met rechercheur Leary van bureau Brookline die het onderzoek leidde en had de indruk dat de politieman voortvarend te werk ging en de zaak zo snel mogelijk wilde afronden. Lizzies creditcard- en pinpasbetalingen werden al in de gaten gehouden en dat had meteen al een aanwijzing opgeleverd: de dag ervoor had ze tweemaal honderd dollar opgenomen bij pinautomaten: één op Central Square in Cambridge en één op vijf minuten loopafstand van McQueens huis. 'Leary vermoedt dat ze hem nog steeds stalkt en wellicht ook de kinderen in de gaten houdt,' zei Dan. 'Op zich is dat gunstig, omdat ze verwachten dat ze op een gegeven moment bij zijn huis, of zijn werk verschijnt. Die tweede pinpasbetaling duidt erop dat ze in elk geval gisteren nog daar in de buurt was.'

We troffen elkaar in de bar van het hotel. Het was acht uur en we hadden net ingecheckt. Mijn vader was al naar zijn kamer. Hij was erg moe en dat was te zien ook, dus ik had erop aangedrongen dat hij vroeg naar bed ging. 's Middags had hij zich meteen verplaatst in de rol van rechercheur en had de ondergrondse naar Cambridge genomen om met de psychiater te praten. Dokter Thornton had geen nieuwe gezichtspunten, maar hij had opnieuw gezegd dat hij niet bang was dat Lizzie een wanhoopsdaad zou begaan en zei dat hij goede hoop had dat Lizzie als ze eenmaal gevonden was, te behandelen zou zijn. Kortom, Thornton vertrouwde op een goede afloop en dat had mijn vader flink gerustgesteld.

Vervolgens had mijn vader de beheermaatschappij van het appartementencomplex gebeld en na enige aarzeling had de manager toegezegd dat we naar binnen konden.

Toen mijn vader in Cambridge was, had ik de zakenwijk uitgekamd en Peter Kirby, Lizzies baas, gesproken. Hij was een fris uitziende yup van een jaar of dertig. Hij maakte zich vreselijk zorgen over Lizzie, maar desondanks kon ik me niet aan de indruk onttrekken dat hij het kort wilde houden om zo snel mogelijk weer aan het werk te kunnen om geld te verdienen.

Het kwartiertje dat ik tegenover hem zat, merkte ik dat hij zeer met ons begaan was. Hij vertelde dat Lizzie een van zijn beste krachten was, altijd tweehonderd procent gaf en enorm ambitieus was. Hij gebaarde naar de kantoortuin en zei: 'Iedereen is hier op en top gemotiveerd, wat in dit metier ook een vereiste is, maar Lizzie deed er altijd nog een schepje bovenop, gewoon omdat ze de beste wilde zijn. Zij was niet tevreden met een goede omzet en zeven procent rendement voor haar cliënten. Nee, die zeven moest een negen worden en maar al te vaak was ze niet met één, maar met drie grote vissen bezig. De uren die ze maakte... ongelooflijk. Ik krijg zeker twee keer per maand van de beveiliging te horen dat ze het hele weekend heeft doorgewerkt. Meer dan dat kan een baas niet verlangen, maar als ik heel eerlijk ben...'

'Ga door.'

'Ik heb me wel eens zorgen gemaakt over een burn-out. Haar manier van werken is voor niemand vol te houden. Ik heb haar dikwijls gezegd dat ze een hobby moest zoeken, een uitlaatklep. Zo is ze lid geworden van de fietsclub waar ze die McQueen heeft leren kennen.'

'Wist u dat ze een relatie met hem had?'

'Nee, dat heb ik van de politie gehoord, maar ik had al horen fluisteren dat ze iets met een getrouwde man had. Niet dat het mij of de zaak aangaat hoe ze haar leven buiten deze muren inricht, maar het is natuurlijk niet de bedoeling dat dit bekend wordt.'

'Hoezo?'

'Ik zal er niet omheendraaien, mevrouw. Als de pers er lucht van krijgt dat uw dochter wordt vermist nadat ze dokter McQueen en zijn gezin heeft lastiggevallen, dan ben ik bang dat haar carrière in de financiële wereld ten einde is. Het zou doodzonde zijn, want ze scoort geweldig.'

'Met andere woorden: dan heeft ze geen baan meer.'

'Dat zeg ik niet, mevrouw. Als ze snel wordt gevonden en professionele hulp krijgt, zal ik er alles aan doen om haar te behouden, maar als de pers er lucht van krijgt, dan wordt het natuurlijk heel moeilijk. We zijn heel goed voor het personeel, zeker voor een gewaardeerde kracht als uw dochter, maar als de naam van het bedrijf in opspraak komt, houdt het natuurlijk op. Het spijt me, maar ik ga niet net doen alsof er niets aan de hand is.'

Terwijl ik Dan met een glas wijn in mijn hand verslag deed, dacht ik: *Lizzie, een van hun beste krachten... Lizzie, die altijd tweehonderd procent geeft...* Ik zag haar weer voor me en herinnerde me de student die altijd neerkeek op de 'studjes' die acht uur per dag over de boeken gebogen zaten en alleen aan hoge cijfers dachten. En nu...

'Nooit geweten dat ze zo keihard werkte,' zei Dan. 'Het verbaast me niets dat ze haar op handen droegen.'

'Praat nou niet in de verleden tijd, oké?'

'Ik heb het over haar voormalige werkgever. Je weet nu al dat ze haar niet terugnemen.'

'Alsof dat zo'n ramp is.'

'Voor jou misschien niet, maar voor haar...'

'Ze had een hekel aan dat werk, dus wat dat betreft is het niet zo erg.'

'Had ze het daar dan niet naar haar zin? Dat heeft ze míj nooit verteld.'

'Ze had het met jou nooit over haar problemen.'

'Wat wil je daarmee zeggen?'

'Niets. Ik beweer alleen dat ze het er met jou nooit over heeft gehad.'

'Omdat...?'

'Omdat het zo is.'

'Waar wil je naartoe?' vroeg hij.

'Doe gewoon.'

'Hoezo?'

'Ik heb geen zin er ruzie over te maken, oké?'

'Waarover? Wil je beweren dat ik er niet altijd voor mijn dochter ben geweest?'

Ik verstrakte. We hadden in jaren geen ruzie over de kinderen gehad, maar ik wist wel dat als Dan zich ergens over opwond, ik hem niet op andere gedachten kon brengen. 'Toe nou,' zei ik. 'We zijn moe en gestrest, dus...'

'Jij vindt dat ik niet heb klaargestaan voor onze dochter en bent van mening dat dat een van de redenen is dat ze zo...'

'Leg me nou geen woorden in de mond.'

'Je hoeft het niet te zeggen, want het is duidelijk hoe je erover denkt.'

'Weet je wát duidelijk is? Je voelt je schuldig over het feit dat je zo weinig thuis was toen de kinderen klein waren en projecteert die gevoe...'

'Daar heb je het al. Ík was weinig thuis? Ik was aan het werk, weet je nog, hard bezig de praktijk te laten groeien zodat er geld genoeg was voor een zorgeloos leventje.'

'Waarom draaf je nou zo door?'

'... en omdat ik er niet was, kon ze me ook niet in vertrouwen nemen.'

Ik legde mijn hand op de zijne, maar hij moest er niets van hebben. 'Ik kan wel zonder je troostende handje, maar niet zonder...' Hij beet op zijn lip en ik zag dat de tranen in zijn ogen stonden. '... Lizzie.'

Ik legde mijn hand op zijn schouder. 'Toe, Danny. Maak het nou niet erger dan het al is.'

'Jij hebt makkelijk praten. Jij had tenminste een verstandhouding met haar.' Hij stond op en zei: 'Ik ga even een ommetje maken.'

'Het is koud.'

'Dat maakt me niet uit.' Hij pakte zijn jas en liep de bar uit. Ik ging hem niet achterna, omdat ik wist dat Dan als hij een dergelijke bui had, het liefst met rust gelaten werd. Het stemde me droevig dat hij dacht dat hij de kinderen met zijn harde werken tekort had gedaan. Lizzie aanbad haar vader, zelfs in die tumultueuze puberjaren toen ik in haar ogen de verpersoonlijking van de duivel was. Ze hadden zelden ruzie, dus waarom zag hij zichzelf nu als een slechte vader en gaf hij zichzelf de schuld van haar problemen?

Ik denk dat het ouders eigen is zo te denken. Ze hebben altijd het idee dat ze het niet goed gedaan hebben, dat het hun schuld is. Je bent dankbaar kinderen te hebben, maar desondanks word je wel eens gekweld door de gedachte dat het leven dan misschien minder waardevol is zonder kinderen, maar wél gemakkelijker. Je kunt je afvragen waarom mensen levenslange banden aangaan die naast veel geluk, ook ellende geven.

Ik dronk mijn glas leeg, nam de lift naar boven en vijf minuten later kroop ik in bed. Voor de tiende keer die dag belde ik naar Lizzies appartement, maar ik kreeg weer geen gehoor. Ik had al zeker vijf keer een bericht ingesproken, sprak het telefoonnummer van het Onyx maar weer een keer in en zei dat ze me altijd, het gaf niet hoe laat, kon bellen.

Ik zette de televisie aan en zapte gedachteloos langs de dertig treurigmakende zenders. Ik kijk maar zelden tv – een enkele keer het nieuws, een oude film en hoogstzelden een goede serie – en was vergeten hoe weinig kwalitatief goede programma's er waren. Na een paar minuten had ik er al genoeg van, dus ik zette hem uit, liep naar de badkamer en nam een aspirine. Ik ging terug naar bed, las even in de *Boston Globe* die ik van de receptie had meegenomen en viel in slaap.

Ik werd wakker toen het nachtlampje aanging en Dan naast me kwam liggen. Ik zag dat de wekkerradio op het nachtkastje tien voor halftwee aangaf. 'Heb je al die tijd buiten gelopen?' vroeg ik.

'Ik had behoefte aan frisse lucht.'

'Vier uur?'

'Ik ben beland in een kroeg in Black Bay.'

'Ben je helemaal naar Black Bay gelopen?'

'Ik heb gezocht...' Hij wendde zijn hoofd af en zweeg.

'Naar Lizzie?'

Hij knikte.

'Waar dan?'

'In de buurt van de Common, waar de daklozen zitten. Ik ben alle hotels daar binnengegaan en heb gevraagd of Lizzie Buchan er een kamer had gehuurd. Daar op de kop van Newbury Street wemelt het van de kroegen en eethuizen. Nou ja, toen ik bij de Symphony Hall was aanbeland, had ik alleen nog maar behoefte aan een paar glazen whisky.'

Ik wilde mijn armen om hem heen slaan, maar hij weerde me af en zei: 'Ik heb er even geen behoefte aan, oké?'

Hij schudde zijn hoofdkussen op, ging liggen en was binnen een minuut vertrokken. Ik heb nog een tijdje naar hem zitten kijken, me afgevraagd waarom hij nu eens een open boek was, en vervolgens weer zo gesloten. Het werd me duidelijk dat ik hem na al die jaren nog steeds niet goed kende en dat er dingen waren waar hij me volledig buiten liet.

Om halfacht ging de wekker en ondanks zijn kater was Dan als eerste op. Hij stommelde richting badkamer en toen hij na een paar minuten de deur opendeed en vergezeld van een flinke stoomwolk de kamer in kwam, keek hij me aan en zei: 'Sorry.'

'Laat maar zitten.'

'Het werd me allemaal te veel. Ik kon er even helemaal niet tegen en... Het spijt me. Ik had niet zomaar moeten weggaan en...'

Ik stak mijn hand naar hem uit en zei: 'Dan, ik zei toch dat het oké was?'

Hij wist ternauwernood een glimlach op te brengen en zei: 'Bedankt.'

We gingen naar beneden om te ontbijten. Mijn vader zat er al, *The New York Times* en een kladblok met onleesbare krabbels voor zich.

'Hebben jullie net zo slecht geslapen als ik?' vroeg hij. We knikten. 'Oké, de hoogste tijd voor een kop sterke koffie. Ik hoop niet dat jullie er bezwaar tegen hebben, maar ik heb de vrijheid genomen een soort plan de campagne op te stellen.'

Ik kende Dan goed genoeg om te weten dat hij het mijn vader wel degelijk kwalijk nam. *Het is mijn dochter, dus laat mij de leiding maar nemen. Als ik de touwtjes in handen heb, geeft dat me in elk geval de illusie dat ik alles regel.* In plaats van dat te zeggen, nipte Dan aan zijn koffie en zei: 'Bezwaar? Natuurlijk niet. Laat maar horen.'

Het programma dat hij op papier had gezet, besloeg drie dagen en bestond uit het nalopen van alles wat maar betrekking had op haar dagelijks leven. Ik kreeg de indruk dat mijn vader door de rol van generaal op zich te nemen en zijn strijdplan op tafel te leggen, zijn zenuwen de baas bleef. Mannen denken graag dat ze door de leiding op zich te nemen de problemen de baas kunnen, al was het alleen maar om de angst dat ze even hulpeloos zijn als ieder ander te verdrijven.

Hoe het ook zij, de dagen erna kwamen we heel veel te weten over Lizzie. De man die ons het appartement binnenliet, vertelde dat Lizzie spontaan vijfentwintighonderd dollar in een fonds had gestort voor de medische behandeling van het dochtertje van de huismeester. Het meisje had leukemie en moest een peperdure beenmergtransplantatie ondergaan die niet door de verzekering werd gedekt.

Toen we in het appartement rondkeken, viel het mijn vader op dat er haast geen boeken stonden. 'Ze hield zo van lezen,' zei hij met iets van spijt in zijn stem toen hij het schamele rijtje bestsellers zag staan. 'Sinds wanneer leest ze niet meer?'

'Sinds het moment dat ze vijftien uur per dag op haar werk zit,' zei ik.

Wat me meer verontrustte, was dat ik een kastdeur opendeed en een groot aantal dozen en boodschappentassen zag, volgestouwd met ongedragen kleren. Ik denk dat er wel negen dure merkspijkerbroeken bij waren, schoenendozen met ongedragen Nikes (de proppen papier zaten er nog in), tassen van dure cosmeticamerken met compacts en lippenstiften, en een flink aantal van zaken als Banana Republic, Armani Jeans, Guess? en Gap. Toen pas besefte ik hoever heen ze was, hoe wanhopig. Zelfs Dan schrok van de hoeveelheid trofeeën van de consumptiecultuur.

'Godallemachtig,' stamelde hij.

Mijn vader kwam bij ons staan en zei: 'Dokter Thornton zei dat ze koopziek was. Vergelijk het maar met een gok- of een drugsverslaving.'

'Hij heeft er vast bij gezegd dat het symptomatisch is voor depressieve mensen met een lage zelfdunk.'

Mijn vader keek naar de tassen en dozen vol vergane glamour en zei: 'Ja, daar kwam het wel op neer.'

Het was me gelukt een afspraak te maken met David Martell, de man die haar bankzaken deed. Hij was een rustige, gezette man van een jaar of vijfenveertig en hij legde me meteen uit dat hij aan regels gebonden was en me geen inzage in haar bankzaken kon geven. 'Ik heb van de politie gehoord dat uw dochter wordt vermist, dus als ik u ergens mee kan helpen.'

'Zonder te zeggen hoeveel geld ze heeft, is het genoeg om een tijdje van rond te komen of zelfs ergens een nieuw leven te beginnen?'

Hij zweeg even, keek op het scherm voor zich en zei: 'Laat ik het zo zeggen: als ze rustig aan doet, kan ze drie à vier maanden leven van wat ze heeft.'

'Drie à vier maanden maar?' vroeg ik ongelovig.

'Op het gevaar af dat ik buiten mijn boekje ga, zie ik dat ze vaak rood staat.'

'Hoe kan dat nou?' zei ik. 'Ze verdient een gigantisch salaris en krijgt ieder jaar een enorme bonus.'

'Ik heb het er vaak genoeg met haar over gehad. Ze geeft gewoon erg veel uit. Goed, ze heeft een hypotheek en een persoonlijke lening voor de auto, maar zelfs dan blijft er nog een flink bedrag over. Ze maakt alles op en zet niets opzij.'

'Ze heeft geen beleggingen, deposito's en dergelijke?'

'Die had ze wel, maar een halfjaar geleden toen ze weer eens krap bij kas zat, heeft ze alles liquide gemaakt. Er is nog één deposito over en dat is het geld waar ze een maand of drie op kan teren. Verder heeft ze alleen haar appartement en de auto.'

'Waar kun je nou zoveel geld aan uitgeven?' verzuchtte ik.

Hij haalde zijn schouders op. 'Ik heb talloze cliënten als uw dochter. Ze hebben belangrijke banen in de financiële wereld, verdienen tonnen, maar hebben uiteindelijk niets om op terug te vallen. Het wordt uitgegeven aan etentjes buiten de deur, kleren, fitnesstrainers, lidmaatschappen van clubs, de tandarts. Voor het overgrote deel gaat het op aan lifestyle, aan zaken waar je als je het mij vraagt ook zonder kunt. Lizzie heeft gelukkig geld in onroerend goed gestopt, dus daar kan ze altijd op terugvallen.'

Meneer Martell verzekerde me dat de politie werd gewaarschuwd zodra Lizzie haar deposito wilde opnemen of geld pinde. 'Ik heb dochters. Eentje is net naar Boston College gegaan en de andere zit nog op de middelbare school,' zei hij, 'dus ik begrijp wat u moet voelen. Het is een van die dingen die je als ouder nooit hoopt mee te maken.'

'Dat is het zeker,' zei ik.

Terwijl ik met Martell zat te praten, had mijn vader zich in Lizzies kantoor weten te praten en met drie van haar collega's gesproken. Een van de drie, Joan Silverstein – ik had Lizzie overigens nooit over haar gehoord – zei haar het best te kennen.

'Ik heb gemerkt,' zei mijn vader, 'dat Lizzie een gemengde pers heeft. Ze kan heel collegiaal zijn, maar ook kil en arrogant.'

'Die had ik nog nooit gehoord,' zei ik.

'Een paar collega's zijn een keer naar haar baas gestapt, ene...'

'Kirby?'

'Ja, die. Nou ja, ze zeiden dat Lizzie heel veeleisend kan zijn en geen fouten tolereert. Ze heeft een keer een stagiaire die een fout had gemaakt die de cliënt tienduizend dollar kostte de deur gewezen; een verlies dat Lizzie de volgende dag al had gecompenseerd. Er is eens een keer wat misgegaan met een transactie en toen heeft ze haar beeldscherm aan diggelen geslagen. Meneer Kirby heeft haar daar nog over onderhouden en haar het nieuwe beeldscherm uit eigen zak laten betalen. De volgende dag heeft ze bij wijze van zoenoffer voor alle collega's een fles dure champagne meegenomen.'

'Ik ben erachter gekomen dat ze niet goed met haar financiën omspringt,' zei ik en ik vertelde hem wat ik op de bank te weten was gekomen.

'Dat verbaast me niet. Haar collega's zeiden dat ze vreselijk gul was. Als er na het werk een drankje werd gedronken, betaalde zij. Mensen die krap zaten, konden altijd bij haar terecht om wat geld te lenen. Ze gaf veel aan goede doelen, vooral aan de plaatselijke afdeling van Vrouw en Gezinsplanning, je weet wel, die proabortusclub.'

'Ja, daar heb ik over gehoord. Dat moest haar broer maar niet te horen krijgen, en haar schoonzusje al helemaal niet. Enig idee waarom ze juist die vrouwenorganisatie heeft gesteund?'

Mijn vader keek me aan en zei: 'Omdat ze drie maanden geleden een abortus heeft gehad.'

Ik moest dat even op me in laten werken. Ik was sprakeloos; niet zozeer omdat Lizzie een zwangerschap had onderbroken, maar omdat ze me het nooit had verteld.

'Van wie heb je dat?'

'Van Joan Silverstein.'

'Hoe kwam het gesprek in vredesnaam op abortus?'

'Wacht nou even. Meneer Kirby vond het goed dat ik met een paar collega's praatte. Ik moet zeggen dat ze stuk voor stuk heel openhartig waren, maar Joan kent Lizzie het best, dus heb ik haar gevraagd of ze zin had om met me te lunchen. Leuk mens hoor, die Joan. Heeft aan Harvard gestudeerd, een jaar aan de Sorbonne, spreekt vloeiend Frans, heeft gevoel voor humor...'

'Je hebt haar zeker meteen voor vanavond mee uitgevraagd?'

Hij keek me alleen maar aan en ik had al meteen spijt van mijn opmerking. 'Sorry,' zei ik, 'dat was niet aardig van me.'

'Nou ja. Toen we aan de lunch zaten, heb ik haar gevraagd of ze nog eens goed wilde nadenken, of ze iets wist wat ons zou kunnen helpen. Ik heb even een beetje moeten aandringen, maar uiteindelijk vertelde ze over de abortus. McQueen was de vader. Hij had erop gestaan dat ze zich liet aborteren en haar bezworen dat ze als hij bij zijn vrouw weg was, alsnog zwanger kon worden. Een en ander heeft zich drie maanden geleden afgespeeld.'

Ik werd zowat misselijk van woede. Die schoft had haar een kind beloofd, maar haar eerst nog even een abortus aangepraat. Hij wist toen natuurlijk al dat hij haar ging lozen, maar had haar voorgelogen en net gedaan of hij met haar verder wilde, al was het alleen maar om haar in bed te krijgen. Geen wonder dat het arme kind zich inbeeldde dat ze zwanger was; die fantastische dokter had haar in de waan gelaten dat ze een kind van hem zou krijgen.

'Had ze het er nog over hoe Lizzie eronder was?'

'Het is tijdens een lunchpauze gebeurd. Vanaf het moment dat ze uit de verkoeverkamer kwam, deed ze net of er niets was gebeurd. Joan heeft haar best gedaan om haar ervan te overtuigen dat ze beter naar huis kon gaan, maar ze wilde er niets van weten. Lizzie heeft die dag nog acht uur gewerkt en maakte weer even lange dagen als voorheen. Wat Joan me wel vertelde, is dat ze haar een keer op een vrijdagavond in de wc heeft horen huilen en haar heeft moeten troosten. Lizzie heeft haar op het hart gedrukt het er met niemand over te hebben. De maandag erop deed Lizzie of er niets was gebeurd. En er is nog iets wat je moet weten, Hannah. Ik heb de plaatselijke afdeling van Vrouw en Gezinsplanning gebeld en ben doorverbonden met hun pr-dame, mevrouw Gifford. In het begin was ze vreselijk achterdochtig en geloofde niet dat ik Lizzie Buchans grootvader was. Ze vertelde me dat ze altijd heel voorzichtig was, omdat haar organisatie constant wordt belaagd door lieden die tegen abortus zijn, maar toen ik haar had uitgelegd wie ik was, wilde ze wel kwijt dat Lizzie een van de grootste giften had gedaan die ze ooit hadden ontvangen. Over de abortus natuurlijk niets, want die valt onder de vertrouwensrelatie arts-patiënt.'

'Hoe groot was die gift?'

'Twintigduizend dollar.'

'Echt waar?'

'Het is natuurlijk een waanzinnig goed doel,' zei hij, 'maar twintigduizend dollar is wel érg veel. Nou ja, ze waren heel behulpzaam, zullen we maar zeggen.'

We zaten aan een tafeltje achter in de Onyx. Het was even na zessen, ik had maar een paar uur slaap gehad, was óp van de zenuwen en mijn dochter werd nog steeds vermist. De berichten waar mijn vader mee was gekomen, maakten het er allemaal niet beter op en ik had opeens sterk de behoefte alleen te zijn.

'Pap? Ik ga even op bed liggen.'

'Voel je wel goed?'

'Was dat maar waar.'

'Ik begrijp het.'

'Als Dan zich meldt, vertel hem het hele verhaal ook maar.'

'Doe ik.'

Boven schopte ik mijn schoenen uit, ging op het bed liggen en staarde naar het plafond. Ik denk dat dit het moment was om in tranen uit te barsten, te huilen om mijn kind en het grote verdriet dat haar had verteerd, maar het enige wat ik voelde was een grote leegte, dezelfde leegte die ik had gevoeld toen ik hoorde van de diagnose die bij mijn moeder was gesteld. Toch, toen mijn moeder de ziekte van Alzheimer kreeg en langzamerhand van alle emotie werd beroofd, had ze een lang, zij het niet al te gemakkelijk, leven achter de rug, terwijl mijn Lizzie nog zo jong was, nog zo bezig met het ontdekken wat het leven te bieden heeft. Dat was het nare van alles: ze dacht dat het einde van de relatie met McQueen meteen aan alles een eind had gemaakt. In haar waandenkbeelden had ze een gelukkig leven uitgestippeld met een opportunistische schoft die misbruik had gemaakt van haar peilloze behoefte aan liefde.

Wat wist ik eigenlijk weinig van mijn dochter af. Nee, het was heel anders dan de wetenschap dat er altijd dingen zouden zijn die ik niet van Dan begreep. Dit was veel schrijnender: het ging om mijn dochter, het kind dat ik had grootgebracht en me altijd (dat wil zeggen tot een tijdje geleden) had verteld wat haar bezighield; iemand van wie ik dacht dat ik haar helemaal begreep. Het was naar om geconfronteerd te worden met haar eigenaardigheden: het compulsieve winkelen, het chronische geldgebrek, die bovenmatige gulheid en de driftbuien.

Het ergste vond ik dat ze me niets had verteld over de abortus, dat ze dat niet met me had willen bespreken. Was ze bang dat ik haar erop zou beoordelen? Ze wist dat ik niets tegen abortus heb en dat ze op me kon rekenen. Het was moeilijk me voor te stellen hoeveel verdriet ze ervan had gehad. Tot overmaat van ramp had McQueen tegen haar gezegd dat hij op zijn besluit was teruggekomen en dat er geen kind en geen gezamenlijke toekomst zou zijn.

Waarom was ze ook zo naïef geweest? Waarom had ze haar liefde verkwanseld aan een getrouwde man, iemand die haar liefde helemaal niet verdiende? Wat ik wel begreep was dat Lizzie kanten had waar ik niets van af wist of die ik nooit onder ogen had willen zien.

Ik staarde naar het plafond en hoelang ik daar zo heb gelegen, weet ik niet, maar op een gegeven moment kwam Dan binnen. Hij zag er moe uit en liet zich in de stoel aan het voeteneind van het bed vallen. Ik kwam overeind en keek hem aan.

'Gaat het een beetje?' vroeg hij.

'Niet echt. Heb je mijn vader gesproken?'

Hij knikte.

'Dus je weet alles.'

Hij beet op zijn lip, knikte en mompelde: 'Ik krijg die klootzak nog wel.'

'Het is allemaal zo onwerkelijk,' zei ik. 'Wat me nog het meest dwarszit, is dat ze me niet in vertrouwen heeft genomen en ik vraag me af waarom.'

'Misschien was het in het begin niet zo'n punt, die abortus, maar werd het des te schrijnender toen McQueen haar aan de kant zette.'

'Wat zijn we verder te weten gekomen? Twintigduizend dollar voor een vrouwenorganisatie. Dat is een hoop geld voor een abortus en wat nazorg. En dan die ongebruikte spullen en kleding bij haar thuis nog.'

'Je vader vertelde me dat dokter Thornton het vaker ziet bij depressieve mensen.' Hij verborg zijn gezicht in zijn handen, zuchtte eens diep en legde zijn handen op zijn schoot. 'Ik zat op het politiebureau tegenover rechercheur Leary en opeens dacht ik: dit is allemaal niet wáár. Dit is een andere werkelijkheid. Zo meteen zet iemand een schakelaar om en is er niets aan de hand, is er niets gebeurd.'

'Die schakelaar gaat pas om als Lizzie zich meldt.'

Hij keek weg en zei: 'Ik moet je nóg een paar dingen vertellen.'

'Kom maar op.'

'Ten eerste: als ze zondag nog niet terecht is, gaan ze in de rivier dreggen.'

Ik schrok en wist niets anders te zeggen dan: 'Wat snel.'

'Volgens Leary is het een standaardprocedure in dit soort gevallen. Ten tweede wordt McQueen verdacht van betrokkenheid bij haar verdwijning.'

Het was alsof ik een klap in mijn gezicht kreeg. 'Denken ze dat hij haar iets heeft... aangedaan? Dat hij haar heeft vermoord?'

'Dat zeggen ze niet en ze achten het waarschijnlijker dat ze er gewoon vandoor is gegaan, maar ze sluiten niet uit dat hij dermate in de rats zat dat bekend zou worden dat hij een buitenechtelijke relatie had, dat hij...' Hij maakte zijn zin niet af, beet op zijn lip en zei: 'Leary zei dat het wel vaker voorkwam: getrouwde man legt zijn maîtresse het zwijgen op uit vrees dat ze zijn gezinsleven in gevaar brengt. Leary zei verder nog dat de eerste geldopname met de pinpas is gedaan bij een minimart van een benzinestation aan Causeway Street, bij het North Station. Ze hebben degene die er op dat tijdstip werkte ondervraagd en hoewel hij het niet helemaal zeker weet, dacht hij niet dat hij tegen de tijd van de transactie een vrouw in de zaak heeft gehad.'

'Hebben ze hem een foto van McQueen laten zien?'

'Ja, maar hij herkende hem niet.'

'Pinautomaten hebben toch allemaal een camera?'

'Klopt, maar die kleine kastjes die ze in minimarts hebben staan niet en helaas zijn beide geldopnames in dergelijke zaken gedaan.'

'Causeway Street zei je... Dat is hier toch vlakbij?'

'Klopt, een minuutje lopen vanaf het hotel. Ik ben er op weg hiernaartoe even langsgegaan. Ik heb de vrouw achter de toonbank Lizzies foto laten zien, maar ze herkende haar niet. De avond van de geldopname was ze in het magazijn achter. Ik heb de foto ook nog aan een stel daklozen die bij het station rondhangen laten zien, maar ook daar kreeg ik nul op het rekest. Ze bedelden natuurlijk wel om een dollar, dat begrijp je.'

'Waarom zou een welgestelde specialist nou geld opnemen met Lizzies pinpas?'

'Die vraag heb ik Leary ook gesteld. Hij zei dat McQueen misschien een vals spoor wilde achterlaten, net wilde doen of Lizzie nog in leven was.'

'Dat klinkt aannemelijk. Hebben ze McQueen ondervraagd?'

'Daarover nog niet. Ze willen afwachten of er nog meer geld wordt opgenomen. Ze hopen dat degene die het geld opneemt een fout maakt en een pinautomaat met een camera gebruikt.'

'Daar is hij vast te slim voor.'

'Ik zei net al dat ze helemaal niet zeker weten of hij erachter zit. Ze houden hem in de gaten, maar noemen hem nog geen verdachte omdat ze bang zijn dat hij er dan vandoor gaat.'

Lizzie... vermoord? Nee, dat wilde ik niet geloven, dat kon niet waar zijn. Hoezeer ik McQueen ook haatte, ik herinnerde me nog goed hoe nijdig hij was toen ik hem belde. Als hij Lizzie had vermoord, had hij zich toen wel meer op de vlakte gehouden, zich ingehouden. Aan de andere kant, misschien had hij wel woede geveinsd om mij erin te laten trappen, om de aandacht van zichzelf af te leiden. Tenslotte had hij de politie verteld dat hij haar voor het laatst in de bar van het Four Seasons had gezien, toen ze *en plein public* een scène had gemaakt, dus dan zou het wel erg dom van hem zijn geweest haar iets aan te doen.

Ik legde Dan mijn theorie voor. Hij zei dat Leary tot dezelfde conclusie was gekomen en dat de rechercheur mijn vader en mij een paar vragen wilde stellen. Hij was in het bijzonder geïnteresseerd in mijn telefoongesprekje met McQueen.

'Hij hoopt dat een van jullie misschien iets weet wat op het eerste gezicht niet belangrijk lijkt, maar hem toch verder kan helpen. Morgenochtend om halftien, als het jullie schikt.'

'Natuurlijk. Ik wil hem graag ontmoeten.'

'Het is een sympathieke kerel. O ja, hij zei ook dat een journalist van de *Boston Herald* lucht heeft gekregen van de zaak. Tot nu toe heeft Leary hem buiten de deur weten te houden, maar het is een kwestie van dagen, of het staat in de krant. Als ze het verhaal oppakken...'

Ik zag het al helemaal voor me. Het was echt een verhaal voor de roddelpers: een welgestelde, vooraanstaande specialist, een jonge vrouw met een goede opleiding en een gigantisch salaris, buitenechtelijke seks, een afgebroken zwangerschap, het stalken, de scène bij hem thuis voor de ogen van de kinderen, en dan het sappigste van alles: de verdwenen jonge vrouw. *Is het moord? Is de vermaarde dermatoloog (fijn dat hij ook nog bekend is van tv) buiten zinnen geraakt en heeft hij haar in een opwelling...* Ik zag al een korrelige vakantiefoto van mijn dochter voor me, met het bijschrift: *Yuppie Elizabeth Buchan had alles wat haar hartje begeerde, behalve de man van haar dromen.*

'Dan? Denk jij dat hij haar heeft vermoord? Zeg nou niet alleen "nee" om me te sparen. Geloof je dat hij tot zoiets in staat is?'

'Nee, dat denk ik niet. Bovendien zegt Larry dat McQueen een alibi heeft voor de eerste uren na haar verdwijning.'

'Waarom houdt hij hem dan in de gaten?'

'Leary bedoel je? Omdat hij een politieman is en die sluiten niemand uit totdat ze zeker weten dat die bewuste persoon er niets mee te maken heeft. Plus het feit dat McQueen de enige is die belang heeft bij haar verdwijning.'

'Moeten we Jeff nou niet eens op de hoogte brengen?'

'Daar heb ik ook al aan lopen denken. Het is niet goed als hij het in de krant leest.'

Hij zou het ons zonder meer kwalijk nemen, en terecht. We moesten het hem vertellen.

'Als je wilt dat ík hem bel...' zei Dan.

'Nee, laat maar. Dat doe ik wel.' Ik zag er erg tegenop. We waren allebei een beetje vervreemd van onze zoon, van zijn denkbeelden, en zijn opvliegende karakter maakte het er allemaal niet gemakkelijker op. Toch wist ik dat ik beter tegen hem opgewassen was dan zijn vader. Dan kon niet goed tegen onenigheid, zeker niet waar het de kinderen betrof.

Ik toetste zijn nummer in West Hartford in. Shannon nam op en ergens op de achtergrond hoorde ik het gekrakeel van een tekenfilm. 'O, hoi Hannah!' zei ze op dat altijd vrolijke toontje met een uitroepteken achter ieder woord. 'Zeg, ik heb het waanzinnig druk met...'

'Ik bel wel terug als Jeff er is, oké?'

'Hij is thuis! We komen net uit de kerk.'

'Het is toch vrijdag?'

'Goede Vrijdag,' zei ze koeltjes.

Vraag me niet waarom, maar om de een of andere reden was me dát even door het hoofd geschoten. 'Ach, natuurlijk.'

'Ik roep Jeff even.'

Ik hoorde haar zijn naam roepen en toen iets als: 'Ik neem hem hier wel!' Vervolgens hoorde ik een klik, Shannon legde de hoorn neer en het achtergrondlawaai was verdwenen.

'Dag, mam,' klonk het vriendelijk. 'Hoe staan de zaken daar in Maine?'

'Ik zit in Boston, met je vader en je grootvader.'

'O? Ik wist niet dat jullie daar de paasdagen zouden doorbrengen.'

'Wij ook niet.'

Het was even stil. 'Is er wat, mam?'

'Ja. Ik heb nogal vervelend nieuws, Jeff. Lizzie wordt vermist.' Ik vertelde hem wat we wisten. Hij onderbrak me niet één keer, luisterde alleen maar en toen ik het hele verhaal had gedaan, zei hij: 'Ik kom er nú aan.'

'Ik weet niet of dat wel nodig is,' zei ik. 'De politie zit erbovenop en wij gaan morgen weer terug.'

'Zou je dat nou wel doen?'

'Ik zou het liefst de hele stad straat voor straat uitkammen en overal aanbellen als ik Lizzie zo zou kunnen vinden, maar je vader heeft zondag drie operaties en…'

'Op paaszondag?'

'Niet iedereen is in de Here.'

'Is het nou nodig om me onder deze omstandigheden te stangen?'

'Stress is hier al een gepasseerd station, Jeff.'

Hij begreep dat hij zich maar beter kon inhouden. 'Oké,' zei hij.

'Goed. Je vader opereert zondag, ik moet je grootvader thuisbrengen en door naar Portland, dus als je naar Boston wilt komen, best, maar wij zijn er niet. We willen liever niet in de buurt zijn als het verhaal in de krant komt. Rechercheur Leary heeft ons al verzekerd dat ze een verslaggever naar Maine sturen om ons en Lizzies schoolvriendinnen te interviewen om te horen wat een lief kind ze was… is.' Ik had een brok in mijn keel en slikte moeizaam.

'Gaat het een beetje, mam?'

'Dat vraagt iedereen aan me. Natuurlijk gaat het niet.'

'Hoe heet die dermatoloog precies?'

Ik vertelde het hem.

'En de rechercheur?'

Ik gaf hem Leary's telefoonnummer.

'Ik kijk wel of ik kan voorkomen dat het in de krant komt. In dit geval is publiciteit wel het laatste wat we kunnen gebruiken.'

'Hoezo?'

'Als bekend wordt dat ze een affaire had met een getrouwde man, die scène met zijn vrouw en kinderen, de abortus… kan ze haar carrière wel vergeten.'

'Misschien lééft ze niet meer, Jeff.'

'Zo moet je niet denken.'

'O, nee? En waarom dan wel niet?'

'Is papa daar?'

'Hier komt-ie.'

Ik gooide de hoorn op het bed en zei tegen Dan: 'Dit is je schijnheilige zoontje.'

Dan pakte de telefoon, liep naar het raam en praatte een paar minuten. Toen het gesprek ten einde liep, draaide Dan zich om en zei: 'Ja, ik zal het tegen haar zeggen. Oké. Natuurlijk, het geeft niet hoe laat.' Hij legde de hoorn op het toestel.

'Wat moet je tegen me zeggen?' vroeg ik. 'Dat ik de verkeerde toon tegen hem heb aangeslagen?'

'Inderdaad, maar hij zei dat hij het best begreep.'

'Nou, dat is dan fijn.'

'Kom op, Hannah. Ik weet dat jullie de laatste tijd niet erg goed met elkaar overweg kunnen, maar...'

'Wil je weten waarom hij het uit de pers wil houden? Omdat hij zich er als antiabortusfiguur voor schaamt dat zijn zusje een abortus heeft gehad en het met een getrouwde man hield.'

'Hij is heel erg geschrokken en maakt zich vreselijk zorgen om zijn zusje.'

'... én om zijn carrière.'

'Als hij het uit de krant kan houden, dan vind ik dat prima. Het geeft alleen maar meer onrust en dat is wel het laatste wat we kunnen gebruiken. Ik stel voor dat je er eens vroeg in kruipt vanavond en wat slaap pakt.'

'Alsof dat zou lukken.'

'Ik heb receptformulieren bij me, dus ik zal je een slaapmiddel voorschrijven waar je morgen geen last meer van hebt. Ik vraag beneden wel of er iemand is die het bij een apotheek kan ophalen.'

'Je wilt me bewusteloos hebben, begrijp ik.'

'Nou en of. Ik neem er zelf ook een.'

Hij belde de balie en nog geen minuut later klopte er al iemand op de deur. Hij was binnen het uur terug, een zakje van de apotheek in de hand, en Dan gaf hem een fooi van twintig dollar. Ik lag al in bed, maar ging rechtop zitten en nam de pil in met een flink glas water.

'Ga jij niet naar bed?' vroeg ik.

'Zo meteen,' zei hij en hij deed zijn schoenen aan.

'Waar ga je heen?'

'Ik wil nog even een frisse neus halen.'

'Ga je haar weer zoeken?'

'Mag het?'

'Ja, maar om nou te zeggen dat ik het een prettig idee vind dat je de hele nacht op straat rondzwerft. Je wordt er alleen maar depressief van. Jij zou toch ook een slaappil nemen?'

'Ik ben over een uurtje terug.'

'Hopelijk slaap ik dan. Nou ja, het heeft allemaal geen zin, maar ga je gang.'

'Waarom zeg je dat nou?'

'Het is toch zo?'

'Ik doe nog één poging.'

'Als het je gelukkig maakt.'

'Daar gaat het nu even niet om. Het gaat erom dat Lizzie wordt gevonden.'

'Ik heb geen zin in ruzie, oké?'

'Zeg dan ook geen stomme dingen.' Hij pakte zijn jas. 'Ik hoop écht dat je kunt slapen. Het zou je goeddoen.'

*Jou ook*, wilde ik hem toevoegen, maar ik wist me nog net in te houden. Zodra hij de deur achter zich had dichtgedaan, had ik al spijt van mijn opmerkingen. *Als het je gelukkig maakt.* Het was er veel snibbiger uitgekomen dan de bedoeling was. Hij had gelijk: ik was niet goed bezig. Als hij dacht dat hij door 's nachts over straat te lopen dichter bij een oplossing kon komen, het zij zo.

De slaappil had het gewenste effect. Ik sliep binnen tien minuten en werd pas om tien over zeven wakker. Mijn hoofd voelde zwaar aan. Het duurde even voordat ik helder kon denken en me kon focussen op mijn omgeving, maar ik had in elk geval geslapen.

Dan was al op, want ik hoorde dat hij een douche nam. Na een paar minuten verscheen hij weer en zei: 'Je was helemaal weg.'

'Jij niet? Ik dacht dat jij er ook een genomen had.'

'Ik heb nog een paar glaasjes genuttigd en slaappillen met alcohol is geen goed idee.'

'Hoe laat was je terug?'

'Laat.'

Het lag op het puntje van mijn tong om te zeggen: alweer? In plaats daarvan vroeg ik: 'Waar ben je zoal geweest?'

'In het Theater District, in Chinatown, bij South Station. Ik heb een taxi naar Cambridge genomen en in de buurt van Harvard Square rondgelopen. Het stikt daar van de daklozen. Ik heb een café gevonden waar...'

'Alweer een alcoholische avond. Wat heb je gedronken? Whisky?'

'Ja.'

'Kon ik dat maar, maar ik kan er niet goed tegen.'

'Ach, het heeft zijn voordelen,' zei hij.

Er viel een pijnlijke stilte.

'Het spijt me,' zei ik.

'Wat spijt je?'

'Die stomme opmerking gisteravond.'

'Ach, laat maar zitten.'

'Ik had het niet moeten zeggen.'

'Moest jij niet om halftien bij Leary zijn?'

Mijn vader en ik reden samen naar Brookline.

'Zo te zien heb je vannacht lekker geslapen,' zei hij.

'Met dank aan een slaappil. Jij?'

'Met onderbrekingen, maar daar was het telefoontje van mijn kleinzoon waarschijnlijk ook debet aan. Hij belde om tien uur.'

'O? Deed hij een beetje vriendelijk?'

'Niet onvriendelijk, misschien een beetje zakelijk. Toch aardig van hem om te bellen. Hij is vreselijk bezorgd en wilde weten wat ik van de hele toestand dacht. Hij komt maandag hierheen.'

*Als hij denkt dat het zin heeft.*

Rechercheur Patrick Leary was een grote, forse, ietwat slordig uitziende man van eind dertig. Waarschijnlijk was zijn pak in geen tijden bij de stomerij geweest, maar hij keek intelligent uit zijn ogen en wist schijnbaar precies waar hij mee bezig was. Hij was een man van weinig woorden, maar zijn zakelijkheid beviel me direct. Hij zei niet dat hij begreep wat we doormaakten en deed geen overhaaste beloftes, maar ik zag meteen dat hij iemand was die alles in het werk zou stellen om mijn dochter op te sporen. Hij was er de man niet naar om zichzelf op de borst te kloppen en voor te dragen wat hij tot dan toe had gepresteerd. Kortom, ik wist dat we hem konden vertrouwen, hoewel ik moet zeggen dat hij me wel een paar opmerkelijke vragen stelde.

Na ons begroet te hebben, vroeg hij of we er bezwaar tegen hadden als hij ons afzonderlijk een paar vragen stelde. 'Mensen praten vrijer als er geen familieleden bij zijn,' legde hij uit.

We zeiden dat dat geen punt was en onder het motto 'dames gaan voor' nam hij mij als eerste mee naar een kaal verhoorkamertje met gebroken witte muren, neonlicht, een systeemplafond, een grijze, stalen tafel en twee ongemakkelijke stoelen. Hij bood me een kopje koffie aan en terwijl we daarop wachtten, wilde hij een paar dingen over Lizzie weten. Hij vroeg of ze ooit instabiel gedrag had vertoond. Ik zei dat we daar voordat ze in Boston zat en bij het beleggingsfonds was gaan werken, nooit wat van gemerkt hadden. Ik vertelde hem dat ik had gemerkt dat ze rond haar vijftiende, de leeftijd waarop ze in jongens geïnteresseerd raakte, wat aan de dweperige kant was, maar dat ze een leuke vriendenkring had, niet van kliekjes hield en geen dingen deed om ergens bij te horen. En dat ze altijd goed kon opschieten met de kinderen op school en in de buurt.

Zijn volgende vraag overviel me. 'Zou u zeggen dat u een goed huwelijk hebt?'

'Wat heeft dat nou met Lizzies vermissing te maken?'

'Hoe meer ik weet, hoe beter ik me een totaalbeeld kan vormen,' zei hij. 'Stel dat er iets is wat haar al jaren dwarszit, dan is dat misschien na het einde van haar relatie met de dokter de spreekwoordelijke druppel geweest. Het is niet ondenkbaar dat ze naar een plek uit haar jeugd is gevlucht. De ervaring heeft geleerd dat mensen die vermist worden, dan wel irrationele beslissingen hebben genomen, vaak daar worden teruggevonden waar ze associaties met hun verleden hebben.'

'Ik geloof u direct, maar wat heeft dat met mijn huwelijk te maken?'

'U praat er liever niet over, begrijp ik?'

'Nee, dat is het niet, maar eh...'

'U beschouwt het als schending van uw privacy.'

'Dat is misschien een beetje erg sterk uitgedrukt.'

'Ik heb het uw man ook gevraagd.'

'O? Wat zei hij?'

'Dat kan ik niet zeggen. Ondervragingen zijn vertrouwelijk, maar als u er een slag naar wilt doen.'

'Ik ken Dan goed genoeg om te weten dat hij het een goed huwelijk noemt.'

'Bent u het daarmee eens?'

Ik dacht even na en zei: 'Ja. Vergeleken met andere stellen hebben we een goed huwelijk.'

'Goed? Niet fantastisch?'

'Een góéd huwelijk, precies wat ik zeg.'

'Verklaar u nader.'

'We zijn nog bij elkaar, hebben het gered, hebben nooit opgegeven, ondanks...'

'Ondanks wát?'

'Rechercheur, bent u getrouwd?'

'Gescheiden.'

'Dan weet u wat ik bedoel met "ondanks".'

Hij schonk me een glimlach en zei: 'Goed. Het was een harmonieus gezin zonder grote ruzies en problemen.'

'Inderdaad.'

'U en uw man stonden altijd klaar voor de kinderen?'

'Ik geloof van wel, ja. Waar wilt u nou eigenlijk heen, rechercheur?'

Hij rommelde even in zijn aktetas, haalde er een dossiermap uit en sloeg hem open. 'Het spijt me dat ik erover moet beginnen, maar ik geloof dat het relevant is. Een van Lizzies collega's zegt dat uw dochter zich een keer heeft laten ontvallen dat het huwelijk van haar ouders niet echt gelukkig was; dat ze elkaar vriendelijk bejegenden, zelden ruzie hadden en dat het een stabiele indruk maakte, maar dat ze het niet écht gelukkig kon noemen. Lizzie heeft die collega ook verteld dat dát er misschien de oorzaak van was dat ze zich nooit helemaal happy voelde en zo naarstig op zoek was naar geluk.'

'Wat een flauwekul.'

'Ik lees alleen maar voor wat er staat, mevrouw.'

'Is dat nou nodig? Wat schieten we hiermee op?'

'Mevrouw, het spijt me dat ik u dit soort dingen moet vertellen, maar het is in het kader van het onderzoek. Is ze ervandoor gegaan of heeft ze de hand aan zichzelf geslagen? In dit soort gevallen spelen gezinsomstandigheden nu eenmaal een belangrijke rol. Ze wordt nu tweeënzeventig uur vermist en dat is cruciaal...'

'Verklaar u nader.'

'In de meeste gevallen wordt de vermiste óf binnen drie dagen gevonden óf meldt de persoon zich. Als die termijn is verstreken, dan betekent dat in het algemeen – let wel, er zijn uiteraard uitzonderingen – dat het die persoon menens is. Mensen die een eind aan hun leven maken, zijn niet op zoek naar een oplossing voor hun problemen, maar naar het einde van hun pijn. Uw dochter daarentegen lijkt op zoek te zijn naar de prins op het witte paard, iemand die haar haar problemen kan doen vergeten. Het feit dat ze tegen u heeft gezegd dat McQueen zijn vrouw en kinderen voor haar verlaat en dat ze een kind van hem verwacht, en dat allemaal terwijl hij het heeft uitgemaakt, duidt op hoop, op iets om naar uit te kijken. Zoals ik al zei: ze heeft de indruk dat u en uw man een niet al te gelukkig huwelijk hebben, vandaar die neurotische behoefte aan een man die haar gelukkig kan maken. Stel dat uw huwelijk een absolute mislukking was of juist vreselijk gelukkig, dan had ze redenen te denken dat alle relaties gedoemd zijn te mislukken of dat ze dergelijk geluk nooit zal evenaren. Nou ja, dat is mijn theorie. Best mogelijk dat ik er helemaal naast zit.'

Het was even stil.

'Rechercheur,' begon ik, 'mag ik u wat vragen? Bent u psycholoog of zo?'

'Ja, dat klopt. Ik heb psychologie gestudeerd, maar ben hier terechtgekomen.'

'Ik moet zeggen dat ik wel wat zie in uw theorie, maar...'

'Wat, mevrouw?'

'Dan en ik... Ons huwelijk was wat je noemt "degelijk" en dat straalden we ook uit.'

'Zoals ik zei: ik heb het maar uit de tweede hand, maar feit is dat kinderen, ook als ze volwassen zijn, heel graag zien dat hun ouders het goed hebben samen. Is de realiteit iets minder rooskleurig, dan is dat voor hen moeilijk te accepteren. Geef uzelf nou niet de schuld, dat is beslist niet de bedoeling. Nogmaals mijn excuses, mevrouw, voor de persoonlijke vragen.'

'Wat denkt u, rechercheur? Heeft McQueen haar wat aangedaan?'

'We sluiten het nog niet uit, maar we hebben kunnen reconstrueren wat hij de dagen na die toestand in de Four Seasons heeft gedaan en alles wijst erop dat hij vrijuit gaat. Aan de andere kant, het is best mogelijk dat hij iemand heeft ingehuurd om het vuile werk voor hem op te knappen. Maar goed, dat is allemaal speculatie. Ik maak er geen geheim van dat ik die McQueen niet hoog heb zitten, maar dat hij een moordenaar is, wil er bij mij niet in.'

Na het verhoor wachtte ik in de receptie totdat de rechercheur klaar was met mijn vader.

*... dat het huwelijk van haar ouders niet écht gelukkig was.* Het bleef maar door mijn hoofd spoken. Zo dacht ze dus over ons en als Lizzie er zo over dacht, dan gold dat waarschijnlijk ook voor Jeff, om nog maar te zwijgen over onze vrienden, buren en collega's. Vonden die dat ook allemaal? *Hannah en Dan? Om nou te zeggen dat ze veel van elkaar houden, nee.*

Het gesprek tussen mijn vader en Leary duurde maar liefst drie kwartier en dat was bijna drie keer zo lang als mijn onderhoud. Na afloop kwamen ze samen de hal in lopen, zo te zien de beste maatjes.

'Goed,' zei Leary toen hij afscheid van ons nam. 'U brengt uw vader dus zo naar Vermont en u bent morgen weer op uw adres in Maine te bereiken.'

'Dat klopt.'

'Mooi. Ik heb uw telefoonnummers. Zodra ik iets weet, bel ik u.' Hij gaf me een kaartje met achterop een handgeschreven nummer. 'Mocht u me hier op het bureau niet kunnen bereiken, dit is mijn mobiele nummer. U kunt me altijd bellen. Ik hoop dat u uw vader veilig thuis afzet. Ik mag het dan op de meeste punten niet met hem eens zijn, maar mannen als hij, daar kunnen we er in deze tijden niet genoeg van hebben.'

'Op de meeste punten, zegt u? Ik heb de indruk dat we het nergens over eens waren,' zei mijn vader met een brede glimlach. Hij stak zijn hand uit en ze namen hartelijk afscheid. 'U weet het, hè? We hebben daar in Burlington een verdraaid goed honkbalteam, dus ik reken erop dat u het volgend seizoen een keer komt kijken.'

Toen we in de auto zaten, zei ik: 'Jij en die Leary konden het zo te zien erg goed met elkaar vinden.'

'Ik vind het een indrukwekkende figuur.'

'Wat was dat nou met dat honkbal?'

'Je kent de Vermont Expo's toch nog wel?

'Ja.'

'Nou blijkt dat Leary een enorme honkbalfan is en dat hij vooral de eerste klasse volgt. Hij zegt dat die veel leuker is dan de hoofdklasse, wat ik zonder meer onderschrijf. Goed, het gesprek kwam op de Expo's, dat ze een kweekvijver zijn voor het hoofdklasseteam uit Montréal en dat het stadion in Burlington zo gezellig is. Enfin, ik heb hem uitgenodigd eens te komen kijken.'

'Hebben jullie het alleen daarover gehad?'

'Nee, ook over Lizzie natuurlijk.'

'En?'

'Hij wilde eigenlijk alleen wat achtergrondinformatie. Het viel me wel op dat hij erg geïnteresseerd was in de vraag of ze jullie wat te verwijten had.'

'O? Wat heb je daarop geantwoord?'

'Dat alle kinderen een klap van de ouderlijke molen oplopen, maar dat jullie er vergeleken met veel ouders heel goed afkomen.'

'Zo mag ik het horen, pap. Bedankt voor het compliment.'

'Hij is een verdraaid slimme politieman,' zei hij, 'en geloof me, ík kan het weten. Vergeet niet dat er een tijd was dat "het gezag" zich buitenmatig voor me interesseerde.'

'Hij zei dat hij psychologie had gestudeerd.'

'Ja, dat heeft hij mij ook verteld. Dan weet je vast ook dat hij na zijn studie drie jaar op het seminarie van de jezuïeten heeft gezeten.'

'Aha,' zei ik, 'dat verklaart een boel.'

We zaten in de auto en reden richting Vermont. Dan was na het ontbijt al vertrokken. Het viel me zwaar Boston achter me te laten, maar aan de andere kant was het ook een opluchting. Het was naar om onder ogen te moeten zien dat we Lizzie niet hadden gevonden en een opluchting omdat we wegreden van de plek waar ze was verdwenen. Boston is een gemoedelijke stad die, met dank aan haar patricische verleden, de extremen en de opwinding van New York en Chicago ontbeert, maar ik wist dat ik Boston alleen nog maar kon zien als de stad waar mijn dochter in een donker gat was gevallen en de rest van mijn leven zou ik de stad daarmee associëren.

Het was niet druk op de weg, dus we reden algauw over de Tobinbrug en voor we het wisten, zaten we op de grote weg. Vandaar was het in één ruk naar de I-89, even voorbij Concord, en dan anderhalf uur naar Burlington. Ik kende de weg van Boston naar Lake Champlain even goed als die van Portland naar Burlington, omdat ik die in mijn studietijd en gedurende de zomers dat Dan in Boston werkte talloze keren had gereden. Terwijl we al keuvelend naar het noorden reden, dacht ik aan een weekend in 1969 toen ik Margy had opzocht. We overnachtten bij een middelbareschoolvriendin van haar die aan Radcliffe studeerde en sliepen op de grond. Ik herinnerde me dat we bij het standbeeld van John Harvard wiet hadden gerookt en dat ik in een boetiek in Cambridge een raar hippieachtig T-shirt had gekocht. We waren geëindigd op een of ander feestje op de campus. Ik weet nog dat ik een hele tijd heb gepraat met ene Stan, een tweedejaars, die een roman had geschreven en met me naar bed wilde. Ik weet nog dat ik hem bijzonder interessant vond, maar daar had ik toen toch geen zin in. Op de terugweg naar Burlington had ik daar al spijt van, maar een dag of tien daarna leerde ik Dan kennen en dat was het begin van onze relatie, zij het dat we op dat moment natuurlijk nog niet wisten dat we samen door het leven zouden gaan.

Vierendertig jaar later, terwijl ik midden in een gigantische crisis zat en me zo goed en zo kwaad als het ging groothield, zat ik te mijmeren over dat weekend in Boston en vroeg me af wat er gebeurd zou zijn als ik op de avances van een aspirant-schrijver van Harvard was ingegaan. Nee, ik ben niet zo naïef te denken dat die Stan en ik dan nu nog bij elkaar zouden zijn, maar ik vraag me toch af hoe het allemaal gelopen was als ik wél met hem had gevreeën. Was ik dan ook ontvankelijk geweest voor de charmes van de student medicijnen uit Glens Falls of had ik hem een blauwtje laten lopen toen hij me vroeg een biertje met hem te gaan drinken? Als ik hem toen had afgewimpeld, dan had ik me niet hier in de auto zitten groothouden en me niet getroost met Leary's woorden dat hij niet dacht dat ze suïcidaal was. Hij was een halve jezuïet, dus hij kon het weten.

'Waar denk je aan?' hoorde ik mijn vader zeggen.

Ik haalde mijn schouders op. Het leek me niet nodig hem te vertellen hoe Lizzie over mijn huwelijk dacht, maar ik vroeg me wel af of ze niet had verwoord wat mij moeite kostte, wat ik niet wilde erkennen: dat mijn huwelijk bitter weinig voorstelde. Stel dat ik het er met mijn vader over had, dan zou hij me ongetwijfeld voorhouden dat alleen de twee partners de ingewikkelde landkaart van het huwelijk konden ontcijferen. Ik was door de gebeurtenissen van de afgelopen dagen zo van de kaart dat ik weinig voelde voor een goed vader-dochtergesprek.

We zeiden weinig gedurende de rit en luisterden naar een concert met muziek van Haydn en Schubert en naar de nieuwsbulletins. We waren uitgepraat en ieder ander onderwerp zou toch overschaduwd worden door de gedachte aan Lizzie.

Toen we de buitenwijken van Burlington bereikten, zei hij: 'Ik heb vanochtend even met Edith gebeld en die zou zorgen dat er wat te eten was.'

'Dat is heel lief van haar.'

'Zij maakt zich ook grote zorgen.'

'Weet je, pap? Als je het niet erg vindt, ga ik het liefst meteen door.'

'Dat begrijp ik,' zei hij. 'Het heeft toch niets met Edith te maken, hè?'

'Nee hoor.'

'Ik krijg toch echt de indruk van wel.'

'Dat is het helemaal niet. Ik heb geen zin om het hele verhaal nóg eens te vertellen.'

'Dat verlangt ze ook helemaal niet van je. Bovendien is nieuwsgierigheid haar vreemd.'

'Het heeft niets met Edith te maken. Ik hoop niet dat je het me kwalijk neemt, maar ik wil even alleen zijn.'

'Dat begrijp ik,' zei hij, maar ik had toch het idee dat hij het me kwalijk nam. Als kind had ik altijd naar zijn goedkeuring gehunkerd en ik besefte dat de rollen nu waren omgedraaid.

Ik ging even mee naar binnen. Tijdens mijn vaders afwezigheid had Edith het hele huis opgeruimd. Ze had het gezellig gemaakt en zat al klaar met de martini en een kaasplankje.

'Hannah gaat meteen door,' zei mijn vader.

'Ja, ik moet echt naar Maine,' zei ik.

'Ik heb mijn best gedaan,' zei mijn vader, 'maar...'

'John, als Hannah naar huis wil, dan respecteren we dat,' zei ze. 'Ik denk dat ik onder dergelijke omstandigheden ook alleen zou willen zijn.'

*Edith, je bent een schat.*

'Ik vind het niet zo'n prettige gedachte dat je in het donker rijdt,' hield mijn vader vol.

'John. Ze is mans genoeg om...'

'Dat kan wel zijn, maar je kind blijft toch je kind,' zei hij.

Voor ik de auto in stapte, werd ik in plaats van het gebruikelijke, wat plichtmatige kusje op mijn wang, vergast op een ware omhelzing. Hij hield me even dicht tegen zich aan, sprak geen troostende woorden en onthield zich van clichés als 'het komt allemaal wel goed'.

Een paar minuten later zat ik weer in de auto. Het ging al schemeren. Ik reed in oostelijke richting, ging de snelweg af en nam een prachtige route over een tweebaansweg die langs een aantal onbedorven, kleine stadjes voerde. Ik concentreerde me op de weg voor me, maar zo nu en dan wierp ik een blik op de besneeuwde heuvels en de mooie details van de oude huizen langs de weg. Mijn favoriete radiostation switchte naar jazz. Ik zette de volumeknop open en koerste op de melancholieke tonen van Dexter Gordons saxofoon naar het oosten. Verlangend keek ik naar de mobiele telefoon in het houdertje op het dashboard. Wat hoopte ik dat het ding zou overgaan en dat ik Lizzies stem zou horen, maar iedere keer dat ik dat dacht, sprak ik mezelf streng toe dat ik daar maar niet aan moest denken en zegde ik de mantra op: *je kunt niets doen, je kunt niets doen, je kunt...*

Bij St. Johnsbury pakte ik de 302. New Hampshire ging heel snel en een uur later was ik al bij de grens met Maine. Toen ik Portland op dertig kilometer was genaderd, belde ik naar huis. Er werd niet opgenomen, dus belde ik Dans mobiele nummer, en ook daar kreeg ik de voicemail. Ik sprak in dat ik er bijna was en keek op het klokje op het dashboard: dertien voor halfnegen. Dan was waarschijnlijk naar de sportschool. Ik was op het punt waar de 302 en de 295 samenkwamen (inderdaad, het Amerikaanse wegennet is een reeks nummers die je in je geheugen moet prenten), maar ik nam de afslag erna omdat ik nog even naar de supermarkt moest. Ik deed voor honderd dollar boodschappen en toen ik naar de jongen keek die de spullen voor me inpakte, het winkelwagentje naar mijn auto reed en alles achterin legde, dacht ik aan Lizzie. Ik herinnerde me dat ze als scholier vakantiewerk had gedaan bij de grote drogist verderop.

'Detailhandel is niks voor mij, mam,' zei ze de middag dat ze er de brui aan had gegeven. Ik weet nog dat ik het wel stoer van haar vond dat ze geen zin had haar tijd te verdoen met iets waar ze geen plezier aan beleefde, maar nu vroeg ik me af waarom ze haar baan bij die beleggingsmaatschappij er niet aan had gegeven als ze het er zo vervelend vond. Waarom was ze blijven omgaan met die onuitstaanbare figuur? Had ze nou echt niet door dat hij haar alleen maar loze beloften deed? Sinds wanneer liep ze niet gewoon weg als iets haar niet zinde?

'Is er wat, mevrouw?' vroeg de jongen.

Ik veegde mijn tranen weg. 'Niet écht, nee.' Ik pakte mijn portemonnee, gaf hem vijf dollar en bedankte hem voor zijn hulp.

De luiken van het huis waren dicht en er brandde geen licht. Het was twaalf over tien en voor Dan was het een latertje, als hij inderdaad in de sportschool zat. Voor ik de boodschappen uitpakte, luisterde ik de voicemail af, maar er was geen nieuws, afgezien van Jeff die zei dat hij maandag naar Boston ging en al een afspraak met Leary had gemaakt. 'Leary zegt dat hij de *Boston Herald* nog wel een paar dagen aan het lijntje kan houden. Dit weekend peil ik wel even een paar bevriende advocaten om te zien of er juridische gronden zijn om publicatie tegen te houden.'

Vergeet het maar. Vrijheid van meningsuiting is een groot goed. Als ik heel eerlijk ben, moet ik toegeven dat ik in dit geval hoopte dat Jeff wat kon bereiken, maar ik had het angstige vermoeden dat het hem vooral te doen was te voorkomen dat Lizzies abortus in het nieuws kwam. Dat zou natuurlijk heel slecht vallen bij Shannons reactionaire vriendinnen.

Ik ging snel door mijn e-mail. Het merendeel was spam, maar er zat een mail tussen van Margy die ze 'Groeten uit Chemoland' had genoemd.

*Hoi,*
*Kom net thuis van een chemosessie. Een paar dagen geleden is er een* MRI-*scan gemaakt. Dokter Walgreen heeft ergens onder aan een kwab een eng grijs dingetje ontdekt en wil daar wat aan doen. Niets om je heel ongerust over te maken, maar zoals het een oncoloog betaamt, neemt hij het zekere voor het onzekere. Zat dus de hele middag met een vergif spuwend infuus in mijn arm naar een dom realityprogramma te staren, iets over zes stellen die worden opgesloten in een oude, leegstaande gevangenis. Heb al een tijdje niets van je gehoord. Heb je het boek gekregen? Zo ja, bel me z.s.m. dan hebben we het erover. Ik mis je en heb veel zin om een paar martini's met je te drinken. Een betere drug is er niet! M. xxx*

Weer chemotherapie. Een eng grijs dingetje ergens onder aan een kwab. Dat klonk niet best. Dat boek kon me even geen bal schelen. Vergeleken met al het andere was het van ondergeschikt belang.

Net toen ik bezig was met het beantwoorden van Margy's e-mail hoorde ik een auto. Ik liep de trap af en zag Dan binnenkomen.

Hij was heel verbaasd me te zien en zei: 'Je zou toch pas morgen thuiskomen?'

'Ook goedenavond.'

'Sorry. Ik verwachtte je helemaal niet.'

'Heb je je voicemail dan niet afgeluisterd?'

'Ik ben er nog niet aan toe gekomen.'

'Heb je nog zo laat in de sportschool gezeten?'

'Nou, nee. Ik liep Elliot Bixby tegen het lijf en we zijn samen een biertje gaan drinken.'

Elliot Bixby was afdelingshoofd Dermatologie van Maine Medical en ik vond hem altijd nogal een blaaskaak.

'Ik kan even geen dermatoloog meer zien.'

'Daar kan ik inkomen. Ik kwam hem tegen in de kleedkamer en hij vroeg of ik zin had een borrel te pakken. Alles beter dan in een leeg huis zitten, snap je? Is er nog nieuws?'

Ik schudde mijn hoofd.

'Heb je een goed gesprek gehad met die Leary?' vroeg hij.

'Hij stelde wel een paar rare vragen.'

'Zoals?'

'Of ik vond dat we een goed huwelijk hadden.'

'O, ja, dat heeft hij mij ook gevraagd.'

'Weet ik,' zei ik. 'Wat heb jij geantwoord?'

'Ik heb hem de waarheid verteld.'

'En die is?'

'Ja, zeg.'

'Vertel het nou maar.'

Hij sloeg zijn ogen neer en zei: 'Ik heb gezegd dat we heel gelukkig zijn. En jij?' Hij bleef mijn blik ontwijken.

Ik zweeg even en zei: 'Dat heb ik ook gezegd... dat we heel gelukkig zijn.'

4

DAT WEEKEND WAS er geen nieuws uit Boston. Ik bleef Lizzies mobiele nummer bellen en kreeg steeds de voicemail, maar zondagmiddag laat werd er opeens opgenomen.

'Ja, wat is er?'

Een mannenstem.

Ik kon niet goed inschatten hoe oud de man was, maar kreeg de stellige indruk dat hij niet nuchter was.

'Is Lizzie Buchan daar?' vroeg ik.

'Wie is dit, verdomme?'

'Haar moeder. Wie bent u?'

'Doet dat er wat toe?'

'Waar is mijn dochter?'

'Hoe moet ik dat weten?'

'Is ze daar bij u?'

'Natuurlijk niet.'

'Houdt u haar ergens vast?'

'Bent u wel helemaal goed snik, mevrouwtje?'

'Waar is ze?' Ik schreeuwde haast.

'Rustig aan, hè?'

'Waar is ze? Wat hebt u met haar gedaan?'

'Hallo! U lijkt wel gek. Ik heb niets met haar gedaan.'

'Hoe komt u dan aan haar mobieltje?'

'Gevonden.'

'Waar dan?'

'Op straat.'

'Waar op straat?'

'In Boston.'

'Waar in Boston?'

'Zeg dame, is dit soms een verhoor of zo?'

'Mijn dochter wordt vermist en dit is haar mobieltje.'

'En ik heb het in het park gevonden.'

'In het stadspark?'

'Helemaal goed.'

'Hebt u daar misschien een jonge vrouw gezien van rond de vijfentwintig, met kort, bruin haar?'

'Zeg eh... Ik heb dit ding gevonden, meer niet, oké?'

De verbinding was al verbroken. Ik drukte de herhaaltoets in,

271

maar kreeg de ingesprektoon, en belde meteen het mobiele nummer van Leary. Ik zei dat het me speet dat ik hem in het weekend belde en vertelde hem wat er was gebeurd.

'Geef me een paar minuten,' zei hij. 'Ik kijk wat ik kan doen.'

Hij belde een uur later terug en vertelde dat het gesprek was gevoerd door een man die in het stadspark woonde. Hij was meteen door een surveillanceteam opgepakt en had de agenten bezworen dat hij het mobieltje die dag in het park had gevonden. 'Het is heel goed mogelijk dat uw dochter zich daar ophoudt en het park wordt op dit moment uitgekamd.'

De actie leverde niets op. De man die ze hadden opgepakt was een bekende van de politie, maar volgens hen was het een ongevaarlijke figuur die bijna de hele dag dronken is. 'We hebben Lizzies foto aan alle zwervers in het park laten zien,' zei Leary. 'Niemand herkende haar, maar het feit dat haar mobieltje daar vandaag is opgedoken, betekent dat ze daar de afgelopen dagen is geweest. Niets is zeker, maar ik heb een vermoeden dat ze het nog geen vierentwintig uur geleden is kwijtgeraakt. Ik zou die vent met alle plezier een tijdje opsluiten, maar ik denk dat hij de waarheid spreekt.'

Maandagochtend om acht uur ging de telefoon. Ik nam op en hoorde Leary zeggen: 'We hebben iemand opgepakt die Lizzies pinpas had.'

Mijn hart stond stil. 'En?'

'Een vrouw, ook een zwerver. Bij het wijkbureau kennen ze haar wel. Ze hebben haar opgepakt bij een pinautomaat in de buurt van het metrostation. Ze had net tweehonderd dollar opgenomen.'

'Hoe kwam ze aan het pasje?'

'Ik heb haar zojuist een uur lang aan de tand gevoeld. Ze beweert bij hoog en bij laag dat Lizzie het pasje aan haar heeft gegeven.'

'Wát zegt u?'

'Volgens de vrouw heeft Lizzie de afgelopen twee nachten in het park geslapen. De vrouw had zich tegen Lizzie beklaagd dat ze niets te eten had, waarop uw dochter haar de pinpas heeft gegeven. Lizzie had zelfs haar pincode op een stukje papier gekrabbeld en dat papiertje had ze nog. We hebben het onderzocht en inderdaad, het is het handschrift van uw dochter.'

'Misschien heeft Lizzie het niet uit vrije wil gegeven.'

'Daar heb ik ook aan zitten denken, maar we zijn op nóg iets gestuit. We zijn benaderd door ene Josiane Thierry, een Franse toeriste, die zei dat ze vanochtend in de buurt van South Station is aangesproken door een vrouw die volgens haar beschrijving Lizzie zou kunnen zijn. Mevrouw Thierry vertelde ons dat de jonge vrouw, die er vreselijk vervuild bijliep, op haar af was gelopen en toen ze merkte dat ze Française was, Frans tegen haar begon te praten. Lizzie spreekt toch Frans?'

'Ze heeft een jaar in Frankrijk gestudeerd.'

'Mevrouw Thierry was nogal onder de indruk van haar Frans, zeker omdat ze de vrouw beschreef als een... wat zei ze ook alweer... *une clocharde*... Ik heb me laten vertellen dat...'

'Een zwerfster, een dakloze.'

'Klopt. Goed, volgens mevrouw Thierry was de vrouw erg in de war, want de zwerfster had haar portemonnee opgehouden en gezegd dat ze alles wat erin zat mocht hebben. Voor de Franse dame iets kon zeggen, was de zwerfster al halverwege de trap die naar de ondergrondse gaat. Mevrouw Thierry is een eerlijk mens, dus ze heeft de portemonnee naar het dichtstbijzijnde politiebureau gebracht. Omdat iedere agent Lizzies foto onder ogen heeft gehad, heeft de dienstdoende agent een en een bij elkaar opgeteld en zodra hij de foto op het rijbewijs zag, heeft hij me gebeld.'

Ik moest het allemaal even op me in laten werken.

'Bent u daar nog?' vroeg Leary.

'Eh... ja.'

'Ik weet dat het moeilijk te bevatten is allemaal, maar godzijdank hebben we bewijs dat Lizzie nog leeft en in Boston zit.'

'Het feit dat ze alles weggeeft... Zou dat betekenen dat ze een eind aan haar leven wil maken?'

'We kunnen niets uitsluiten, maar waarom zou ze dan eerst alles weggeven? Goed, van haar collega's hebben we gehoord dat ze heel vrijgevige buien heeft, maar het feit dat ze de afgelopen dagen het bestaan van een dakloze heeft geleid en – als we die Franse mevrouw mogen geloven – een nogal verwarde indruk maakte, doet vermoeden dat we met psychotisch gedrag te maken hebben. Of ze zelfmoordneigingen heeft? Dat zou kunnen. De ervaring heeft echter geleerd dat de mensen die aan een dergelijke vorm van depressiviteit lijden, niet weten wat ze doen. Vandaar dat ze in het park slaapt, terwijl ze op nog geen anderhalve kilometer daarvandaan een appartement heeft, en haar pinpasje en portemonnee weggeeft.'

Ik probeerde me mijn dochter voor te stellen, tussen de zwervers in het stadspark, en maakte me zorgen over hoe ze aan eten moest komen. O, Lizzie, ga naar een telefooncel, bel me en we komen je halen.

'Er is nog iets,' zei Leary.

'Nog meer slecht nieuws?'

'Helaas wel. Hoezeer ik ook mijn best heb gedaan om dit uit de pers te houden – en ik heb begrepen dat uw zoon er ook mee bezig is – ben ik benaderd door een verslaggever van de *Boston Herald,* ene Joe O'Toole. Zijn chef staat erop dat het in de krant komt, dus ze gaan morgen een artikel plaatsen. U kunt ieder moment een telefoontje van hem verwachten. Hij heeft mij net gebeld om te horen of er nog nieuws was en zei dat hij u of uw man wil spreken. Ik heb hem gezegd dat hij even geduld moest hebben omdat ik u eerst wilde spreken.'

'En als ik hem niet te woord wil staan?'

'Het is geheel aan u, maar over het algemeen is het verstandig om mee te werken. Ze willen een foto van Lizzie bij het artikel plaatsen, dus dat vergroot de kans dat iemand haar herkent. Met andere woorden, de pers kon wel eens een nuttige rol vervullen.'

Na het gesprek met Leary liep ik de trap af naar het souterrain. Dan zat zijn verzameling oude horloges te poetsen, een enorme klus, maar blijkbaar probeerde hij zo zijn zinnen te verzetten.

'Dat was Leary,' zei ik en ik vertelde hem wat de rechercheur mij had gezegd. Toen ik uitgesproken was, legde Dan zijn poetsdoek neer en staarde naar het eiken bureaublad. 'O, ja,' zei ik. 'Er kan een journalist van de *Boston Herald* bellen.'

'Wil jij hem te woord staan? Ik moet zo weg.'

'Ik voel er ook weinig voor.'

'Geef zo goed mogelijk antwoord op zijn vragen.'

'Dan? Ik zou het fijn vinden als jij het op je nam.'

Hij keek weg en zei: 'Ik geloof niet dat ik het kan opbrengen.'

'Nou,' zei ik, 'dan doe ik het wel.'

Een halfuur later had ik Joe O'Toole aan de lijn. Ik had me voorbereid op een snelle prater – misschien heb ik te veel films gezien – maar hij kwam juist een beetje aarzelend over. Desondanks moet ik zeggen dat hij er niet omheen draaide. Hij leek niet erg met me mee te leven, want zijn eerste vraag was: 'Haar relatie met McQueen... Was het de eerste keer dat ze een relatie had met een getrouwde man?'

Zijn vraag overviel me, maar ik zei tegen mezelf dat ik hem maar het beste gewoon antwoord kon geven.

'Ja, dat weet ik zeker.'

'Hoezo?'

'Omdat ze altijd erg open was tegen mij.'

'U had een goede relatie met haar?'

'Zeer zeker.'

'Dus u weet dat ze vorig jaar door haar superieuren op het matje

is geroepen omdat ze een collega in de financiële wereld heeft gestalkt?'

'Ik heb geen idee waar u het over hebt,' zei ik en ik hoorde zelf hoe
onzeker ik klonk.

'Het gaat om een zekere Kleinsdorf. Uw dochter heeft hem leren
kennen bij een transactie voor een cliënt van haar en ze hebben kort
iets met elkaar gehad. Na een maand heeft Kleinsdorf het uitgemaakt, waarop uw dochter hem dag en nacht belde. Ze heeft hem
zelfs tot twee keer toe op zijn werk in New York opgezocht.'

'Dat hoor ik voor het eerst.'

'Terwijl u eh... zegt dat u en uw dochter een goede relatie hadden?'

Ik koos mijn woorden met zorg en zei: 'Het is duidelijk dat mijn
dochter problemen heeft.'

'Geeft u zichzelf de schuld van die problemen?'

'Meneer O'Toole? Hebt u kinderen?'

'Ja.'

'Dan kunt u zich voorstellen dat je je als ouder schuldig voelt als
je kind psychische problemen heeft. Lizzie is opgegroeid in een veilige omgeving, in een hecht gezin. Mijn dochter is depressief en dat is
een ziekte. De ziekte veroorzaakt dat zieke compulsieve gedrag en
de...'

'De abortus?'

'Dat is een beslissing die ze samen met dokter McQueen heeft genomen.'

'Volgens hem heeft hij haar aangeraden de zwangerschap te onderbreken omdat hij vermoedde dat ze geestelijk niet was opgewassen tegen de eh... ik citeer: "Eisen die het moederschap stelt".'

'Dat is een pertinente leugen. McQueen wilde zijn gezin niet in de
steek laten, dat is de reden.'

'Dus u denkt dat hij druk op haar heeft uitgeoefend?'

Het gesprek ging helemaal de verkeerde kant op. 'Ik denk dat mijn
dochter zich heeft laten aborteren omdat McQueen haar onder druk
heeft gezet, omdat hij haar heeft voorgelogen dat het beter was als ze
na zijn scheiding een gezin zouden stichten.'

'Dat hebt u van uw dochter?'

'Dat niet, maar ik weet haast zeker dat het zo is gegaan.'

'Aha.'

'Ik weet dat Lizzie dolgraag een kind wilde en dat ze nooit uit zichzelf een zwangerschap zou afbreken.'

'Dus onder de gegeven omstandigheden bent u het eens met de beslissing die uw dochter heeft genomen?'

'Als het voor haar de juiste oplossing was, als ze niet onder druk is gezet, ja, dan sta ik erachter.'

'Ze heeft u nooit verteld waarom ze dat besluit heeft genomen?'

'Ik heb het pas gehoord nadat ze werd vermist.'

'Dus ze vertelde u lang niet alles. Ze had wel degelijk geheimen voor u.'

'Dat is pas begonnen nadat ze in de war is geraakt.'

Hij zweeg even en ik hoorde hem wat opschrijven. Ik hield nu al mijn hart vast voor de draai die hij eraan zou geven. 'Goed. Eh... bedankt dat u me te woord hebt gestaan, mevrouw. Mocht ik nog vragen hebben, dan hoop ik dat u het niet erg vindt als ik u nogmaals benader.'

Ik wilde iets zeggen als: 'Toe, publiceert u nou niets wat haar kan schaden', maar ik slikte het in omdat ik wist dat het tegen me gebruikt kon worden. Hij had trouwens al opgehangen.

Ik raakte in paniek. Het liefst had ik Dan gebeld om hem te vertellen dat ik het vraaggesprek volledig had verknald, dat O'Toole me had overrompeld en dat het beter was geweest als mijn man me er niet mee had opgezadeld. Maar het leek me verstandiger een poging te doen de schade te beperken, dus ik belde Leary en vertelde hem dat het vraaggesprek niet goed was gegaan.

'Het klinkt misschien hard, maar zoals ik al eerder heb gezegd: hoe sensationeler het verhaal, hoe meer mensen het lezen, en hoe groter de kans dat iemand haar van de foto in de krant zal herkennen.'

'Waar ik zo bang voor ben, is dat Lizzie na het lezen van het artikel helemaal niet meer weet waar ze het zoeken moet.'

'Als ze het al onder ogen krijgt. Afgaand op haar vreemde gedrag, heb ik het vermoeden dat ze niet echt is geïnteresseerd in de media. Het is natuurlijk giswerk, maar zo zie ik het.'

'Zijn manier van ondervragen doet me het ergste vrezen. Ik ben doodsbang dat hij de boel verdraait en dat Lizzie wordt afgeschilderd als een vreselijk iemand.'

'Ik voel met u mee, maar ondanks de verwoede pogingen van een paar politici in de Republikeinse partij, hebben we nog steeds persvrijheid in dit land, dus ik kan er verder niets aan doen. Sterker nog, stel dat ik hem bel en bij hem informeer hoe hij het verhaal gaat brengen, dan is het niet ondenkbaar dat hij naar de hoofdredacteur loopt, die op zijn beurt contact opneemt met de commissaris en ik kan u verzekeren dat ik dan op het matje word geroepen voor een poging tot beïnvloeding van de pers. Laten we nou maar duimen dat het stuk het gewenste effect heeft, dat Lizzie snel gevonden wordt, de pers de hele zaak dan vergeet en dat het verder geen gevolgen heeft.'

Ik wilde dat ik het kon geloven, maar ik twijfelde of het zo zou gaan.

'Morgen heb ik een afspraak met uw zoon. Klopt het dat hij niet erg te spreken zal zijn over Lizzies abortus?'

'Hoe komt u daarbij?'

'Ik ben tenslotte rechercheur en ik google wel eens wat. Jeffrey Buchan: voorzitter van ALC, de antiabortusbeweging in Connecticut, zeer actief in de kerk, vader van een dochter, getrouwd met de vicevoorzitter van eerdergenoemde ALC, vorig jaar opgepakt tijdens een demonstratie bij een abortuskliniek, dezelfde dag vrijgelaten, geen aanklacht.'

'Opgepakt? Dat wist ik helemaal niet.'

'Het heeft alleen de regionale pers gehaald. Enfin, het was een kleinigheid.'

Dat had Jeff me wel eens kunnen vertellen. Wat wist ik toch weinig van de kinderen die ik dacht goed te kennen.

'Zonder me in familieaangelegenheden te willen mengen, misschien is het een goed idee als ik hem van tevoren even bel om te zeggen dat er morgen een stuk in de *Herald* komt.'

'Dat zou fijn zijn.'

'Dan doen we dat.'

'Rechercheur? O'Toole had het over een andere man die door Lizzie gestalkt zou zijn. Weet u daarvan?'

'Ja.'

'Waarom hebt u me dat dan niet verteld?'

'Omdat ik vermoedde dat u wel genoeg te verwerken had.'

Nadat we hadden opgehangen, ging ik on line en stuurde Margy een mailtje.

*Hoi,*
*Ben je daar?*
*H. xxx*

Zodra ik het had verzonden, kreeg ik van haar afwezigheidsassistent een out-of-office-mailtje terug.

*Ik heb me het weekend ergens op het platteland verschanst en ben dinsdagochtend weer op de zaak. Voor spoedgevallen kunt u mijn assistente bellen. Kate Shapiro, tel. 212-555-0264.*

Het was een spoedgeval, maar ik kon me er niet toe brengen haar assistente te bellen, omdat die Margy dan natuurlijk meteen zou waarschuwen. Daarbij, Margy had juist haar werk, de chemo en alle andere ellende die bij longkanker komt kijken, willen ontvluchten. Ik dacht eraan een vriendin te bellen, Alice Armstrong bijvoorbeeld, om het hele verhaal aan te vertellen en op haar schouder uit te huilen. Aan de andere kant, het was natuurlijk ook verleidelijk de boel de boel te laten, zomaar ergens heen te gaan, te vluchten voor alle praatjes die na het artikel zouden rondgaan. Ik stond op en legde een kattenbelletje voor Dan neer waarin stond dat ik aan het begin van de avond terug zou zijn. Omdat ik niet gestoord wilde worden, liet ik mijn mobiele telefoon op het aanrecht liggen, pakte de autosleutels, de zondageditie van *The New York Times* en reed de straat uit.

Een uur later, met dank aan de kustweg en een flink aantal kleinere wegen, draaide ik het parkeerterrein van het Popham Beach State Park op. Het was drie uur en omdat het een koude aprildag was, stonden er maar twee andere auto's. Ik zette de kraag van mijn jack op en liep het pad naar het strand af. Het zand knerpte onder mijn schoenen. De lucht was asgrauw en ik zag maar een heel klein stukje blauw tussen de wolken. Het sombere weer deerde me niet. Popham Beach, vijf kilometer zandstrand bij de Atlantische Oceaan, strekte zich helemaal alleen voor mij uit. Ik had nog tweeëneenhalf uur voor het donker zou zijn, genoeg tijd om eens lekker uit te waaien. Het was eb en omdat het zo kil was, was het zand aan de vloedlijn hard genoeg om er te wandelen. Ik liep in noordoostelijke richting, snoof de zoute zeelucht op en voelde een briesje in mijn rug. De horizon leek eindeloos ver weg. Mijn moeder zei altijd dat het water een goede psychiater was. Als ze depressief was of als het haar allemaal even te veel werd (in haar geval minimaal drie keer per week), reed ze naar de oever van het Champlainmeer en staarde net zolang over het water tot ze weer een beetje rustig was. Ik herinner me dat ze vier jaar geleden, de dag voor Kerstmis, tijdens het hakken van uien voor de vulling van de kalkoen opeens zo'n bui had. Ik was de dag ervoor aangekomen en Dan en de kinderen zouden pas die avond komen. Mijn vader had zich weer teruggetrokken in zijn kamer op de universiteit, dus mijn moeder en ik waren alleen thuis. Op een gegeven moment had het hakken van die uien manische vormen aangenomen en het werd steeds erger.

'Hé, rustig aan,' zei ik.

Ze schoof de snijplank woest weg, waardoor de gehakte uien door de keuken vlogen.

'Jij gaat mij verdomme niet vertellen dat ik rustig aan moet doen.

Als je dat nog één...' Ze zweeg en schudde haar hoofd zo hard, dat ik geloof dat ze even helemaal weg was. Het duurde maar een paar seconden en toen de aanval voorbij was, zag ik dat ze zich even moest oriënteren op waar ze was. Ze keek me een beetje daas aan en vroeg: 'Wat zei ik nou?'

'Het doet er niet toe, mam. Gaat het een beetje?'

'Wat doen die uien op de vloer?'

'Maakt niet uit. Ik veeg ze wel op.'

Ze knikte en liep de keuken uit. Een paar minuten later was ze terug. Ze had haar jas aan en een hoed op. 'Ik ga naar het meer,' zei ze. 'Zin om mee te gaan?'

We gingen in mijn auto en ik navigeerde door de koude, grijze straten van de stad.

'Weet je nog, toen de winters in Vermont nog échte winters waren?' vroeg ze. 'De laatste jaren hebben we maar weinig sneeuw gehad en zijn de winters niet meer dan vier sombere, koude maanden.'

'Je lijkt wel een personage in een Russische roman.'

'Ik heb toch ook Russisch bloed,' wees ze me terecht. 'Daarbij, in Russische romans ligt er altijd sneeuw.'

Ik moest glimlachen en was blij dat ze weer haar vertrouwde, mopperende zelf was. We reden naar een klein strandje, zetten de auto neer en liepen er over een smal pad naartoe. Zodra we op het strandje waren, ging ze zitten, sloeg haar armen om haar knieën en tuurde naar de bergen aan de andere kant van het meer. Ze had grijs haar en droeg een sterke bril, maar toen ik haar zo zag zitten, leek ze heel even een jonge vrouw die over het water uitkeek en zich afvroeg wat de toekomst haar zou brengen. 'Weet je waar ik het meest spijt van heb in mijn leven?' zei ze. 'Dat ik het niet in me heb écht gelukkig te zijn.'

'Dat geldt voor veel mensen.'

'Ach, ik geloof dat er heel wat rondlopen die best gelukkig zijn. Tenminste, dat hoop ik. Ik ben dat nooit écht geweest, nooit.' Ze was even de draad kwijt, zweeg en knipperde met haar ogen tegen de winterzon die over het water scheen.

Drie maanden later werd de diagnose ziekte van Alzheimer gesteld en begon ze aan de lange, trage afdaling die was geëindigd in volledige stilte.

*Dat ik het niet in me heb écht gelukkig te zijn.*

Ik zat op een duin op Popham Beach, staarde over de Atlantische Oceaan, en terwijl ik aan die woorden dacht, besefte ik dat het ook voor mij gold. Niet dat ik altijd en eeuwig ontevreden ben, maar de verrukkingen waarvan je hoopt dat het leven er veel voor je in petto heeft, heb ik nooit ervaren. Natuurlijk, ik heb goede momenten gekend en plezier gehad, het gevoel dat alles goed was, maar het was maar zelden; korte flitsen tijdens de beslommeringen van alledag. Nee, ik ben geen zwartkijker die zegt dat ze ongelukkig is, maar dat ik blij wakker word, klaar om de uitdagingen van alle dag te lijf te gaan en het leven te zien als een groot avontuur. Nee, dat kan ik ook niet van mezelf zeggen. Goed, ik heb een aangeboren nieuwsgierigheid naar dingen, doe mijn best optimistisch te zijn maar...

*Ik heb het niet in me écht gelukkig te zijn.*

Zou Dan het in zich hebben? Ik zie hem nooit somber, maar om nou te zeggen dat hij een erg opgewekte man is, nee, dat niet. Hij is heel gelijkmatig, beheerst, maar voor hem geldt hetzelfde: ook hij heeft het niet in zich.

Jeff? Jeff is een opgewonden standje, altijd agerend tegen alles wat maar indruist tegen zijn verstokte meningen, altijd bezig met zijn imago als goed mens en vader. Meneer Normen en Waarden, meneer Zakenman. Heeft hij het in zich?

En Lizzie... Mijn arme meisje, helemaal in de war. Het leven had haar toegelachen en ze had er alles aan gedaan niet in de val te trappen waardoor zoveel mensen, of het nou op het privé-vlak was of wat betreft hun werk, in een doodlopende straat terechtkwamen waaruit het zo moeilijk ontsnappen was.

Diezelfde Lizzie...

*Nee, hè, daar gaan we weer.*

De tranen prikten in mijn ogen, maar ik zei tegen mezelf dat het de zoute zeewind was. Ik stond op en liep verder, mijn blik op de niet-aflatende golfslag. Het was me niet gelukt lekker uit te waaien en mijn zorgen even te vergeten; hoe kon ik ook denken dat ik de zorgen over mijn dochter, de wanhopige onzekerheid over haar lot, niet wetend of ze ergens in de goot lag, dood of levend, kon uitbannen?

Ik liep stug door en ploegde door het zand, langs de dichtgetimmerde zomerhuisjes en de grotere huizen. Ik hield er de vaart in en kwam uiteindelijk bij de imposante vuurtoren die een paar honderd meter van de kust in zee stond. Ik keek op mijn horloge. Tien over halfvijf, de hoogste tijd.

Omdat ik voor donker bij de auto wilde zijn, deed ik er op de terugtocht een schepje bovenop, waardoor ik minder tijd had om te piekeren. Hoe verwoordde Emily Dickinson het ook alweer?

*Dit is het loodgrijze uur...*

Vlak voor het donker viel, was ik bij de auto. De kuststreek was nu gehuld in een mistbank en ik moest me goed concentreren om bij de grote weg te komen. Tegen de tijd dat ik de I-295 op reed, was het al over zessen, maar in plaats van naar huis te gaan, reed ik naar het noorden om de kust nog een halfuur te volgen en uit te komen in Wiscasset, een van die feeërieke kustplaatsjes met witte kerkjes, waar de visserswoningen uitkijkposten hadden om te kunnen zien of de schepen binnenkwamen. In de zomer was het er druk, maar 's winters was het er godzijdank verlaten. Ik hoopte maar dat het restaurant in de hoofdstraat open was. Ik had geluk en was vrijwel de enige klant. De ober leidde me naar een tafeltje waar genoeg ruimte was voor een opengeslagen katern van de zondagse *New York Times*. Ik bestelde vissoep en kabeljauw, dronk er twee glazen witte wijn bij en genoot ervan te eten met de krant voor me.

Het was al over negenen toen ik Falmouth naderde en bij mijn afslag was ik heel even in de verleiding om door te rijden. Ik had geen zin om naar huis te gaan, om Dan te vertellen hoe slecht het gesprek met O'Toole was gegaan, geen zin in meer slecht nieuws van rechercheur Leary. Ik was het liefst doorgereden, maar besefte nog net op tijd dat één vermiste in de familie wel genoeg was en dat je problemen nu eenmaal het hoofd moest bieden (mijn nuchtere instelling). Ik nam de afslag en tien minuten later reed ik het garagepad op.

Beneden brandde geen licht, maar ik hoorde de televisie in de slaapkamer. Ik ging naar boven en zag dat Dan in bed lag te kijken naar een documentaire over Stalin op Discovery. Waarom waren alle mannen van middelbare leeftijd in mijn vriendenkring verslaafd aan die zender? Toch niet om hun intellectuele honger te stillen? Nee, ik denk dat ze er zo graag naar keken om de dagelijkse sleur te ontvluchten.

Dan pakte de afstandsbediening, zette het geluid zachter en keek me aan. 'Waar zat je?'

Ik vertelde hem wat ik had gedaan.

'Lekker hoor.' Hij richtte zijn blik weer op het scherm en zei: 'Ik heb twee telefoontjes gehad.'

'Rechercheur Leary?'

'Nee. Je vader, die wilde weten of er nog nieuws was, en Jeff, die niet erg blij was dat de *Boston Herald* morgen aandacht aan de zaak gaat besteden.'

'Zet je maar schrap.'

Hij zweeg en keek naar de televisie.

'Ik houd mijn hart vast. Ik ben doodsbang dat die verslaggever mijn uitspraken uit hun verband rukt.'

Hij keek me nog steeds niet aan en zei: 'Dat zal toch wel meevallen?'

'Het is niet zo goed gegaan.'

'Had hij vervelende vragen?'

'Ja, ik vond van wel.'

'Als je hem gewoon antwoord hebt gegeven, zal het wel loslopen.'

'Daar gaat het niet om, Dan. Die vent was alleen maar uit op roddels. Ik weet zeker dat hij er een sensationele draai aan gaat geven. Alleen al de vragen die hij stelde doen me het ergste vrezen.'

'Als je dat meteen merkte, had je dan niet wat voorzichtiger moeten zijn?'

'Wat krijgen we nou? Hoor ik dat góéd?' Ik verbeet mijn woede, terwijl hij naar zwartwitbeelden van een Russisch landschap bleef staren.

'Ik zeg alleen maar dat...'

'Heb je last van geheugenverlies of zo?'

'Wat is er nou?'

'Jíj wilde dat ik die man te woord stond, weet je nog?'

'Ja, maar je hoeft je woede niet op mij af te reageren.'

'Kijk eens aan.'

'Je hoeft niet zo'n toon tegen me aan te slaan.'

'Ik zou het erg op prijs stellen als je me aankeek als je tegen me praat.'

Hij zette de televisie uit, sloeg het dekbed open en pakte zijn kamerjas van de stoel naast het bed. 'Jíj begint met ruziemaken, niet ik.'

'Verschuil je nou maar niet achter dat passief-agressieve gedrag.'

Hij bleef staan en keek me boos aan. 'Passief-agressief? Sinds wanneer bedien je je van die pseudo-wetenschappelijke termen?'

'Kijk, dat bedoel ik nou.'

Hij liep naar de deur.

'Dacht je nou gewoon de deur achter je dicht te kunnen trekken?'

'Ik heb weinig trek in ruzie om niets.'

'Je kunt toch moeilijk beweren dat er níéts is. Onze dochter wordt vermist.'

'Je bent van streek, dus ik geef je de ruimte en ga beneden pitten. Weltrusten,' zei hij en hij trok de deur achter zich dicht.

Ik stond op het punt hem achterna te lopen, maar ik was zó kwaad over het eeuwige afschuiven van verantwoordelijkheid, dat eeuwige vermijden van confrontaties, dat het verstandiger was als ik me beheerste. Stel dat ik hem de waarheid vertelde, dan kwam het er door alle opgekropte emoties misschien helemaal verkeerd uit. Daarbij, ik had geen idee wat de consequenties zouden zijn als ik hem vertelde hoe ik over hem en ons huwelijk dacht. Nee, maar even geen confrontatie, ook geen telefonische met Jeff (Shannon hield er trouwens niet van als er na negen uur werd gebeld) en om mijn vader gerust te stellen moest ik echt een beetje kalmer zijn. Het enige waar ik behoefte aan had, was goed slapen.

Het werd een onrustige nacht. Ik werd twee keer wakker, maar durfde niet nog een slaappil te nemen uit angst dat ik de volgende ochtend groggy zou zijn. Als mijn leerlingen dat merkten, kon ik erop rekenen dat ze me dat onder de neus wreven. Om zes uur gaf ik het op, legde het boek waar ik in bezig was op de vloer naast het bed en maakte me klaar voor een nieuwe dag.

Twintig minuten later was ik beneden. Dans auto was al weg. Hij had geen briefje achtergelaten waarin stond dat hij vroeger dan anders de deur uit moest en ik vroeg me af waarom ik hem niet had horen wegrijden. Ik dacht dat ik geen oog had dichtgedaan, maar misschien was ik toch even ingedut. Echt goed voelde ik me niet. Ik had een reuze hekel aan ruzies die niet waren bijgelegd en had al spijt van onze woordenwisseling.

Ik toetste zijn nummer in en kreeg de voicemail. Niets voor hem om zijn mobieltje niet aan te zetten, al was het alleen maar omdat het ziekenhuis hem altijd moest kunnen bereiken. Ik begreep het wel. Ook Dan maakte zich vreselijk zorgen en het was niet vreemd dat hij wat vergat.

Ik pakte mijn sportspullen, mijn bruine leren aktetas, en liep de deur uit. Het was nog donker en kil. Ik reed Portland in en parkeerde voor de sportschool. Hoewel de Woodlands Golfclub, waar Dan lid van is, een heel goede fitnessruimte heeft, heb ik het nooit zo op countryclubs. Toen de kinderen klein waren, kwamen we er wel, maar ik werd gek van de huismoedertjes daar, niet in de laatste plaats omdat ze het maar raar vonden dat ik een baan had. Een paar jaar geleden vond ik een heel eenvoudige, maar goed uitgeruste sportschool in het zakencentrum. Als het even kon, ging ik er vier keer per week heen. Het is een wat saai regiem, maar ik blijf er slank bij en het geeft je de illusie dat je de 'ravage die de tijd aanricht' (Margy's woorden toen we allebei vijftig werden) tegengaat. ('Van nu af aan is het slechts een kwestie van de schade beperkt houden'.)

Die ochtend echter was mijn halfuur op de Stairmaster, gevolgd door twintig minuten gewichtstraining, meer bedoeld om het effect van stress en slapeloosheid tegen te gaan dan iets anders. Ik liep het equivalent van honderd trappen op de gevreesde Stairmaster en dacht: *hoe kun je nou zo suf en zelfzuchtig bezig zijn terwijl je dochter wordt vermist?* Het vrat aan me dat ik verder niets kon uitrichten.

Afgezien van elk vierderangs hotel en elk park in Boston uitkammen, kon ik niets doen.

Toch voelde ik me na de noeste arbeid op de fitnessapparatuur een stuk beter en ik besloot het artikel in de *Boston Herald* pas na mijn werk te lezen. Wie zegt dat je slecht nieuws meteen moet verwerken?

Op weg naar school ging ik langs de minimart van een benzinestation en kocht de gevreesde krant. Ik keek maar niet naar de kop, vouwde de krant meteen op en stak hem in mijn tas. Het was halfacht en mijn eerste les begon pas over een uur. Er zat niet veel in mijn postvakje, maar het boek dat Margy me had opgestuurd, lag er wel. Ik nam het mee naar mijn piepkleine kamertje, deed de deur dicht, ging aan het stalen bureau zitten en scheurde de envelop open. Het was een gebonden boek van zo'n driehonderd pagina's. Margy had er een papiertje opgeplakt met de woorden: *Hoofdstuk 4. Bel me als je het gelezen hebt.*

Ik trok het briefje van het omslag en staarde naar de titel.

*De barricaden voorbij*
*Herinneringen van een voormalige radicaal*

Onder de titel stonden twee foto's: links een van de schrijver op tweeëntwintigjarige leeftijd, het haar tot op de schouders, voor een gehoor van gelijkdenkende langharigen. Ergens op de achtergrond zag je iemand een vlag verbranden. De foto rechts toonde de schrijver als man van middelbare leeftijd: een hoornen brilletje, dunner wordend haar, keurig in het pak, die George W. Bush de hand schudden.

Ik wist niet welke Tobias Judson me meer tegenstond en vocht tegen de aandrang een sigaret op te steken. Ik verloor de strijd, dus ik stond op en zette het raam wijdopen. Met mijn hoofd uit het raam rookte ik snel een Marlboro Light. Ik hoopte maar dat de wind de rook niet naar binnen blies. Roken is verboden op school, en natuurlijk helemaal voor leerkrachten. Ik rookte de sigaret tot aan het filter op, maakte hem op het kozijn uit en gooide de peuk in een putje recht onder het raam.

Ik deed het raam dicht en ging weer zitten. Ik ademde zwaar en mijn lichaam genoot van de eerste nicotinestoot van die dag. De sigaret had me moed gegeven, dus ik nam het boek weer voor me en keek naar het voorplat. *Kom op, ga nou maar lezen.*

Ik pakte het op, bladerde naar hoofdstuk 4 en begon te lezen.

## 5

Hoofdstuk 4
Love on the Run

We zaten bij mij thuis in Chicago op de grond, George 'De Lynx' Jefferson, regionale minister van Informatie van de Black Panthers, en ik. Het was rond tien uur 's ochtends. George was even langsgekomen om bij te praten, maar in die dagen kon je de dag niet beginnen zonder een kop koffie, een gevulde koek en een hijs aan de waterpijp. We zaten in kleermakerszit tegenover elkaar te genieten van Ornette Colemans bizarre jazztonen terwijl George de waterpijp vulde met Panama Red, de beste wiet die er te krijgen was. We hadden het over de recente activiteiten van wat we de 'varkens' noemden, de politie, die Brother Ahmal Mingus net had opgepakt voor een poging alle uitgaande post van het FBI-hoofdkwartier in de regio Chicago te saboteren.

De telefoon ging. Ik blies een flinke rookwolk uit en nam op.
'Yo?'
'Groucho?' vroeg de beller.
'Als ik Harpo was, had ik niet opgenomen, weet je wel.'
'Akkoord. Met Jack Daniels. Zin om even een krant voor me te kopen? Bereid je wel voor.'
Binnen de paar seconden stond ik met mijn jas aan op straat. Ik werd 'Groucho' genoemd, naar een van de Marx Brothers, omdat ze me bij The Weather Underground zo'n fervente aanhanger van het marxistische ideeëngoed vonden. Als 'Jack Daniels', het hoofd van de cel van de Weathermen waar ik bij hoorde, me belde, antwoordde ik altijd met 'Als ik Harpo was...' en dan wist hij dat hij de juiste persoon te pakken had. 'Zin om even een krant voor me te kopen?' stond voor: ga naar de bekende telefooncel en wacht totdat ik je daar bel. Omdat de politie ons waarschijnlijk afluisterde, was voorzichtigheid geboden. 'Bereid je wel voor' was code voor: pak een paar spullen in en zorg dat je zó kunt vertrekken.

Ik deed wat er van me verlangd werd, propte wat kleren in een rugzak en pakte de driehonderd dollar en de valse identiteitspapieren die ik voor dit soort gelegenheden ergens had verstopt. We gingen de achterdeur uit en keken links en rechts de straat in om te zien *of de politie ons in de gaten hield. De kust was vrij. We hieven onze gebalde vuist, de manier waarop wij revolutionairen elkaar begroetten of afscheid namen, en liepen ieder een kant op.*

*De bewuste telefooncel bevond zich ergens in de buurt van de grote toegangspoort van de universiteit van Chicago, zowel toen als nu een academische denktank waar de traditionele Amerikaanse waarden uiterst kritisch worden gevolgd. Ik was nog maar net ter plekke, of de telefoon ging over.*

*'Groucho?' vroeg Jack Daniels.*

*'Als ik Harpo was...'*

*'Oké,' zei hij. 'Ik houd het kort. De Man zoekt al twee dagen naar je gasten.'*

*'Een klopjacht?'*

*'Ik denk dat het slim is als je je drukt.'*

*'Bedoel je de grote sprong?' vroeg ik, waarmee ik een vlucht naar Canada bedoelde.*

*'Zo sterk wil ik het niet uitdrukken, omdat ze de uitgang daar misschien extra goed in de gaten houden. Waarom ga je er niet een tijdje tussenuit? Zoek maar een rustig oord waar de media je niet kunnen vinden. Bel me zodra je er zit. Ik moet weten waar je te bereiken bent. Goede reis, kameraad.'*

*Er was het volgende gebeurd: na de bomaanslag op het ministerie van Defensie, uitgevoerd door een andere cel van de Weathermen, had Jack Daniels me opgedragen de twee daders een paar dagen onderdak te bieden, totdat de storm wat was gaan liggen. De politie en de FBI hadden een blokkade om de stad aangelegd en het was niet slim om te proberen het tweetal Chicago uit te krijgen. Het is te wijten aan mijn door radicale indoctrinatie benevelde brein dat ik geen moment heb geaarzeld of het wel juist was onderdak te verlenen aan twee moordenaars, mannen wier gewelddadige acties de dood hadden betekend van twee respectabele burgers: Wendall Thomas III en Dwight Cassell, twee zwarte mannen, allebei oud-strijders in Korea, huisvaders, met samen vijf kinderen. Had ik mededogen met de twee slachtoffers, die niets anders deden dan het beschermen van een ministerie dat de veiligheid van het land waarborgde? Nee, voor mij, de grote marxist, waren het niet meer dan onschuldige omstanders die helaas opgeofferd werden in de revolutionaire strijd. De Man, oftewel de FBI, was erachter gekomen dat de twee activisten na de aanslag bij mij thuis hadden gezeten. Ik werd verdacht van medeplichtigheid aan moord, een ernstig misdrijf waar maximaal twintig jaar voor staat. Ik moest dus zo snel mogelijk de stad uit zien te komen.*

Omdat ik vermoedde dat de FBI alle busstations en vliegvelden in de gaten hield, heb ik de ondergrondse naar Oak Park genomen. Oak Park? Inderdaad, de geboorteplaats van Ernest Hemingway. Ik hoopte maar dat ze me niet in de voorsteden zouden zoeken. Ik vond een klein motel aan de rand van de stad en checkte in.

Pas toen het donker was, durfde ik de straat op om een telefooncel te zoeken. Ik draaide een nummer in Burlington, Vermont, en hield mijn adem in. Pas vele jaren later heb ik geleerd wat écht bidden is, maar ik weet nog dat ik een schietgebedje deed dat James Windsor Longley (een pseudoniem) zou opnemen.

James Windsor Longley. Is er een deftiger naam denkbaar? Inderdaad, Longley was een rasechte, patricische Bostonian die in de jaren zestig een inhaalmanoeuvre maakte, zich tegen de gevestigde orde ging afzetten en de radicale beginselen aan ging hangen. Toch was Longley veel meer dan een radicaal: een intellectuele ideoloog die zich afkeerde van zijn klasse en alle privileges die zij hem had verleend.

Ik heb professor Longley leren kennen als medestander tegen de oorlog in Vietnam. Hij was toen begin veertig en misschien juist omdat hij een deftige, wat oudere professor was die de radicale standpunten perfect verwoordde, was hij een grote publiekstrekker. Hij werd door jongeren en studenten op handen gedragen, omdat hij voor hen de vaderfiguur was die de revolutie aanhing. Ook de vrouwen hingen aan zijn lippen, en net als alle anderen in de beweging zag Longley seksuele veroveringen als een emolument in de strijd tegen de gevestigde orde (ik wil erop wijzen dat wat de vrije liefde betreft, ik een even grote vagebond was als welke linkse figuur dan ook. Het verschil echter tussen Longley en mij was dat hij getrouwd was).

Hoe het ook zij, hij was voor mij een mentor, iemand die ik altijd om raad vroeg als de grond me te heet onder de voeten werd en geloof me als ik zeg dat dat toen het geval was. Ik was dan ook erg opgelucht dat hij opnam. Zonder in details te treden – ik had zo'n voorgevoel dat zijn telefoon werd afgeluisterd – zei ik dat ik een rustige plek zocht waar ik me een paar dagen kon verschuilen. 'Heeft het te maken met de recente gebeurtenissen in Chicago?' vroeg hij, waaruit ik begreep dat hij al een vermoeden had. Hij zei dat ik beter niet naar zijn huis in Burlington, Vermont, kon gaan. "'De Man" houdt de boel hier vast in de gaten,' zei hij.

'Je hebt mijn dochter Alison (een pseudoniem) toch ontmoet? Ze woont in Croydon, Maine (gefingeerde plaatsnaam). Ik weet toeval-

*lig dat haar man een paar dagen weg is, maar ik weet zeker dat je wel een dag of twee bij haar kunt logeren. Dat Croydon moet een heel rustig plaatsje zijn.'*

*Waar je ook zit in Maine, het is nooit langer dan een uur of vier rijden van de grens met Canada, dus het leek veelbelovend. Hij gaf me haar telefoonnummer.*

*'Bedankt, kameraad,' zei ik.*

*'Succes,' zei hij.*

*Ik belde Greyhound en informeerde naar de vertrektijden richting Maine. Drie dagen later, na een slingerende route die door allerlei kleine stadjes voerde en een paar nachten in slechte motels, stapte ik uit in Bridgton, Maine.*

*Het was het eind van de middag, tegen vijf uur, toen ik in de enige telefooncel stond die het plaatsje rijk was en het nummer draaide dat Longley me had gegeven. Zijn dochter nam op. Aanvankelijk klonk ze heel hartelijk, maar toen ik een verhaal ophing over dat ik door het land liftte om onderzoek te verrichten voor een boek over De Radicale Verenigde Staten (ja zeker, ik was destijds een arrogante kwast) en dat ik voor een dag of wat een slaapplaats zocht, werd ze op slag gereserveerd. Voordat ze daar 'ja' op zei, wilde ze met haar vader en haar man overleggen. Wat een conservatieve tut, dacht ik, maar het was zaak dat ik me ergens kon schuilhouden en onzichtbaar bleef totdat Jack Daniels verdere instructies voor me had.*

*Ik wachtte af en na twintig minuten belde ze terug.*

*'Goed,' zei ze. 'Mijn vader zegt dat je te vertrouwen bent en mijn man zit aan het sterfbed van zijn vader, dus die heeft wel wat anders aan zijn hoofd. Om je de waarheid te zeggen, het is hier zo saai dat ik best wat gezelschap kan gebruiken.'*

*Croydon lag maar op een kilometer of tien van Bridgton. Ik zocht het telefoonnummer op van het enige taxibedrijf in Bridgton en besloot er maar vijf dollar tegenaan te gooien. Toen de chauffeur me vroeg wat ik in Croydon moest, zei ik dat ik oude studievrienden ging opzoeken.*

*Alison had me al gewaarschuwd dat het huis waar ze eigenlijk hadden moeten zitten waterschade had opgelopen door een gesprongen waterleiding en dat ze tijdelijk in het appartementje boven de dokterspraktijk huisden. Het stadje bestond maar uit een enkele hoofdstraat met een paar zijstraatjes. Het was zo klein dat als je één keer met je ogen knipperde, je alweer buiten de bebouwde kom was.*

*Toen Alison de deur voor me opende, knipperde ik wel meer dan één keer met mijn ogen. Ik denk hier aan de Franse uitdrukking* coup de foudre, *liefde op het eerste gezicht, en een echte coup de foudre heeft hetzelfde effect als een onverwachte klap in je gezicht. Ik keek haar in de ogen, zij keek mij in de ogen en we gaven elkaar een hand, maar op dat moment wist ik al dat ik niet de enige was die een coup de foudre had ervaren.*

*Ze had weliswaar een baby op haar arm, maar als Grote Revolutionair, voorstander van de vrije liefde, hield ik me natuurlijk niet bezig met zo'n onbelangrijk detail. Het moment dat we elkaar in de ogen keken, wist ik dat zij en ik minnaars zouden worden. Wat ik in haar treurige ogen zag, was verlangen; een verlangen om Croydon en haar uitzichtloze bestaan te ontvluchten.*

*Het appartementje maakte me claustrofobisch: drie piepkleine kamers die vol stonden met veel te grote meubels. Ze verontschuldigde zich dan ook meteen.*

*'Hé,' zei ik, 'je hoeft niet meteen zo bourgeois te doen.'*

*Ze lachte en zei: 'Dat is sinds we hier zitten het eerste tweelettergrepige woord dat ik heb gehoord.'*

*We voelden ons direct op ons gemak en een uur na mijn aankomst hadden we al een fles wijn soldaat gemaakt en zaten we aan een heerlijke spaghettischotel. Terwijl we aten en over politiek en de zin van het leven boomden, zat haar zoontje, kleine Jeff, in de box te spelen.*

*'Grappig,' zei ze. 'Sinds mijn studietijd heb ik niet meer over dit soort zaken gediscussieerd,' bekende ze. 'Mijn man is een schat, maar niet echt iemand met grote, meeslepende ideeën.'*

*Terwijl ze dat zei, raakte ze mijn hand aan en keek me verlangend aan met haar ogen als donkere poelen. Hoewel ik me erg tot haar aangetrokken voelde – en destijds zo immoreel was monogamie als superburgerlijk te kwalificeren – was er iets (bij nader inzien denk ik dat het iets was waardoor ik jaren later Jezus' liefde en leiding aanvaardde) wat me ervan weerhield de eerste stap te zetten. Ik zag dat Alison heen en weer werd geslingerd tussen verlangen en gevoelens van loyaliteit, dus ik liet het er voor die avond maar bij. We legden de kussens van de bank op de grond, ze hielp me bij het uitrollen van mijn slaapzak en wenste me een goede nacht. Wat ze zich niet realiseerde, was dat ik me na drie hectische dagen koesterde aan haar warmte; ik was niet alleen een radicaal op de vlucht, maar ook een man die verliefd was.*

*De volgende dag liet ze me het stadje zien. Ik herinner me dat ik Croydon maar een vervelend, saai gat vond, maar nu besef ik dat het kleinsteedse Amerika geworteld is in onze fantastische traditie van saamhorigheid en normen en waarden. Alison werkte in de biblio-*

*theek, een gezellige, uitstekend geoutilleerde nog wel, waar de dorps-*
*jeugd de liefde voor boeken werd bijgebracht. Ik viel meteen voor*
*het plaatselijke eethuis en de dorpswinkel, waar de inwoners elkaar*
*troffen en alledaagse zaken bespraken. Die middag, na haar werk,*
*haalden we kleine Jeff op bij de zorgzame, wat oudere vrouw die op*
*hem paste als Alison werkte en reden naar een van de indrukwek-*
*kendste wonderen der natuur van het noordoosten van ons land: het*
*Sebagomeer.*

*Het was zo'n perfecte herfstdag wanneer de bossen van Maine op*
*hun mooist zijn. We huurden een kano en ik peddelde het meer op,*
*Alison met Jeff in haar armen voor in de boot. Had ik toen geweten*
*wie God was, dan had ik zonder meer beseft dat Hij het was die Zijn*
*licht toen over ons liet schijnen en ons zei dat we, hoewel we er alle-*
*bei naar verlangden, de door Hem gestelde grenzen in Zijn prachti-*
*ge, overvloedige schepping niet mochten overschrijden.*

*'Weet je, Toby,' zei ze toen we midden op het meer zaten, 'Gerry is*
*een uitstekende echtgenoot, een nette, trouwe man, maar – ik vind*
*het vreselijk dat ik het moet toegeven – er is geen passie, geen vuur,*
*geen romantiek in ons huwelijk en dat terwijl ik nog zo jong ben en*
*het leven zo vol beloften. Ik weet zeker dat er meer is dan dit.'*

*Er zijn van die momenten dat je niet nadenkt voor je wat zegt en*
*dit was er zo een. 'Waarom ga je niet met me mee?' vroeg ik.*

*Ze bloosde en zei: 'Meen je dat?'*

*'Ja, echt.'*

*'We kennen elkaar nauwelijks.'*

*'Dat is zo. Nog geen vierentwintig uur, maar ik weet wel dat ik...'*
*Ik maakte mijn zin niet af omdat ik niet wist hoe ik mijn gevoelens*
*het beste kon verwoorden.*

*'Wat wilde je zeggen?'*

*'Iets... als dit maakt een mens maar één keer in zijn leven mee,' zei*
*ik.*

*'Wat zeg je dat mooi.'*

*'Het is nog waar ook.'*

*'Ik ben getrouwd.'*

*'Dat weet ik, maar ik weet ook dat wat ik nu voel, nooit zal ver-*
*dwijnen.'*

*'O, Toby,' zei ze. 'Waarom ben je in mijn leven gekomen?'*

*'Het spijt me.'*

*'Spijt? Nee, dat niet, maar het leven was wel gemakkelijker ge-*
*weest als...' Nu was het haar beurt om naar woorden te zoeken.*

*'Zeg het maar, mijn lief.'*

'... als ik je niet had leren kennen en niet meteen had geweten dat jij voorbestemd was de man van mijn leven te zijn.'

We zwegen en ze legde haar wang tegen Jeffs hoofdje. Een paar minuten later keek ze op en zei: 'Ik denk dat het beter is als je vanavond vertrekt.'

Ik schrok en vroeg me af waar ik heen moest, waar ik me kon schuilhouden. Als ik wegging, zou ik mijn vrijheid in gevaar brengen, maar desondanks nam ik een voor een egoïst als ik nogal vreemde beslissing: als het beter was voor Alison, dan zou ik gaan, ook al betekende het dat ik afscheid moest nemen van de vrouw van wie ik hield.

Ik peddelde terug naar de oever, we stapten in de auto en reden zwijgend terug naar Croydon, waar we even na zonsondergang aankwamen. Alison stopte de baby in bad. Ik raapte mijn spullen bijeen en belde met Greyhound om erachter te komen wanneer de volgende bus ging naar...

Ik moet bekennen dat ik geen idee had waar ik heen moest. Terwijl ik aan de telefoon zat, legde Alison haar zoon in de wieg in de slaapkamer. Ze kwam de woonkamer in en zei: 'Er gaat er een om acht uur van Bridgton naar Lewiston.'

'Oké, dat moet lukken,' zei ik.

'Waar ga je heen?'

'Het maakt niet uit. Ik ben het met je eens. Het is beter dat ik vertrek, al was het alleen maar om...'

Ik kon mijn zin niet afmaken, want we waren al in een innige omhelzing en zoenden elkaar hartstochtelijk. We konden onze handen niet thuishouden en voor we goed en wel wisten wat er gebeurde, stommelden we de slaapkamer in.

Een uur later, toen we in elkaars armen lagen na te genieten, dacht ik: ik heb met talloze vrouwen gevreeën, maar dit is de eerste keer dat ik de liefde heb bedreven. Aan het voeteneind stond de wieg met de slapende baby, die er geen weet van had wat er in zijn bijzijn had plaatsgevonden.

We zeiden niets en keken elkaar in de ogen, maar de trance werd verbroken door het gerinkel van de telefoon. Alison stond op, sloeg een kamerjas om zich heen en nam de telefoon in de woonkamer op.

'Wie zegt u?' hoorde ik haar vragen. 'Het spijt me, maar er is hier geen Glenn Walker. U hebt vast een verkeerd nummer gedraaid.'

Ik stond al naast het bed, stapte in mijn spijkerbroek en zei: 'Dat is voor mij.'

Ze hield de hoorn van zich af en keek me verbijsterd aan, een blik *die je alleen hebt als iemand je vertrouwen volledig heeft beschaamd.*

Ik pakte de hoorn van haar af en hoorde een stem die ik maar al te goed kende.

'Groucho?'

'Als ik Harpo was...'

Alison keek me perplex aan.

'Akkoord,' zei Jack Daniels. 'Ik hou het kort, zoals gebruikelijk. Onze vrienden weten dat je in Maine zit. Een of andere lokettist van Greyhound heeft je foto in de krant zien staan, herinnerde zich dat je een paar dagen geleden een kaartje naar Maine had gekocht en heeft de varkens gebeld. Ik denk dat het de hoogste tijd is voor de grote sprong. Begrepen?'

'Akkoord.'

'Onze vrienden daarboven wachten je op in St. Georges. Ik heb even gekeken waar je zit en ik denk dat het een uur of zeven rijden is, maar het is niet anders. Kun je een auto regelen?'

'Vandaag niet meer. Ik kan morgen wel achter een huurauto aan.'

'Morgen is te link. Babbel maar even met je gastvrouw. Ik bel je over een kwartier.'

Hij had al opgehangen. Alison kwam naar me toe en hield mijn handen vast.

'Alison, mijn lief...' begon ik, maar ik kreeg een brok in mijn keel.

'Wat is er?'

'Ik wil niet dat jij erbij betrokken raakt.'

'Dat ben ik al,' zei ze, 'omdat ik van je hou.'

'Het is nooit mijn bedoeling geweest je pijn te doen.'

'Toby, toe... Vertel me de waarheid, hoe gruwelijk die ook is.'

Ze trok me mee naar de bank en keek me onderzoekend aan. Ik vertelde haar alles, verzweeg niets, vroeg niet om vergiffenis. Ik vertelde haar dat toen Jack Daniels me had gezegd dat ik de daders van de aanslag onderdak moest verlenen, op het punt had gestaan te zeggen: 'Ik kan het niet. Dit is niet goed.'

'Maar,' zo legde ik haar uit, 'als ik had geweigerd, hadden ze mij waarschijnlijk moeten doden. Als je een Weatherman bent, dan kun je er niet zomaar uitstappen en verraad wordt meteen afgestraft.'

'O, mijn lief,' zei ze. 'Wat een vreselijk dilemma.'

'Ik besef nu dat ik de verkeerde beslissing heb genomen. Het liefst zou ik me overgeven, maar er staat twintig jaar gevangenisstraf op. Zit ik eenmaal in Canada, dan heb ik een betere onderhandelingspositie.'

'Ik weet er alles van. Mijn vader wordt al jaren door de FBI lastig-

*gevallen. Als ze je hier oppakken, hoef je nergens op te rekenen. Het lijkt me het beste als je vanavond meteen op weg gaat.'*

'Hoe dan? Ik heb toch geen auto?'

*Ze hoefde er geen seconde over na te denken. 'Ik breng je wel.'*

'Nee,' zei ik. 'Als ze daarachter komen, ben jíj ook medeplichtig. Stel dat ze ons voor de grens arresteren, dan krijg jij ook gevangenisstraf. Denk eens aan Jeff. Ik wil het niet heb...'

'Heb je een paspoort op naam van... Hoe noemde die man je nou?'

'Glenn Walker. Ja, dat heb ik.'

'Nou dan. Als we nu vertrekken, zijn we over een uur of vijf bij de grens. Ene Glenn Walker die met vrouw en kind reist, wordt echt niet zo gauw tegengehouden.'

'Neem je Jeff mee?'

'Die slaapt er wel doorheen. Trouwens, ik kan hem toch niet achterlaten?'

'Stel dat je man belt?'

'Als ik hem nú even bel, belt hij vanavond niet meer. Hij is trouwens niet zo'n beller.'

'Ik weet niet of het nou wel zo'n goed idee is.'

'Echt, ik sta erop.'

'Hoezo?'

*Ze pakte mijn handen en zei: 'Ik verafschuw geweld, zeker als er onschuldige slachtoffers bij vallen, maar ik ben ook tegen die afschuwelijke oorlog in Zuidoost-Azië. Ik heb me nooit in de strijd geworpen, uit lafheid, denk ik, of omdat ik niet het type ben dat zich gauw ergens bij aansluit, maar weet je wat ik van je heb geleerd? Ware liefde is de belangrijkste band die er is. Daar komt nog bij dat ik weet dat je geweld verafschuwt en dat ze je hebben gedwongen de daders van die aanslag bij je in huis te nemen. Nee, ik weet dat ik je moet helpen.'*

'Alison... Wat kan ik zeggen?'

*Ze bracht haar hoofd naar het mijne, zoende me hartstochtelijk en zei: 'Zeg maar niets. Over een halfuur mag je zeggen dat je zover bent, oké?'*

*Ik ging naar de slaapkamer, nam een douche en maakte het bed op. Alison graaide wat spullen voor de baby bij elkaar, zoals luiers, flesjes, kleertjes en Jeffs geboorteakte.*

*De telefoon ging. Ze nam op en gaf mij de hoorn aan. Het was Jack Daniels.*

'Groucho?'

'Als ik Harpo was...'

'Akkoord. Wat is het plan?'

'Ik maak me klaar voor de grote sprong.'

'Met of zonder hulp?'

'Mét.'

'Vrijwillig?'

'Reken maar. Zo vader, zo dochter.'

'Mooi zo. Oké, wat het ontmoetingspunt betreft...' Hij gaf me aanwijzingen waar er in St. Georges op me gewacht werd. Hij herinnerde me eraan dat ik, als ik bij de grens werd opgepakt, de code van de Weathermen niet mocht verbreken en me nooit met welke overheidsinstantie dan ook mocht inlaten. 'Je weet het, hè? We weten je altijd te vinden.'

Op dat moment zag ik het licht en prikte ik door Jacks radicale praatjes heen. Het credo 'Kom op, kameraden! Arbeiders aller landen verenigt u', was holle retoriek. Het ging helemaal niet om politieke veranderingen: hij was een schurk, een gangster. Ik keek Alison aan. Haar nerveuze blik zei me: ik sleep je er wel doorheen, hoe vreselijk het ook is dat je bij me weggaat. Ik begreep dat het de liefde voor deze vrouw was die alle radicale praatjes had doen verstommen, dat er belangrijker dingen waren dan gevaarlijke spelletjes met de gevestigde orde spelen.

Ik had geen keus en moest zo snel mogelijk het land uit. Alison belde een minuut of vijf met Gerry, haar man en voor ze ophing, zei ze simpelweg: 'Tot morgen.' Verder niets, een afscheid gespeend van iedere hartelijkheid en blijk van liefde. Ik vond het vreselijk dat haar huwelijk zo steriel was en zag als een berg op tegen het moment dat ik afscheid moest nemen van de vrouw die voor mij de ware was.

Ze beet op haar lip en zei: 'Als ik Jeff niet had, ging ik met je mee.'

'Als je Jeff niet had, liet ik je nooit meer gaan,' zei ik.

We stapten in de auto en reden weg. We reden in ruim vijf uur naar de grens. Jeff sliep als een roos. We vertelden elkaar ons levensverhaal en wilden in die korte tijd zo veel mogelijk van elkaar te weten komen.

We stopten één keer om te tanken en legden de honderden kilometers haast ongemerkt af. We kwamen aan in Jackman, Maine, dat vrijwel bij de grens lag. We wisselden van plaats. Ik reed behoedzaam langs de douane en hield mijn adem in. Ieder moment verwachtte ik dat we werden klemgereden door een politiewagen, maar er gebeurde niets en zonder problemen bereikten we de strook niemandsland tussen Amerika en Canada.

'Bonsoir,' *zei de Canadese douanier.* 'Wat gaat u in Canada doen?'

'We gaan vrienden in Quebec opzoeken,' *antwoordde ik.*

'U bent nog laat op weg.'

'Klopt, ik kom pas om zes uur uit mijn werk. Daarbij komt dat de kleine 's nachts beter slaapt.'

'Vertel mij wat. Kinderen in de auto... Ik herinner me het maar al te goed. Kunt u zich legitimeren?'

*Ik gaf hem mijn valse paspoort aan. Hij bladerde er even in en vroeg of ik levensmiddelen of drank invoerde. Ik zei van niet, hij gaf me het paspoort terug en zei:* 'Meneer Walker, ik wens u en uw gezin een prettig weekend.'

*We reden door.*

'U en uw gezin...' *zei Alison zodra we veilig en wel in Canada reden.* 'Was dat maar waar.'

*Twintig minuten later reden we St. Georges binnen. Ik volgde Jack Daniels' aanwijzingen en reed naar een benzinestation aan de rand van het stadje. Toen we aan kwamen rijden, kon ik in het donker een auto onderscheiden. Ik zette de motor uit en seinde twee keer met groot licht. Het sein werd beantwoord, met de afgesproken code. Ik wendde me naar Alison en pakte haar hand.*

'Ik moet gaan,' *zei ik.*

'Neem me, neem ons mee.'

'Onmogelijk. Ik ben misschien maanden, jaren op de vlucht.'

'Dat is niet erg, als we maar samen zijn.'

'Alison... Mijn lief, ik wil met heel mijn hart en ziel dat je bij me blijft, maar mijn verstand zegt wat anders. Dit is geen leven voor jou en het kind.'

*Ze begon te huilen en legde haar hoofd op mijn schouder. We klampten ons aan elkaar vast zoals drenkelingen op volle zee zich aan een reddingsboei vasthouden. Ze zoende me nog een keer en zei:* 'Je moet gaan...'

*Ik keek om, aaide Jeff over zijn bolletje, stapte uit en pakte mijn rugzak. Vlak voor ik wegliep, keek ik haar nog één keer door het opengedraaide raampje aan.*

'Ik zal je nooit vergeten, Tobias Judson,' *zei ze met een betraand gezicht.*

'Ik jou ook niet, Alison Longley,' *fluisterde ik, waarna ik me omdraaide en naar de andere auto liep. Mijn leven als balling was begonnen en bij iedere stap die ik tijdens dat leven heb gezet, was ik me bewust van de leegte die zij had achtergelaten.*

*Later, toen de Here Jezus me allang had vergeven, heb ik me nog dikwijls geschaamd voor het feit dat ik een getrouwde vrouw tot overspel heb verleid. Desondanks besef ik dat het Alisons liefde was die me de weg heeft gewezen naar een zo wezenlijke transformatie, zowel op het persoonlijke vlak als spiritueel.*

*Ik zal haar nooit vergeten, want hoe kun je degene vergeten die je leven heeft veranderd?*

## 6

IK SLOEG HET boek dicht en schoof het zo woest van me af dat het op de grond viel. Ik nam niet eens de moeite het op te rapen. Had iemand me keihard in mijn gezicht gestompt, dan had dat minder pijn gedaan dan het lezen van dit hoofdstuk.

Het ging me nog niet eens om de walgelijke leugens, dat hij het allemaal uit zijn duim gezogen had, de seks uitgezonderd. Hij had me neergezet als een handlanger, als iemand die hem uit vrije wil naar de grens had gereden. De manier waarop hij van die korte flirt een mierzoete liefdesaffaire had gemaakt, het volkomen verzonnen commentaar op Dan en ons huwelijk... Goed, het was allemaal lang geleden en in dertig jaar kunnen een hoop herinneringen vervagen. Ik zal best hebben geklaagd over hoe opgesloten ik me in Pelham voelde, misschien dat ik te jong was getrouwd, maar die onzin over een coup de foudre, dat ik had gehuild toen we afscheid namen.

Die schoft had me gedwongen, hoewel dat eigenlijk nog te zwak uitgedrukt is; hij had me domweg gechanteerd en de geschiedenis herschreven om er zelf beter van te worden. Wie zou mijn versie van het verhaal geloven? Wat het allemaal nog erger maakte, was dat hij een bekeerde radicaal was die zijn grote vriend Jezus Christus in de armen had gesloten en nota bene handenschuddend met George W. Bush op het omslag van dat stupide boek stond. Als je Judsons versie mocht geloven, was ik zó verliefd op hem dat ik alles aan mijn laars had gelapt om hem maar te kunnen helpen. En wat hij over mijn vader schreef...

Mijn mobieltje ging. Ik keek op mijn horloge. Het was tien voor halfnegen en mijn eerste les begon over tien minuten. Ik vroeg me af hoe ik voor de klas kon staan zonder te kokhalzen. De kinderen zouden het geweldig vinden. *De juf heeft zeker te veel gezopen. Altijd gedacht dat het een saaie tut was.*

Ik pakte mijn telefoontje en nog voor ik wat had kunnen zeggen, hoorde ik Margy's stem. 'Ik heb het artikel in de *Boston Herald* gelezen. Hannah, wat een ellende allemaal.'

'En ík heb net dat vierde hoofdstuk van het boek van die etterbak gelezen.'

'Laat die Judson maar zitten. Lizzie is veel belangrijker. Wat die journalist van de *Herald* allemaal over jullie heeft geschreven.'

'Wat dan?'

'O? Je hebt het nog niet gezien?'

'Ik kan het nog niet opbrengen.'

'Heb je de krant?'

'Helaas wel.'

'Lees het stuk dan even.'

'Is het zo erg?'

'Lees het nou maar.'

'Ik kan het er even niet…'

'Kom op, Hannah. Je moet het toch ooit onder ogen zien.'

'Oké, oké.' Ik pakte de krant uit mijn tas en vroeg: 'Zal ik je na lezing terugbellen?'

'Ik blijf wel even hangen. Het staat op pagina 3.'

Ik sloeg de krant open en het was alsof ik voor de tweede keer die dag een klap in mijn gezicht kreeg. Het verhaal besloeg de hele derde pagina. Er stond een nogal korrelige foto van Lizzie bij, die zo te zien op een kerstviering van kantoor was genomen. Het was geen leuke foto, erger nog, ze stond er raar op. Ernaast stond een foto van McQueen in een witte doktersjas. De kop boven het verhaal was: VERMOGENSBEHEERDER VERMIST NA AFFAIRE MET SPECIALIST.

Het was inderdaad een walgelijk stuk. Lizzie werd erin afgeschilderd als een 'gedreven veelverdiener bij een beleggingsmaatschappij, met de manier van leven van een yup die in een prachtig appartement in het centrum woont (uitgebreide beschrijving van het design appartement) en die een stoet mislukte relaties had gehad' (het stalken van bankier Kleinsdorf werd breed uitgemeten). McQueen echter werd beschreven als een 'steunpilaar van de medische stand' en 'dermatoloog van de sterren'. Volgens het artikel had hij 'een geloofwaardig alibi' verstrekt, maar de politie wilde niet zeggen of hij 'helemaal vrijuit ging'. Verder ging het over hoe Lizzie en de dokter elkaar hadden leren kennen en hoe de flirt was uitgegroeid tot wat McQueen 'een enorme obsessie' noemde.

'Het was een nachtmerrie. Ze belde me dag en nacht, kwam naar mijn praktijk, parkeerde haar auto 's nachts voor mijn huis en ging zitten slapen. Op zekere dag vertelde ze me dat ze zwanger was en het kind wilde houden. Ik had natuurlijk mijn bedenkingen en zei dat ik me zorgen maakte of ze dat gezien haar weinig stabiele gedrag wel aan zou kunnen. Ze raakte helemaal buiten zinnen en later vertelde ze me dat ze de zwangerschap had laten onderbreken. Ik ben daar vreselijk van geschrokken.'

Jij leugenaar. Nu Lizzie vermist wordt, denk je zeker te kunnen zeggen wat je goeddunkt en niemand die het kan rechtzetten.

Ik las verder.

Lizzies moeder, Hannah Buchan, lerares op de Nathaniel Hawthorne High School in Portland, Maine, verklaarde: 'Ik meen zeker te weten dat mijn dochter abortus heeft laten plegen omdat dokter McQueen erop stond. Hij had haar gezegd dat ze na zijn scheiding pas een gezin konden stichten.' Dokter McQueen ontkent dat in alle toonaarden. Ter illustratie voert hij aan dat hij al ruim tien jaar actief is in de antiabortusbeweging en medische adviezen verleent aan het bisdom Boston. 'Ik heb mijn vrouw op de hoogte gebracht en die heeft meer begrip voor de situatie opgebracht dan ik verdien. De Kerk heeft me vergeven en het is absurd te denken dat ik achter abortus sta. Des te meer bewijs dat Lizzie Buchan heel erg in de war is.'

Hannah Buchan beweert dat ze pas nadat haar dochter werd vermist over de abortus heeft gehoord, maar ze staat achter de beslissing van haar dochter. 'Als abortus op dat moment de enige uitweg was, als ze niet onder druk is gezet, ja, dan sta ik erachter.' Mevrouw Buchan geeft toe dat hoewel de gezinssituatie waarin Lizzie is opgegroeid 'veilig' genoemd kan worden, ook haar blaam treft. 'Alle ouders maken fouten bij de opvoeding en als een kind psychische problemen ontwikkelt, dan voel je je daar als ouder altijd schuldig over.'

*Fouten bij de opvoeding?* Dat had ik niet gezegd. *Beslist niet.*

De rest van het stuk ging over de scène in de bar van de Four Seasons, waar Lizzie volkomen door het lint was gegaan, en dat er aanwijzingen waren dat ze zich ophield in de daklozenpopulatie. Er stond wat in over het televisieprogramma van McQueen en Leary werd aangehaald. De rechercheur zei te hopen dat de politie haar snel zou opsporen en gaf toe dat ze te maken hadden met iemand die flink in de war was. 'Ze vormt geen gevaar voor de samenleving,' aldus Leary, 'maar wel voor zichzelf.'

De *Boston Herald* eindigde op de grond, naast het boek. In een poging om alles en iedereen buiten te sluiten, deed ik mijn ogen dicht en begroef mijn gezicht in mijn handen.

'Hannah? Ben je daar nog?' hoorde ik Margy's stem.

Ik pakte mijn mobieltje en zei: 'Ja...'

'Heb je het uit?'

'Ik heb nooit gezegd dat we slechte ouders waren, en wat ik over abortus heb gezegd heeft hij ook uit zijn verband gerukt. Als je dit stuk leest, krijg je de indruk dat Lizzie volkomen maf is.'

'Waarom heb je me niet meteen gebeld, Hannah? Zodra ze werd vermist?'

'Ik dacht dat je met dat vlekje op je long wel wat anders aan je hoofd had.'

'Luister 's, dit is allemaal heel ingrijpend en juist in dergelijke tijden heb je vrienden nodig.'

'Als Jeff dit leest... En Dan...'

'Nou, ik denk dat Dan het wel begrijpt en wat Jeff betreft, die moet er maar mee leren leven.'

'Jeff? Vergeet het maar. Ik weet nu al dat hij het persoonlijk opvat. Als ik heel eerlijk ben, maak ik me meer zorgen over dat rotboek. Als men erachter komt dat het over mij gaat.'

'Heb je het gelezen?'

'Alleen dat ene hoofdstuk.'

'Ik ben blij dat je het nu pas onder ogen hebt gekregen. Ik voorzie trouwens dat het weinig of geen aandacht zal krijgen.'

'Hoezo dat?'

'Om te beginnen is het uitgegeven door een tweederangs, uiterst rechtse uitgeverij, Plymouth Rock Books. Ze weten hun boeken altijd goed in de markt te zetten, moet ik zeggen, maar dit is zo slecht geschreven, zó klef, vooral als hij het heeft over zijn liefde voor de Here, dat ik niet denk dat het grote publiek eraan wil. Wat hij allemaal over jou beweert...'

'Je gelooft hem toch niet, hoop ik?'

'Wat denk je nou van me?'

'Stel dat het nou tóch aanslaat...'

'Goed, ik zet de pet van de professionele pr-mevrouw even op en uit dien hoofde durf ik te stellen dat hij het wat dat boek betreft wel kan vergeten. Ik ben even nagegaan wat meneer zoal heeft gedaan in het leven. Eind jaren zeventig heeft hij het met de overheid hier op een akkoordje gegooid – in ruil voor het getuigen tegen zijn vroegere kameraden – en heeft een jaar of twintig lesgegeven op beroepsopleidingen in de regio Chicago. Hij is al vijftien jaar getrouwd met ene Kitty, die zich nogal laat gelden in een of andere actiegroep tegen vunzigheid op televisie. Ze komt uit een stijve christelijke familie in Oklahoma, toch al niet de progressiefste staat. God weet hoe Judson haar heeft leren kennen. Op zijn website staat een foto van haar en...'

'Een website?' vroeg ik vol afgrijzen.

'Ja, kind, tegenwoordig heeft iedere idioot zijn eigen website. Die van hem staat onder www.tobiasjudson.com. Je kunt er onder andere lezen hoe Jezus Christus hem heeft vergeven en dat hij zijn verleden als rebel afzweert. Er staat zelfs een familiefoto op. Ze hebben twee kinderen, Missy en Bobby – schattig, hè? – die je zou kunnen omschrijven als "een beetje achter". Die vrouw van hem... nou ja, neem me niet kwalijk dat ik het zeg, maar dat noemen we in New York een dragonder. Hoe het ook zij, Judson heeft zich de laatste jaren opgewerkt van die niet zo glansrijke carrière in het onderwijs tot commentator van een of ander uiterst rechts radiostation. De laatste tijd heeft hij wat meer luisteraars, zoals je zult begrijpen. Hij heeft een column in zo'n gratis krantje en is regelmatig te horen op een zender die zich vooral richt op de plattelandsbevolking van Illinois. Met dit boek hoopt hij nationale bekendheid te krijgen, maar dat kan hij wel schudden. Het is pure bagger. Op zich hebben we daar in dit land weinig problemen mee, maar als de pers het nergens aan op kan hangen, dan houdt het op. Gelukkig heeft hij jou, je vader en dat stadje niet bij name genoemd, dus we moeten maar duimen dat niemand het op jou kan terugvoeren. Om je de waarheid te zeggen, ik had het je ook níét kunnen vertellen, want dan was er waarschijnlijk ook geen man overboord geweest.'

'Toch ben ik blij dat ik het heb gelezen.'

'Dat dacht ik al, vandaar dat ik het je heb opgestuurd, maar nu je iets hebt om je echt grote zorgen over te maken, heb ik daar alweer spijt van.'

De schoolbel ging, het teken dat de lessen zo zouden beginnen. 'Zeg, ik ga ervandoor. Moet ik nou nog iets aan die krant doen?'

'Ik zou niet weten wat. Wacht eerst de reacties maar af.'

'Wat denk je? Moet ik me op het ergste voorbereiden?'

'Neem me niet kwalijk als het een beetje bot klinkt, maar feit is dat de media gek zijn op dit soort verhalen. Pikante verhalen over liefde in de betere kringen, een vermiste vrouw, iets wat naar moord riekt, een van de hoofdrolspelers is een arts met een televisieprogramma. Zeker weten dat ze er allemaal bovenop gaan zitten. Het spijt me, maar zo is het.'

'Daar was ik al bang voor.'

De bel ging voor de tweede keer. 'Oké, je hoort het. Ik móét nu gaan.'

'Ik vraag de mensen hier op kantoor om in de gaten te houden wat het boek qua publiciteit doet. Ik bel je zodra ik wat weet.'

'Ik weet niet wat me allemaal gebeurt.'

'Het gaat nu om Lizzie. Laten we hopen dat dit artikel wat doet voor het politieonderzoek, dat iemand haar herkent.'

'Ja, dat zou natuurlijk fantastisch zijn.'

'Moed houden en ik kijk wel of ik de schade voor je kan beperken.'

Tegen het middaguur – op de een of andere manier had ik me op de automatische piloot door de lessen heen geslagen – kon ik wel wat crisismanagement gebruiken. Tijdens de lunchpauze zette ik mijn mobieltje aan en ik had zes berichten. Dan: 'Bel me zo spoedig mogelijk.' Margy: 'Zodra je een gaatje vindt, moet je me bellen.' Een verslaggever van de *Portland Press Herald* genaamd Holmes: 'Kunt u me zo snel mogelijk terugbellen?' *The Boston Globe*: 'Wilt u me terugbellen?' Een journalist van het lokale station van Fox News: 'Als u me even een belletje wilt geven?' En als laatste Jeff, die woedend was: 'Mam, ik zit hier in Boston met rechercheur Leary. Hij heeft me het artikel in de *Boston Herald* laten lezen en om je de waarheid te zeggen, je reactie op Lizzies abortus is me totaal in het verkeerde keelgat geschoten. Ik heb papa gesproken en kom vanavond naar Portland. Tot dan.'

O, god, dit kan allemaal niet waar zijn.

Dan belde. 'Hoi, met mij. Heeft Jeff je al uitgefoeterd?'

'Dan... Ze hebben me volkomen verkeerd geciteerd. Ik heb nooit iets gezegd in de trant van dat we slechte ouders waren en die zak van een journalist heeft de zaak volkomen verdraaid.'

'Het maakt verder niet uit.'

'Hoe bedoel je?'

'Het kwaad is al geschied.'

'Dan, hij heeft mijn woorden...'

'De praktijk wordt bedolven onder de telefoontjes, voornamelijk van persbureaus en televisiezenders. Iedereen wil een reactie, een interview. Thuis staan er wel vijftien berichten op de voicemail, weer van dezelfde figuren. Het enige waar het die mensen om gaat, is in ons privé-leven te wroeten, dingen te weten te komen over die zielige, gekke dochter die misschien wél of misschien níét door haar minnaar is vermoord, over de moeder die zich heeft vergaloppeerd met haar reactie op de abortus en heeft toegegeven dat Lizzie slecht is opgevoed.' Aan het eind van die lange zin spuwde hij zowat vuur. Ik zweeg en mijn mobieltje trilde in mijn hand.

'Hannah? Ben je daar nog?'

'Ja, ik ben er nog. Ik heb toch écht geen zin om het boetekleed aan te trekken, Dan.'

'Je had me verdomme wel eens kunnen waarschuwen.'

'Ik had het er graag met je over gehad, maar je toonde nauwelijks interesse.'

'Aha. Krijgen we dat weer? Gaan we de schuld afschuiven?'

'Wéér? Hoezo "weer"? Ben je dat van me gewend of zo?'

'Je neemt nooit verantwoordelijkheid voor je acties.'

'Zoals?'

'Zoals nu.'

'Ik herhaal het nog één keer, Dan. Ik had het er graag met je over gehad. Je wuifde het gewoon weg, weet je nog, toen ik zei dat het vraaggesprek niet goed was verlopen.'

'Probeer er nou niet onderuit te komen, Hannah.'

'Als jij nou niet zo'n lafbek was geweest en die man te woord had gestaan.'

'Rot toch op,' zei hij en hij verbrak de verbinding.

Ik begroef mijn hoofd in mijn handen en had geen idee wat ik moest doen, maar de volgende beller meldde zich al.

'Mevrouw Buchan? Met Rudy Warren van *The National Enquirer*.'

'Ik heb u niets te zeggen,' zei ik. Ik zette mijn mobieltje uit, maar nu was het de vaste telefoon die overging.

Ik nam op en zei meteen: 'Kunt u op een later tijdstip terugbellen?'

'Eh... mevrouw Buchan? Ik had gehoopt u nú even te spreken,' hoorde ik een mij al te zeer bekende stem zeggen. Het was de directeur van de school, meneer Andrews.

'Neem me niet kwalijk, meneer Andrews. Het zit me vanochtend allemaal niet mee.'

'Dat snap ik. Als het niet schikt...'

'Nee, het kan wel. Ik heb pauze.'

'Zou u zo vriendelijk willen zijn even bij me langs te komen?'

Niemand voelde zich écht op zijn gemak bij meneer Andrews. Hij was een ex-marinier die de boel goed onder de duim had, en de school stond dan ook bekend als een van de strengste in Maine. Ongehoorzame leerlingen werden er niet getolereerd – toch waren die er wel degelijk – en Andrews bewaarde afstand tussen hemzelf en de leerkrachten. Híj was de generaal, wij waren het leger. Hij had graag dat je hem aansprak met 'meneer Andrews' en hield niet van amicaal gedoe. Maar niemand nam hem die strenge houding kwalijk; hij was een uitstekende directeur: altijd rechtvaardig en indien nodig stond hij pal achter zijn personeel.

Ik liep de gang door naar zijn kamer en hoopte dat hij ook nu rechtvaardig zou zijn, want ik begreep heel goed waarom hij me wilde spreken.

Hij zat aan zijn grote stalen bureau in de eenvoudig ingerichte kamer: de Amerikaanse vlag in een hoek, de oorkonde van zijn eervolle ontslag uit het leger en zijn bul van de universiteit van Maine aan de muur, plus de oorkonde voor Beste School van het Jaar die de gouverneur van Maine hem een paar jaar daarvoor had uitgereikt. De *Boston Herald* van die ochtend lag voor hem. Hij knikte naar me en gebaarde dat ik kon gaan zitten.

'Ik vind het heel erg van uw dochter. Hoe oud ze ook is, het is en blijft uw kind en ik begrijp dat u zich enorme zorgen maakt. U kunt op onze steun rekenen. Mocht u een paar dagen vrij willen nemen...'

'Dat is heel vriendelijk van u, meneer,' zei ik, 'maar ik geloof dat het beter is als ik gewoon doorwerk.'

'Zoals u wilt. Ik zou het graag even met u over een paar dingen hebben. Om te beginnen over de aandacht van de media. Er zijn alleen vanochtend al zeven telefoontjes binnengekomen van journalisten die iets over u wilden weten, of u een goede leerkracht bent, of u uw eigen kinderen een goede opvoeding hebt gegeven. Ze zijn er zelfs achter gekomen dat uw kinderen hier op school hebben gezeten. Ik heb al een verklaring opgesteld – heel simpel, zeer terzake – en sta op het punt een memo te verspreiden onder de leerkrachten waarin staat dat niemand de pers te woord mag staan en dat alle verzoeken voor informatie via mevrouw Ivens moeten lopen. Goed, dit is de verklaring.'

Hij gaf me een fotokopie van een keurig getypt stukje tekst op het briefpapier van de school. Andrews verklaarde dat ik al ruim twintig jaar op school lesgaf, dat ik een 'vooraanstaand lid van het docentenkorps' was en dat de school in deze moeilijke periode volledig achter me stond. Hij had er ook bij gezet dat Jeff en Lizzie hier op school hadden gezeten, allebei een academische opleiding hadden afgemaakt en bekendstonden als evenwichtige mensen. In de laatste zin sprak hij de hoop uit dat mijn privacy en die van de school werden gerespecteerd en dat de school verder geen discussie aanging over het wel of niet juist handelen daar waar het privé-aangelegenheden van mijn dochter betrof.

'Ik moet de laatste zin even toelichten,' zei hij. 'Zoals u weet hebben we hier een flink aantal gelovige ouders. U herinnert u Trisha Cooper nog wel die alles in het werk heeft gesteld om te voorkomen dat de leerlingen kennis zouden nemen van de evolutietheorie. Ik twijfel er geen moment aan dat ze zodra ze hoort wat u over de "onderbreking" van de zwangerschap van uw dochter hebt gezegd, een campagne tegen u zal beginnen. Ik wil u niet bang maken, maar u alleen waarschuwen, zodat u zich daarop kunt voorbereiden. We hebben hier minstens vijfentwintig Trisha Coopers rondlopen, ziet u? Uiteraard hebben ze net als u het recht op een eigen mening, maar als ze bij me aankomen dat u moet worden ontslagen omdat u wat bepaalde zaken betreft niet met hen op één lijn zit, dan breng ik grof geschut in stelling.'

'Dat waardeer ik zeer, meneer Andrews.'

'Als ik u een raad mag geven, mevrouw Buchan, als u iemand aan de lijn krijgt die een interview met u wil of u een uitspraak wil ontlokken, zeg dan dat u geen commentaar hebt. Als u die lui een vinger geeft, pakken ze uw hele hand.'

Meteen na afloop van het gesprek met de directeur belde Margy. Ik was een tikkeltje geruster nu meneer Andrews me had beloofd dat hij me in bescherming zou nemen tegen een eventuele aanval van religieuze fanaten. 'Moet je horen,' begon Margy. 'Het slechte nieuws is dat het op het ogenblik komkommertijd is, dus je begrijpt dat Lizzies vermissing alle ingrediënten heeft voor een groot verhaal. Herinner je je die zwangere huisvrouw die een jaar geleden in Californië werd vermist? Dat pedante mannetje van haar ontkende in alle toonaarden dat hij er iets mee te maken had, maar toen het lijk van zijn vrouw uit zee was gevist, bleek opeens dat hij er een vriendinnetje op na hield. Dat drama heeft de media zeker anderhalf jaar beziggehouden. Als ik mijn vakbroeders mag geloven, zullen de lieden van *Fox, The National Enquirer, People* en dergelijke bastions van de vrije meningsuiting zich met verve op jou storten, zeker nu bekend is geworden dat McQueen een advocaat in de arm heeft genomen.'

'Geeft hij toe dat hij...'

'Niet zo snel. Kijk, ze gooien hem natuurlijk wel het een en ander voor de voeten, dus ik geef hem geen ongelijk.'

'Godsamme!'

'Volgens de verklaring die zijn advocaat zojuist heeft afgelegd...'

'Margy? Rustig aan, oké? Denk aan je gezondheid.'

'Rot op,' zei ze. 'Zoals oom Sigmund Freud ooit zei: "In dit leven houdt alleen werken je op de been" en dat geldt helemaal als je met een chemokuur bezig bent.'

'Dit is al de tweede keer vandaag dat iemand "rot op" tegen me zegt.' Ik vertelde haar over Dans uitval.

'Ik begrijp best dat hij hyper is,' zei Margy. 'Hij voelt zich natuurlijk schuldig dat hij dat interview op jou heeft afgeschoven.'

'Nee, hij moet een zondebok hebben en dat ben ik.'

'Wil je dat ik eens met hem praat?'

'Nee, dank je. Ik kan hem wel aan, maar bedankt voor het aanbod. De media zijn natuurlijk een ander...'

'Ik stel voor dat je thuis een bericht op de voicemail zet dat alle perscontacten worden behandeld door Margy Sinclair Associates met ons telefoonnummer. Praat niet met de pers en dat geldt natuurlijk ook voor Dan. Zeg dat zijn secretaresse alle verzoeken aan ons doorspeelt. Jullie moeten je gedeisd houden en wij vangen de boel wel op. Ik heb een verklaring opgesteld en e-mail die zo naar je. O ja, hoe heette die psychiater van Lizzie ook alweer?'

Ik gaf haar het nummer van dokter Thornton en beloofde haar dat ik hem zou bellen om te zeggen dat hij Margy Sinclair alle medewerking moest verlenen.

'Ik wil ook met die rechercheur praten,' zei ze. 'Bel hem even voor me. Zeg maar dat ik aan jullie kant sta.'

'Doe ik.'

'Reken er nou maar op dat die persmuskieten het voor gezien houden zodra ze doorhebben dat jij en Dan niet meer met hen communiceren. Ik hoop dat we de hele zaak op die manier in de hand kunnen houden.'

Aan het eind van de dag was er weinig sprake van 'in de hand houden'. Toen ik thuiskwam, stond er een televisieploeg van Fox News op de stoep en zodra ik uit de auto stapte, kwam er een jongedame op me afgestapt die brutaal een microfoon in mijn gezicht duwde, een cameraman in haar kielzog.

'Mevrouw Buchan? Een reactie graag op de vermissing van uw dochter?'

Intuïtief hield ik mijn hand voor mijn gezicht en zei: 'Op het ogenblik heb ik niets...'

Ze onderbrak me en vroeg: 'Denkt u dat dokter McQueen haar heeft vermoord?'

'Geen commentaar.'

'Aan hoeveel abortussen vóór de meest recente hebt u uw goedkeuring gegeven?'

Zonder erbij na te denken, schreeuwde ik: 'Godver! Het gore lef!' Ik duwde haar opzij, maar ze liet het er niet bij zitten en bleef aandringen.

'Ziet u zichzelf inderdaad als een slechte moeder die...'

Ik draaide me om, riep: 'Laat me met rust!' en rende naar de voordeur, die ik nog net voor haar neus kon dichtsmijten, maar niet voordat ik haar had horen vragen of ik wist dat drie voormalige vrienden van Lizzie hadden verklaard dat zij ook hén had gestalkt.

Zodra ik binnen was, ging de telefoon. Ik nam op en hoorde: 'Mevrouw Buchan? Dan Buford van *The New York Post* hier.'

'U kunt Margy Sinclair bellen. Zij doet onze...'

'Margy zei dat ik u rechtstreeks kon benaderen.'

'Daar heeft ze mij niets van gezegd.'

'Weet u dat McQueen zijn paspoort heeft moeten inleveren en dat ze op dit moment in de Charles aan het dreggen zijn?'

'Ik hoop dat die schoft zijn verdiende loon krijgt.'

'Dus u denkt dat hij wat met de vermissing te maken heeft?'

'Belt u nou maar met Margy Sinclair Associates.'

'Waarom hebt u een pr-firma ingehuurd? Dat is nogal een opmerkelijke stap voor een lerares, vindt u ook niet? Tenzij u iets te verbergen heeft natuur...'

Ik hing op. Er werd op de deur gebonsd. 'Mevrouw Buchan! Mevrouw Buchan!'

Ik keek door de luxaflex, zag de cameraman van Fox staan, zijn lens vlak bij het raam en met een boos gezicht trok ik de blindering dicht.

Mijn mobieltje ging. Ik nam op en riep: 'Laat me met rust!'

'Met je vader.'

'O, jezus. Sorry. Ik dacht...'

'Ik heb de *Herald* net gelezen. Margy belde al om te zeggen dat de roofvogels boven ons rondcirkelen en ieder moment kunnen duiken. Ze zei dat ik ook een paar telefoontjes kon verwachten.'

'Het is hier een gekkenhuis,' zei ik en ik vertelde hem hoe de situatie was.

'Maak je nou over die toestand met die abortus maar niet al te druk. Ik weet zeker dat er heel veel mensen achter je staan.'

'Helaas zijn dat niet de mensen die bij de roddelpers werken of hun soortgenoten bij de televisie.'

'Die directeur van je school lijkt me een heel geschikte vent.'

'Ja, en dat voor een ex-militair. Mijn man daarentegen...'

'Die komt wel tot inkeer. Geef hem nou maar een beetje de tijd.'

Er werd weer op de deur gebonsd. 'Hannah Buchan? Hannah Buchan? Een paar vraagjes maar!'

'Het is hier een complete belegering, pap.'

'Denk eraan, hè? Geen commentaar.'

'Als het zo doorgaat, moet ik ergens heen vluchten.'

'Heb je nog iets van de recherche gehoord?'

'Een van die persjongens zei dat ze in de Charles aan het dreggen zijn en dat McQueen zijn paspoort heeft ingeleverd.'

Ondanks de slechte verbinding hoorde ik mijn vader diep zuchten, maar hij zei: 'Dat zegt me niet zoveel.'

'Hopen en bidden maar.'

We hingen op. Ik ging naar de keuken om te zien of er berichten op de voicemail stonden en ja hoor, vierentwintig maar liefst, afgezien van één van Alice Armstrong allemaal van de pers. Alice zei dat ze met me meeleefde en als ze iets voor me kon doen... Misschien kon ze alle waakhonden die Portland rijk was verzamelen en in de voortuin loslaten?

Ik zette het bericht dat Margy alle perscontacten onderhield op de voicemail en verzamelde moed om Dans praktijk te bellen. Zijn secretaresse nam op.

Ze viel meteen met de deur in huis. 'Wat een toestand! Er staat hier een cameraploeg bij de ingang en ik heb al zeker twintig telefoontjes gehad.'

'Heeft Dan iemand te woord gestaan?'

'Nee, hij heeft de hele middag patiënten gehad en is nu aan het opereren. Ik ben net gebeld door Margy Sinclair en die zei dat alles via haar moest lopen.'

Bravo. Wat was Margy toch efficiënt.

'Klopt,' zei ik.

'Ze zei dat de dokter beter niet zelf met de pers kon praten.'

'Dat is ook zo. Zeg tegen mijn man dat hij na de operatie niet naar huis moet komen. Er staat hier een hele rij televisieploegen in de tuin.' Ik keek uit het keukenraam en zag een busje van NBC aan komen rijden. 'Vraag of hij me belt zodra hij even tijd heeft, oké?'

Ik wist dat ik alleen met een list het huis uit kon komen. Ik belde de taxicentrale en vroeg of ze een taxi wilden sturen en dat de chauffeur in een zijstraat op me moest wachten, voor het huis met een brievenbus waar CONNOLLY op stond.

'U woont toch op nummer 88?'

'Ja.'

'Waarom mag hij u dan niet gewoon thuis ophalen?'

'Daar heb ik zo mijn redenen voor.' Ik keek naar buiten en zag dat het begon te schemeren. 'Over een halfuurtje graag.'

Ik hing op, belde de Hilton Garden Inn in de stad en reserveerde twee kamers; één op mijn naam, de andere op die van Jeff. Ik belde de praktijk weer, vroeg de secretaresse 'de dokter' te zeggen dat hij mij in de Hilton Garden Inn moest treffen en dat ik het hem daar wel zou uitleggen. Daarna haalde ik eens diep adem en belde mijn zoon op zijn mobiele nummer.

'Ik heb een auto gehuurd en zit in de buurt van Wells,' zei hij. Wells lag op de grens van Maine en New Hampshire. 'Ik ben er over drie kwartier.'

'Kom naar de Hilton Garden Inn in het centrum,' zei ik en ik legde hem uit waarom het beter was als hij niet naar huis ging.

'Is het dan zo'n gekkenhuis?'

'Allemaal door het artikel in de *Boston Herald*.'

'Door je commentaar op abortus zul je bedoelen.'

Ik voelde de woede alweer in me opborrelen, maar ik hield me in en zei: 'Daar hebben we het nog wel over.'

Ik ging naar boven, gooide kleren voor een paar dagen in een reistas en pakte mijn laptop.

Margy belde.

'Je hebt geen idee wat zich hier allemaal afspeelt,' zei ik. Ik keek uit het raam en zag het busje van ABC staan. 'Het is een compleet mediacircus!'

'Dat weet ik. Je was net op Fox News.'

'Hè? Ik heb niet eens met dat mens gepraat!'

'Klopt. Ze lieten ook alleen zien hoe je de verslaggeefster afwimpelde.'

Lieve hemel. 'Ook dat ik...'

'Dat je tegen de verslaggeefster zei dat ze op kon rotten?'

'Natuurlijk. We hebben het wel over Fox, die vinden het prachtig om iemand te kakken te zetten.'

'Ik heb vast een rare indruk gemaakt.'

'Maak je daar nou maar geen zorgen over.'

'Met andere woorden: ja, het was een ramp.'

'Je was over je toeren, pissig dat ze je zo overviel, maar wat kan het schelen? Je dochter wordt vermist, dus je hebt alle recht om over je toeren te zijn.'

Ik vertelde haar over mijn vluchtplan. 'Goed idee. Ik bel je over een uur of twee om nog even wat dingen door te nemen. De telefoon staat hier de hele dag roodgloeiend.'

'Wat een ellende.'

'Het is nu even een kwestie van doorbijten. Over een paar dagen is het allemaal overgewaaid. Succes met je ontsnapping.'

Ik keek op mijn horloge en zag dat het halfzes was. Ik deed alle lichten uit, behalve die in de slaapkamer, pakte mijn bagage en liep de trap af naar het souterrain. Van Dans kamer liep er een gang naar een oude appelkelder in de tuin. Tijdens de verbouwing hadden we er elektriciteit laten aanleggen en een gang ernaartoe, waardoor we de kelder als extra opslag konden gebruiken. Het stond er vol met dozen en kinderfietsjes, en we hadden het oude luik dat op de tuin uitkwam intact gelaten. Ik liep de gang door, de kelder in, en pakte de sleutels die op het elektriciteitskastje lagen. Ik pakte een trapleertje en deed het luik van het slot. Met alle kracht die ik in me had, duwde ik het omhoog. Het houten luik plofte op de grond en ik voelde een koude luchtstroom. Ik wachtte even om te kijken of iemand die het lef had in de achtertuin rond te kijken de klap had gehoord, maar ik vermoedde dat ze dachten dat ik nog in de slaapkamer was. Ik klom op het trapleertje, deed het licht uit, pakte mijn tas, zette hem op de grond en hees mezelf op. Toen ik in de tuin stond, liet ik het luik voorzichtig neerkomen en keek zenuwachtig om me heen, maar de kust was veilig. Ik pakte mijn tas op, en liep naar de bomen in de border van de flinke tuin. Ik baande me een weg door de struiken en kwam uit in de tuin van onze achterburen, de Bauers, met wie we afgezien van de jaarlijkse kerstkaart nauwelijks contact hadden. Hun auto's stonden er niet en er brandde geen licht. Ik liep langs het zwembad, stak het grasveld over en stond in de doodlopende straat. Even verderop stond de taxi, dus ik liep ernaartoe en tikte op het raampje. De chauffeur stapte uit, nam mijn bagage aan en zette die in de kofferbak. Ik ging op de achterbank zitten. Hij keek me via de achteruitkijkspiegel aan en vroeg: 'U woont toch op Chamberlain Drive?'

'Dat klopt, maar ik moest het huis ontvluchten.'

'Vanwege al die televisieploegen?'

'Ja.'

'Wat hebt u gedaan? Iemand vermoord?'

'Was dat maar waar,' zei ik, McQueen indachtig.

Twintig minuten later al was ik in een kamer van de Hilton Garden Inn. Omdat ik niet wist hoelang we er zouden blijven, had ik om een ruime kamer gevraagd en die had ik inderdaad gekregen. Nadat ik mijn tas had uitgepakt, werd er op de deur geklopt.

Het was Jeff. Ik had hem een paar maanden niet gezien en toen hij voor me stond, schrok ik een beetje, maar deed mijn best dat niet te laten merken. Met Kerstmis vond ik hem al een beetje dikker geworden, maar sindsdien had hij er nog een paar kilo bij gegeten. Hij zag er minstens tien jaar ouder uit dan zijn leeftijd.

'Dag, mam,' zei hij en hij gaf me een zoen op mijn wang.

'Heb je al ingecheckt?'

'Ja,' zei hij en hij liep de kamer in. 'Waar is papa?'

'Die komt zo.'

'Shannon belde net. Ze heeft je op Fox News gezien en is nogal geschrokken.'

'Omdat haar schoonmoeder zich wat onhandig heeft uitgedrukt toen ze door een verslaggeefster werd belaagd?'

'Ze zei dat je een verwilderde blik in je ogen had.'

'Verwilderd? Ja, daar kon ze wel eens gelijk in hebben.'

'Ik begrijp niet waarom je de hele toestand zo hebt laten escaleren. Als je je mond had gehouden over Lizzies abortus...'

Ik probeerde me in te houden, maar het lukte me deze keer niet. 'De reden dat de media bij ons voor de deur staan, is dat je arme zusje wordt vermist en dat die enge dokter daar misschien iets mee te maken heeft. Wil jij beweren dat het is geëscaleerd vanwege mijn opmerkingen over Lizzies abortus?'

'Oké, oké. Je hebt gelijk. Ik ben een beetje opgefokt.'

'Welkom. Zo zijn er meer.'

'Shannon is laaiend. Ze heeft het stuk in de *Boston Herald* gelezen en is woedend op je.'

'Dat mag.'

'Ja, maar ook op mij.'

'Kan ik daar wat aan doen?'

'Je weet hoe we over abortus denken.'

'Moet je horen. Een handige journalist heeft me er domweg in geluisd. Hij vroeg of ik het met Lizzies beslissing eens was. Het enige wat ik zei was: "Als het voor haar de juiste oplossing was, als ze niet onder druk is gezet, ja, dan sta ik erachter." Is dat nou zo vreselijk? We weten dat Lizzie gek is op kinderen en zoals ik al eerder heb gezegd, ben ik ervan overtuigd dat McQueen haar heeft omgepraat door te beloven dat ze na zijn scheiding kinderen zouden nemen. Dat heeft je zusje tegen je grootvader gezegd.'

'Waarom heeft ze hém nou in vertrouwen genomen?'

'Omdat ze het heel goed met elkaar kunnen vinden. Is daar iets mis mee?'

'Nee, maar als ik met een dergelijk dilemma zat, zou ik niet als eerste aan hem denken.'

'Weet je wat het is, lief zoontje van me? Als ík met een dergelijk probleem worstelde, zou ik jóú zeker niet om raad vragen en dat geldt ook voor je zusje, omdat je zo dogmatisch en onbuigzaam bent geworden.'

'Als ik dat al ben, is dat omdat jij ons veel te vrij hebt opgevoed.'

Dat had ik kunnen verwachten, maar toch was het een klap in mijn gezicht. 'Dat pik ik niet.'

'Dat is dan jammer.'

'Wat is er in hemelsnaam met jou aan de hand, Jeff? Sinds wanneer ben je zo onmogelijk? En waarom?'

Hij keek me geschrokken aan, maar nog voor hij wat kon zeggen, werd er op de deur geklopt en kwam Dan binnen. Hij begroette zijn zoon, wendde zich tot mij en zei: 'Wat is dit allemaal? Waarom moeten we ons verstoppen?'

'Omdat het huis wordt belegerd. Margy stelde voor…'

'Sinds wanneer neemt Margy beslissingen voor ons?'

'Sinds vanmiddag. Ze helpt ons.'

'Dat had je wel even kunnen overleggen,' zei hij.

'Jij was met je scalpel in de weer. De media hebben zich op me gestort, dus ik ben maar wat blij dat ze onze woordvoerster wil zijn en de hete kolen uit het vuur haalt. Ze is toevallig wél een van de beste pr-mensen in New York.'

'Ik weet niet of zij nou wel de juiste persoon is,' zei Dan.

'Waarom niet?'

'Omdat we iemand nodig hebben die de mensen van Fox en dergelijke aankan.'

'Margy is mans genoeg.'

'Denk je dat ze bereid is iets op te stellen waarin staat dat je je commentaar over abortus intrekt?' vroeg Jeff.

Ik draaide me om, balde mijn vuisten en keek hem aan. 'Als ik dat nodig vond, zou ze dat in één handomdraai voor me regelen. Insinueer je nou dat haar eigen standpunt haar in de weg staat?'

'Ze is natuurlijk wel een New Yorkse.'

'Moet je er niet bij zeggen dat ze joods is?' brieste ik.

'Wat heeft dát er nou mee te maken?'

'Ja ja. Laat maar zitten. Ik trek helemaal niéts in. Ik sta achter mijn dochter én achter mijn woorden, ook al heeft die verslag…'

'Ik weet het,' onderbrak Jeff me. 'Die vent heeft je erin geluisd, maar er is vast wel een manier te vinden om dat recht te breien.'

'Je luistert niet. Ik trék niets in.'

'Wat vind jij, pap?'

'Wat je vader ervan vindt, doet nu niet terzake,' zei ik. 'Het zijn míjn woorden en het gaat over míjn dochter.'

'Het is toevallig ook mijn dochter,' zei Dan kalm. 'Ik ben het met Jeff eens, zij het om een geheel andere reden. Die uitspraak is koren op de molen van de rechtse media. Die doen niets liever dan zo'n linkse vrijdenker die het geen punt vindt dat haar dochter…'

'Kan míj wat schelen! Ik trek niets in!'

'Toe, Hannah. Denk nou aan Lizzie.'

'Waar denk je dat ik de hele dag aan loop te denken? Je wilt toch niet beweren dat ze bij de recherche minder hard hun best doen haar te vinden omdat ik er bepaalde ideeën op na houd? Stel dat ze te weten komt dat ik mijn woorden heb ingeslikt, dan zijn we nog veel verder van huis. Ik heb zo'n idee dat Leary het roerend met me eens is. Jeff? Heb jij nog met Leary gesproken?'

Hij knikte.

'Ik heb wel vertrouwen in die man,' zei ik.

'Best mogelijk, maar hij staat nog wel met lege handen,' zei Jeff.

'Hij doet wat hij kan.'

'Ik voel er wel voor om een privé-detective in te schakelen.'

'Dat lijkt me niet nodig. Stel dat die zich in Leary's vaarwater begeeft.'

'Bij mij op de zaak werken we veel met die mensen. Die kerels zijn heel professioneel en lopen de politie heus niet voor de voeten.'

'Leary doet wat hij kan,' benadrukte ik.

'Daar hebben we wat aan.'

'Mag ik je eens wat vragen? Zou je er anders over denken als Leary een "belijdend christen" was?'

'Hannah… moet dat nou?' zei Dan.

'Blijkbaar wel, pap,' zei Jeff. 'Wat is ze toch voorspelbaar. Altijd jennen, altijd even iets venijnigs zeggen.'

'Ik zeg het alleen maar omdat jij dat geloof van je als een pantser gebruikt. Je doet net of je de wijsheid in pacht hebt en geloof me, dat is niet zo.'

'Goed, Hannah. Zo is het wel genoeg,' zei Dan.

'Nee, dat is het helemaal niet. In plaats van dat we elkaar als familie steunen, vliegen we elkaar in de haren. Dat schijnheilige gedoe ook altijd.'

'Hier ga ik niet naar luisteren,' zei Jeff. 'Ik moet je nog zeggen dat de verhoudingen door dat belachelijke commentaar van jou dermate zijn verstoord, dat Shannon niet wil dat je je kleinkind te zien krijgt, voordat jij publiekelijk je excuses hebt aangeboden.'

Ik keek hem geschrokken aan. 'Dat meen je niet.'

'En of ik dat meen.'

'Vanwege een uitspraak over abortus houd jij je kind weg van haar grootouders?'

'Ik heb het niet over papa, maar over jou.'

Ik keek hem aan met een mengeling van ongeloof en verachting. 'Realiseer jij je wel wat je net hebt gezegd?'

'Shannon is bang dat je een slechte invloed hebt.'

'Op een peuter? Dachten jullie nou heus dat ik het daar met een kind over zou hebben?'

'Het is aan jou.'

'Nee, Jeff,' zei ik. 'Aan jóú.'

Mijn mobieltje ging. Het was Margy.

'Schikt het niet?'

'Nee.'

'Zijn Dan en eh...'

'Ja. Jeff, bedoel je.'

'Wie is dat?' wilde Jeff weten.

'Margy.'

'Zeg dat ik dat persbericht wil zien voor het de deur uitgaat.'

'Heb je het gehoord?' vroeg ik Margy.

'Ja zeker. Zeg maar tegen die charmante zoon van je dat ik dat al via de e-mail heb verstuurd. Ik wilde je even iets vertellen wat niet voor andermans oren bestemd is. Kun je een smoes verzinnen en me terugbellen als je even alleen bent?'

'Dat kan.' Ik hing op en zei: 'Ik ga even naar beneden om een fax op te halen.'

'Die komen ze toch zeker wel boven brengen?'

'Ik moet ook even een sigaret roken.'

'Dat je nog steeds aan die verslaving toegeeft,' zei Jeff.

'Ik geef er maar zelden aan toe, maar dit is zo'n moment.'

Ik pakte mijn jas en zei dat ik over tien minuten terug was. Ik ging naar de balie, vroeg naar het faxnummer van het hotel, liep naar buiten en stak een sigaret op. Ik inhaleerde diep en belde Margy terug.

'Zit je thuis?' vroeg ik.

'Ja. Mijn slaapkamer fungeert vandaag als zenuwcentrum.'

'Heb je daar toevallig een faxmachine staan?'

'Uiteraard. Hoezo?'

'Fax die verklaring dan even. Ik moest een smoes verzinnen om even de kamer uit te gaan.' Ik gaf haar het faxnummer van het hotel.

'Doe ik, maar die verklaring is nu even niet zo vreselijk belangrijk.'

'Hoe bedoel je?'

'Weet je wie Chuck Cann is?'

'Is dat niet die rechtse figuur die een eigen nieuwssite heeft?'

'Bingo. Chuck Canns *Canned News*. De rechtse spreekbuis, een altijd met modder gooiende rechtse propagandamachine en geloof me als ik zeg dat hij vandaag de dag heel wat concurrentie heeft. Weet je nog hoe hij achter Clinton aanzat? Die Cann is ook zo'n bekeerde linkse rakker die alles wat met de jaren zestig te maken heeft met de grond gelijkmaakt. Morgen opent hij zijn site met dat boek van Tobias Judson. Je kunt de tekst al downloaden. Ik weet niet precies hoe ik het moet brengen, kindje, maar ik ben bang dat Cann of een van die beulen die voor hem werken op onderzoek uit is gegaan. Ze hebben uitgevogeld dat jíj de vrouw bent over wie Judson...'

Ik hield de hoorn een eindje van mijn oor, want ik wist wat er ging komen.

# 7

HET IS EEN heel vreemde ervaring om op een tijdbom te zitten. Ik heb me zo vaak afgevraagd wat er omgaat in die zelfmoordcommando's die in Tel Aviv of Bagdad met een jas vol explosieven en een ontstekingsmechanisme in de bus stappen. Kijken ze de overige busreizigers aan met de kille, meedogenloze blik van de fanaticus? Zijn ze zó overtuigd van hun zaak, hun hemelse beloning, dat ze zich geen moment bekommeren om de levens die ze vernietigen? Of zou er één afgrijselijk moment zijn dat ze beseffen hoe krankzinnig hun daad is?

Die avond, toen we in een restaurant in de buurt van het hotel zaten, wist ik dat mijn gezin op springen stond en dat het allemaal mijn schuld was. Een oude zonde, opgegraven en tentoongesteld voor het publiek. Vanwege Lizzies vermissing waren we al publiek domein en Margy had me gewaarschuwd dat dat door Canns website alleen maar erger ging worden.

'Het is maar goed,' zei Margy toen ze me het nieuws vertelde, 'dat de aandacht van het publiek snel is afgeleid. In het begin is er een stortvloed aan publiciteit – die mijn bedrijfje in goede banen gaat leiden – maar ik reken erop dat die weer even snel verdwijnt. Ik zeg het je van tevoren: er komt echt een eind aan de nachtmerrie.'

'De nachtmerrie...'

Ze zweeg even, en zei toen: 'Ik zal er niet omheen draaien. Nee, het ziet er niet best uit. Ik ga er alles aan doen om de schade te beperken, maar het probleem is...'

... de man die tegenover me zit te eten en met wie ik dertig jaar getrouwd ben. In de tas onder mijn stoel zat een uitdraai van het stuk dat de volgende dag op internet zou staan en ik was hem op zijn minst uitleg verschuldigd. Eigenlijk was de andere man aan tafel een veel groter struikelblok: mijn koppige zoon die de wereld alleen maar zwart-wit zag. Het is heel erg om te beseffen dat jij en het kind dat je hebt grootgebracht, met wie je altijd het beste hebt voorgehad, niet meer met elkaar overweg kunnen. Hoe kon een dergelijk hechte band zo verslechteren? Dit conflict was de druppel die de emmer deed overlopen. Het ging al tijden slecht. We konden nog geen halfuur in dezelfde ruimte zijn of we hadden al ruzie.

Ik keek naar mijn zoon. Hij zat met zijn vader te praten over de waarde van het onroerend goed in Portland en of Jeff zijn geld moest beleggen in een stuk land ten noorden van Damriscotta. Jeff had door dat ik naar hem staarde, want hij keek me even minachtend aan en zette zijn gesprek met Dan voort. Ik moest me bedwingen niet in huilen uit te barsten. Niet alleen was ik mijn dochter kwijt, maar ook mijn zoon, die me zelfs verbood mijn kleinkind te zien en dat alleen omdat hij het niet eens was met iets wat ik had gezegd en wat geheel uit zijn context was gehaald. Zelfs al zou ik hem op andere gedachten kunnen brengen, waardoor we misschien wat nader tot elkaar kwamen, dan was dat op het moment dat hij over Judsons boek hoorde natuurlijk meteen verleden tijd. Ik kon me geen voorstelling maken hoe hij zou reageren op het nieuws dat zijn moeder zich had ingelaten met een voormalig activist en zich had opgesteld als een kruising tussen Madame Bovary en Emma Goldman, om nog maar te zwijgen over zijn reactie op het feit dat ik 'kleine Jeff' had meegenomen toen ik 'mijn grote liefde' naar Canada had gereden en aldoende vijf federale wetten overtrad.

En Dan? Hoe zou hij reageren op het bericht dat ik hem jaren geleden ontrouw was geweest, nota bene toen hij de stad uit was om aan het sterfbed van zijn vader te zitten? En of dat al niet erg genoeg was, hoe zou hij Judsons leugens verwerken dat ik hopeloos verliefd op hem was en had geklaagd dat ik gevangenzat in een weinig opwindend huwelijk met een dito man? Ik moest er maar op rekenen dat Jeff en Dan het zouden horen, daar was Margy heel duidelijk in geweest.

'Het vervelende aan de zaak is dat die engerd van een Chuck Cann het wereldkundig maakt. Zodra je hebt opgehangen, moet je naar zijn website gaan. Juridisch gezien heb je geen poot om op te staan, maar we kunnen natuurlijk wel terugslaan en zeggen dat je reactie op Lizzies abortus uit zijn verband is gerukt. Wat die Judson aangaat, houden we vol dat hij het merendeel uit zijn duim gezogen heeft. In Engeland is de wetgeving die de burger tegen laster beschermt veel strenger dan hier. Daar had je Cann en Judson zonder meer kunnen aanklagen. Maar ja, dit is Amerika waar we iedereen ongestraft met al dan niet bij elkaar gelogen modder laten gooien. Kortom, we moeten het maar over ons heen laten komen.'

'Wat kan ik Dan in godsnaam vertellen?'

'Dat het merendeel gelogen is.'

'Ik ben wél met die vent naar bed geweest, Margy. Daar is geen woord van gelogen.'

'Ja, maar het is toch dertig jaar geleden? Dat is nu wel verjaard, lijkt me zo.'

'Ik heb geen idee hoe hij gaat reageren.'

'Hij zal je heus niet verlaten. Jullie zijn al zo lang bij elkaar. Waarom zou jullie huwelijk hierdoor stranden? Die Judson was toch de enige?'

'Je weet best dat ik Dan daarna altijd trouw ben gebleven. Als dat niet zo was, had ik het je wel verteld.'

'Geloof me maar, Dan verwerkt het op zijn eigen, flegmatieke wijze en zal geen stennis schoppen.'

'Je hoeft me niet te sparen, hoor.'

'Goed. Dat je zogenaamd smoorverliefd was op die Judson, dat zal hem wel grieven, maar dat spreken we natuurlijk tegen. Cann pakken we wel aan op schending van je privacy.'

'Ik weet zeker dat Dan me veracht...'

'Rustig nou. Wie weet verrast hij je nog met zijn reactie. Er staat voor hem ook het een en ander op het spel, dus ik denk echt dat hij achter je blijft staan. Dat zou wel gunstig zijn, want het is zaak dat jullie één front vormen.'

'Oké. Heb je een tip voor me hoe ik het moet brengen?'

'Moeilijk... Ik benijd je niet. Als ik jou was, zou ik het vanavond nog vertellen, want ik voorzie dat de hel morgenochtend losbreekt. Hij moet het van jou horen, dan gaan Cann en die Judson verder hun gang maar.'

We hingen op. Ik stak nog een sigaret op. Wat was ik bang om voor het oog van de wereld ontmaskerd te worden. Bijna mijn hele leven heb ik me erdoor laten leiden. Ik was te bang om naar Frankrijk te gaan (zou Dan het uitmaken?), om uit mijn huwelijk te stappen (angst om alleen te zijn), voor mijn mening uit te komen, zowel privé als in mijn werk (bang afgewezen te worden). Ik was altijd bang dat ik het evenwicht in mijn leventje verstoorde en nu zou het in één klap op zijn kop staan.

Ik maakte de sigaret uit en trok me niets aan van een mevrouw die me in het voorbijgaan hoofdschuddend aankeek. Dacht ze dat ik een kind van dertien was dat stiekem rookte? Ik liep de lobby in en vroeg de receptionist of er ergens een ruimte was waar de gasten on line konden. Hij zei dat ik op de eerste verdieping moest zijn in wat ze het 'business center' noemden. Daar aangekomen zette de dame achter de balie een computer voor me aan en vroeg of ik wat wilde drinken. 'Koffie, thee of water, mevrouw?' Een glas wodka had ik niet afgeslagen.

Ik ging zitten, typte www.cannednews.com en drukte de Entertoets in. Binnen een paar seconden zat ik op de website. CANNED

NEWS: DE WAARHEID ACHTER DE LEUGENS. Daaronder stond een quote uit *The New York Times*: 'Of u nou wel of geen fan bent van zijn politieke stellingname, het is een feit dat Chuck Canns website het nieuws eerder brengt dan wie ook. Verplichte kost voor iedereen die in de media werkzaam is.'

Fantastisch. Ik verlegde mijn blik van dit staaltje van op de borst klopperij en scrollde verder totdat ik op de volgende regel stuitte: 'Radiomaker verhaalt van jaren als activist en ontmoeting met zijn "Madame Bovary".'

Ik klikte erop, deed mijn ogen dicht en moest mezelf dwingen ze open te doen. Ik begon te lezen.

Petje af voor de ambitie van Tobias Judson, die er alles aan gelegen is de Rush Limbaugh van het middenwesten te worden. Judson, een populaire radiomaker in de regio Chicago, was in het verleden een links-radicaal die na twee van zijn kameraden van de Weathermenonderdak te hebben verleend zelfs op de lijst van meestgezochte mensen van de FBI stond. De twee hadden een bomaanslag gepleegd op de dependance van het ministerie van Defensie in Chicago. Judson, tegenwoordig een onvervalste Republikein en belijdend christen, heeft een openhartig boek geschreven getiteld *De barricaden voorbij* waarin hij zijn dwaze, dwalende jaren als lid van The Weather Underground beschrijft. Hij is misschien geen groot stilist, in het bijzonder de beschrijving van zijn bekering tot godvrezende huisvader is mierzoet, maar er staat een schat aan informatie in over de gevaarlijke revolutionaire spelletjes die de Weathermen en soortgelijke gezagsondermijnende groeperingen speelden.

Het lijdt geen enkele twijfel dat 'Love on the Run' het interessantste hoofdstuk is van het boek. Hierin vertelt Judson over zijn korte, maar niet minder hevige affaire met de vrouw van een arts in een klein stadje in Maine; een vrouw die uiterst ontevreden is met haar bestaan van huisvrouw en niets liever wil dan zich manifesteren in de links-radicale kringen waarin ook haar vader zich beweegt. In het boek bedient Judson zich tactvol van pseudoniemen voor de progressieve vader en dochter, respectievelijk James Windsor Longley en Alison. Het plaatsje waar de hartstochtelijke affaire zich afspeelt is Croydon, Maine, geworden. In het voorwoord verzekert Judson ons dat alles op waarheid berust, met inbegrip van de episode met 'Alison', die hem na een korte, maar niet minder onstuimige affaire haar liefde verklaart en hem naar Canada brengt om te voorkomen dat de FBI hem arresteert.

Na enig speurwerk is *Canned News* achter de identiteit van de hoofdrolspelers in dit drama gekomen. De linkse professor is niemand minder dan de historicus John Winthrop Latham van de universiteit van Vermont. Latham is al jaren met pensioen, maar niettegenstaande zijn aristocratische achtergrond was hij in de jaren zestig een van de leiders van de demonstraties tegen de oorlog in Vietnam. Na een paar telefoontjes hebben we ook kunnen verifiëren dat Lathams dochter in 1973 met haar man dokter Daniel Buchan in Pelham, een gehucht in Maine, woonde.

Hannah Buchan is nu lerares in Portland, Maine, waar haar echtgenoot afdelingshoofd Orthopedie is van het Maine Medical Center. De vraag is of mevrouw Buchan nu nog kan worden aangeklaagd voor het feit dat zij iemand die door de federale overheid werd gezocht, heeft geholpen bij zijn vlucht. Wordt vervolgd.

Vreemd genoeg raakte ik niet van streek en was ik niet kwaad. Om precies te zijn voelde ik helemaal niets. Ik printte het stukje uit, ging naar beneden en stak de zevende sigaret van die dag op. Ik belde Margy en vertelde haar mijn kant van het verhaal. Ze beloofde me binnen een uur een persbericht te e-mailen, dat ik Dan kon laten lezen zodra ik hem op de hoogte had gebracht.

Jeff en Dan zaten in de hotelkamer te praten. Toen ik binnenkwam keek Dan me ietwat schuldig aan en ik kreeg de indruk dat ze het over mij hadden gehad. 'Waar zat je nou?' vroeg hij.

'Ik had behoefte aan frisse lucht en heb even een ommetje gemaakt.'

Jeff snoof. 'Stiekem sigaretjes gerookt, mam?'

'De hele tijd.'

Tien minuten later zaten we in een restaurant in de buurt van het hotel. Onder het eten keek Jeff me weer een paar keer minachtend aan. Dan en hij zaten te praten terwijl ik in een garnalensalade prikte en twee glazen Sauvignon Blanc achteroversloeg. Toen ik een derde glas bestelde, zei Jeff: 'Je raakt hem flink vandaag, mam.'

'Drie glazen wijn? Ik geloof niet dat ik al naar een ontwenningskliniek hoef, wat jij?'

Hij stak zijn handen op en zei: 'Ik bedoel er verder niets mee.'

'Aha.'

'Als jij jezelf voor je zestigste een leveraandoening wilt bezorgen...'

'Ik drink een paar glazen wijn om de ellende heel even te vergeten, om me wat minder wanhopig te voelen over de toestand met je zusje. Toe zeg, bespaar me je wijze lessen.'

'Zo te horen heb je die niet nodig en weet je alles van het effect van alcohol.'

'Weet je wat?' zei ik. 'Ik ga lekker nog een sigaret roken.' Ik stond op en zei tegen Dan dat ik hem wel in de hotelkamer zou zien.

Ik liep naar de haven, zag een bankje staan en stak een sigaret op. Ik ergerde me aan mezelf met al dat gerook. Het water in de Casco Bay kabbelde zachtjes, maar terwijl ik naar het water staarde, wist ik al dat het me niet tot rust zou brengen. Voor wat al die zelfhulpboeken 'een rustpunt' noemen, was ik veel te opgefokt, dus ik trapte mijn sigaret uit en liep in angstige afwachting van de dingen die komen gingen terug naar het hotel.

Dan zat in de stoel bij het raam naar buiten te kijken. Hij keek even op, maar staarde meteen weer naar buiten. 'Was dat nou nodig?' vroeg hij. 'Moest je nou weer een scène maken?'

'Een scène? Ik ben gewoon opgestaan.'

'Je hoeft Jeff maar te zien, of je zoekt al ruzie.'

'Ik geloof dat het omgekeerde het geval is.'

'Je bent zo vreselijk intolerant.'

'Ik? Intolerant? Misschien heb je het niet door, maar je zoon is een godsdienstfanaat en dan druk ik me nog voorzichtig uit ook.'

'Dat bedoel ik dus.'

'Kunnen we het misschien ergens anders over hebben?'

'Waarom? Omdat je me geen gelijk wilt geven?'

'Nee, omdat het geen zin heeft erover in discussie te treden. Daarbij...'

'Daarbij schuif je het liever van je af.'

'Dan, toe nou...'

'Goed. Volgend onderwerp.'

'Ik moet wat met je bespreken,' begon ik.

'Moet dat nu? Het was een lange, nare dag.'

'Dat weet ik, maar...'

'Ze staan nog steeds bij ons op de stoep.'

'Hoe weet je dat?'

'Omdat ik de buren heb gebeld.' Hij keek nog steeds uit het raam.

'O? Wie?'

'De Colemans.' Het echtpaar woonde een paar huizen bij ons vandaan en we hadden nauwelijks contact met hen.

'Vreemd.'

'Hoezo?'

'Die kennen we nauwelijks.'

'Het waren de enigen die ik kon bereiken.'

'Wie heb je verder dan geprobeerd?'

'De Bremmers, de McKluskeys, de Monroes.' Hij noemde de namen van onze directe buren. 'Geen gehoor.'

'Ja, wat wil je op dit late uur? Vonden de Colemans het niet erg dat je nog zo laat belde?'

'Nee, helemaal niet. Ze zeiden dat het nog steeds niet rustig was in de straat.'

'Ik vraag Alice wel of ze morgen even wil langsrijden. Dan horen we wel hoe of wat.'

'Die heeft het vast te druk met haar expositie.'

'Haar expositie? Hoe weet jij dat nou?'

'Omdat jíj het erover had.'

'Ik?'

'Ja, verleden week. Je zei dat de expositie de tweeëntwintigste van de volgende maand wordt geopend.'

'Daar herinner ik me niets van.'

'Nou, ik wel.'

'Oké. Als jij het zegt.'

'Waar wilde je het over hebben?' vroeg hij.

'Ach, dat komt morgen wel,' zei ik.

'Kom maar op. Ik ben nú wakker.'

'Ik ben erg moe.'

'Je zei dat je wat met me moest bespreken.'

Ik rommelde in mijn tas en diepte er het pakje sigaretten uit op.

'In de kamer noch op de gang mag gerookt worden.'

'Ik zet wel een raam open.'

'Hannah...'

Ik liep achter hem langs, zette het raam open, ging tegenover hem zitten en stak een sigaret op. 'Zonder sigaret lukt het me niet.'

'Wat niet?' vroeg hij en hij keek me recht aan.

'Ik moet je iets vertellen.'

'Gaat het over Lizzie?'

'Dan...'

'Heeft Leary gebeld?'

'Er is geen nieuws over Lizzie.'

'Wat is er dan?'

Ik nam een flinke trek en vroeg: 'Zegt de naam Tobias Judson je nog wat?'

'Tobias wíé?'

'Judson. Jaren geleden, in 1973, toen je vader op sterven lag... Hij was een bekende van mijn vader en heeft een paar dagen bij ons gelogeerd toen jij bij je vader in het ziekenhuis was. Weet je dat nog?'

'Heel vaag.'

Weer een flinke trek. 'Ik heb toen een affaire met hem gehad.'

Ik zag hem schrikken, maar al snel had hij dat stoïcijnse masker weer opgezet, hoewel ik zag dat hij zich verbeet.

'Waarom vertel je me dat nú?'

'Ik zal je eerst uitleggen wat er is gebeurd.' Ik vertelde hem tot in detail wat er die twee dagen, al die jaren geleden, was gebeurd, dat ik me op een tweesprong in mijn leven bevond, dat ik het gevoel had dat ik in de val zat, geen kant op kon, hoe Judson met me had geflirt, me het gevoel had gegeven dat ik interessant en aantrekkelijk was, dat we een glaasje te veel hadden gedronken en in bed waren beland. 'Ik had er natuurlijk direct een eind aan moeten maken, maar op dat moment dacht ik niet zo en de relatie duurde de tijd dat hij bij ons logeerde. Het was allemaal erg spannend en opwindend. Het was alsof ik in een roes verkeerde, beneveld door het gevaarlijke spel. Toen werd er opeens voor Judson gebeld en...'

Ik vertelde hem wat er daarna was gebeurd, dat hij me had gezegd dat hij op de vlucht was en me onder druk had gezet hem naar Canada te brengen, dat ik dat niet had willen doen en hij had gedreigd me te verraden als ik niet deed wat hij zei, dat ik geen keus had en naar de grens ben gereden, met Jeff op de achterbank.

'Heb je Jeff erin meegesleurd?' onderbrak hij me.

'Ik kon hem toch niet alleen thuislaten? Judson chanteerde me en ik moest snel beslissen.'

'Heb je hem de grens overgezet?'

Ik knikte.

'Terwijl onze zoon op de achterbank zat?'

'Hij was nog maar een halfjaar.'

'Ik weet hoe oud hij toen was. Zijn wieg stond bij ons op de kamer. Was hij in de kamer toen jij en Judson eh...'

Ik knikte.

'Je hebt in óns bed met hem geneukt?'

Ik knikte weer.

We zwegen. Ik maakte mijn sigaret uit in de klep van het pakje dat ik als asbak gebruikte en stak er weer een op. 'Ik heb hem in Quebec af moeten zetten. Ik ben gedraaid en naar huis gereden. Toen heb ik gezworen dat ik je nooit meer ontrouw zou zijn en daar heb ik me aan gehouden.'

'Gefeliciteerd,' klonk het wrang.

'Ik weet dat het een zwak excuus is, maar sindsdien is er geen dag voorbijgegaan dat ik me er niet schuldig over voelde.'

'Dus is het allemaal niet zo erg, wou je zeggen?'

'Nee, dat zeg ik niet. Ik heb een enorme fout gemaakt, maar het is wél dertig jaar geleden.'

'Waarom kom je er nu opeens mee aanzetten?'

'Ik zou het je nooit verteld hebben als ik niet had gehoord dat...'

'Wat?'

'... dat die Judson een boek over zijn wilde linkse jaren heeft geschreven en één hoofdstuk gaat over...'

Hij sloeg zijn handen voor zijn gezicht. 'Je gaat me toch niet vertellen...'

'Ja,' zei ik. 'Helaas...'

Nu restte me de plezierige taak gedetailleerd verslag te doen van hoe Judson het verhaal naar zijn hand had gezet, wat er allemaal verzonnen was, gelogen, vooral wat ik over mijn man gezegd zou hebben, en dat ik absoluut niet van hem was gaan houden. 'Hij heeft er een mierzoete, bloemrijke draai aan gegeven. Allemaal onzin, zeker als hij schrijft hoe ongelukkig ik was en dat jij zo saai was.'

'Je hebt me net gezegd dat je het idee had dat je in de val zat.'

'Oké, dat geef ik toe, maar nooit tegen hem.'

'Hou toch op. Als je het inderdaad zo ervoer, heb je vast iets in die geest gezegd en ik twijfel er al helemaal niet aan dat je hem hebt verteld dat je met een saaie vent getrouwd was.'

'Dat heb ik nooit gezegd.'

'Dat was dan zeker een van zijn verzinsels, hè? Wat heeft hij nog meer uit zijn duim gezogen? De seks? Is dat ook een verzinsel?'

'Nee.'

'Was het lekker?'

'Toe...'

'Ik vraag of het lekker was.'

'Ja, het was lekker.'

'Staat dat toevallig ook in het boek?'

Ik knikte.

'Worden we met naam en toenaam genoemd?'

'Nee, hij heeft ons andere namen gegeven. Pelham ook, trouwens.'

'Nou, dat is tenminste íets.'

'Ja. Dat wil zeggen...' Ik vertelde hem wat Chuck Cann had ontdekt.

Hij trok wit weg. 'Dat meen je toch niet...'

Ik pakte mijn tas en gaf hem de uitdraai van de website. 'Dit hier is de reden dat ik daarnet zo lang wegbleef.'

Hij viste zijn leesbril uit de zak van zijn jasje en begon te lezen. Toen hij het uit had, gooide hij het vel papier op het tafeltje tussen ons in. Hij zweeg even en zuchtte diep. 'Besef je wel hoe erg dit allemaal is?'

'Ja.'

'Dit is pure sensatie. Ze hebben hun schijnwerpers al vanwege Lizzie op ons gericht, dus dit gaat in één moeite door. Wat zal de roddelpers hiervan smullen. "Haar moeder was een losbandige hippie, dus geen wonder dat de dochter zo'n wrak is." Sinds wanneer weet je dit eigenlijk allemaal?'

'Sinds een paar uur. Voor we uit eten gingen ben ik even on line gegaan.'

'Waarom heb je het me niet meteen verteld?'

'In het bijzijn van Jeff? Die was compleet over de rooie gegaan.'

'Dat staat ons dan nog te wachten. Wat te denken van het schoolbestuur en de directie van Maine Medical? Om nog maar te zwijgen over de FBI en het ministerie van Justitie. Tenslotte is het een federale mis...'

'Ja, laat maar. Hij heeft me gechanteerd, vergeet dat niet. Margy stelt een persbericht voor me op en...'

'Dat wil ik wel even van tevoren zien.'

'Natuurlijk. Het zal er al wel zijn. Ik zet mijn laptop aan en download hem wel even.'

'Ga je gang.'

'Dan? Ik wil je eerst nog even zeggen dat...' Ik stond op en legde mijn hand op zijn schouder, maar hij moest er niets van hebben.

'Ik heb weinig zin om met je te praten.'

'Ik kan alles uitleggen, Dan!'

'Nee, dat kun je niet. Geef me dat boek eens.'

'Het is al laat en ik weet zeker dat je er alleen maar bozer van wordt. Waarom kijk je er morgen niet naar?'

'Dacht je dat ik kon slapen? Kom maar op.'

'Is het niet verstandiger eerst even te kijken wat Margy heeft geschreven?'

'Ik zie het verband niet helemaal.'

'Toe, lees dat persbericht nou eerst.'

'Schiet op dan.'

Ik pakte mijn laptop en zette hem op de tafel. Zodra ik on line was, keek ik of er e-mail was. Er waren een paar berichten van vrienden die het verhaal in de *Boston Herald* hadden gezien, zelfs één van Sheila Platt. *Ik leef met je mee. We bidden voor jou en Dan en natuurlijk om Lizzies veilige thuiskomst. Je weet dat ik niet van grove taal houd, maar ik heb alle begrip voor je reactie op dat verschrikkelijke mens van Fox News.*

Wat vreselijk attent van Sheila. Ik moest niet vergeten haar te bedanken voor haar steun. Ik klikte op Margy's e-mail en las:

*Hier heb je het. Hoop dat het in orde is. Bel me z.s.m., dan gaat het er morgen nog uit. Jouw versie van het verhaal moet zo breed mogelijk uitgezet worden.*
*Hou de moed erin!*
*Liefs,*
*Margy*

Het persbericht besloeg twee bladzijden en Margy had Judsons versie systematisch onderuitgehaald. Chuck Cann kreeg een flinke veeg uit de pan voor het schenden van onze privacy. Het enige wat niet werd tegengesproken was dat we intiem waren geweest, dat ik me daar jarenlang vreselijk schuldig over had gevoeld, dat de affaire niets meer was dan een twee dagen durende bevlieging, dat Tobias Judson zeer zeker mijn grote liefde niet was en dat ik nimmer had gezegd dat ik hem nooit zou vergeten.

Wat zijn vlucht naar Canada betrof en mijn betrokkenheid daarbij, daarover trok ze pas écht van leer. Ze kenschetste het verhaal dat ik had aangeboden hem naar de grens te rijden, als te gek voor woorden. Hannah Buchan, las ik, zegt met klem dat ze meneer Judson niet heeft aangeboden hem te helpen bij zijn vlucht en wil graag stipuleren dat wat 'Alison' in de mond wordt gelegd, volledig uit de lucht gegrepen is. Ze benadrukt dat meneer Judson haar onder druk heeft gezet door haar niet alleen te chanteren met hun korte affaire, maar haar ook duidelijk te maken dat hij de FBI, indien hij vóór de grens werd opgepakt, zou vertellen dat zij in het complot zat.

*Op geen enkele wijze wil ik het feit dat ik mijn man heb bedrogen en mijn gedrag destijds goedpraten. Ik heb een aantal verkeerde beslissingen genomen en neem alle verantwoordelijkheid op me. Meneer Judsons versie dat ik hem uit politieke overwegingen en gevoelens van genegenheid heb geholpen, is een regelrechte leugen. Hij liet me de keus: hem wegbrengen of arrestatie riskeren. Ik had een jong kind, voelde me schuldig en was bang. Ik ben voor het blok gezet. Gezien de omstandigheden had ik geen keus en tot de dag van vandaag heb ik spijt van het gebeurde.*

Margy had er tussen haakjes een stukje aan toegevoegd. *(Hannah, ik weet dat het een bekentenis is, maar dat kan niet anders. Ik heb juridisch advies ingewonnen en wat de advocaat betreft, is het in orde dat je Judson van leugens beticht en zegt dat hij je heeft gechanteerd. Door die idiote passages heeft hij geen poot om op te staan. Word niet boos bij het lezen van de volgende alinea. Ik moest er echt een reactie van je vader bij zetten, dus het leek me het beste hem zelf te benaderen. Ik heb hem even uitgelegd hoe of wat, dat je flink in de puree zat, dat Dan er onderhand van wist en dat hijzelf ook in het boek voorkomt. Ik heb het stukje dat over je vader gaat gescand en dat in een e-mail aan hem toegestuurd, zodat hij het zelf even kan lezen. Neem me niet kwalijk dat ik die vrijheid heb genomen, maar het is zaak dat we snel reageren en ik weet dat je ertegenop ziet het er met hem over te hebben. Je vader reageerde fantastisch. Ik zou zo voor hem vallen, als hij me niet te oud zou vinden, natuurlijk! Hij denkt aan je en is doodziek van die Judson. Hij wilde je meteen opbellen, maar ik zei dat je waarschijnlijk met Dan zat te praten, dus hij dacht dat het misschien niet echt uitkwam. Hij belt je morgen.)*

Ik nam Margy niets kwalijk; integendeel, ik was blij dat zij mijn vader had gebeld. Ik had de laatste tijd niets anders gedaan dan dingen uitleggen, aan anderen, maar ook aan mezelf.

Ik las verder.

*De vader van Hannah Buchan, de beroemde historicus John Winthrop Latham (in Judsons boek James Windsor Longley, wiens identiteit in* Canned News *is onthuld) verklaart dat hij het betreffende hoofdstuk heeft gelezen. 'Ik ben geschokt door de verdraaiing van feiten, door zijn intentie mensen in een kwaad daglicht te stellen, en dat allemaal ter meerdere glorie van zichzelf.'*

Mijn vader weerlegde alles wat Judson over ons had geschreven. Hij gaf wel toe dat ze destijds bevriend waren, maar stelde dat hij zich nooit had verbonden met de gewelddadige vleugel van links. *'Judson zei dat hij lid was van de SDS, die zich tegen de oorlog in Vietnam keerde, maar nu geeft hij toe dat hij bij de gewelddadige Weathermen zat.'*

Hij gaf toe dat hij wist dat Judson 'wat problemen met de overheid had', maar dat hij niet wist dat de FBI achter hem aanzat, en ja, hij had Judson inderdaad mijn telefoonnummer gegeven. *'Een beslissing die ik tot op de dag van vandaag betreur en die een breuk tussen mij en mijn dochter heeft veroorzaakt. Het is alleen aan haar vergevensgezinde karakter te danken dat onze relatie jaren geleden is hersteld. Als ik had geweten waar Judson mee bezig was, had ik nooit gezegd dat hij bij mijn dochter terecht kon.'*

Mijn vader gaf zelfs toe dat hij fouten had gemaakt op het persoonlijke vlak. *'Mijn vrouw, die lijdt aan een nare, voortschrijdende ziekte, was op de hoogte van mijn buitenechtelijke relaties en heeft me die vergeven. Mijn vrouw en ik zijn al vierenvijftig jaar getrouwd en dat zegt genoeg. Hoewel ik slecht te spreken ben over het feit dat meneer Judson heeft gemeend privé-zaken openbaar te moeten maken, ontken ik het niet en geef ik toe dat ik fout gehandeld heb. Verder moet mij van het hart dat ik het bijzonder onbehoorlijk vind dat hij de korte relatie met mijn dochter aan de grote klok heeft gehangen. Hij moet geweten hebben dat hij Hannah en haar gezin met die passages veel verdriet aandoet, zelfs al heeft een en ander zich dertig jaar geleden afgespeeld. Voor eigen gewin je vuile was buiten hangen, is al niet iets om trots op te zijn, maar als je daar willens en wetens ook anderen mee door het slijk haalt, zelfs al is het jaren later, dan ben je een gewetenloze opportunist.'*

Ten slotte werden er een paar zinnen gewijd aan de situatie met Lizzie en werd de media vriendelijk verzocht onze privacy in deze voor ons zo moeilijke tijd te eerbiedigen. Margy had er nog een paar regels – tussen haakjes – aan toegevoegd. *(De kans dat de media daar gehoor aan geven, is natuurlijk nihil, maar ik wou het toch even gezegd hebben. Delete alles wat ik tussen haakjes heb gezet voor je Dan de boel laat lezen. Bel me zodra je vrijelijk kunt praten. Hou je haaks.)*

Ik deed wat ze me had gevraagd en haalde alles wat tussen haakjes stond weg. Dan stond bij het raam naar buiten te kijken.

'Hier heb je het,' zei ik.

'Ja, nu je van alles hebt weggehaald.'

'Dan...'

'Ik hoorde dat je constant met één toets bezig was. Zonder twijfel met de Delete-knop.'

'Ik heb wat van haar redactioneel commentaar weggehaald, meer niet.'

'Zeker omdat het niet voor mijn ogen bestemd was. Heb je per ongeluk nog meer voor me te verbergen?'

'Ik begrijp dat je kwaad op me bent en ik kan het je niet eens kwalijk nemen, maar vergeet niet dat...'

'Wat? Dat we het over dertig jaar geleden hebben? Moet ik het dan zomaar naast me neerleggen allemaal?'

'Dat zeg ik toch niet?'

'Mooi, want vergiffenis zit er even niet in.' Hij liep naar de hangkast en pakte zijn jas.

'Waar ga je heen?'

'Maakt het wat uit?"

'Nee, maar…'

'Ik ga ervandoor, Hannah, omdat ik even niet met jou in één ruimte kan zijn.'

Ik sloeg mijn ogen neer en zei: 'Oké. Je hoeft het dus niet te lezen?' Ik wees op de laptop.

'Stuur het me maar in een e-mail.' Hij pakte Judsons boek en stak het onder zijn arm.

'Hoelang blijf je weg?'

'Geen idee.' Hij liep naar de deur.

'Margy wil weten of het persbericht eruit kan.'

'Ik zei toch dat je het me maar moest e-mailen? Ik mail je wel wat ik ervan vind.'

Ik draaide me om en stak mijn armen naar hem uit. 'Dan, liefje. Het spijt…'

'Ik heb er schoon genoeg van.'

'Het spijt me. Het spijt me zo vreselijk.'

'Dat zal best.'

Ik voelde de tranen opwellen. 'Dan, ik wil je niet verlie…'

'Welterusten,' zei hij en hij liep de gang op.

Ik barstte niet in tranen uit, stortte niet in, maar bleef als versteend bij de deur staan en had geen idee wat ik er verder aan kon doen. Na een paar minuten liep ik naar het bureautje en stuurde de e-mail met het persbericht naar Dans e-mailadres. Ik zette de laptop uit, klapte hem dicht en dacht na.

Wat nu?

## 8

Dan kwam die nacht niet terug. Ik wachtte tot drie uur op hem en belde hem twee keer mobiel, maar hij nam niet op. Rond middernacht sprak ik wel even met Margy, die me op het hart drukte geduld te hebben.

'Hij is natuurlijk helemaal uit zijn doen,' zei ze. 'Dat zou jij ook zijn bij het horen van dergelijk nieuws. Geef hem wat tijd om het allemaal te verwerken, dan beseft hij wel dat het vreselijk lang geleden is allemaal en dat je dit niet verdient. Bedenk wel dat hij zijn hart vasthoudt wat het ziekenhuis, zijn patiënten en die suffe golfvriendjes van de countryclub...'

'Ik weet nu al wat ze gaan zeggen. "Dan Buchan treft geen enkele blaam, maar zijn vrouw is een sloerie", en meer van dat soort dingen. En terecht.'

'Boor jezelf nou maar niet verder de grond in. Wij bewerken de publieke opinie wel en weten de mensen er vast van te overtuigen dat je een modelburger bent met een goed huwelijk dat al dertig jaar standhoudt, dat je een uitstekende leerkracht bent en wat de gemiddelde Amerikaan verder ook maar wil horen. Het feit dat je toegeeft dat je fout zat, doet de rest.'

'Je doet net of het een fluitje van een cent is.'

'Vergeet niet dat je tot op dit moment alleen maar in de belangstelling staat vanwege je dochter en de verdenkingen jegens die televisiedokter. Daar gaat het om. Stel dat Lizzie niet vermist werd of al gevonden was, dan kraaide er verder geen haan naar. Nu is er die link: moeder van vermiste vrouw was minnares van door FBI opgejaagde activist. Ik geef toe, het is een verhaal, maar let op mijn woorden: dat verhaaltje is snel niet meer interessant. Het is in feite niet meer dan een voetnoot. McQueen zal er wel blij mee zijn, omdat er voor hem even wat minder druk op de ketel staat, maar zodra Lizzie terecht is, worden de schijnwerpers weer op hem gericht. Heb je je vader al gesproken?'

Dat had ik.

'Ik heb,' had hij tegen me gezegd, 'in mijn leven heel wat fouten gemaakt, maar een van de grootste was jou die vreselijke vent op je dak te sturen.'

'Goed, maar voor wat er toen verder is gebeurd, ben jij niet verantwoordelijk, pap. Ik ben zelf met hem naar bed gegaan, en ik heb toegegeven aan zijn chantage en hem naar Canada gebracht.'

'Je bent veel te mild.'

'Nee, dat niet, maar het is allemaal al zo lang geleden. Jij hebt ervoor geboet en ik ook. Tenminste, dat dacht ik.'

'Dat boek is één grote leugen en dan nog slecht geschreven ook,' had hij gezegd.

'Ik denk dat die rechtse figuren van Fox niet over zijn stijl zullen vallen. Wat ze eruit pikken, is dat het over een toenmalige Weatherman gaat die nu bij Bush op schoot zit, over een verboden liaison en de ultralinkse opvattingen die tijdens de vermaledijde jaren zestig opgang deden en – o, wat zijn ze daar blij mee – dat ik de overspelige moeder ben van de vrouw die ongetwijfeld door haar beroemde dokter is vermoord.'

'Ik heb Margy al gezegd dat ik bereid ben alles en iedereen te woord te staan, zelfs de behoudende media. We kunnen niet lijdzaam toezien dat jij wordt afgeslacht.'

'Ik had het je al veel eerder moeten vertellen, pap.'

'Dat had toch niets uitgemaakt? Daarbij, het is je eigen leven.'

'Was dat maar waar.'

Ik vertelde Margy wat mijn vader had gezegd.

'Wat zo goed is van die man,' zei ze, 'is dat hij grif toegeeft dat hij fout zat. Als je eens wist hoe weinig mensen dat kunnen, in het bijzonder mannen. Over mannen gesproken, reken er maar niet op dat Dan vannacht terugkomt.'

'Hoezo?'

'Omdat ik op dit moment een e-mail van hem ontvang. O, het persbericht heeft zijn zegen, zie ik.'

'Lees eens voor?'

'Wacht even. "Lieve Margy. Wat mij betreft is het persbericht oké. Dan." Dat is duidelijk.'

'Geen enkele aanwijzing waarvandaan hij mailt?'

'Natuurlijk niet. Waarom zou hij? Ik neem aan dat hij op zijn werk is of dat hij jullie huis is binnengeglipt. Geef hem nou maar even wat ruimte. Als je hem nu belt en smeekt of hij terugkomt, dan gooit hij zijn kont tegen de krib. Geef het wat tijd en zeker weten dat het in orde komt.'

Na het gesprekje met Margy belde ik Dans mobiele nummer nog een keer, maar weer kreeg ik de voicemail. 'Met mij,' sprak ik in. 'Ik wil alleen even zeggen dat ik het naar vind dat je er niet bent, dat ik altijd van je heb gehouden en dat daar geen verandering in komt. Het spijt me allemaal vreselijk. Bel me alsjeblieft.'

Een knieval is misschien niet de beste strategie, dacht ik, maar als ik niets doe, is het ook niet goed. Ik wilde zo graag dat hij terugkwam, dat hij naast me lag, en snakte naar dat veilige, beschermde gevoel of wat het ook was dat mensen die al zo lang getrouwd zijn als vanzelfsprekend beschouwen, maar als dat veilige gevoel wordt bedreigd, denk je: *wij... uit elkaar? Dat kan toch helemaal niet? Na al die jaren...*

Ik probeerde te slapen, maar het lukte niet. Ik plunderde de minibar en dronk twee miniatuurflesjes wodka, maar wat veel dommer was, was dat ik de televisie aanzette, begon te zappen en bij Fox News bleef hangen. Ze toonden ieder heel uur een paar korte nieuwsflitsen, om één uur was Lizzie het derde onderwerp. Achter de blonde nieuwslezeres verscheen een foto van Lizzie en op hijgerige toon zei ze: 'Geen nieuwe verwikkelingen in de zaak van de verdwenen vermogensbeheerder Elizabeth Buchan, die op 4 april voor het laatst is gezien toen ze de hotelbar uit stormde waar ze met haar getrouwde vriend, de beroemde dermatoloog Mark McQueen, een fikse ruzie had. Ondertussen is McQueens paspoort ingenomen. De arts wordt nog steeds verdacht betrokken te zijn bij haar verdwijning, maar ontkent in alle toonaarden.'

Ze lieten een goedgeklede man van ergens in de vijftig zien die een paar verslaggevers te woord stond. Onder in het beeld stond: BERNARD CANTON, MCQUEENS ADVOCAAT. 'Mijn cliënt heeft zijn paspoort afgegeven, alleen om zijn goede wil te tonen. Hij is bereid volledige medewerking te verlenen bij de zoektocht naar Elizabeth Buchan. Dokter McQueen heeft een waterdicht alibi voor de avond van haar vermissing. Mijns inziens grijpt de recherche van Boston waar het mijn cliënt aangaat naar een strohalm.'

De blonde nieuwslezeres verscheen weer in beeld. 'We hebben Elizabeth Buchans moeder Hannah gisteren om een reactie gevraagd.'

Daar was ik. Ik stapte uit de auto en oogde angstig en bijzonder geïrriteerd. De agressieve verslaggeefster duwde een microfoon in mijn gezicht, de cameraman vlak achter haar. 'Aan hoeveel abortussen vóór de meest recente hebt u uw goedkeuring gegeven?' Ik schreeuwde: '... het gore lef!' Mijn halve vloek was weggebleept, maar wat bleef, was een volslagen geflipt mens.

Ik moest denken aan *Groundhog Day*, die film waarin iemand dezelfde dag keer op keer beleeft, toen ik de nieuwsflits om één, twee, drie en vier uur die nacht zag. Tussen vier en vijf moet ik ingedommeld zijn, want ik werd om kwart voor zeven door mijn mobieltje gewekt. Ik nam op en klonk blijkbaar erg suf.

'Komt het niet uit?' vroeg Margy.

'Ik lag nog te pitten. Ik heb me niet eens uitgekleed.'

'Nou, je hebt in elk geval een beetje geslapen. Dat is maar goed ook, want de beer is los. Zet op het hele uur Fox News maar aan en als je zin hebt, moet je daarna de radio aanzetten. Stem af op de zender waar Ross Wallace op zit.'

'Ja, die weet ik wel te vinden,' zei ik, nog een beetje duf van de slaap. 'Hoewel ik die normaal gesproken vermijd.'

'Zet na de nieuwsflits van Fox toch maar even de radio aan.'

'Ik moet naar mijn werk.'

'Luister dan maar in de auto. Ik heb het item al gehoord, maar zoals je weet valt Wallace nogal eens in herhalingen, dus ik weet haast zeker dat het even voor halfacht weer te horen is. Zo voorspelbaar is dat programma van hem.'

Ik ging op de rand van het bed zitten, trok mijn kleren uit en nam snel een douche. Ik droogde me voor de televisie af, maar het duurde nog een minuut of tien voordat ze het over mij hadden. Tegen die tijd was ik aangekleed, stond ik mijn haar te borstelen en had ik de receptie al gebeld om te vragen of ze mijn auto van de parkeergarage naar de ingang wilden rijden. Ik zag dat er een andere nieuwslezeres zat.

'Een verrassende wending in de zaak van de verdwenen vermogensbeheerder Elizabeth Buchan. In zijn zojuist verschenen boek verklaart Tobias Judson, de bekende radiomaker uit Chicago, dat hij toen hij begin jaren zeventig voor de FBI op de vlucht was een korte affaire heeft gehad met Elizabeth Buchans moeder, de vrouw van een jonge arts in Maine die ten tijde van de affaire de stad uit was. Judson onthult in zijn autobiografie dat Hannah Buchan hem heeft geholpen bij zijn vlucht voor de FBI.'

Ze lieten beelden zien van Judson, met een microfoon voor zijn neus in zijn studio. Ik had de foto op het stofomslag van zijn boek gezien, maar ik schrok bij het zien van de corpulente man van middelbare leeftijd. Ik walgde van zijn aanblik en moest mezelf dwingen te blijven kijken. Hij praatte zachtjes en zalvend, en maakte een volkomen onoprechte indruk.

'Ik vind het uitermate pijnlijk dat Chuck Cann de identiteit heeft onthuld van de vrouw die ik "Alison" heb genoemd. Dit is nooit mijn bedoeling geweest en ik vind het heel vervelend dat Hannah Buchan de schijnwerpers op zich gericht weet, zeker gezien die afschuwelijke geschiedenis met haar dochter. Net als ieder ander bid ook ik voor de veilige terugkeer van Elizabeth.'

Dat zal wel, klootzak. Het beeld versprong naar niemand minder dan Margy. Ze stond bij de ingang van haar appartementengebouw in New York en hoewel haar blik even helder was als altijd, zag ze vreselijk bleek. Onder in beeld stond: MARGY SINCLAIR, WOORDVOERSTER VAN HANNAH BUCHAN. Terwijl ze de verklaring voorlas, zag ik dat er minimaal vier van die grote microfoons boven haar hingen. 'Hannah Buchan heeft met afgrijzen van de inhoud van het boek van de heer Judson kennisgenomen en zegt met klem dat het boordevol leugens en verdraaiingen staat.' Ze gaf een verkorte versie van het persbericht, waarin ik toegeef dat ik een korte verhouding met hem heb gehad en ontken hem uit vrije wil naar Canada te hebben gebracht. 'De heer Judson heeft me gechanteerd en liet me geen keus.' Als laatste las ze voor dat het me speet dat ik mijn gezin verdriet heb aangedaan en dat ik gezien de vermissing van mijn dochter voorlopig geen mededelingen zou doen.

Terug naar Judson, die zelfingenomen in de radiostudio zat. Een onzichtbare verslaggever vroeg: 'Wilt u reageren op mevrouw Buchans beschuldiging dat u haar zou hebben gechanteerd?'

'Ik begrijp dat mevrouw Buchan niet blij is dat is uitgekomen welke rol ze heeft gespeeld en dat ze zich nog steeds schuldig voelt over de gebeurtenissen van toen. God weet hoe ík al die jaren heb geleden en pas toen ik kon toegeven dat ik fouten heb gemaakt, heb ik die nare ervaringen achter me kunnen laten. Het is me een raadsel waarom Hannah nu ontkent dat ze me uit vrije wil heeft helpen vluchten. Ontkenning is natuurlijk een heel menselijke en begrijpelijke emotie, maar uiteindelijk is het de waarheid die zegeviert. Ik heb de wet overtreden en ben het land uit gevlucht, maar ik miste mijn vaderland, ben teruggekomen en heb de consequenties van mijn handelen aanvaard. Ik vraag Hannah hetzelfde te doen en net als ik open kaart te spelen.'

Terug naar de studio van Fox.

'Volgens de woordvoerder van het ministerie van Justitie wordt Hannah Buchans rol bij Judsons vlucht naar Canada momenteel onderzocht. Judson is overigens in 1980 naar de Verenigde Staten teruggekeerd en was getuige à charge tijdens de rechtszaak tegen de The Weather Underground. Hij kreeg drie jaar voorwaardelijk voor medeplichtigheid. Tegenwoordig heeft Tobias Judson een eigen radioprogramma en is hij lid van de door president Bush ingestelde commissie voor liefdadigheidsinitiatieven van religieuze instellingen.'

Ik had het wel uit kunnen schreeuwen en het scherm aan gruzelementen kunnen slaan, maar ik moest over twaalf minuten voor de klas staan, dus daar had ik geen tijd voor. Ik pakte mijn tas en rende de gang in. Voor ik naar buiten liep, ging ik langs de receptie om te zeggen dat ik de kamer nog een nacht wilde aanhouden en te vragen of de kleren die ik op de grond had achtergelaten gestoomd konden worden.

De auto stond al klaar. Ik keek op het klokje op het dashboard en om zeven uur tweeëntwintig scheurde ik weg. Ik zocht het radiostation op en het item over mij werd drie minuten daarna uitgezonden, precies zoals Margy had voorspeld. Ik had wel eens eerder naar Ross Wallace geluisterd. Hij was een voormalige brandweerman die een brallerig programma maakte dat in Washington werd opgenomen en aan de hele oostkust te beluisteren was. Hij noemde zichzelf 'De rechtse stem in het bastion van links' en zodra de commercials waren afgelopen, sprak hij zijn motto uit.

'Pikante onthullingen betreffende de al even pikante affaire van de verdwenen yuppie, vermogensbeheerder Elizabeth Buchan, die het niet kon verkroppen dat haar getrouwde minnaar, een arts, haar aan de kant zette. De toch al weinig verheffende geschiedenis wordt er niet frisser op nu bekend is geworden dat Lizzie Buchans moeder een links-radicaal verleden heeft en dat die begin jaren zeventig haar minnaar, een medeactivist, heeft geholpen bij een vlucht naar Canada, ook al was ze ten tijde van die affaire met een ander getrouwd.'

Hij gaf een korte, bijtende samenvatting van Judsons verhaal en eindigde met: 'De moraal van dit verhaal, luisteraars, is dit: zo moeder, zo dochter, want naar het zich laat aanzien, heeft de familie Buchan weinig problemen met overspel. Wat me nou zo verbaast, is dat je aan de ene kant Tobias Judson hebt, die er in die verwarrende jaren van vrije liefde niet voor terugdeinsde onze vlag te verbranden en die toewerkte naar het omvergooien van de maatschappij. Maar wat deed hij vervolgens? Hij vluchtte het land uit en na een paar jaar in die Franssprekende, socialistische speeltuin van onze "goede buur", krijgt hij wroeging. Hij ervaart wat wel een "Paulusbekering" wordt genoemd en beseft dat hij niet alleen helemaal fout zit met zijn linkse denkbeelden, maar ook dat hij onze natie heeft geschaad. Hij neemt de enig juiste beslissing, komt terug naar de Verenigde Staten en aanvaardt de consequenties. Judson wordt meteen gearresteerd en aangeklaagd. Hij geeft aan dat hij voor zijn eerder gemaakte fouten wil boeten en zegt het Openbaar Ministerie toe te getuigen tegen de twee mannen die de onschuldige veiligheidsmedewerkers in de strijd tegen "het systeem" hebben geofferd. Meneer Judson is als getuige à charge voor het OM opgetreden en het is alleen aan hém te danken dat de twee moordenaars levenslang hebben gekregen. Ik weet niet hoe u erover denkt, luisteraars, maar ik sta achter iemand die bereid is de consequenties van zijn gedrag te aanvaarden, iemand die kan zeggen: "Ik had het helemaal mis. Ik hou van mijn vaderland en ik heb fout gehandeld." En dat heeft Judson gedaan. Sinds zijn terugkeer in dit prachtige land van ons en na het aanvaarden van zijn straf, is het hem gelukt helemaal terug te komen. Onze vrienden in Chicago horen zijn stemgeluid iedere morgen. Zijn geloofsgenoten weten dat hij een vroom christen is en trainer van het honkbalteam van jeugdige kerkgangertjes. George W. Bush kent hem als een gedreven medestander in de strijd om de gelden van charitatieve instellingen uit de klauwen van links te krijgen en onder te brengen bij de Kerk, waar ze natuurlijk ook horen. Vergelijk Judsons houding nou eens met die van Hannah Buchan. Stel u voor: u bent de drieëntwintigjarige vrouw van een arts die naar het ziekbed van zijn vader wordt geroepen en wat gebeurt er? Uw linkse vader – mevrouw Buchans vader was een van de beruchtste radicale professoren van zijn tijd – stuurt een van zijn revolutionaire strijdmakkers op u af en vraagt of u zo vriendelijk wil zijn de jongeman een dag of wat onderdak te verschaffen. U biedt hem een slaapplaats aan, in dit geval de echtelijke sponde, en na twee dagen al verklaart u de man uw liefde. Uw minnaar – en, luisteraars, hier wordt het verhaal pas écht interessant – vertelt u dat hij op de vlucht is wegens betrokkenheid bij een politieke moord en wat doet u? Natuurlijk, u biedt aan hem naar dat Franssprekende, socialistische paradijs te brengen en of dat al niet erg genoeg is, neemt u uw baby ook nog mee. Als u nog bewijs nodig had dat men in de jaren zestig en zeventig bezig was met het uithollen van onze Amerikaanse normen en waarden, duidelijker dan dit wordt het niet geïllustreerd. Niet alleen heeft Hannah Buchan haar huwelijksbelofte gebroken, ze heeft óók de wet gebroken en een federale wet nog wel. Het erge van dit alles is dat mevrouw Buchan haar dochter heeft opgevoed met eenzelfde gebrek aan normen en waarden. Iedereen weet dat kinderen vaak dezelfde fouten maken als hun ouders. De zaak-Buchan is daar een treffend voorbeeld van. Misschien heeft ze nooit iets geweten van de relatie met haar moeder, maar wellicht is er toch iets ingeslopen. "Het is in orde, want mama heeft zus en zo gedaan." Als ik Hannah Buchans man was, nou ja... Laat ik het zo zeggen: ik ben blij dat het niet zo is. Waar ik nou zo benieuwd naar ben, is het volgende. Mevrouw Buchan, volgt u Judsons voorbeeld en aanvaardt u de consequenties van uw acties? Bent u bereid het boetekleed aan te trekken? Excuses aan uw man zijn natuurlijk niet toereikend. U hebt ons als natie een schuld in te lossen, want ieder van ons voelt zich verraden.'

Het moment dat de tirade was geëindigd en de reclameboodschappen werden uitgezonden, reed ik het parkeerterrein van school op. Het was een heel vreemde ervaring te horen hoe iemand je via de radio met de grond gelijkmaakt, alsof het over iemand anders ging, een abstracte figuur die in geen enkele relatie tot mijzelf stond. Toch, toen hij die laatste zinnen had uitgesproken, had ik het stuur zo stevig vastgepakt dat ik dacht dat mijn knokkels door mijn huid zouden komen. 'Zo moeder, zo dochter... Het is in orde, want mama heeft zus en zo gedaan.' Als Lizzie dit had gehoord, was het misschien de druppel die de emmer deed overlopen.

Mijn mobieltje ging. Het was Margy. 'Heb je Fox News gezien?'

'Ja.'

'Heb je die Wallace gehoord?'

'Ja.'

'Oké. Ik heb niet veel tijd, want het is hier een gekkenhuis, er zijn een heleboel dingen die we kunnen en gaan doen. Waar het om gaat, is dat jij ergens op een veilige plek zit.'

'Hoe bedoel je?'

'Waar zit je?'

'Ik sta voor de school.'

'Oké. Luister goed. Bel de directeur vanuit de auto, zeg maar dat je je niet lekker voelt en niet kan lesgeven. Ga terug naar je hotel, zeg tegen de receptie dat ze tegen niemand vertellen dat je daar logeert en blijf op je kamer totdat je wat van me hoort.'

'Margy! Ik moet lesgeven.'

'Luister nou. Dan belde me net. Hij wilde vanochtend naar huis en zag dat er geen doorkomen aan was. Hij is naar de praktijk gereden en tot zijn stomme verbazing stonden daar ook televisieploegen. Hij is nu in het ziekenhuis, maar hij is in alle staten omdat iemand van de directie daar het programma van die Ross Wallace heeft gehoord. Dan is al op het matje geroepen.'

Gedachteloos tastte ik in mijn tas en haalde er een pakje sigaretten uit.

'Hoe het ook zij, hij wilde weten hoe hij de media moest benaderen. Ik heb hem precies hetzelfde aangeraden: binnenblijven en je gedeisd houden. Hij heeft vanochtend drie operaties, dus dat is geen punt. Het journaille heeft dan wel wat van een horde roofdieren, een ziekenhuis dringen ze nog nét niet binnen. De school is natuurlijk een heel ander verhaal.'

'Ik ga toch écht lesgeven, Margy.'

'Je denkt toch niet dat je Jeanne d'Arc bent, hè? Reken er maar op dat de meute verslaggevers die nu voor je huis staat, binnen het uur bij school staat. Doe jezelf én mij een lol, oké? Ik ga...'

'Heeft Dan nog gezegd waar hij vannacht is geweest?' onderbrak ik haar.

'Ja, daar hadden we écht tijd voor. Natuurlijk niet. Je denkt toch niet dat hij...'

'Ik bel je na het eerste lesuur,' zei ik en ik zette mijn mobieltje uit.

Ik graaide mijn spullen bijeen, stapte uit en beende naar de schooldeur. Ik keek op mijn horloge en zag dat ik vijf minuten te laat was. Ik maakte de deur open, zag de verlaten gang en zette het op een lopen. Mijn hakten klikten op het linoleum. Toen ik bij mijn lokaal aankwam, keek ik door het raam en zag dat het geheel volgens verwachting een flinke janboel was, maar toen ik binnenkwam waren ze meteen rustig. Ik gooide mijn jas over mijn stoel, maakte mijn tas open en zocht naar *Babbit* van Sinclair Lewis, dat ik zou behandelen. Ik hoorde gemompel en keek op. 'Is er wat?'

Jamie Benjamin, de knaap met de grootste mond, stak zijn hand op. Ik knikte, waarop hij vroeg: 'Mogen wij er ook een opsteken, juf?'

Pas toen besefte ik dat ik nog een sigaret tussen mijn lippen had. Ik deed net of ik geweldig schrok, maakte hem uit op de vensterbank en gooide de peuk naar buiten.

'Dat noemen ze nou milieuvervuiling,' zei Jamie. De hele klas lachte.

'Helemaal waar, Jamie. Nu jij me hebt gesnapt, aan jou de eer om ons uit te leggen in welk opzicht *Babbit* ook nu nog relevant is.'

'Het is een oud boek,' zei hij. 'Het is ergens in de jaren twintig geschreven.'

'Dat is waar, maar er zijn toch parallellen tussen de situatie van Babbit en tegenwoordig?'

'Zoals?'

'Stel dat Babbit nu had geleefd, hoe zou hij volgens jou bij de laatste verkiezingen gestemd hebben?'

'Voor George W. Bush.'

'Denk je dat?'

'Nee, ik weet het wel zeker.'

'Leg uit.'

'Omdat Babbit een conservatieve lul was.'

Gelach alom.

'Ik denk dat Sinclair Lewis het daar wel mee eens zou zijn. Denken de anderen er ook zo over?'

Vanaf dat moment was de les uiterst geanimeerd en er ontstond een levendige discussie over Babbits verstokte, traditionele Amerikaanse waarden, over de wijze waarop Sinclair Lewis de patriottistische zakenman uit het middenwesten had neergezet en de parallellen met het heden. Dat was nou precies wat het onderwijs voor mij zo leuk maakte: leerlingen die het gesprek overnemen en zich betrokken voelen bij het onderwerp van de discussie. Als ik de kinderen maar niet hoefde te bedelven onder de taaie materie die ze toch direct wegstopten onder de noemer 'saai'. Nee, ik zag veel liever dat ze zich interesseerden voor een idee, een standpunt innamen en zagen dat literatuur relevant kon zijn. Op dergelijke momenten was ik me nauwelijks bewust van wat zich buiten het klaslokaal, in mijn leven, afspeelde.

Er werd op de deur geklopt. Het was meneer Andrews. Het kwam maar zelden voor dat hij een les onderbrak, maar het moment dat hij binnenkwam, zag ik al dat hij wist wat de media die ochtend over me hadden opgedist. De leerlingen, gedrild als ze waren, stonden meteen naast hun bank.

'Jullie mogen gaan zitten,' zei hij tegen de klas. Hij knikte ten teken dat ik mee moest komen en zei: 'Mevrouw Buchan, kan ik u even spreken?'

'Ik heb nog vijf minuten te gaan voor de bel.'

'Nú, graag.' Hij richtte zich tot de leerlingen en zei: 'Zetten jullie de discussie maar onder elkaar voort, jongelui. Meneer Reed komt over tien minuten. En laat ik niet merken dat jullie in die tien minuten donderjagen, want dan zwaait er wat.'

Voor hij zich omdraaide, zei hij tegen mij: 'Neem uw spullen maar mee.'

De hele klas hoorde het en toen ik mijn jas en mijn tas pakte, was het muisstil geworden. Ik keek de kinderen aan en ze staarden terug. Geen van hen wist wat er aan de hand was, maar ze voelden wel degelijk dat er iets mis was. Ik keek op, probeerde oogcontact met hen te krijgen, zei: 'Tot ziens' en liep achter Andrews aan.

We liepen door de gang, gingen de trap op en kwamen langs het kamertje van Jane, zijn secretaresse, die nerveus naar me knikte. Toen we in Andrews' heiligdom waren, gebaarde hij dat ik kon gaan zitten.

'Ik ben vanochtend door drie bestuursleden en een flink aantal verontruste ouders gebeld. Ze hebben Fox News gezien of Ross Wallace gehoord en ik heb me laten vertellen dat alle lokale zenders vanochtend om acht uur een item aan u hebben gewijd.'

Ik wilde wat zeggen, maar Andrews hief zijn hand op als een verkeersagent die het verkeer tegenhoudt.

'Ik wil eerst even zeggen wat ik op mijn hart heb. Ik ken u nu al zo'n jaar of vijftien en als u zegt dat die Judson u onder druk heeft gezet, dan geloof ik dat. Wat betreft de berichten dat u uw man dertig jaar geleden ontrouw bent geweest, dat is iets tussen u en uw man en daar heb ik niets mee te maken. Wat die Ross Wallace aangaat: ik vind het een schandaal dat hij de link heeft gelegd tussen wat er dertig jaar geleden is gebeurd en de vermissing van uw dochter. Ik mag dan wel ex-militair zijn en op de Republikeinen stemmen, ik kan slecht tegen idioten als Wallace en die Rush Limbaugh. Dat gezegd hebbende, het blijft een feit dat uw vuile was buiten hangt en dat dit ertoe geleid heeft dat...'

'Dat het schoolbestuur en een aantal ouders moord en brand schreeuwen dat er hier een overspelige vrouw lesgeeft?'

'Het gaat nog niet eens zozeer over dat overspel. Als dat zo was, dan had ik mijn poot stijfgehouden en gezegd dat ze zich met hun eigen zaken moeten bemoeien. Het probleem is dat u een gezochte misdadiger hebt geholpen. Het is best mogelijk dat u wel moest, maar het feit ligt er. Ik heb de websites van Fox en CNN bekeken en zag dat justitie onderzoekt of u daarvoor vervolgd kunt worden. Helaas, iemand die onder verdenking staat van een federale misdaad, kunnen we hier niet...'

'Wilt u dat ik mijn ontslag indien?' vroeg ik doodkalm.

'We moeten niet op de zaken vooruitlopen.'

'Als het voor de school beter is dat ik mijn baan opzeg, dan doe ik dat nú.'

'Meent u dat?'

'Dat meen ik.'

Hij keek me bezorgd aan en vroeg: 'Wilt u dan niet blijven?'

'Natuurlijk wel. Ik hou van mijn werk, dat weet u, maar blijkbaar is de kans dat ik vervolgd ga worden aanwezig. U kent mijn kant van het verhaal en u kunt erop rekenen dat ik, waar en wanneer ze me ook voor het gerecht slepen, zal volhouden dat ik onder druk ben gezet. Wat dat aangaat, heb ik niets op mijn geweten, meneer Andrews. Momenteel is er maar één zaak die me bezighoudt en dat is of mijn dochter wel of niet leeft. Als er toestanden van komen, als mijn aanblijven ter discussie staat, dan lijkt het me voor u het beste dat ik mijn baan met onmiddellijke ingang opzeg.'

Hij zweeg even en roffelde op het bureau. 'Ik denk niet dat u hoeft op te stappen,' zei hij, 'maar ik geloof dat het verstandig is als ik u met verlof stuur, betaald verlof natuurlijk. Als het bestuur daar bezwaar tegen maakt, dan krijgen ze het met mij aan de stok. Ik stel een persberichtje op dat u op úw verzoek verlof hebt genomen en dat er geen sprake is van gedwongen ontslag. Mochten er vragen over komen, dan krijgen ze te horen dat u al heel wat jaren een populaire en gerespecteerde leerkracht bent. U weet het, het bestuur is een reactionair clubje en als Justitie inderdaad tot vervolging overgaat of als de zaak volledig uit de hand loopt, dan moet ik u eerlijkheidshalve zeggen dat ik niet weet hoelang ik het bestuur in het gareel kan houden.'

'Ik weet zeker dat u er alles aan zult doen, meneer Andrews.'

'Het lijkt me het beste als u meteen weggaat. Jane maakt uw bureau wel leeg. O ja, er staan een stuk of tien verslaggevers bij de ingang. Zou u het prettig vinden als er iemand met u meeloopt?'

'Ja, graag.'

'Staat uw auto op het parkeerterrein?'

Ik knikte.

'Een donkerblauwe Cherokee-jeep, nietwaar?'

Ik knikte weer.

'Geeft u me de sleuteltjes, dan maak ik het voor u in orde.'

Ik gaf ze aan hem en hij liep naar het kamertje van zijn secretaresse. Toen hij terugkwam, zei hij: 'Jane rijdt hem voor u naar de achteruitgang.'

We zaten een paar minuten zwijgend tegenover elkaar. Andrews stond op en gebaarde dat ik mee moest komen. We gingen de trap af en verlieten de school via de achteruitgang. Jane stond naast mijn auto te wachten, maar net op het moment dat ik wilde instappen, kwam er een horde verslaggevers de hoek om. Binnen een paar seconden waren we omsingeld en werden er vragen op me afgevuurd. Meneer Andrews deed zijn best me af te schermen en zei dat ik geen commentaar gaf, maar hij werd volledig overstemd en er kwam één lang salvo op me af.

'Mevrouw Buchan? Klopt het dat u Toby Judson hebt geholpen het land te ontvluchten? Wist u dat u iets onwettigs deed? Was u van plan uw man voor hem te verlaten? Bent u nog steeds lid van een ondergrondse organisatie? Geeft u uzelf de schuld voor wat er met uw dochter is gebeurd? Hebt u tegen haar gezegd dat ze zich moest laten aborteren? Hebt u uw zegen gegeven aan haar relatie met een getrouwde man?'

Die laatste paar vragen schoten me in het verkeerde keelgat en ik verloor mijn zelfbeheersing. 'Hoe durft u dergelijke bagger over me uit te storten,' snauwde ik.

'Mevrouw Buchan...' hoorde ik meneer Andrews zeggen, maar ik negeerde hem en schreeuwde: 'Mijn dochter wordt vermist! Misschien is ze wel dood en ú durft aan te komen met dit soort insinuaties?'

Een van de verslaggevers riep: 'Kunnen we nog een verontschuldiging van u verwachten?'

'Ik peins er niet over!' riep ik. Op de een of andere manier wist ik achter het stuur te kruipen, maar een paar figuren tikten op het raampje en bleven vragen stellen. Hoewel ik haast verblind werd door de lampen van de televisie, startte ik de auto, schakelde en schoot weg alsof ik de chauffeur van een vluchtauto was.

Twee straten verderop parkeerde ik de auto aan de kant van de weg, zette de motor uit en begon als een gek op het stuur te bonken. Ik was buiten zinnen, maar mijn woede gold niet eens de genadeloze journalisten, maar mezelf. Weer was ik in de val getrapt.

*Kunnen we nog een verontschuldiging van u verwachten?*
*Ik peins er niet over!*

Hoe had ik zo stom kunnen zijn? Ik zat een paar minuten doodstil voor me uit te staren, daas en verward, en dwong mezelf naar het hotel te rijden. Zodra ik in de kamer was, belde Margy.

'Ik heb je zojuist op televisie gezien,' zei ze.

'Is het niet vreselijk, Margy?'

'Ik heb toch gezegd dat je je moest inhouden?' zei ze rustig. 'Ik heb toch ge...'

'Dat weet ik. Ik heb er een puinzooi van gemaakt.'

'Klopt, het was geen goeie zet. We kunnen ons verder geen ellende permitteren. Ik heb Dan net gesproken. Die was volledig over zijn toeren.'

'Ik vraag me af waarom hij míj niet belt,' zei ik.

'Dat moet je hem dan maar vragen. Hij is nogal tegen me uitgevaren en zei dat je een ongeleid projectiel was.'

'Zei hij dat?'

'Kijk, die man staat ook onder enorme druk. Vanmiddag moet hij een delegatie van het bestuur van het ziekenhuis uitleggen wat er aan de hand is. Hij denkt dat het gevolgen heeft voor zijn praktijk.'

'De pers gaat dat commentaar van mij natuurlijk breed uitmeten en keer op keer herhalen.'

'We vinden er wel wat op. Misschien kan ik een interview regelen met een redelijke journalist die je gunstig gezind is, dan kunnen we de schade binnen de perken houden. Het komend etmaal moet jouw kant van het verhaal maar eens belicht worden, anders gaat Judson ermee aan de haal. Zo gaat het tegenwoordig in de media: binnen anderhalve dag moet je terugslaan, anders...'

'Je zegt het maar, Margy. Ik werk mee.'

'Beloof me dat je het hotel niet uit gaat en als ze je bellen, gooi je meteen de hoorn erop. Ik spreek je nog.'

We hadden nog niet opgehangen, of ik belde Dan.

'Dat was een prachtvoorstelling vanochtend,' zei hij ijzig.

'Het spijt me. Ik verloor mijn zelfbe...'

'Het maakt niet uit,' zei hij op een toon die me zei dat het heel veel uitmaakte.

'Ik hoorde van Margy dat je vanochtend langs ons huis bent gegaan.'

'Ja. Er was geen doorkomen aan.'

'Waar heb je geslapen?'

'Op de praktijk.'

'Aha.'

'Met al dat volk daar leek het me geen goed idee om thuis te slapen.'

'Zeg, eh... Dan? Kunnen we elkaar misschien ergens treffen om alles eens door te praten?'

'Ik heb het waanzinnig druk en eigenlijk heb ik je niets te zeggen.'

'Ik weet dat je kwaad bent en ik geef je geen ongelijk, maar...'

'Ik zie je vanavond. Ik kom tegen zeven uur langs in het hotel,' zei hij en hing op.

*Ik kom tegen zeven uur langs in het hotel.* Dat klonk nogal formeel, maar dat was natuurlijk ook de bedoeling.

Ik was zo dom de televisie aan te zetten en viel midden in een nieuwsflits.

'Alweer een ontwikkeling in de verdwijning van Elizabeth Buchan. Haar moeder Hannah is met verlof van de Nathaniel Hawthorne High School in Portland, Maine, na de onthulling dat zij voormalige Weatherman Tobias Judson heeft geholpen bij zijn vlucht naar Canada. Mevrouw Buchan betuigt geen spijt voor haar daden.'

Ze lieten zien hoe ik ziedend in de auto stapte, me tot de verslaggevers richtte en schreeuwde dat ik er niet over peinsde mijn excuses aan te bieden. Je zag me wegracen, zonder me ook maar één moment druk te maken over de omstanders. Als je niet beter wist, zou je denken dat de ontaarde vrouw op het scherm niet onderdeed voor een gemene, giftige slang.

Het item eindigde met de mededeling dat het ministerie van Justitie de mogelijkheden onderzocht me te laten vervolgen en dat de politie in Boston geen nieuws had over Elizabeth Buchan. Ze wisten wel te vertellen dat het Brigham and Women's Ziekenhuis dokter Mark McQueen met verlof had gestuurd om 'wat meer tijd met zijn gezin door te brengen' en dat de producent van *Gezichtspunten* het programma tot nader order van het scherm had gehaald.

Margy belde een minuut of tien na het nieuws. 'Ik heb een interview voor je geregeld met een verslaggeefster van *The Boston Globe*. Ik heb de vrijheid genomen haar te zeggen dat je vanmiddag tijd hebt. Ze heeft al met de hoofdredactie gesproken en die maakt ruimte in de krant van morgen, vandaar. Ze heet Paula Houston. Ik ken haar zelf niet, maar een van ons heeft haar nagetrokken. Ze heeft aan Vassar gestudeerd, is wat je een feministe zou kunnen noemen en is van zins de onderste steen boven te halen. Wat haar zo verbaast, is dat jij en Judson zulke verschillende lezingen van het verhaal hebben. Ze is al onderweg en afhankelijk van het verkeer, is ze tegen het middaguur bij je.'

'Margy! Ik heb geen oog dichtgedaan en zie er niet uit.'

'We moeten redden wat er te redden valt en Paula Houston kan ons daarbij helpen. Je moet haar vandaag echt te woord staan.'

'Oké, oké.'

'Zo mag ik het horen. Ik ben ook nog met NPR bezig, gewoon omdat het een goede zender is waar uitstekende mensen zitten, maar waar ik eigenlijk naar op zoek ben, is iemand met een sympathiek, maar toch behoudend programma die Judson wil aanspreken op diens gewroet in andermans privé-leven, alleen maar om er zelf beter van te worden.'

Margy was de publiciteitsmachine en ik was de cliënt die ze kort moest houden. Zelf was ik het liefst heel hard weggerend en had ik me ergens verstopt om pas tevoorschijn te komen als de pers haar vizier op een ander schandaal had gericht.

'Waarom interesseert men zich toch zo voor mijn onbeduidende leventje?' vroeg ik Paula Houston en dat was meteen de enige vraag die ik stelde. Ze was bijzonder slim, begaan, zij het niet klef, en recht door zee. Ze had afgekloven nagels en schreef met een pen waarop ook al flink gekauwd was. Ik had tijdens mijn carrière in het onderwijs wel met dat type te maken gehad; ze waren belezen en gedreven, zich maar al te bewust van het feit dat ze zich alleen konden waarmaken door de beste van de klas te zijn.

'Hoe voelt u zich nu uw dochter wordt vermist?' vroeg ze. Ze stelde de vraag heel vriendelijk, maar ze overviel me er wel mee, en toen ze dat zag verduidelijkte ze zich door er meteen achteraan te zeggen: 'Ik heb nog geen kinderen, ziet u, dus ik kan me er met geen mogelijkheid een voorstelling van maken.'

We zaten tegenover elkaar in de twee stoelen bij het raam. Margy had erop gestaan dat we het gesprek in de hotelkamer voerden. ('Portland is maar klein en als iemand je in de lobby ziet, staat het voltallige perskorps in de gang.') Zodra ik wist dat Paula Houston eraan kwam, had ik de huishoudelijke dienst gebeld en gevraagd of ze de kamer meteen konden doen. Ik had snel een douche genomen en een paar lagen make-up aangebracht om mijn vermoeide gezicht te verbergen. Toen ik in de spiegel keek, dacht ik: als je de vijftig bent gepasseerd, is het alleen nog maar een kwestie van de schade beperkt houden. De tijd schrijdt niet alleen voort, maar maakt in het voorbijgaan óók slachtoffers.

Daar zat ik nou tegenover een gespannen, maar hoogst intelligente jonge vrouw over Lizzie te praten. Ja, mijn dochter en ik hadden een uitstekende band, ja, ik moet er gewoon van uitgaan dat ze nog leeft. Nee, met mijn zoon heb ik een heel andere relatie, omdat hij een nogal reactionair type is en zijn vrouw is het volledig oneens met mijn progressieve stellingname op het gebied van abortus en ja, Dan en ik hebben een goed huwelijk, maar ik geef toe dat dit zware tijden zijn.

'Hield u van Tobias Judson?' vroeg ze opeens.

'Zeer zeker niet.'

'U moet toch bepaalde gevoelens voor hem hebben gekoesterd.'

'Ik was nog jong, woonde in een piepklein plaatsje, was op mijn drieëntwintigste al moeder en had wel eens de indruk dat ik de dingen miste die vrouwen van mijn leeftijd allemaal deden. Dan en ik zaten net in die periode waarin je erachter komt dat het allemaal niet zo eenvoudig is als het lijkt. Inderdaad, ik twijfelde aan bepaalde zaken en daar kwam opeens die man langs: zelfverzekerd, vrijgevochten, in politiek geïnteresseerd en werelds.'

'Heeft hij u verleid?' Ze keek niet op van haar notities.

'Ach, het kwam van twee kanten.'

'Was de seks goed?'

'Moet ik daar antwoord op geven?'

'Ik zal het omdraaien: was het slechte seks?'

'Nee.'

'Ik heb uit het persbericht begrepen dat u hem niet vrijwillig naar Canada hebt gebracht.'

'Klopt. Hij heeft me gedwongen.'

'Kunt u me uw versie van het verhaal geven?'

Ik vertelde haar van zijn dreigementen, zijn cynische reactie op mijn nervositeit en dat hij toen we bij Quebec waren had gezegd dat ik de hele episode moest vergeten.

'U zegt dus dat zijn versie...'

'Ik zeg dat hij alles bij elkaar heeft gelogen, dat hij de geschiedenis naar zijn hand heeft willen zetten om zijn imago van de grote patriot en christen te versterken.'

'U had kunnen weigeren, voet bij stuk kunnen houden.'

'Ik was doodsbang.'

'Het is dus een kwestie van uw woord tegen het zijne.'

'Helemaal waar, met dien verstande dat ik er financieel niet wijzer van word.'

We praatten minstens een uur. Tegen enen keek ze op haar horloge en zei dat ze ervandoor moest. Haar deadline was om vier uur en ze moest het artikel nog uitwerken.

'Nog één vraag, als het mag. U hoopt natuurlijk dat Judson zijn versie herziet, maar afgezien daarvan, wat hoopt u met dit alles te bereiken?'

'In de eerste plaats natuurlijk dat Lizzie dit artikel leest en me belt. Voor het overige alleen dat alles wat mij betreft weer in rustig vaarwater komt. Het is maar een doodgewoon leven, maar het is míjn bestaan en ik was er verre van ontevreden mee.'

Bij het afscheid gaf ze me alleen de hand en onthield zich van clichématige teksten als 'Wat een vreselijk verhaal' of 'Succes, mevrouw' of 'Ik hoop dat de waarheid zegeviert'. Ze bedankte me voor mijn tijd en toen ze weg was, ijsbeerde ik door de kamer en vroeg me af of ik wel de juiste toon had aangeslagen, te veel had losgelaten of iets verkeerds had gezegd.

De rest van de middag bleef ik op de kamer en probeerde de tijd te verdrijven met een roman van Carol Shields. Het ging over een doodgewone vrouw met een dito leven, die een paar dingen meemaakt die haar wereld op zijn kop zetten. Carol Shields had die enerverende zaken op zo'n manier beschreven dat het leven van de vrouw toch opmerkelijk werd. *Het buitengewone van het doodgewone.* Het was een thema dat ik vaak met mijn leerlingen besprak: ieder leven is als een unieke roman. Zelfs al lijkt het een op het oog weinig interessant bestaan, het zit boordevol tegenstellingen en complexe elementen. Hoezeer we ook proberen de dingen simpel te houden, in goede banen te leiden, uiteindelijk wordt iedereen met ellende geconfronteerd. Het is ons lot, omdat kommer en kwel, het drama dat we zelf creëren, nu eenmaal bij het leven horen. Je kunt er alles aan doen om nare, tragische gebeurtenissen uit de weg te gaan, maar geen mens ontkomt eraan. Wie weet is het een reactie op onze sterfelijkheid; dat beklemmende, angstige besef dat alles eindig is, dat al waar we naar streven, waar we ons voor inzetten, alle pijn en verlangen, met ons verscheiden verdwijnen. Kan iemand zich voorstellen hoe het is om er niet meer te zijn, dat jíj je niet meer op aarde bevindt en dat er maar zo weinig mensen zijn die je zullen missen?

Dus kun je je afvragen waar het allemaal goed voor is... Dat is de hamvraag: waar doen we het voor? Ik ben best jaloers op gelovige mensen, omdat die op God vertrouwen en in een paradijs voor de stervelingen die in Hem geloven. Hoewel ik religie zie als een sprookje dat volwassenen elkaar vertellen, dat alleen maar bedoeld is om de dood te ontkennen dan wel te verzachten, wat moet het heerlijk zijn te kunnen zeggen: *ja, het heeft allemaal zin en ja, in de eeuwigheid zie ik de mensen van wie ik hou weer terug.* Aan de andere kant, hoe zit het met de mensen van wie je niet houdt, die je in het tijdelijke kwaad hebben gedaan, ook al noemen ze zich christenen? Nee, een gelovige zal ik nooit worden, want als je het over het hiernamaals hebt, is voor cynisme geen plaats.

Het kostte me moeite me te concentreren op Carol Shields' goed geconstrueerde roman. De muren van de hotelkamer kwamen op me af. Ik was het liefst in de auto gesprongen en naar Popham Beach gereden, maar ik was gewoon te moe om wat te doen. Ik zette mijn mobieltje uit, kleedde me uit, trok de schone lakens over me heen en gaf me over aan dat heerlijke niets.

Ik werd wakker van de telefoon op het nachtkastje. Even wist ik niet waar ik was, maar ik focuste op de wekker en zag dat het bijna kwart over zeven was. Verdorie. Ik had de hele middag geslapen.

'Ja, met mij,' zei Dan. Hij klonk afstandelijk en nerveus. 'Ben je mobiel niet bereikbaar?'

Ik legde uit dat mijn middagslaapje enigszins uit de hand gelopen was.

'Ik moet met je praten.'

'Waar zit je?'

'In de lobby beneden.'

'Kom maar naar de kamer.'

'Ik wacht hier liever op je.'

'Doe niet zo raar.' Ik was meteen klaarwakker. 'Je kunt toch naar boven komen?'

'Ik zit in de bar,' zei hij en hij hing op.

Ik kleedde me snel aan en in het kader van het beperken van de schade smeerde ik nog wat foundation op mijn gezicht. Als hij me op stang had willen jagen en me onzeker laten voelen, dan was dat gelukt. *Ik zit in de bar.* Ik had het liefst geroepen: *je bent mijn man! Waarom kom je niet naar de kamer?* Hij had al opgehangen nog voor ik iets kon zeggen en ja, waarom zou hij ook aardig doen tegen de vrouw die zijn vertrouwen had geschonden?

Vijf minuten later was ik beneden. Dan zat een beetje verscholen aan een tafeltje in de hoek van de bar. Hij had al een drankje voor zich en tikte gedachteloos met het plastic roerstokje tegen zijn glas. Hij keek even op, maar richtte zijn aandacht snel weer op zijn glas.

'Het spijt me dat ik niet eerder heb opgenomen,' zei ik, 'maar ik sliep.'

Hij haalde zijn schouders op. 'Wil je wat drinken?'

'Wodka met ijs, graag.'

Hij wenkte de ober en bestelde.

'Margy wil eigenlijk niet dat ik me hier vertoon,' zei ik luchtig.

'Opdat je jezelf niet weer te schande maakt, zoals vanochtend?'

'Klopt. Dat was geen goeie zet. Het spijt me als ik je in verlegenheid heb gebracht.'

Weer een schouderophalen. 'Wat maakt het ook uit?' Hij dronk zijn whisky op, wist de aandacht van de ober te vangen en gebaarde dat hij er nog een wilde.

'Het maakt wél uit. Ik vind het heel rot en...'

Hij onderbrak me. 'Ik ben vanmiddag even thuis geweest.'

'O? Ik dacht dat...'

'De televisieploegen zijn verdwenen. Ze hebben blijkbaar wat ze wilden.'

'Dat zal best.'

De drankjes werden op tafel gezet. Dan sloeg de helft van de whisky in één teug achterover.

'Je raakt 'm wel lekker vanavond,' zei ik.

'Nou, en?'

'Ik constateer alleen maar een feit, meer niet. Ik heb de kamer aangehouden, dus je kunt vannacht hier blijven.'

'Ik blijf niet slapen.'

'Toe nou, Dan.'

'Ik blijf niet slapen.' Hij zei het zachtjes, maar vastbesloten.

We zwegen.

'Goed,' zei ik zo kalm als ik maar kon opbrengen. 'Als je geen zin hebt, hoef je niet te blijven slapen, maar laat me tenminste een taxi voor je bellen.'

'Ik ga niet naar huis.'

'Aha.'

'Ik ben er net geweest. Ik heb ingepakt wat ik nodig heb en kom niet meer terug.'

Een lange stilte.

'Hoe bedoel je?' hoorde ik mezelf zeggen, maar ik wist precies wat hij bedoelde.

Hij sloeg zijn drankje achterover en zei: 'Ik ga bij je weg.'

Ik moest het even op me in laten werken. 'Gewoon... wég?'

'Niet gewoon weg. Ik...'

'Dan, ik zeg het nog maar eens: ik snap dat je kwaad bent en ik geef je geen ongelijk. Als de rollen omgedraaid waren, zou ik ook...'

'Moeten we dat nou allemaal herkauwen? Het heeft geen enkele zin. Ik ga bij je weg. Punt uit.'

'Dan! Wat er ook gebeurd is, het is dertig jaar geleden! Ik ben je inderdaad ontrouw geweest, maar dat was de eerste én de laatste keer.'

'Dat heb je al gezegd.'

'Geloof me dan.'

'Ik geloof niets meer. Waarom zou ik? Je hebt publiekelijk gezegd dat je er niet over peinst je verontschuldigingen aan te bieden.'

'Dat sloeg op de verslaggevers!'

'Dat zeg jíj, maar al mijn collega's, onze vrienden – iedereen die je vanochtend op televisie heeft gezien – hebben je horen zeggen dat je er niet over peinst je excuses aan te bieden en dat is maar voor één uitleg vatbaar. Terwijl jij lag te slapen, is die flits op de lokale zenders herhaald, om nog maar te zwijgen over Fox News, waar het de hele dag te zien is. Zelfs Tom Gucker heeft me gebeld. Weet je wat hij zei? Ik citeer: "Het bestuur heeft me verzocht je te laten weten dat het ziekenhuis volledig achter je staat. Ik kan me er geen voorstelling van maken hoe grievend het is als je vrouw ten overstaan van televisiecamera's bekent dat ze je ontrouw is geweest, en het nog verdedigt ook. Ze is duidelijk in de war."'

'Heb je dan helemaal geen begrip voor de situatie?' smeekte ik. 'Snap je niet...'

'Wat? Dat je gebukt gaat onder de spanningen vanwege de toestand met Lizzie? Je zult er misschien van opkijken, maar dat geldt ook voor mij. Ik daarentegen zet mezelf niet voor schut voor het oog van televisiecamera's.'

'Het waait wel over, Dan. Over een week of twee is iedereen het vergeten.'

'Niet in Portland. Dat kun je wel schudden.'

Stilte.

'Als je me wilt vergeven,' begon ik, 'als we er alles aan doen om te voorkomen dat ons lange, gelukkige huwelijk wordt geschaad door iets wat dertig...'

'Gelukkig, zei je?'

'Ja.'

'Gelukkig? Ondanks het feit dat je me een saaie zak vindt, véél minder intelligent dan jij, en dat ik er de oorzaak van ben dat je je niet hebt kunnen ontplooien?'

'Ga je me nou vertellen dat je gelóóft wat die schoft over me heeft geschreven?'

'Of ik het geloof of niet... het staat gedrukt en dan bedoel ik niet alleen in het boek. Je hebt je ongenoegen maar wat vaak geëtaleerd.'

'Dan? We zijn sinds 1969 samen en...'

'Dat hoef je mij niet te vertellen.'

'Wat ik wilde zeggen, is dat we inderdaad heel verschillend zijn en verschillende interesses hebben, maar dat betekent nog niet...'

'Ik weet ook dat je moeder me nooit heeft zien zitten. Het plattelandsdoktertje, de saaie boerenkinkel die het qua intellect niet haalde bij de briljante John Winthrop Latham en de gewiekste New Yorkse schilderes.'

'Geloof je nou écht dat ik me door haar heb laten beïnvloeden? Ik heb altijd gezegd dat ik van je hou.'

'Ja, ooit, lang geleden. Ik weet al heel lang dat ik in jouw ogen nooit goed genoeg ben geweest.'

'O? Waarom ben ik dan bij je gebleven? Geloof je nou écht dat ik in een ongelukkig huwelijk was blijven zitten?'

'Ik denk dat je alleen bij me bent gebleven omdat je bang was voor wat anders, omdat je nooit onder woorden hebt kunnen brengen wat voor leven je dan wél voor ogen stond. Denk maar eens aan dat jaar in Parijs, waar je opeens te schijterig voor was.'

'Angst voor het onbekende? Ja, daar kon je wel eens gelijk in hebben, maar dat was wel ruim dertig jaar geleden. En ik was ook bang om jou te verliezen als ik een jaar weg zou blijven.'

'Als je bang was me kwijt te raken, had je niet met die vent moeten neuken.'

'Oké, oké. Ik beken, maar kun je die stupide, kortstondige bevlieging niet zien voor wat het was, een stommiteit van een drieëntwintigjarige die daar de rest van haar leven onder gebukt is gegaan? Als je zegt dat ik alleen bij je ben gebleven omdat het wel gemakkelijk was...'

'Laat me je eens wat vragen. Geloof je nou heus dat ik een saaie zak ben die tevreden is met een redelijk aardig huwelijk met een dito leraresje? Denk je dat ik nooit eens baal van die aaneenschakeling van heupoperaties, de eeuwige vakanties op Bermuda en van tijd tot tijd weinig gepassioneerde seks met steeds dezelfde vrouw?'

'Tja, ziedaar het huwelijk.'

'Daar heb je het al! Typisch iets voor jou om dat te zeggen; je weet altijd op het foute moment iets heel verkeerds te zeggen.'

'O? Nog een tekortkoming, hè?'

'Ja, eerlijk gezegd wel. Als het moeilijk wordt, flap je er maar wat stoms uit.'

'Ik kan je wel zeggen, Dan, dat ík niet zo over jóú denk.'

'Misschien omdat jij nooit te kakken bent gezet en ik wel.'

'Wat je me nu allemaal aanrekent, moet je al heel lang opgekropt hebben.'

'Inderdaad. Al jaren, maar ik heb het netjes voor me gehouden omdat ik dacht dat jij...'

'Wat? Dat ik er hetzelfde over dacht?'

'Iets in die geest.'

'Verdomme nog aan toe! Ik geef toe dat ik wel eens teleurgesteld ben geweest in het leven, maar ik heb wel altijd beseft dat stabiliteit en continuïteit, de ervaringen die je samen hebt opgedaan, de dingen waren die een langdurig huwelijk zo bijzonder maken. Toegegeven, we zijn niet blind voor elkaars tekortkomingen, maar wat mij betreft vallen die in het niet als je je bedenkt dat we ruim dertig jaar bij elkaar zijn geweest. Het is niet zo dat we dertig jaar lang vechtend over straat hebben gerold, verdomme. Integendeel, ik vind dat...'

'Omdat we nooit iets hebben uitgesproken, altijd onze kop in het zand hebben gestoken.'

'Besef je wel wat je zegt?' brieste ik. 'Ik vind dat we het heus niet zo slecht hebben gedaan, dat we hebben geleerd hoe we het beste met elkaar om konden gaan, dat we goed met elkaar op konden schieten, dat we wat de kinderen betrof op één lijn zaten en altijd gespreksstof hadden. Nu hoor ik dat het allemaal maar flauwekul was, dat je jarenlang met het onderdrukte, maar niet minder pijnlijke gevoel hebt rondgelopen dat ik je te min vond, dat ik gekooid was en te laf was om eruit te vliegen. Ik heb toch echt de indruk dat je de recente gebeurtenissen aangrijpt om...'

'Schuif mij de schuld maar in de schoenen. Je hebt niet alleen mij belazerd, maar ons hele gezin. In plaats van eerlijk toe te geven...'

'Ik heb het jóú toch bekend? Ik wil het nog wel een keer doen: het was fout. Ik vind het vreselijk dat ik jou en Jeff verdriet heb gedaan en ik wou dat ik me beter had opgesteld voor de media. Zo goed?'

'En nu moet ik je vergeven en net doen of er niets aan de hand is?'

'Nee. Je hebt alle recht kwaad, beledigd, woedend en ongelukkig te zijn, maar ik verwacht nog steeds van je dat je achter me blijft staan.'

'Je vraagt wel heel wat.'

'Na vierendertig jaar huwelijk? Waar hebben we het eigenlijk over? Ik heb nooit van een ander gehouden, wat die schoft ook zegt. Ik heb mijn man en kind niet in de steek gelaten. Het was niet meer dan seks, één wilde nacht. Het is allemaal op de spits gedreven omdat we nu te maken hebben met wat Margy een simpel "pr-probleem" zou noemen. Als onze dochter niet...'

'Een simpel pr-probleem?'

'Ja. Als die ellendige geschiedenis niet op straat was gegooid, hadden jij en ik hier niet gezeten.'

'Weer zo'n opmerking die alleen jíj kan maken. Neem vooral geen verantwoordelijkheid op je.'

'Ben ik nou ook al mijn verantwoordelijkheden uit de weg gegaan?'

'Veeg je straatje maar weer schoon.'

Ik keek hem met grote ogen aan en fluisterde: 'Dan? Weet je wel waar je mee bezig bent?'

'Ja. Ik ga bij je weg.'

'Dat is niet het enige. Je insinueert dat ons huwelijk nooit iets heeft voorgesteld.'

'Ik had de beslissing jaren geleden al moeten nemen maar ja, ik was natuurlijk veel te saai om dat te doen.'

'Begrijp je dan niet dat ik van je hou en dat ik alleen al daarom bij je ben gebleven?'

'Bedankt. Heel aardig gezegd. Ik ben vereerd en aangedaan. Het is in één woord fantastisch dat je bij me bent gebleven, ondanks het feit dat je met een ander hebt geneukt en hem meteen maar even hebt geholpen aan vervolging te ontkomen. Wat een hartverwarmend einde van die overspelige episode. Leg dat de jury maar uit als je op het beklaagdenbankje zit.'

'Zo ver zal het echt niet komen.'

'O? Dus je weet het nog niet?'

'Ik heb de hele middag geslapen en mijn mobieltje stond niet aan.'

'Nou, zet het dan maar gauw aan, want ik weet haast zeker dat je een heleboel berichten zult hebben. Het was om vijf uur al op het nieuws.'

'Wat?'

'Het ministerie van Justitie heeft laten weten dat ze gronden zien om je te vervolgen. Ze zijn bezig met het formuleren van de aanklacht, dus als ik jou was zou ik maar gauw een advocaat in de arm nemen.'

Ik sloeg mijn wodka achterover en liet het nieuws bezinken. 'Bedankt voor het advies.'

'Een pr-probleem, hè? Godsamme, Hannah, heb je er enig idee van wat dit voor mijn carrière betekent en voor Jeff? Die jongen is er helemaal kapot van. Zijn med2e1redirecteuren hebben het al met hem opgenomen. Hij vreest dat het bedrijf het liever zonder een directeur stelt wiens moeder wordt vervolgd.'

Ik sloeg mijn ogen neer en zweeg.

'Ben je je tong verloren?'

'Jij geniet hiervan, nietwaar, Dan?'

'Als je dat wilt denken, mij best. Oké, ik moet ervandoor. Ik heb al met een verhuisbedrijf gebeld en vrijdag wordt de rest van mijn spullen opgehaald. Verder heb ik een advocaat in de arm genomen om de scheiding te regelen. Ik heb Carole Shipley, van Shipley, Morgan en Reilly.'

'Dan? Heb je er nou wel goed over nagedacht? Je maakt alles kapot.'

'Ik? Jíj hebt alles kapotgemaakt. Enfin, mijn advocaat neemt binnenkort contact met je op. We komen er wel uit, denk ik.'

'Waar ga je wonen?'

Hij keek weg. 'Ik heb al wat gevonden.'

'Hoe heet ze?'

'Echt weer een vraag voor jou.'

'Waar heb je vannacht geslapen?'

'Op de praktijk.'

'Ik geloof er geen bal van.'

Hij legde wat geld op tafel en stond op. 'Gaan we het over echtelijke trouw hebben, Hannah?'

Ik voelde de tranen over mijn wangen biggelen. 'Hoe heet ze?' fluisterde ik.

'Mijn advocaat belt je.'

'Dan...'

'Het beste,' zei hij toonloos.

'Dertig jaar huwelijk zijn niet zomaar weg te vlakken, Dan.'

'Reken maar van wel,' zei hij. Hij draaide zich om en liep de bar uit.

# 9

DE VOLGENDE OCHTEND werd ik wakker met het programma van Ross Wallace, die het alweer op mij had gemunt.

'Sommige mensen weten niet wanneer het beter is hun mond te houden. Herinnert u zich Hannah Buchan, de overspelige moeder van de vermiste Elizabeth Buchan? Als u gisteren naar dit programma hebt geluisterd, weet u dat Hannah Buchan door mijn collega Toby Judson is ontmaskerd als de vrouw met wie hij in zijn weinig vaderlandslievende, radicale dagen een verhouding heeft gehad. U weet dan ook dat zij Judson heeft geholpen aan vervolging te ontkomen door hem naar Canada te laten vluchten. Wat deed deze rechtschapen Hannah Buchan gisteren toen een verslaggever van Fox haar vroeg of ze haar excuses gaat aanbieden voor het overspel en die weinig vaderlandslievende, onwettige actie? Let op, luisteraars, haar reactie was: "Ik peins er niet over." Echt waar, mensen. "Ik peins er niet over." Tip voor de mensen bij Justitie: zet die vrouw achter de tralies voor we nog meer van dergelijke onzin moeten aanhoren.'

Ik was meteen klaarwakker. Niet dat ik veel had geslapen, overigens. Na Dans vertrek was ik in de bar blijven zitten en had ik nog drie wodka's gedronken. Een beetje aangeschoten ben ik naar de haven gelopen, daar op een bankje gaan zitten en terwijl ik naar de kabbelende golfjes van Casco Bay zat te staren, heb ik vijf sigaretten gerookt.

Mijn tranen waren opgedroogd en de enorme klap die Dan me had toegebracht, was veranderd in een doffe, maar niet minder ingrijpende pijn. Het liefst had ik hem gebeld en gesmeekt of hij terug wilde komen, maar ik kon mijn verdoofde brein er niet toe aanzetten. Ik was volledig kapot van wat hij me allemaal voor de voeten had geworpen, van wat er was gebeurd, en kon het eigenlijk niet eens goed bevatten. Ik dwong mezelf te geloven dat hij natuurlijk ook erg leed onder alles wat we de laatste tijd hadden meegemaakt en dat zijn optreden in de hotelbar niets anders was dan een vertraagde reactie. Het was te hopen dat hij nu hij zijn woede had geventileerd, rustig zou kunnen nadenken en inzien dat hij een grote fout beging als hij ons huwelijk liet ontbinden.

Als ik heel eerlijk was, wist ik dat het een ijdele hoop was. Alles wat hij me voor de voeten had gegooid, was waar. Hij had het jaren weggestopt (misschien ook voor zichzelf) en nu was het opeens allemaal naar boven gekomen. Nee, ik moest mezelf niet voor de gek houden: het was niet in een opwelling gebeurd. Hij had er al goed over nagedacht, kleren voor een week gepakt, de verhuizing en de boedelverdeling voorbereid. Hij had waarschijnlijk ergens woonruimte gehuurd óf...

Ik wist nu bijna zeker dat er een andere vrouw was. Maar wie? Hoelang was het al aan de gang? Waarom had ik dat niet doorgehad?

Er liep een politieagent langs, maar even later draaide hij zich om en kwam mijn richting weer uit. Hij bekeek me eens goed en vroeg: 'Alles oké, mevrouw?'

Ik ging wat rechterop zitten en maakte mijn tot op het filter opgerookte sigaret uit. 'Ja zeker, agent. Niks aan de hand,' zei ik met een zweem van een dubbele tong.

'Hebt u gedronken, mevrouw?'

'Niet veel,' antwoordde ik schaapachtig.

'Niet veel? Ik zou zeggen een slokje meer dan "niet veel". Bent u met de auto?'

'Nee, agent.'

'Hoe denkt u dan thuis te komen?'

'Ik logeer in het Hilton.'

'Mooi. Ik denk dat het verstandig is als u daar zo langzamerhand eens heen gaat en...' Hij zweeg en bekeek me wat beter. 'Wacht eens even... Bent u mevrouw Buchan? Geeft u Engels op Nathaniel Hawthorne High?'

*Fantastisch.* 'Ja, agent, dat ben ik.'

'Kijk aan. Dan hebt u mijn zoon in de klas gehad. Jim Parker.'

'Jim? Ja, die herinner ik me nog wel,' zei ik, hoewel de naam ergens voor me zweefde. 'Leuk joch. Eindexamen gedaan in...'

'In 1997. Hij is naar Maine University gegaan, in Farmington. Hij is nu leraar in Houlton.'

'Doet u hem vooral de groeten.'

'Hij belde me gisteren om te vragen of ik had gelezen wat ze over u zeggen.'

'Ik hoop niet dat dít morgen in de krant staat.'

Ik geloof dat hij dat niet erg waardeerde, dus ik zei gauw: 'Sorry, agent. Dat sloeg nergens op.'

'Ik kan u zo in de politiecel zetten wegens openbare dronkenschap, maar dat zou de situatie niet echt verbeteren, denk ik.'

'Nee, alstublieft. Het is allemaal al erg genoeg.' Ik verborg mijn hoofd in mijn handen en stond op het punt in huilen uit te barsten, maar ik wist me nog net te beheersen. Toen ik opkeek, zag ik dat hij me opnam en nadacht over zijn volgende stap.

'Zou u zo vriendelijk willen zijn op te staan, mevrouw?'

*O, mijn god, daar heb je het al.* Ik stond op.

'Kunt u gewoon lopen?' Ik knikte en hij zei dat ik achter hem aan moest lopen. We liepen naar de weg, waar zijn surveillancewagen stond. Hij nam me bij de arm en hielp me oversteken. Twee minuten later stonden we voor de ingang van het hotel.

'U moet me beloven dat u meteen naar uw kamer gaat en onder de wol kruipt. U gaat morgenochtend pas de straat op. Afgesproken?'

'Dat beloof ik u.'

'Als ik u voor die tijd tegenkom, moet ik u meenemen naar het bureau.'

Ik knikte. 'Dank u wel, agent.'

'Mag ik u nog één raad geven, mevrouw? Het zijn mijn zaken niet, maar ik wil het toch even kwijt. Of die man er nou van alles heeft bijgesleept of niet, u moet écht uw verontschuldigingen aanbieden. De mensen zijn nou eenmaal van mening dat u een grote fout hebt begaan en als u niet publiekelijk uw excuses aanbiedt, zullen ze met een boog om u heen blijven lopen.'

Ik volgde zijn advies op, kleedde me uit en kroop in bed. Het lichtje op de telefoon knipperde, maar ik luisterde het bericht niet af en trok de stekker uit de muur. Dankzij de wodka viel ik gauw in slaap. Zeven uur later werd ik wakker met de stem van Ross Wallace die de vloer alweer met me aanveegde. Zodra hij zijn gal had gespuwd, stak ik de telefoonstekker in de muur en luisterde de berichten af. Alle vijf waren van Margy en bij ieder bericht klonk ze wanhopiger. Ze wilde weten waar ik uithing en vroeg me haar direct terug te bellen. Voor ik haar nummer intoetste, belde ik de receptie en vroeg of ze me *The Boston Globe* konden brengen.

Het interview en de vreselijke foto die Paula Houston van me had gemaakt, besloegen een hele pagina. In de eerste paar regels van het artikel had ze het erover dat ik me voor de pers schuilhield in een hotel in de binnenstad, dat ik eruitzag of ik in geen week had geslapen en dat ze aan mijn nagels had gezien dat ik óp was van de zenuwen (ons kent ons, dacht ik). Kortom, ik werd beschreven als iemand wier wereld was ingestort.

Het was verder een goed geschreven stuk, neutraal van toon, hoewel ik zo nu en dan iets van compassie bespeurde. 'Hannah Buchan is opmerkelijk oprecht en direct', las ik, 'en als ik vraag of er door haar uitspraak over abortus een kloof is ontstaan tussen haar zoon en schoondochter, draait ze er niet omheen. "Ik respecteer hun opvattingen", aldus mevrouw Buchan, "maar ik kan me niet verenigen met de manier waarop ze die naar buiten brengen. Iemand die een abortuskliniek uit komt 'moordenaar' noemen, gaat mij veel te ver".' Ze schreef ook nog dat het haar opviel dat ik me veel meer zorgen over Lizzies toestand maakte, dan over mezelf.

Zodra ik het stuk uit had, belde ik Margy. Ze nam op en begon meteen vervaarlijk te hoesten.

'Dat klinkt niet best,' zei ik.

'Klopt. Ik lig sinds gisteravond in het ziekenhuis, in het New York Hospital. Ik heb weer bloed opgehoest en...'

'O, god... Margy.'

'Ho ho, je hoeft me nog niet af te schrijven! Ze hebben een MRI laten maken en nu zeggen ze dat het littekenweefsel het probleem is. Ze wilden me een nachtje ter observatie houden, voor het geval dat ik weer wat ophoest, maar geloof me dat ik me meer zorgen over jou heb gemaakt dan over een beetje bloederig slijm. Ik was bang dat je iets drastisch had gedaan en heb vannacht twee keer op het punt gestaan de nachtportier te vragen of hij even wilde kijken of je nog leefde.'

'Ik heb een slechte tijding gekregen,' zei ik en ik bracht haar op de hoogte van Dans besluit. Voor het eerst sinds mensenheugenis was Margy even sprakeloos en toen ze sprak, zei ze alleen maar: 'Dat hij dat allemaal heeft gezegd.'

'Is er niet een cliché dat je de mensen die het dichtst bij je staan het slechtst kent?'

'Die Dan van je is altijd zo trouw, zo loyaal, zo'n rots.'

'Klopt, maar nu heb ik hem een excuus gegeven om dat allemaal aan zijn laars te lappen en als ik hem mag geloven, zat hij daar al jaren op te wachten.'

'Weet je met wie hij nu is?'

'Nee, dat houdt hij vóór zich. Hij wilde zelfs niet eens toegeven dát er iemand anders is.'

'Zeker weten dat hij een vriendin heeft. Hij mag dan wel van alles te verwerken hebben gekregen en daar eens lekker over tekeergaan, ik denk niet dat hij je laat vallen voor een leven als vrijgezel.'

'Helemaal mee eens. Zo zelfstandig is hij niet en hij heeft iemand nodig om voor naar huis te komen.'

'Heb je vermoedens?'

'Het is vast een of andere verpleegster of röntgenlaborante. In het ziekenhuis werkt iemand die al jaren een oogje op hem heeft. We maakten er zelfs wel eens grapjes over, dat hij er op een goede dag met Shirley-Rose Hoggart vandoor zou gaan.'

'Shirley-Rose? Wat een naam.'

'Ik kan er ook niets aan doen. Hij zei dat hij haar niet aantrekkelijk vond, dus ik neem aan dat zij het niet is.'

'Wedden dat hij al spijt heeft?'

'Niet na wat hij me gisteravond allemaal heeft toegevoegd. Hij heeft alles in één klap naar de bliksem geholpen.'

'Red je het wel, denk je?'

'Ik wel. Ondanks het feit dat Dan me erop heeft gewezen dat ik ieder moment gearresteerd kan worden.'

'Ja, daar bel ik ook over. Justitie heeft meegedeeld dat wordt bekeken of ze gronden hebben om je te vervolgen, maar dat er nog geen besluit is genomen.'

'Ik krijg toch wel genoeg tijd om te vluchten, mag ik hopen.'

'Een bevriende jurist heeft me gerustgesteld. Hij zei dat de publieke opinie er debet aan is dat ze de zaak in onderzoek hebben. Desondanks raadt hij je aan een advocaat in de arm te nemen. Weet je iemand in Portland?'

'Niet echt. Ik steek mijn licht wel op.'

'Ik bel die kennis wel om te horen of hij iemand weet. Wat ga je vanochtend doen?'

'Wacht even... Als je weer een interview voor me hebt, dan moet ik je toch écht teleurstellen.'

'Nee, ik heb niets op het programma staan. Ik heb het stuk in *The Globe* net on line gelezen en ben er meer dan tevreden over. Voorlopig lijkt het me het beste als je je gedeisd houdt. Het enige waar ik nog op hoop, is een veelbekeken televisieprogramma.'

'Margy, dat kan ik er écht niet bij hebben.'

'Laat me nou even uitspreken. De enige manier waarop je de publieke opinie kunt beïnvloeden, is op jouw kant van de zaak te blijven hameren. Judson zit vandaag bij Rush Limbaugh en op *All Things Considered*. Hij is dolgelukkig met al die aandacht en het boek verkoopt als een gek. Hij staat nummer dertig op de bestsellerlijst van *The New York Times* en voor je je wat in je hoofd haalt: je krijgt niets van de royalty's.' Ondanks alle ellende moest ik lachen. Typisch Margy: een kwinkslag om de ernst van de situatie te relativeren. 'Doe me een lol, Hannah. Ga naar huis en rust lekker uit. Laat je mobieltje aanstaan, want ik wil je kunnen bereiken, oké? Als je door iemand van de media wordt gebeld, zeg je dat ze Sinclair moeten bellen. Ze zullen er alles aan doen je een uitspraak te ontlokken, maar trap er niet in. Je zegt gewoon dat je geen commentaar hebt. Begrepen?'

'Helemaal.'

'O, nog één ding. Kijk maar niet naar de *Portland Press* van vandaag. Er staat een artikel in waarin je ontslag wordt geëist.'

'Mijn hemel. Wat nog meer?'

'Ach, wat te verwachten was. "Ze geeft een slecht voorbeeld aan de fantastische jeugd van Maine, heeft niet alleen haar omgeving, maar ook haar man geschaad, het feit dat ze haar excuses niet wil aanbieden toont aan dat hier sprake is van een grote zelfoverschatting" en meer van dat soort uitspraken.'

'Misschien moet ik dan maar met verontschuldigingen komen.' Ik vertelde haar over mijn ontmoeting met de politieagent.

'Misschien is het een beter idee om je niet meer aangeschoten op straat te vertonen.'

'Dat is zo, maar er waren natuurlijk verzachtende omstandigheden.'

'Ik zeg niet dat ik het niet begrijp, maar ik ben blij dat je zo'n vriendelijke agent trof. Ik herhaal het nog maar eens: hou je gedeisd. Ik zal vandaag eens nadenken over een genuanceerde verontschuldiging. Hou je haaks.'

Ik luisterde de overige berichten af. Naast die van Margy had ik er een aantal van de pers en een van mijn vader, die zei dat hij het stuk in *The Globe* had gelezen en trots was op mijn 'waardige houding'. Ik belde hem terug, maar kreeg geen gehoor, dus liet ik een berichtje achter. 'Hoi, met mij. Ik wil je even laten weten dat Dan bij me weggaat. Bel me zodra je de gelegenheid hebt.'

Ik nam een douche, pakte mijn reistas en omdat ik vanwege het redactionele commentaar van die ochtend mijn neus liever niet liet zien, checkte ik uit op het beeldscherm in de kamer en typte het nummer van mijn creditcard in. De lift bracht me naar de parkeergarage. Ik stapte in de auto en reed naar huis.

In Falmouth ging ik bij de buurtwinkel langs vlak bij ons huis en liep naar binnen. Meneer Ames, die al zolang we er woonden de eigenaar was, keek op, maar in plaats van het gebruikelijke 'Goedemorgen, mevrouw', zei hij niets en keek de andere kant op. Ik pakte een mandje en legde er een paar boodschappen in. Toen ik bij de toonbank kwam en het mandje naast de kassa zette, pakte hij het bij de hengsels op en zette het naast zich op de grond. 'Voortaan moet u uw boodschappen maar ergens anders doen,' zei hij.

'Hoezo dat?'

'Alleen al het feit dat u dat vraagt...'

'Meneer Ames? Er zitten twee kanten aan het verhaal.'

'Ik heb geen behoefte aan klanten die de wet niet eerbiedigen.'

'Pardon? Dat is helemaal niet zo.'

'Dat is dan uw mening. Koopt u uw boodschappen maar ergens anders.'

'Maar, meneer Ames! Ik ben hier al jaren klant!'

'Dat weet ik. Als ik uw man was, joeg ik u zó de stad uit. Als u het niet erg vindt...' Hij knikte in de richting van de deur.

'Dit is niet te geloven,' zei ik.

'Ach ja,' zei hij en hij draaide zich om.

Ik reed richting huis en ging één keer langs om te zien of er iemand was die me opwachtte, maar er was niemand te zien, dus ik draaide en reed terug. Maar toen ik het pad naar de garage op reed, ging ik op mijn rem staan. Niet voor iets op het pad, maar voor wat er op de voordeur stond. Iemand had de deur met rode verf bewerkt en over de hele breedte stond: VERRADER.

Ik bleef zitten en knipperde even met mijn ogen. Had ik het wel goed gezien of was het een soort rare hallucinatie die bij de nachtmerrie hoorde? Ik stapte uit en zag dat het raam naast de voordeur was ingeslagen. De angst sloeg me om het hart dat het hele interieur kort en klein was geslagen, maar het enige wat me opviel was een baksteen in de zitkamer met een briefje dat door een elastiekje op zijn plaats werd gehouden. Ik vouwde het open en las: *Als je het hier maar niets vindt, ga je toch lekker terug naar Canada, maar dan moet je er maar meteen blijven ook.*

Ik wilde meteen de politie bellen, maar bij nader inzien leek het me geen goed idee. Als ze een onderzoek begonnen, kwam het vast in de krant te staan en dat zou mijn toch al slechte reputatie nog meer schaden.

Ik liep alle kamers door om te kijken of er nog meer ruiten waren gesneuveld, maar toen ik de deur van de slaapkamer opendeed, bleef ik stokstijf staan. De deur van Dans hangkast stond open en meer dan de helft van zijn kleren was verdwenen. Zijn ladekastje was leeggehaald en zijn schoenen waren weg. Ik rende de trap af naar het souterrain. Zijn computer, zijn dvd's en zijn dierbare titanium golfclubs waren weg. De overige spullen stonden in dozen klaar voor de verhuiswagen.

Zijn vertrek was geen opwelling. Nee, hij had het allemaal goed voorbereid en afgaand op de hoeveelheid spullen die hij had meegenomen, zat hij niet in een hotel in afwachting van een nieuw dak boven zijn hoofd. Ik wist het nu zeker: hij had precies geweten waar hij heen ging en waar dat ook was, het was er groot genoeg om al zijn spullen mee te kunnen nemen.

Ik ging aan zijn bureau zitten en luisterde naar de berichten op de voicemail. Er waren er meer dan twintig, voor het merendeel journalisten die me wilden spreken (blijkbaar negeerden ze het bericht dat ik had ingesproken waarop stond dat ze Margy moesten bellen), maar opeens hoorde ik een bekende stem, die van mijn schoondochter.

'Met Shannon. Jeff heeft me gevraagd u te bellen en te zeggen dat we gezien uw walgelijke opmerkingen in *The Globe* en het feit dat we in uw ogen blijkbaar fanatiekelingen zijn omdat we ons uitspreken tegen abortus, niets meer met u te maken willen hebben. Ik heb het dan nog niet eens over alles wat u uw man hebt aangedaan, uw misdadige acties en het feit dat u zich daar niet voor verontschuldigt. Ik vraag met klem of u ons en Erin op geen enkele wijze wilt benaderen. E-mails worden gewist, geen telefoontjes graag en brieven worden met envelop en al verscheurd. Jeff en ik hebben deze beslissing gezamenlijk genomen. Wat ons betreft, bent u dood.'

Ik wiste het bericht en ging naar de volgende. Carl Andrews. 'Het bestuur is gisteravond bij elkaar gekomen en er is unaniem besloten dat u wordt ontslagen. Ik heb nog mijn best voor u gedaan door te zeggen dat we de beslissing van Justitie moesten afwachten, maar de gemoederen waren veel te verhit. Ik kan helaas niets doen aan de heksenjacht die op u is geopend. Wat u ook in het verleden hebt gedaan, en of dat nou strafbaar was of niet, ik geloof heilig in de rechtsgang. Niemand is schuldig tot het tegendeel is bewezen. Het enige wat ik voor u heb kunnen doen, is dat het bestuur erin heeft toegestemd dat u uw pensioen mag houden. Ik weet dat vijftien jaar opgebouwd pensioen niet veel is, maar het is beter dan niets, lijkt me.'

Het was heel vreemd, maar het deed me allemaal niet zoveel. Eerlijk gezegd verwachtte ik veel slechter nieuws en vergeleken met die gevreesde tijding waren dit maar bijzaken.

Pas toen ik Post, de plaatselijke glashandel, belde, begreep ik waartegen ik moest opboksen. Phil Post was ook onze timmerman en in de loop der jaren had hij aardig wat klussen voor ons gedaan. Zodra hij wist wie hij aan de lijn had, deed hij bijzonder afstandelijk en zei dat hij het veel te druk had om vandaag langs te kunnen komen.

'Kun je morgen komen?'

'Te druk.'

'Overmorgen dan?'

'Om u de waarheid te zeggen, mevrouw, zit ik tot over mijn oren in het werk en kan ik niets aannemen.'

'Niet van míj, zul je bedoelen.'

'Iets in die richting, ja. Ik moet ophangen, mevrouw.'

Ik keek in de Gouden Gids en belde een vierentwintiguursglaszetter die die ochtend tijd had en geen bezwaren uitte toen ik hem mijn naam en adres opgaf. Misschien las hij geen kranten en luisterde hij alleen naar zenders die gouwe ouwen uitzonden. Ik vroeg hem of hij misschien een schilder wist om mijn voordeur een nieuw verfje te geven. Dat werk deed hij ook, zei hij. 'Alles onder één dak, mevrouw,' zei hij vriendelijk. 'Ik ben over een uur of twee bij u.'

Waar ik behoefte aan had, was een aardig iemand in de buurt, een bekende die me goed gezind was. Ik hoefde niet lang na te denken en toetste Alice Armstrongs nummer in.

'O, hallo,' zei ze nerveus.

'Ik ben zo blij je stem te horen. Je weet niet half wat zich hier allemaal afspeelt.'

'Ik lees de krant,' zei ze, 'en ik heb je op het nieuws gezien.'

'Weet je al dat Dan bij me weg is en dat het schoolbestuur me heeft ontslagen, of heeft de tamtam je nog niet bereikt?'

'Hannah? Sorry, maar het komt nu even heel slecht uit. Kan ik je misschien terugbellen?'

'Ja, dat is goed. Ik wilde je zeggen dat ik een beetje eenzaam ben en ik vroeg me af of je tijd hebt om vanavond ergens te gaan eten.'

'Niet echt, nee. Sorry, maar ik moet echt ophangen.'

Vreemd. Alice was een van de meest ruimdenkende mensen die ik kende en ik had eigenlijk wel een telefoontje van haar verwacht toen Judson zijn ultrarechtse pijlen op me had afgeschoten. Misschien had ik haar wel gestoord bij iets of had ze mensen over de vloer die het niet op prijs zouden stellen als ze me een hart onder de riem stak. Ik had haar ook willen vragen of ze een goede advocaat wist omdat ze alles en iedereen in Portland kende.

Uiteindelijk was het mijn vader die iemand wist. Ik belde hem na mijn telefoontje met Alice en bracht hem op de hoogte van de laatste verwikkelingen. Hij was witheet en nog het meest over Dan.

'Fouten maken we allemaal, maar om je vrouw te verlaten als ze zo in de puree zit, is wel erg laf. Ik weet zeker dat hij dat zelf ook wel weet.'

'Daar schiet ik niet veel mee op.'

'Je zou haast denken dat je Osama Bin Laden het land had uitge-smokkeld.'

'Het draait allemaal om dat ene moment op het lokale nieuws waarin ik zeg dat ik er niet over peins mijn excuses aan te bieden. Ik heb mijn best gedaan om dat recht te zetten in *The Globe*, maar...'

'Ja, dat je alleen je naaste familie rekenschap verschuldigd bent. Goed interview trouwens. Je hebt het prima gedaan.'

'Dank je, dat doet me goed. Je kleinzoon en zijn vrouw daarente-gen...' Ik vertelde hem wat Shannon me had meegedeeld.

'Dat houden ze heus niet vol.'

'Dat weet ik nog zo net niet. Jeff is niet bepaald vergevensgezind, zeker niet als het zijn moeder betreft.'

'Ik wil met alle plezier met hem praten, maar ik geloof dat hij mij helemaal als de communist van de familie beschouwt.'

'Shannon is een veel ernstiger geval. Wat haar betreft zijn we alle-maal babymoordenaars en na al die onthullingen over mijn duistere verleden en de dingen die over jou in dat boek staan...'

'Heb je het nog steeds moeilijk met wat je "die dingen" noemt?'

'Ach, het is allemaal al zo lang geleden.'

'Geef 's antwoord op mijn vraag,' zei hij vriendelijk.

'Destijds stoorde ik me eraan, zeker. Ik vond het een naar idee dat je mama ontrouw was, hoewel ik ook toen al wist dat het gewoon zo werkte tussen jullie twee. Achteraf geloof ik dat mama het bij het rechte eind had. Ja, ik ben altijd ouderwets en behoudend geweest wat dat soort zaken aangaat, dat wil zeggen, afgezien van die paar dagen met Judson.'

'Laat maar zitten, Hannah. Het maakt mij niet uit, dat weet je. Als je nou dertig jaar een minnaar had gehad...'

'Was het maar waar!'

Hij lachte. 'Zelfs als het zo was, dan nog zou ik niet anders over je denken. Wat mij betreft, ben je hoe dan ook een bijzonder mens.'

'Ik? Bijzonder? Ik dacht het niet, pap. Ik heb geen boeken op mijn naam staan en heb me nooit in het openbaar afgezet tegen de rege-ring. Ik heb een onbeduidend leventje; niet slecht, maar wel onbedui-dend. Als het over twintig of dertig jaar ten einde komt, wie zal zich dan ook maar iets van me herinneren? Jij bent er dan niet meer, Dan is me tegen die tijd allang vergeten, Jeff idem dito. Zelfs mijn klein-kind heeft me niet gekend. En Lizzie...'

Mijn stem brak en ik voelde de tranen opwellen. Ik was zo vrese-lijk moe, dat ik dacht dat ik de strijd die ik de laatste dagen had ge-leverd heel langzaam aan het verliezen was. Ik was een zenuwinzin-king nabij.

'Ophouden jij,' zei mijn vader. 'Er zijn al genoeg mensen die je aan de schandpaal nagelen en het lijkt me weinig zinvol als jij die lieden een handje helpt. Wat mij betreft, heb je niets verkeerds gedaan.'

'Kom op, pap.'

'Niéts, zeg ik, en als het wél zo was, zou ik de eerste zijn om je dat onder de neus te wrijven.'

Nee, dat was niet waar. Mijn vader had nooit grieven. Dat maakte hem juist zo bijzonder en terwijl ik met hem zat te bellen, besefte ik hoe heerlijk het was dat ik hem nog had, dat hij me altijd zou verdedigen, wat er ook gebeurde.

'Mag ik je wat vaderlijk advies geven? Als je nog interviews geeft, zeg dan dat je je naaste familieleden je excuses hebt aangeboden, maar dat je er niets voor voelt je ten overstaan van de hele natie te verontschuldigen voor iets waartoe je gedwongen bent. O ja, voor ik het vergeet: ik ken een advocaat in Portland die je misschien onder zijn hoede wil nemen. Zegt de naam Greg Tolland je wat?'

'Uiteraard,' zei ik. Tolland was tegen de zestig en wat je noemt een linkse advocaat die zich had ingezet voor de rechten van indianen en strijd had geleverd tegen de grote houtbedrijven die het noorden van Maine dreigden te ontbossen. Als je zei dat Greg Tolland de publieke opinie in Portland had verdeeld, was dat het understatement van de kersverse eeuw. Milieuactivisten en linkse groeperingen beschouwden Tolland als hun held, voor de rest van de mensen was hij een luis in de pels met een jaren zestig-mentaliteit.

'Stel dat hij mijn zaak op zich wil nemen, dan wordt dat hét gesprek van de dag.'

'Ik bel hem meteen. Hannah, hoe graag ik je ook hier in Burlington in bescherming wil nemen, ik denk dat het beter is als je gewoon in Portland blijft zitten, al was het alleen maar om de mensen daar te laten zien dat je je niet laat intimideren.'

Een uur na het gesprek met mijn vader belde de glaszetter aan, een rustige, laconieke man genaamd Brendan Foreman. Met opgetrokken wenkbrauwen keek hij naar de voordeur en zei: 'Geef mij zulke buren.' Halverwege de middag was alle graffiti verdwenen en de kapotte ruit vervangen. Ik schreef een cheque voor driehonderd dollar uit en bedankte hem voor zijn snelle komst. 'Stel dat ze weer wat rottigs op de deur kalken, belt u me dan meteen. In dat geval krijgt u vijftig procent korting. Dit soort intimidatie is belachelijk, zeker als je bedenkt dat het allemaal zo lang geleden is.' Hij gaf me een vette knipoog en stapte in zijn busje.

Foreman had me opgemonterd, net als het telefoontje van Greg

Tolland. Hij belde vanuit Augusta, de hoofdstad van Maine, waar hij een cliënt voor het hof had verdedigd. 'Ja,' zei hij monter, 'grote geesten denken hetzelfde. Ik heb je zaak gevolgd en me al afgevraagd of je er niet goed aan deed een advocaat in de arm te nemen. In de jaren zestig was ik een jong studentje hier in Maine en je vader was mijn mentor, dus hij en ik kennen elkaar al een tijdje. Ik zit hier tot morgenochtend vast, maar ik kan je morgen aan het eind van de middag op mijn kantoor ontvangen. Schikt vier uur? Voor de zekerheid geef ik je mijn mobiele nummer. Mocht zich vóór morgenmiddag iets voordoen, als de FBI met een arrestatiebevel op de stoep staat of dergelijke flauwekul, bel me dan onmiddellijk, dan kom ik eraan. Anders zie ik je morgen om vier uur.'

Die middag ging ik naar de grote supermarkt en gelukkig stond er niemand bij de ingang die me tegenhield om te zeggen dat mijn klandizie niet gewenst was. Toen ik naar huis reed, hield ik mijn hart vast dat er weer wat op de voordeur zou staan, maar ik hoopte toch dat niemand het zou wagen iets dergelijks overdag te doen. Ik had gelijk, want er was niets gebeurd.

Ik was nog niet binnen of de telefoon ging.

'Hannah? Met mij,' zei Margy. 'Ik heb nieuws.'

'Goed nieuws, hoop ik.'

'Interessant is het woord. Ken je de naam José Julia?'

'Ja zeker. Hij heeft een talkshow, een beetje rechtse figuur, niet?'

'Rechts dekt de lading niet helemaal. Het is meer dat hij tegen verregaande overheidsbemoeienis is, tegen iedere vorm van betutteling. Dat is dan misschien een Republikeins trekje, maar aan de andere kant is hij fel gekant tegen alles wat riekt naar religieus rechts. Hoe het ook zij, hij heeft een populair programma op Fox waarin hij allerlei schandalen voor het voetlicht haalt.'

'Hij heeft toch ook aandacht besteed aan Lizzies vermissing?'

'Ja zeker. Je begrijpt wel waarom.'

'"Getrouwde celebritydokter mogelijk betrokken bij vermissing minnares?"'

'Meteen raak. Deze affaire is geknipt voor die op sensatie beluste man, maar hij trekt enorm veel kijkers. Het feit dat hij niet veel opheeft met religieus rechts, werkt in ons voordeel. Hij heeft een bloedhekel aan mensen die zich gedragen alsof ze de waarheid in pacht hebben en blind varen op hun eigen normen en waarden. Wat dat aangaat kon hij Judson wel eens heel stevig aanpakken.'

'Ik herinner me dat ik ergens heb gelezen dat hij heel fanatiek is als het over ontrouw gaat. Blijkbaar heeft hij zijn ex-vrouw ooit *in fla-*

*grante delicto* gesnapt en is uitgekomen dat ze het al jaren met die man hield.'

'Waar léés je dat soort dingen?'

'In *People*, denk ik. Bij de kapper, waar anders?'

'Uiteraard. Net als ik, lieg ik. Luister nou. Ontrouwe ex-vrouw of niet, die José Julia is een enorm invloedrijke man, iedereen kijkt naar dat programma en hij wil jou en Judson samen uitnodigen.'

'Geen denken aan.'

'Ik begrijp dat je steigert, maar er zitten ook voordelen aan. Jij kunt jouw kant van de zaak vertellen en Judson eens flink aanpakken. Je kunt hem van alles naar het hoofd slingeren, hem...'

'Hou maar op. Ik doe het niet.'

'Ik begrijp dat de gedachte met hem in één ruimte te moeten zitten je al doodziek maakt, maar...'

'Vergeet het maar, Margy.'

'En dat je geen fan bent van dergelijke stupide programma's, maar stel dat je Judson volledig onderuit kunt halen...'

'Hoor eens, Margy. Ik heb dat programma één of twee keer gezien. Hij begint met het intimideren van zijn gasten, zwaait met het vingertje, beschuldigt hen van alles en nog wat, vertelt hun wat voor onmensen ze zijn... Wat dat betreft heb ik al genoeg te verduren gehad.'

'Oké, ik snap het. Ik hoef trouwens geen antwoord te hebben vóór...'

'Ik doe het niet. En daarmee uit.'

'Laat me nou even uitpraten. Morgen aan het eind van de middag moeten ze weten hoe of wat. Denk er maar rustig over na. Besef wel dat het een goede zet zou zijn als je die klootzak voor het oog van de camera weet aan te pakken. Goed, je hebt dus vierentwintig uur om erover na te denken.'

'Oké, oké. Ik denk erover na. Wat ik veel belangrijker vind, is hoe het met je gaat. Lig je nog in het ziekenhuis?'

'Ja, maar ik mag morgen naar huis.'

'Is het wel verstandig om je zo druk te maken?'

'Wat moet ik anders? Een beetje voor me uit zitten kijken en me iedere keer dat ik hoest zorgen maken of er wel of niet bloed meekomt? Als ik bezig ben, zit ik niet te piekeren of deze toestand mijn einde inluidt of niet.'

'Zeg dat nou niet. De artsen hebben je toch gezegd dat ze alles hebben weggehaald?'

'Ja, maar daar zetten ze alweer vraagtekens bij.'

'Ik weet zeker dat het allemaal goed komt.'

'Ik niet, maar dank voor de gemeenplaats. Ieder welgemeend cliché is welkom. Beloof me nou dat je nadenkt over een optreden bij José Julia. Ik heb je toch kundig onder druk gezet en zelfs mijn ziekte in de strijd geworpen?'

Ik moest lachen. 'Ik beloof het je.'

Mijn plannen voor die avond waren simpel: een lichte maaltijd, lekker op de bank liggen en een oude film kijken. Ik zag dat Billy Wilders *Ace in the Hole* werd vertoond, een bijtende satire op de roddeljournalistiek. Hij leek me heel gepast.

Voor ik me goed en wel op de bank had geïnstalleerd, werd er gebeld. Even overwoog ik om niet op te nemen, maar in verband met Lizzie kon dat natuurlijk niet. Zodra ik hoorde wie het was, had ik al spijt.

'Hannah? Met Sheila Platt.'

Dat ontbrak er nog maar aan. 'Hoi. Nog bedankt voor je bemoedigende boodschap een paar dagen geleden. Ik waardeer het zeer.'

'Eh... ja. Ik eh...'

'Sheila? Vind je het erg om morgen verder te praten? Ik ben doodop en...'

'Ik heb niet veel te zeggen, alleen dat we het gisteren met de leesclub over je gehad hebben. We hebben over je aanblijven gestemd en het spijt me dat ik je het nieuws moet brengen...'

Ik moest lachen. 'Nee, het spijt je helemaal niet. Ik denk zelfs dat het allemaal uit jouw koker komt en dat je enthousiast hebt opgeworpen me te bellen.'

Het was even stil, toen: 'Ja, ik moet zeggen dat ik je nooit zo heb gemogen.'

'Daar ben ik nou écht kapot van, Sheila. Desondanks, ik was heel blij met je steunbetuiging van vorige week.'

'Toen wist ik nog niet dat je je man en je vaderland had bedrogen.'

'Koren op je molen, toch? Trouwens, ik geloof er geen barst van dat het een unanieme beslissing was. Alice Armstrong heeft toch ook gestemd?'

Ze lachte vals. 'Alice? Dat meen je toch zeker niet?'

'Jawel. Hoezo?'

'Wil je zeggen dat je van niets weet?'

'Hoe bedoel je?'

'Weet je dan niet dat je man bij haar is ingetrokken?'

Ik kon mijn oren niet geloven. 'Je liegt,' zei ik.

'Dat zou je wel willen.'

Ik kon het niet geloven. 'Sinds wanneer hebben ze...'

'Sinds wanneer ze wat hebben, bedoel je? Geen idee. Vraag dat maar aan Dan.'

Weer dat valse lachje. Ik hing op en belde Alice. Na vijf keer overgaan werd er opgenomen.

'Met Buchan,' hoorde ik Dan zeggen.

De hoorn trilde in mijn hand. 'Lafbek die je bent,' zei ik met trillende stem. Het scheelde niet veel of ik had het uitgeschreeuwd. 'Je vertelt me in een hotelbar dat ons huwelijk voorbij is, maar bent nog te laf om me te zeggen waaróm?'

Het was even stil, toen hoorde ik een klik. De verbinding was verbroken. Ik drukte meteen de herhaaltoets in, maar kreeg de ingesprektoon en dat bleef zo, waaruit ik opmaakte dat hij de hoorn ernaast had gelegd. Ik pakte de autosleutels en stormde de deur uit. Voor ik het wist, zat ik al in het centrum en had ik me erop voorbereid dat ik op iedere auto die voor het huis van Alice stond ging inhakken, maar onder het rijden dacht ik: als je dát doet, word je linea recta naar een psychiatrische inrichting afgevoerd en dan twijfelt geen mens er meer aan dat je maf bent. Terug naar huis jij.

Mijn gezond verstand won het. Ik reed door, liet het centrum achter me en nam de oprit van de I-95. Ik had niet écht een plan en bleef gewoon doorrijden. Ik zette koers naar het zuiden. Drie kwartier later was ik bij de grens met Massachusetts en een uur daarna zat ik al in de buitenwijken van Boston. Ik reed de brug over, nam de afslag Fleet Center en stopte voor het Onyx Hotel. De portier nam mijn autosleutels aan, waarna ik naar de receptie liep en een kamer voor één nacht reserveerde. Toen ik zei dat ik geen bagage bij me had, keek de man achter de balie me even argwanend aan. Ik vertelde hem dat ik op het laatste moment had besloten te stoppen. Hij bleef me aankijken en ik wist niet precies wat hij dacht. Misschien had hij mijn foto in de krant zien staan of me herkend omdat ik er een paar dagen geleden had gelogeerd. Om van zijn vorsende blik af te zijn, legde ik mijn creditcard op de balie. Hij typte het nummer in, zag dat het in orde was en gaf me de sleutel.

'Dus het is maar voor één nacht?' vroeg hij.

'Dat weet ik nog niet.'

Ik nam de lift en maakte de deur open. Voor me stond het grote tweepersoonsbed bed en ik besefte maar al te goed dat ik geen echtgenoot meer had om erin te liggen. Ik ging in de leunstoel bij het bed zitten en vroeg me af wat ik in godsnaam in Boston deed. Ik keek op mijn horloge en zag dat het halftien was. Misschien moet ik naar Lizzie gaan zoeken, dacht ik, gewoon de hele nacht doorgaan en misschien, héél misschien, is ze wel gewoon thuis, komt ze haar appartement niet uit en laat ze haar eten thuis bezorgen. Misschien zat ze gewoon...

Ik pakte mijn mobieltje en toetste haar nummer in. Er werd opgenomen. Ik hoorde een mannenstem, een stem die ik herkende.

'Met wie spreek ik?' vroeg rechercheur Leary.

Ik zei wie ik was.

'Waarom hebt u dit nummer gebeld?' vroeg hij.

'Uit pure wanhoop, rechercheur. Is er nog nieuws?'

'Als er wat is, bent u de eerste die het hoort.'

'Hoe komt het dat ik u aan de lijn krijg? Bent u in Lizzies appartement?'

'Nee. We hebben de telefoon laten doorschakelen naar het bureau. Ik heb late dienst, vandaar dat u mij hebt gekregen. Belt u van thuis?'

'Nee. Ik zit in Boston.'

'Aha.'

Ik liet mijn tranen de vrije loop. Alle emoties van de afgelopen tijd kwamen eruit en ik denk dat ik zeker een volle minuut heb gehuild. Ik kon niet ophouden en toen ik de hoorn weer pakte, verwachtte ik dat Leary allang had opgehangen.

'Gaat het weer?' Hij was er nog.

Ik was zo moe. 'Niet echt, nee...' zei ik.

'Waar bent u?'

Ik vertelde hem waar ik logeerde.

'Ik ga er zo vandoor. Geef me een halfuurtje en ik tref u in de lobby.'

'Dat hoeft u écht niet te doen.'

'Dat weet ik,' zei hij, 'maar als ik het nou wil.'

Een halfuur later liep hij het hotel in. Hij keek om zich heen en liet het hypermoderne, hightech-ontwerp even op zich inwerken. 'Hiernaast zit een Iers café. Ik geloof dat ik me daar iets meer op mijn gemak voel.'

We gingen aan een tafeltje in de hoek zitten. De kelner kwam op Leary af, gaf hem een hand en zei dat ons eerste drankje van het huis was. Leary bestelde twee dubbele Bushmills en twee biertjes.

'Ik ben niet zo'n whiskydrinker,' zei ik.

'Whisky is een uitstekend verdovend middel en ik geloof dat u dat vanavond heel goed kunt gebruiken.'

De drankjes werden gebracht. We proostten en ik nam een slokje. Heel even brandde het vocht achter in mijn keel, maar al snel ervoer ik het plezierige effect. 'Niet slecht,' zei ik.

'De typisch Ierse oplossing voor alle problemen,' zei hij. 'Kijk, ik woon dan wel in Boston, maar ik ben en blijf een onvervalste Ier.' Hij sloeg het glas in één keer achterover, pakte zijn biertje en deed er hetzelfde mee. Daarna gebaarde hij de barkeeper dat hij nog een rondje kon brengen. 'Het was weer een lange dag,' zei hij, 'maar ik ben me er volledig van bewust dat de dagen voor u nog veel langer zijn. Ik heb zo'n beetje gevolgd wat ze over u zeggen en schrijven.'

'O? Het verbaast me dat u zich met een toekomstige bajesklant in de kroeg kunt vertonen, om nog maar te zwijgen met een weinig vaderlandslievende, overspelige...'

Hij hief zijn glas en zei: 'Drink nou maar.'

Ik nam nog een slokje whisky.

'Helemaal opdrinken,' gebood hij.

Ik sloeg de inhoud van het glas achterover.

'Goed zo,' zei hij en hij bestelde nog een rondje.

Ik voelde me even draaierig worden, maar dat gevoel verdween en ik bevond me weer op vaste grond, zij het met wat ik het best kan omschrijven als 'een lekker gevoel'.

'Goed,' zei Leary. 'Vertelt u me nu maar wat er allemaal is gebeurd.'

Het kostte me twintig minuten hem op de hoogte te brengen. Hij zat rustig naar mijn monoloog te luisteren, keek me met zijn professionele meelevende blik aan en onderbrak me niet. Toen ik klaar was, reageerde hij niet meteen, maar bestelde nog een rondje.

'Wat een week,' zei hij terwijl hij in zijn zak tastte naar een opschrijfboekje en een pen.

'Dat kunt u wel stellen.'

'De redactie van José Julia wil vóór morgenmiddag een antwoord?'

'Ik voel er heel weinig voor daar op te draven.'

'Is het wel verstandig om die beslissing nu al te nemen?'

'Waarom niet?'

'Gewoon, een voorgevoel. In welk stadje woonde u toen Judson zich meldde?'

'Pelham, Maine.'

Hij noteerde het. 'Herinnert u zich nog mensen uit die tijd?'

Ik gaf hem een paar namen, maar omdat ik er al die tijd niet meer was geweest, wist ik niet wie er nog leefden en wie niet.

'Ik doe mijn best.'

'Wat bent u van plan?'

'Ik heb morgen vrij en toevallig dacht ik vandaag nog dat het geen slecht idee zou zijn als ik eens wat frisse lucht inademde. Ik denk dat ik er morgenochtend gewoon heen rijd en eens wat rondvraag.'

## 10

GREG TOLLAND HAD wel wat weg van een vogelverschrikker, een wat oudere, die ergens in de jaren zestig was neergezet. Hij was broodmager, tegen de een meter negentig en had zijn lange, grijze haar in een paardenstaartje. Hij droeg een gebleekte, strakke spijker- broek en cowboylaarzen, maar daarboven (gewiekst!) een donker- blauwe blazer, een lichtblauw buttondown overhemd en een das van de rechtenfaculteit van Harvard. Kleding en haardracht vertelden je het volgende: voormalige hippie van middelbare leeftijd én van goe- de afkomst, die van alle markten thuis is.

Zijn kantoor in het centrum van Portland, aan Congress Street, was een wirwar van gangen en kleine kamertjes. De muren van dit labyrint hingen vol affiches: een oude opgeblazen foto van Martin Luther King, van een milieuorganisatie die George W. Bush had af- gebeeld met een detonator, klaar om de wereld op te blazen, oude posters die opriepen tot het terugtrekken van het leger in Vietnam en gloednieuwe die hetzelfde eisten, maar dan voor Irak. Er waren niet veel mensen aan het werk. Ik zag maar vier jonge vrouwen die zich zo op het oog bezighielden met administratieve taken. De receptio- niste zat achter een gigantische stapel dossiermappen en post. Ze was begin twintig, had een tuinbroek aan en had een enorme bos krullen. Ik moest even denken aan de diverse studiegenootjes die ik in de loop der jaren uit het oog verloren was, die net als dit meisje uitstraalden dat ze geen enkele modetrend volgden, wat op zich al een bepaalde stijl was.

'Jij moet Hannah zijn,' zei ze toen ik binnenkwam. 'Greg ver- wacht je al. Je kunt zo doorlopen.'

Gregs kamer had geen deur – vast een statement, dacht ik – dus ik kon niet kloppen, maar zodra ik in de deuropening verscheen, stond hij op en kwam op me af.

'Hallo, Hannah,' zei hij en hij stak een lange, magere hand naar me uit. 'Prettig kennis met je te maken en dat zeg ik niet alleen om- dat je vader een van de laatste steunpilaren van de progressieve be- weging is, maar vooral omdat ik respect heb voor je opstelling in deze vervelende affaire.'

'Zelfs al heb ik geweigerd mijn excuses aan te bieden?'

Hij gebaarde dat ik in de rieten stoel voor zijn bureau kon gaan zitten. Ik zag dat het was bedolven onder de papieren. Het ordenen van stukken stond in dit kantoor niet hoog op de prioriteitenlijst.

'Nee, dat is juist heel goed en niet alleen vanuit een puur ethisch standpunt. Als je je had verontschuldigd, had je in feite schuld bekend en de deur opengezet voor vervolging. Nee, dit is een klassiek geval van welles-nietes. Dat betekent overigens niet dat de FBI je met rust zal laten, zeker niet met een procureur-generaal die er niet voor terugdeinst iedereen met een radicaal verleden te vervolgen, maar wél dat het minder eenvoudig wordt. Geloof het of niet, maar ik heb gisteren zelf dat boek van die Judson gekocht. Ik had er weinig trek in, al was het alleen maar omdat die schijnheilige vent een paar centen aan me heeft verdiend, maar ik moet natuurlijk wel weten waar we mee te maken hebben. Slecht geschreven boek, trouwens. Het verbaast me niets dat hij alleen bij een rechtse, derderangs uitgeverij terecht kon. Als ik zeg dat het mierzoet is, beledig ik mieren.'

'Het verkoopt anders wel. Het stond gisteren op nummer 28 bij Amazon. Je ziet, ik houd het wel in de gaten.'

'Ja, met dank aan de publiciteitsmachine. En hij profiteert nu ook van de vermissing van je dochter. Niet dat hij zo laag en keihard is dat hij gebruik zou maken van andermans ellende, o nee...' zei hij met die opgetrokken Groucho Marx-wenkbrauwen van hem.

Ik had er alle vertrouwen in dat ik goed met Greg Tolland zou kunnen opschieten.

'Goed,' ging hij verder, 'ik snap heel goed dat je er zo langzamerhand doodziek van bent, maar ik wil het hele verhaal graag van jou horen, vanaf het moment dat Judson in je leven kwam.'

Ik vertelde hem alles. Greg was een uitstekende advocaat. Hij onderwierp me aan een kruisverhoor, was een meester in het afpellen van alle laagjes en had het meteen door als ik mezelf tegensprak.

'Na de eerste keer seks met Judson, heb je hem toen gezegd dat je je schuldig voelde?'

'Natuurlijk.'

'En toen?'

'Hij zei iets in de trant van dat ik kleinburgerlijk was.'

Tolland glimlachte sluw. 'Die bewaren we voor dat televisieprogramma.'

'Ik weet nog helemaal niet of ik daaraan meedoe.'

Alweer die sluwe glimlach. 'Als dat nou eens de enige manier is waarop je hem kunt terugpakken?'

Ik zweeg.

'Hannah? Heb jij ooit een abortus gehad?'

'Nee.'

'Denk je dat Jeff ooit een vriendinnetje heeft overgehaald zich te laten aborteren?'

Ik keek hem verbijsterd aan.

'Neem me niet kwalijk dat ik zo direct ben,' zei hij, 'maar het is mijn ervaring dat fanatiekelingen die tegen abortus zijn, vaak zelf wat te verbergen hebben, dat ze daar vreselijk mee zitten en daarom zo'n extreem standpunt innemen.'

'Nee, ik geloof niet dat Jeff wat dat aangaat iets te verbergen heeft, maar zelfs al was dat zo, dan nog zou ik het niet tegen hem gebruiken.'

'Ook niet als Judson en zijn maats hem rekruteren?'

Ik schrok. 'Hij? Jeff rekruteren? Nee, dat gaat er bij mij niet in.'

De waarheid was dat ik het wel degelijk geloofde, zeker na het telefoongesprek dat ik die ochtend met hem had gevoerd. Het was tegen halfnegen en ik was godzijdank alleen wakker geworden in de kamer van het Onyx in Boston.

En als ik héél eerlijk ben, was ik niet bepaald dankbaar. Na drie glazen whisky en drie biertjes was ik aan de arm van rechercheur Leary naar het hotel gelopen. Hij beloofde me dat hij niet ging rijden (hij had er drie meer gehad dan ik) en een taxi zou nemen. Toen we bij het hotel waren aangekomen gaf ik hem, overmoedig door de alcohol, een zoen. Niet zomaar een zoentje op de wang, maar een smakkerd, vol op de mond. Hij beantwoordde die enthousiast, maar na een paar tellen maakte hij zich toch voorzichtig los uit de omhelzing.

'Als dit niet helemaal mis was, was er niets mis mee,' fluisterde hij.

Ik trok hem naar me toe en zei: 'Verstand op nul.'

Hij pakte me bij de schouders en keek me aan. 'Ik zou niets liever willen, maar – en dit is een grote "maar" – we hebben strikte regels over de omgang met mensen die bij een onderzoek betrokken zijn.'

Ik zoende hem en zei: 'Ik houd mijn mond wel.'

'Hannah...'

We maakten vorderingen, want dit was de eerste keer dat hij me bij mijn voornaam noemde.

Weer een zoen. 'Het is maar voor één nachtje,' zei ik zachtjes.

'Hannah...'

'En ik beloof dat ik morgenochtend nog respect voor je heb,' fluisterde ik.

Hij onderdrukte een lach en zei: 'Dat is een goeie. Die heb ikzelf nog nooit gebruikt.'

Ik zoende hem weer. 'Toe, blijf nou bij me.'

Hij nam mijn handen even in de zijne en liet me los. 'Ik bel je morgenochtend om te horen of je een kater hebt.' Hij gaf me een kusje op mijn voorhoofd en leidde me de draaideur in. Ik begon aan het halve rondje, zwaaide nog even en liep de lobby in. Op de een of andere manier wist ik mijn kamer te bereiken en de deur van het slot te krijgen. Ik kleedde me uit, viel direct in slaap en werd pas wakker van het daglicht dat door de gordijnen sijpelde. Het wekkerklokje vertelde me dat het acht voor zeven was. Mijn hoofd voelde aan of iemand het met een botte bijl had bewerkt, maar dat nare gevoel viel in het niet bij de schaamte die ik voelde.

*Verstand op nul.*

Ik legde het kussen op mijn hoofd en dacht: slimme zet! Met je dronken kop een voormalige jezuïet die het onderzoek leidt naar de vermissing van je dochter proberen te verleiden. Dat scoort hoog op de schaal van stom gedrag. Dat kon er ook nog wel bij.

Ik rolde op mijn zij in de hoop dat ik nog een paar uur kon slapen, maar het was me niet gegund. Ik was klaarwakker. Omdat ik onverwacht uit Portland was weggegaan, had ik geen boek bij me, dus ik zette de televisie maar aan en zapte wat. Ik bleef steken bij Fox News en zag een foto van Lizzie op het scherm. Eronder stond: *Op de vlucht, maar hoelang nog?* Margy had gelijk toen ze zei dat de publiciteit pas zou luwen als Lizzie terecht was.

Ik stond op, liet het bad vollopen en terwijl ik rustig in het water lag, besefte ik dat ik die dag niets te doen had. Ik had geen werk, geen man die ik kon bellen en, afgezien van mijn afspraak met Greg Tolland, geen enkele verplichting. Ik had de hele dag voor me; een lege bladzijde en ik had geen idee wat erop kwam te staan.

Geen idee. Het was een vreemde gewaarwording na al die jaren dat ik altijd wat omhanden leek te hebben en me nogal eens beklaagde dat ik geen moment voor mezelf had. Ook toen de kinderen het huis uit waren, had ik het nog druk: met lessen voorbereiden, lesgeven en leerlingen adviseren, met diverse comités, het huishouden, sporten, de leesclub, héél véél lezen, hulp aan daklozen, de werkgroep analfabetisme onder volwassenen, het zien van elke film die de moeite waard was, eens in de maand naar een concert in de Symphony Hall, op de hoogte blijven van actualiteiten, druk bezig met het invullen van mijn dagen.

Grappig eigenlijk dat het voornamelijk dingen waren die ik zonder Dan deed, maar toch, hij wás er altijd wel. Híj was het die thuis op me wachtte, die me soms zomaar belde om mijn stem te horen, die me verraste met een etentje in een populaire tent in de binnenstad, die altijd zo tevreden leek. We hadden tenslotte ook alle klippen omzeild: de moeilijke beginjaren, de opvoeding van de kinderen en die onzin die ze een midlifecrisis noemen. We waren eigenlijk heel uniek: al jaren getrouwd, niet omdat we dat als onze plicht zagen of vanwege een of andere enge afhankelijkheid, nee, we waren nog steeds samen omdat we dat wílden. Hoeveel stellen kunnen dat zeggen na...

*We vormen een stel, omdat...*

Nee, dat was natuurlijk niet zo. Ik moest maar wennen aan de verleden tijd: we vórmden een stel, omdat...

De verleden tijd? Hoe heeft het zover kunnen komen? Hoe kon Alice...?

Niet aan denken. Ik had geen idee hoe die twee elkaar gevonden hadden, hoe de vonk was overgesprongen, die eerste heimelijke lunch, het eerste dinertje, het moment dat hij zijn hand op die van haar had gelegd, hun eerste zoen, de eerste keer dat hij haar uitkleedde.

*Kappen. Wat heb je eraan? Als je zo doorgaat, praat je jezelf nog verder in de put. Kop op en doorzetten jij.*

Ik kwam het bad uit, kleedde me aan en ging naar beneden voor het ontbijt. In de ontbijtzaal verstopte ik me achter een tijdschrift en deed mijn uiterste best niet naar de grote plasmatelevisie aan de muur tegenover me te kijken.

Om acht uur zat ik in de stoel naast het bed moed te verzamelen voor het telefoontje dat ik moest plegen.

'Ik wil eigenlijk niet met je praten,' zei Jeff zodra hij zijn mobiele telefoon had opgenomen.

'Heb je er wel goed over nagedacht?' vroeg ik.

'Het lijkt wel of je míj de schuld van alles geeft.'

'Dat is mijn bedoeling helemaal niet. Het zou prettig zijn als we het bespreekbaar hielden en ik hoop dat je in overweging neemt dat...'

'In overweging neemt? Je verlangt van míj dat ik alles goed overdenk, terwijl jijzelf geen seconde hebt nagedacht over wat die uitspraken van je in *The Boston Globe* bij ons teweegbrachten?'

'Het enige wat ik heb gezegd is...'

'Ik weet heel goed wat je hebt gezegd. Ik kán lezen, hoor. Wil je weten wat ik gisteravond heb gelezen? De weinig verheffende autobiografie van Tobias Judson, waarin staat dat hij toen mijn vader er niet was met je naar bed is geweest en dat ik aan het voeteneind lag te slapen. Denk je dat ik daar blij mee ben?'

'Ik geef het toe... Ik heb je al gezegd dat ik het vreselijk vind.'

'Dat jíj het vreselijk vindt? Denk je eens in hoe ík me voel. Je hebt drie keer met hem gevreeën terwijl ik daar in de kamer lag, om nog maar te zwijgen over het feit dat je in de auto zat toen je je minnaar hielp om te vluchten.'

'Jeff, lieverd. Je moet begrijpen dat...'

'Nee, mama. Ik hoef niets te begrijpen en begin nou maar niet met dat "Hij heeft me gechanteerd en ik kon niet anders", want dan hang ik meteen op. De afgelopen dagen zijn er zo veel geheimen en leugens bekend geworden, dat ik me afvraag of je eigenlijk wel onderscheid kunt maken tussen je waanvoorstellingen en wat er werkelijk is voorgevallen.'

'Jeff? Hoe je ook over me denkt, zie je niet in dat die Judson bezig is met één grote egotrip waar hij ook nog eens een hoop geld aan verdient?'

'Geef me nou eens een eerlijk antwoord, mam. Ben je tijdens je huwelijk met papa met hem naar bed geweest?'

'Ja, maar...'

'Heb je Tobias Judson naar Canada helpen vluchten?'

'Ja, maar...'

'Heb je de hele rit heen en terug zitten roken terwijl ik op de achterbank zat?'

'Wat kan dát je nou schelen?'

'Geef antwoord op mijn vraag.' Het was alsof de officier van Justitie de beklaagde aansprak.

'Ja, maar...'

'Ik heb vanochtend de dokter gebeld. Maandag laat ik een longfoto maken.'

'Is dat niet een beetje overdreven?'

'Echt weer iets voor jou. Wil je nou ook nog beweren dat meeroken geen kwaad kan?'

'Jeff! Het is dertig jaar geleden. Echt...'

'Wat nou, écht? "Echt, het is niet erg", wou je dat soms zeggen? Of "Echt, zo'n bekeerling als Judson moet je niet geloven"? Ik kan je zeggen dat ik maar wat blij ben met mijn geloof, mijn overtuiging. Nou ja, ik geloof dat het beter is dat ik ophang, anders ga ik heel onchristelijke dingen zeggen. Het enige wat ik nog even kwijt wil, is dat het een gezamenlijk besluit van Shannon en mij is Erin bij je weg te houden.'

Nog voor ik daarop kon reageren, verbrak hij de verbinding. Ik belde meteen terug, maar ik kreeg de voicemail en sprak geen boodschap in.

Toen ik die middag tegenover Greg Tolland zat, deed ik hem het hele verhaal.

'Als ik je een raad mag geven,' zei hij. 'Laat je zoon maar even afkoelen, hoe graag je ook met hem in contact wilt blijven. Hij is een dogmatische figuur en wat ik van dergelijke mensen weet, is dat het voor die lieden haast onmogelijk is om te erkennen dat ze fout zitten, laat staan als ze een vrouw hebben die zo verankerd is in die cultuur van evangelisten. Ik heb haar al even gegoogled en zag dat ze het boegbeeld is van de antiabortusbeweging in Connecticut.'

Ik knikte. 'Dat mag allemaal waar zijn, maar het is misschien een beetje al te gemakkelijk haar de schuld te geven van Jeffs houding. Hij is een volwassen vent en zeker niet dom. Hij weet precies waar hij mee bezig is.'

'Daarom ben ik juist zo bang dat de tegenpartij hem gaat inzetten.'

'We zien wel,' zei ik.

Tolland ontvouwde zijn plannen voor een strategie om de tegenpartij 'eens goed op hun flikker te geven' zoals hij het uitdrukte. Het plan was om Judson en zijn uitgever aan te klagen en een flinke schadevergoeding te eisen vanwege 'aantasten van mijn eer en goede naam'. 'Ik moet eerlijk zeggen dat we weinig kans maken. Het wordt natuurlijk een geval van zijn woord tegen het jouwe, maar we kunnen gewoon bluffen en twintig miljoen eisen.'

'Mijn hemel.'

'Ja, het is een belachelijk bedrag, maar dat is juist de bedoeling. Laat dat stelletje maar eens goed bang worden. Ze zullen best begrijpen dat we bluffen, maar het is goed dat ze weten dat we niet stilzitten. Dat geldt ook voor Justitie, want daar weten ze dan direct dat je niet over je heen laat lopen.'

Mijn mobieltje ging over. Ik excuseerde me en nam op.

'En, hoe is het met je kater?' vroeg Leary.

'Ik moet zeggen dat ik wel eens helderder uit mijn ogen heb gekeken.'

'Idem dito. Ik hoop niet dat je spijt hebt van gisteravond.'

'Je hebt me door,' zei ik.

'Dat merk ik.'

'Ik zit nu bij mijn advocaat. Kan ik je terugbellen?'

'Wacht even. Dat komt mooi uit. Ik zit in Pelham en...'

'Echt waar?'

'Ja, helaas wel. Wat een gat, maar toch, ik moet zeggen dat er ergere dingen zijn dan op je vrije dag een beetje in Maine rondtuffen.

Maar goed, ik ben wat interessants op het spoor gekomen.'

Hij vertelde me wat hij uit mijn verre verleden had opgediept en terwijl hij sprak, werd ik almaar enthousiaster.

'Is het echt waar?' vroeg ik ongelovig.

'Ja, het heeft er alle schijn van.'

Mijn hersens maakten overuren. Ik kon het haast niet geloven. 'Dat verandert de zaak, hè?' vroeg ik.

'Dat denk ik wel ja.'

'Ik geef je Greg Tolland even. Hij gaat me juridisch bijstaan en ik denk dat hij het graag uit de eerste hand wil horen, oké?'

'Nou, als hij het gangbare tarief krijgt, dan kost mijn verhaaltje van vijf minuten je vijftig dollar.'

'Nee, zo een is het er niet,' zei ik. 'Heb je even?' Ik legde mijn hand op de microfoon, legde Tolland uit wie Leary was en gaf hem mijn mobieltje.

'Goedemiddag, rechercheur,' zei hij. Terwijl hij naar Leary's verhaal luisterde, draaide hij in zijn bureaustoel van me weg. Hij pakte een blocnote en begon aantekeningen te maken. Hoe langer het gesprek duurde, des te geanimeerder werd het, en zo nu en dan gaf Tolland een staaltje jaren zestig-jargon ten beste. 'Dat is werelds, man', of 'Te gek, zeg', maar het meest veelzeggend was een welgemeend 'Wauw...' *Ik heb een advocaat die praat als een roadie van The Grateful Dead,* dacht ik, maar ik was maar wat blij dat hij mijn raadsman was.

Hij zette het mobieltje uit, gaf het me aan en glimlachte breed. 'Die kunnen het verder wel schudden,' zei hij en hij legde me uit hoe hij het wilde spelen.

Toen ik weer buiten stond, belde ik Margy en vertelde haar wat Leary in Pelham voor elkaar had gekregen.

'Godallemachtig,' zei ze. 'Dat wordt nog lachen bij José Julia.'

'Wat denk je? Zullen de kijkers me geloven?'

'Je gelóven? Mens, wedden dat ze je op handen dragen! Dit soort verhalen is een spekje voor hun bekje. Ik bel de redactie wel om te zeggen dat je er klaar voor bent. Ik hoop dat ze komende week ruimte in hun schema hebben.'

'Ik maak me wel een beetje zorgen over het feit of ik hem in een debat aan kan.'

'Weet je wat? Ik zorg er wel voor dat ze een vliegticket regelen voor de dag vóór de uitzending, dan kunnen we het een en ander repeteren. Reken maar dat ik je zo klaarstoom dat je probleemloos de vloer met die gast aanveegt.'

Ik reed naar huis en toen ik het garagepad opkwam, zag ik dat het weer mis was. Opnieuw had iemand de voordeur met rode verf en een kwast bewerkt, maar deze keer stond er wat anders. Onder VER-RADER stond nu WEGWEZEN.

Ik keek wat beter en zag dat alle ruiten aan de voorkant ingeslagen waren. Ik stapte uit en liep achterom naar de keukendeur. Ik zuchtte diep, belde dezelfde glaszetter en die zei dat hij er meteen aankwam. Terwijl ik op hem wachtte, besefte ik dat ik er nodig een tijdje tussenuit moest, dat ik even helemaal alleen wilde zijn.

Ik belde mijn vader en vertelde hem dat ik een paar dagen wegging.

'Waarom kom je niet hierheen?'

'Ik wil écht even helemaal alleen zijn, pap.'

'Oké,' zei hij zachtjes.

'Niet dat ik je niet graag wil zien.'

'Dat weet ik toch,' zei hij. 'Ik wil alleen maar zeggen dat de deur hier altijd voor je openstaat.'

'Dank je, pap. Je bent een rots in de branding.'

'Iedere keer dat ik weer wat over die vent lees of dat schijnheilige hoofd van hem op televisie zie, als hij het heeft over hoe Jezus hem zijn landverraad heeft vergeven, denk ik: als ík hem niet had gezegd...'

'Dat heeft helemaal geen zin, pap. Je schiet er niets mee op.'

'Waar ga je heen?'

'Ergens waar niemand me kan vinden.'

Een halfuur na het gesprekje met mijn vader stond de glaszetter op de stoep. 'Zo te zien bent u niet de populairste persoon in de straat.'

'Daar zou u wel eens gelijk in kunnen hebben.'

'Desondanks blijft u gewoon hier zitten?'

'Mijn kwelgeest kan tevreden zijn. Ik ga er een paar dagen tussenuit.'

'Ik heb iets bedacht, mevrouw. Iets waardoor ze het wel uit hun hoofd halen de boel nog een keer te bekladden.'

Hij vertelde me wat hij van plan was. Ik grijnsde en zei: 'Ga uw gang.'

Terwijl hij bezig was, pakte ik een koffer en stopte er meteen de kleren in die ik voor het televisieoptreden nodig had. Toen ik daarmee bezig was, ging de telefoon.

'Schikt het even?' vroeg Alice Armstrong.

'Nee,' zei ik. 'Daarbij, ik heb geen zin om naar je te luisteren.'

'Ik bel niet om het je uit te leggen of om te vragen of je me kunt vergeven. Het enige wat ik wil, is je vertellen hoe het gekomen is.'

'Dat lijkt verdomd veel op uitleg.'

'We hadden écht niet het idee dat het wat zou worden, maar...'

'Eens zien. Je dacht dat het niet meer dan vriendschap was, klopt dat? Of zag je Dan alleen als bedgenoot?'

'We hebben de afgelopen maanden een paar keer samen geluncht en...'

'Geluncht? Meer niet?'

'In het begin zeker niet, nee.'

'Als het onschuldige lunchafspraken waren, had Dan me dat natuurlijk verteld. Wat is er nou mis met een broodje eten met een gezamenlijke vriendin?'

'Oké, na de tweede keer werd het wat meer.'

'Vertel.'

'Hannah... Wil je het écht weten?'

'Ik vraag er toch naar? Vertel maar.'

'Ik heb Dan naar mijn schouder laten kijken. Ik had wat problemen met mijn rotator cuff.'

'Je rotator cuff? Toe maar.'

'Veel tekenaars hebben er last van.'

'Wil je zeggen dat veel tekenaars om die reden met hun orthopedisch chirurg in bed belanden of alleen als die toevallig ook de man van hun beste vriendin is?'

'Het was niet mijn bedoeling om verliefd te worden. Dat geldt trouwens voor ons allebei.'

'Aha. We hebben het al over liefde?'

'Je denkt toch niet dat Dan je voor minder had verlaten?'

'Het is een hele opluchting te weten dat er liefde in het spel is.'

'Ik verwacht niet dat je er begrip voor hebt, maar ik wilde het wel even verduidelijken allemaal.'

'Je hoopt zeker dat ik je vergeef?'

'Dat zeg ik toch niet?'

'Waarom bel je me eigenlijk?'

'Omdat ik me schuldig voel. Het spijt me allemaal vreselijk en ik wilde je mijn ex...'

'Vergeet het maar. Niet aanvaard,' zei ik en ik verbrak de verbinding. Ik ging op de rand van het bed zitten en beet op mijn wijsvinger om het niet uit te schreeuwen, of iets, wat er ook maar binnen handbereik was, op te pakken en door het raam te smijten. Toegegeven, de glaszetter was toch al voor me bezig en als ik ruiten wilde ingooien, dan was dit natuurlijk geen slecht moment. Hij verving ze wel.

Ik wist me te beheersen, stond op en legde de rest van de spullen in mijn koffer. Ik droeg hem de trap af, controleerde of alles op slot was en schreef de melkboer en de krantenjongen een briefje dat ik een weekje weg was. Ik belde Margy en vertelde dat ik een paar dagen uit de roulatie zou zijn.

'Je komt maandag toch hierheen?'

'Zeker weten.'

'Blijf nou maar een beetje in de buurt, oké? De opnames zijn dinsdag aan het eind van de middag, dus als je maandagochtend vroeg hierheen vliegt, hebben we anderhalve dag om je klaar te stomen.'

'Ik ben er klaar voor.'

'Wat klink je raar? Slecht geslapen?'

Ik vertelde haar over het telefoontje van Alice.

'Het verbaast me niets,' zei ze.

'Wat?'

'Dat ze je gebeld heeft. Reken maar dat ze er vreselijk mee zit. Het feit dat ze je beste vriendin was, haar eigen scheiding... Ze weet natuurlijk precies hoe je je voelt.'

'Daar heb ik nu even niets aan.'

'Je hebt nu even aan níémand iets, weet je.'

'Of ik dat weet.'

'Goed dat je er van het weekend even tussenuit gaat, maar neem je mobieltje mee. Ik moet je natuurlijk wel kunnen bereiken.'

Toen ik de koffer naar de jeep droeg, zag ik dat Brendan alle kapotte ruiten al had vervangen en de graffiti weg was gehaald. Zoals afgesproken had hij er met grote, groene letters OKÉ, IK BEN AL WEG opgekalkt. 'Dat moet afdoende zijn,' zei hij.

'Mooi. Wat krijgt u van me?'

'Veertig dollar.'

'Wat? De vorige keer was het driehonderd dollar.'

'Ik bereken u vandaag geen arbeidsloon.'

'Dat is heel vriendelijk van u, maar het is écht niet nodig.'

'Daar denk ik dan anders over.'

Ik was niet van plan erg ver weg te gaan zitten en reed in noordelijke richting naar Mount Desert Island. Omdat het mei was en het hoogseizoen nog moest beginnen, kreeg ik zo een kamer. Het hotel zag er een beetje verweerd uit en had absoluut betere tijden gekend, maar het was schoon, het strand was op loopafstand en er waren flink wat wandelpaden. Het meest te spreken was ik over de oude fauteuil met het sleetse voetenbankje op mijn kamer; perfect geschikt om urenlang lui in te zitten lezen.

Vlak voor zonsondergang checkte ik in en binnen een paar minuten stond ik al op het strand. Ik keek uit over de Atlantische Oceaan en hield mezelf voor dat ik, wat me ook te wachten stond, zou blijven knokken. Toch, hoe vaak ik ook zei dat alles in orde zou komen, het bleven holle woorden. Natuurlijk, ik zou volhouden, maar zonder iemand om voor naar huis te gaan, zonder kinderen die ik kon bellen, zonder goede vrienden in de buurt, zonder...

*Ophouden jij.*

Ik maakte een strandwandeling, ging terug naar het hotel en prentte me in dat ik nergens aan moest denken, dat ik het weekend moest beschouwen als de rust bij een voetbalwedstrijd en dat ik mijn verstand op nul moest zetten.

*Succes ermee.*

Echt, ik deed er alles aan. Ik las drie romans, maakte flinke wandelingen, inclusief de lange trek naar de top van de Mount Desert. Ik keek geen televisie, las geen krant of tijdschriften en had mijn transistorradiootje afgestemd op het station dat geen nieuwsuitzendingen had en alleen klassieke muziek uitzond. In Bar Harbor ontdekte ik een visrestaurant waar ik alle drie de avonden met een boek op tafel at. De eigenaar van het tentje was niet nieuwsgierig, vroeg niet wat ik daar in het voorseizoen in mijn eentje te zoeken had, maar bood me wel iedere avond een glaasje likeur van het huis aan.

Twee keer per dag keek ik of er een voicemailbericht was, maar meestal stond mijn mobieltje uit. Een nogal aanhoudende journalist van de *Portland Press Herald* zei dat ik me toch écht door hem moest laten interviewen. 'U bent het de bevolking van Portland verschuldigd een en ander recht te zetten.' Nee, dacht ik, ik ben niemand wat verschuldigd. Er was een raar telefoontje van een vrouw met een schelle stem die niet zei hoe ze heette, maar wel: 'Fijn dat je ontslagen bent. Hoeren als jij mogen helemaal niet voor de klas staan.' Gelukkig was dat het enige rare telefoontje, maar ik vond het toch vervelend en vroeg me af hoe het mens aan mijn nummer was gekomen. Mijn vader had een paar berichten ingesproken. Hij was ongerust, zei hij, dus ik belde hem zaterdagavond terug, zei dat alles in orde was en dat ik natuurlijk snel bij hem en Edith langs zou komen.

Margy belde maar twee keer: éénmaal om te horen of ik nog leefde en of ik niet in een doodeng motel vol griezels zat, de tweede keer om te zeggen dat mijn vlucht naar New York was geboekt. 'Naast vlucht en logies krijg je honderdvijftig dollar voor eten en drinken. Maandag eten we bij mij, oké?'

'Waarom? Ik kan je voor dat geld toch mee uit eten nemen?'

'Ach, nee. Het is toch veel gemakkelijker om thuis te blijven?'

'Hoe bedoel je?' vroeg ik achterdochtig.

'Ik blijf liever thuis, oké?' Ze duldde blijkbaar geen tegenspraak, dus ik liet het er maar bij zitten.

'Zoals je wilt.'

'Bel de zaak zodra je hebt ingecheckt, dan weet Ben wanneer hij je kan verwachten. Jullie gaan op kantoor een beetje oefenen voor dinsdag. Ben is de rechterhand van Rita en Rita is weer míjn rechterhand. Ik denk dat je haar wel mag. Het is een felle meid die een bloedhekel heeft aan die gelovige engerds. Ze verheugt zich al op de confrontatie. Reken er wel op dat ze je op de pijnbank legt, oké? Goed, ik heb de redactie van José Julia gesproken en de hele boel nog eens doorgenomen. Alles is gecheckt en...'

'Is het allemaal in kannen en kruiken?'

'Ik heb rechercheur Leary weer aan de lijn gehad en die is ervan overtuigd dat het gaat lukken. Natuurlijk, je loopt altijd een risico en als het fout gaat, is het ook goed mis. Toch, als het volgens plan verloopt...'

'Ik krijg het opeens een beetje benauwd, weet je dat?'

'Dat begrijp ik best,' zei ze. 'Het worden enerverende dagen.'

Desondanks slaap ik die nacht heerlijk. Ik werd om zeven uur wakker, maakte nog een strandwandeling, betaalde de rekening en stapte in de auto voor de drie uur durende rit naar Portland. Toen ik het vliegveld op een kilometer of vijftien was genaderd, keek ik op mijn horloge en zag dat ik veel te vroeg was. Ik nam de afrit Falmouth, reed naar mijn buurtje en stopte voor mijn huis. Aan de tekst OKÉ, IK BEN AL WEG was niets toegevoegd en de ruiten waren nog allemaal heel. Het opzetje was geslaagd: de vandalen hadden het huis met rust gelaten. Ik keek niet eens of er post was, keerde de auto en reed naar het vliegveld. Ik zette de auto op Lang Parkeren, rolde mijn koffer naar de balie en checkte in.

Ik heb geen vliegangst, maar die vlucht was ik een beetje misselijk en had ik het zweet in mijn handen staan. Ik zei tegen mezelf dat ik me niet moest aanstellen. Vliegtuigen worden bestuurd door computers en zijn zó ontworpen dat ze wel een stootje kunnen hebben. Eerlijk gezegd was het niet de turbulentie waar ik me zenuwachtig over maakte, maar de dagen die gingen komen.

Op het vliegveld werd ik opgewacht door een chauffeur in livrei die een bordje met mijn naam ophield. We reden over de 59th Streetbrug en algauw doemden de verticale lijnen van Manhattan naast me op. Ik staarde uit het raampje en vroeg me af waarom ik niet blij was weer in de stad te zijn, maar al wat ik voelde, was angst.

Ben Chambers stond me in de lobby van het hotel al op te wachten. Hij was een gedrongen, beetje nerveuze man van eind twintig, maar ik zag meteen dat hij het type was dat zijn zaakjes perfect voor elkaar had.

'Fijn dat je er bent. Ik blijf hier op je wachten. Heb je genoeg aan een halfuurtje? Goed, dan zie ik je over een halfuur.'

Mijn kamer was groot, zij het een beetje onpersoonlijk, maar het uitzicht op de East River en het centrum was adembenemend. Ik pakte mijn koffer uit en was tot Bens grote vreugde binnen het halfuur beneden.

'Perfect. We hebben heel wat te doen en we hebben maar een uur of twee. Margy verwacht je om zeven uur bij haar thuis.'

'Hoe gaat het met haar?'

Hij haalde zijn schouders op en zei: 'Laat ik het zo zeggen: ze geeft zich niet zonder slag of stoot gewonnen.'

Dat klonk niet best.

Margy's kantoor was twee straten verderop en omdat het een mooie lentedag was, liepen we. Dat wil zeggen: Ben baande zich een weg tussen de mensen door en zette er zo flink de pas in, dat ik hem met moeite bij kon houden. We staken 6th Avenue over en liepen naar een wat ouder kantoorpand aan 47th Street. Sinclair and Associates huurde er vier kleine kamertjes op de elfde verdieping. De muren hingen vol affiches van campagnes die het bedrijf had gevoerd. De inrichting was sober, modern en het geheel straalde iets zelfverzekerds uit.

Ben bracht me naar een vergaderruimte en stelde me voor aan Rita Rothman, die al op me zat te wachten. In tegenstelling tot Ben was Rita op alle fronten flink aanwezig. Ze was gezet, had een stem als een misthoorn en dikke, zwarte krullen. Ze gaf me een dermate stevige hand dat een chiropractor er jaloers op zou zijn en keek me indringend aan.

'Wil je weten wat ik dacht toen ik het boek van die eikel uit had?' vroeg ze terwijl ze me gebaarde te gaan zitten. 'Ik dacht: kan het erger? Een bekeerling die in andermans verleden gaat zitten wroeten.'

Er werd koffie gebracht, maar al na drie slokken zei Rita: 'Oké. Aan de slag.' Ze legde me op de pijnbank en ondervroeg me twee uur lang. Na afloop voelde ik me volkomen murw gebeukt. Rita speelde de advocaat van de duivel, daarbij terzijde gestaan door Ben, die zo nu en dan meende te moeten doorvragen. Ze prikten en testten me, daagden me uit en probeerden me onderuit te halen. In het begin brachten ze me een beetje in verwarring en even dacht ik zelfs dat ze partij voor Judson hadden gekozen, maar dat was natuurlijk precies de bedoeling. Terwijl ze me bewerkten, me op het verkeerde been zetten en hun best deden al mijn argumenten te weerleggen, maakten ze me sterker en bereidden me voor op alle tegenstand die ik van Judson en José Julia kon verwachten. Na een uur begon het me te duizelen en na anderhalf uur inquisitie vroeg Rita: 'Gezellig, hè?'

'Ik ben gewoon bang voor jullie.'

'Dat is de hele opzet. Het is de bedoeling dat je nu al alles om je oren krijgt, zodat je gehard bent als je morgen voor de leeuwen wordt gegooid.'

'Denk je dat ik het even moeilijk ga krijgen als nu?'

'Dat mocht je willen,' zei Rita. 'José Julia is de onbetwiste meester in het stellen van gemene vragen. Vergeet niet dat er maar twee redenen zijn waarom hij je in zijn programma wil hebben: je vermiste dochter en het verwachte vuurwerk tussen jou en Judson. Hij zou je nog het liefst vragen of je Judson hebt gepijpt en hou er maar rekening mee dat hij bepaalde dingen gaat insinueren.'

'Fantastisch,' zei ik.

'Hé, het is niet mijn bedoeling je bang te maken,' stelde ze me gerust. 'Ik moet zeggen dat je het lang niet slecht hebt gedaan, maar morgen heb je maar tien minuten om je naam te zuiveren, jouw kant van het verhaal te vertellen, dus grijp die kans. Oké? Goed, zullen we weer?'

We deden het rollenspel nog eens dunnetjes over. We schaafden een paar antwoorden bij, werkten aan een paar tegenstoten die ik kon uitdelen en bespraken op het oog heel onschuldige vragen die me ongemerkt op het verkeerde been konden zetten. Deze ronde keek Ben heel kritisch naar mijn lichaamstaal, mijn houding en de slechte gewoonte van op mijn lip bijten als het even tegenzat. 'Dat mag je echt niet doen,' zei hij, 'want het lijkt net of je je onzeker voelt en dan kunnen ze denken dat je iets te verbergen hebt. Kijk Judson recht aan en wijk daar niet van af. Wat José betreft, die benader je zo vriendelijk en rustig mogelijk, zelfs al maakt hij het je moeilijk. Reken er maar op dat dat gebeurt, want daar wordt hij tenslotte voor betaald.'

Rita keek op haar horloge. 'Halfzeven al,' zei ze. 'Gezelligheid kent geen tijd, wat jij? Oké, we moeten gaan, anders wordt Hare Koninklijke Hoogheid boos. Haar onderdanen moeten zich natuurlijk wel op de afgesproken tijd bij haar vervoegen.'

'Morgenochtend om tien uur gaan we verder,' zei Ben. 'De opnamen beginnen om vijf uur en daarvoor moeten we nog twee rollen-spellen doen. Zal ik je morgen komen afhalen, zeg om kwart voor tien?'

'Dat hoeft echt niet. Ik kom er wel,' zei ik glimlachend.

'Je moet niet vergeten dat ze uit Maine komt waar iedereen op een kompas vaart,' zei Rita lachend. In de taxi naar Margy's huis zei ze: 'Ik hoor dat je een van de oudste vriendinnen van Hare Koninklijke Hoogheid bent. Klopt dat?'

'Al zesendertig jaar.'

'Dat is nogal wat. Maar ja, trouwer dan Margy zie je ze niet veel.'

'Vanwaar dat "Hare Koninklijke Hoogheid"?'

'O, ze weet dat we haar zo noemen, hoor. Ze vindt het zelfs wel leuk.'

'Daar twijfel ik niet aan.'

'Het grappige is dat ze in haar werk een echte slavendrijver is, maar als je haar privé meemaakt, merk je dat ze heel zachte, lieve kanten heeft. Maar goed, die ken je natuurlijk.'

'Zeker. Mag ik je wat recht op de man af vragen?'

'Natuurlijk. Over haar gezondheid?'

'Goed geraden.'

Ik zag dat ze aarzelde en net als ik even daarvoor op haar lip beet. 'Ze heeft ons op het hart gedrukt dat we het er met niemand over mogen hebben.'

'Ze komt het huis niet meer uit, klopt dat?'

Ze knikte.

'De kanker is terug, hè? Ziet het er slecht uit?'

'Nogal.'

'Vertel het maar.'

Ze keek uit het raampje en zei: 'Ik heb beloofd...'

'Margy is mijn beste vriendin, Rita. Ik zweer dat ik haar niet zal...'

'Goed. Ze doet alsof er niets aan de hand is, maar ze weet dat...'

'Wat?'

'Dat ze nog maar een halfjaar heeft. Als het meezit.'

Ik deed mijn ogen dicht en was er even stil van. 'Heb je dat van haarzelf?' vroeg ik.

Ze knikte. 'Ja, ze heeft me in vertrouwen genomen, maar het gek-ke is dat iedereen het weet. Ze hoeft zich maar op kantoor te verto-nen of je ziet dat het mis is. We zijn maar met een paar, dus iedereen is al eens bij haar thuis geweest om een map te brengen, of knipsels. Ze peinst er niet over met werken op te houden.'

'Verder heeft ze ook niet veel.'

'Schrik niet als je haar ziet en laat vooral niets merken, oké? Ze wil er niet over praten, maar je zult wel zien dat ze je angstig aankijkt. Best begrijpelijk, natuurlijk. Ik denk niet dat ik er zo rustig mee om zou kunnen gaan.'

Hoe kun je dat nou zeggen? dacht ik. Hoe kun je nou voorspellen hoe je op een dergelijk bericht zult reageren?

We waren bij Margy's appartementengebouw aangekomen. Rita legde haar hand op mijn schouder en zei: 'Ik weet zeker dat je het er morgen goed van afbrengt.'

'Ik help het je hopen,' zei ik. Ik stapte uit en toen ik in de lift stond, prentte ik me in dat ik heel gewoon moest reageren, net of er niets aan de hand was. Ik stond voor de deur, aarzelde even en haalde diep adem. Ik belde aan en hoorde haar roepen dat de deur open was. Haar stem klonk krachtig, precies zoals ik gewend was, maar ik schrok toen ik haar zag.

Ze zat op de bank en zag er vreselijk uit. Ze was een kleine, gebogen vrouw geworden met een kromme rug, ingevallen wangen, een gelige huid en bijna kaal. Naast haar stonden een zuurstoffles en wat ze een 'papegaai' noemen, een standaard met allerhande slangen en meetinstrumenten. Er hing een plastic zakje met een of ander medicinaal vocht aan, waar een slangetje uitkwam dat met een naald in een ader van haar hand was vastgezet. Terwijl ik een en ander op me in liet werken en mijn best deed te wennen aan het feit dat de kanker van mijn vriendin een zielig hoopje mens had gemaakt, zag ik een volle asbak op een tafeltje naast de bank staan. Er lag zelfs een brandende sigaret in, klaar om te worden opgerookt. Ze zag dat ik even met mijn ogen knipperde en zei: 'Wee je gebeente als je daar wat over zegt.'

'Oké, ik hou mijn mond.'

Ze grijnsde en zei: 'Nou, dat begint al goed. Ik hoop niet dat je het in je hoofd haalt me te gaan troosten of zo, want daar heb ik geen zin in. Geen sentimenteel gedoe, oké? Schenk maar een glas wodka voor me in en neem zelf ook wat.'

Ik liep naar het smalle keukentje en zag de fles op de vloer naast de koelkast.

'Met ijs?' riep ik.

'Ja, wie drinkt zijn wodka nou lauw?'

Toen ik met de twee glazen terugkwam, zag ik dat ze een zuurstofmasker had opgezet. Ze hijgde een beetje en zoog de zuurstof in haar longen. Ze draaide aan een knop op de zuurstoffles en pakte haar sigaret. 'Zo, nu kan ik hem oproken.'

Ik gaf haar de wodka en keek haar aan. Ze inhaleerde, maar blies de rook niet uit; het was net of de rook heel langzaam uit haar mond sijpelde, alsof ze lucht kwijlde.

'Schiet op,' zei ze en ze schoof het pakje mijn richting op. 'Ik zie dat je ernaar snakt.'

Ik pakte er een en stak hem aan met de tafelaansteker.

'Een heimelijk genoegen, nietwaar?' zei ze. 'Zeg, je bent niet erg vrolijk, klopt dat?'

'Ik heb nogal wat aan mijn hoofd, zoals je weet.'

'Het televisieoptreden, bedoel je?'

'Dat niet alleen.'

Ze hijgde, hoestte, verdoofde haar keel met een flinke slok drank en zette het zuurstofmaskertje weer op. Toen ze het afdeed, zag ze dat ik haar verbijsterd aankeek. 'Rita heeft je toch hopelijk wel geïnstrueerd, hè? Geen medelijden, geen zorgelijke blikken.'

'Nee, ik weet van niks.'

'Maak dat de kat maar wijs. Rita is een wereldwijf, maar hier kan ze niet goed mee omgaan. Voor je gaat zitten grienen en snotteren: ik wil er verder niet over praten, oké? Ik zing het wel uit, in elk geval tot na de uitzending. En daarna? Tja, wat kan ik ervan zeggen? Niks toch?'

Ik knikte.

'Goed zo. Ik heb sushi besteld omdat ik dacht dat je dat niet al te veel eet daar in de rimboe. Hou je daarvan?'

'Het zal je verbazen, maar zelfs een boerentrien als ik weet wat sushi is.'

'Mens, de vooruitgang is gewoon niet tegen te houden.'

Ze nam een slok en zei: 'Oké, volgende onderwerp. Die map die daar op tafel ligt, daar zitten de knipsels over jou in, dat wil zeggen alles wat er de afgelopen twee weken over je is geschreven.' Ze wees op een uitpuilende envelop op tafel. 'Ik denk dat je het merendeel nog niet eens hebt gezien, want als ik het goed begrepen heb, ben je zo slim geweest even nergens naar te kijken en niets te lezen.'

'Klopt. Zo te zien loop ik al een stuk achter.'

'Het is écht volkomen belachelijk allemaal. Chuck Cann heeft er nog minstens vier webpagina's aan gewijd en alle rechtse commentatoren – van Coulter tot Brooks tot aan Kristol toe – hebben je een veeg uit de pan gegeven en er fijntjes op gewezen dat je een typische exponent bent van al het slechte van de jaren zestig. Ik heb een paar commentaren gelezen op je weigering je excuses aan te bieden waarin men zich afvroeg of onze generatie wel bereid is verantwoordelijkheid te nemen voor haar acties. Geloof het of niet, maar er zitten twee knipsels bij van mensen die achter je staan, maar dat zijn natuurlijk progressieve bladen met een kleine oplage zoals *The Nation* en *Mother Jones*. Preken voor eigen parochie, weet je wel. Bekijk ze maar op je gemak.'

'Nee, laat maar. Ik weet wel zo'n beetje wat erin staat en ik heb genoeg gelezen over mijn zondige bestaan.'

'Ook goed, maar het lijkt mij wel nuttig als je weet wat erover je is geschreven. Straks citeert Judson of Julia iets en dan weet je niet...'

'Ik weet al hoe ik het ga aanpakken.'

'O? Vertel op.'

'Ze mogen zeggen wat ze willen, ze doen maar, of ik het er nou mee eens ben of niet. Het enige waarop ik me ga beroepen, is dat ik een zuiver geweten heb.'

'Hé, misschien is dat geen slecht idee. Maar vergeet niet dat die Julia tabloidtelevisie maakt. Hij behandelt geen zware onderwerpen en dat weten zijn kijkers. Doe niet uit de hoogte, want daar houden ze niet van. Luister...'

Voor de derde keer werd er gerepeteerd. Margy wees me op een paar zwakke punten in mijn betoog en zei dat ik best wat feller mocht reageren. De sushi werd bezorgd en terwijl we aten, hadden we het over koetjes en kalfjes en omzeilden we belangrijker onderwerpen. Ze vroeg of ik het weekend lekker was uitgewaaid en vroeg zich hardop af of Dan zich zou bedenken of niet.

'Vergeet het maar,' zei ik. 'Het is echte liefde, zie je? En trouwens, waarom zou hij? Zijn vrouw heeft hem bedrogen en op de country-club heb je het dan als man niet écht gemakkelijk.'

'Oké, maar dat hij bij de beste vriendin van zijn vrouw is ingetrokken, zal ook niet zo goed vallen, denk ik.'

'Dat vraag ik me af. Er trekken nu twee vrouwen aan hem, dus dat noem je "succes bij de vrouwtjes". Dat zal zijn ego wel strelen.'

'Gek hè, maar "ego" is niet het eerste waar je bij Dan aan denkt,' zei ze.

'Wat denk je nou? Hij is chirurg, dus zeker weten dat hij een ego heeft. Hij heeft het altijd goed verborgen gehouden, dat is waar. Tot voor kort, maar ja, ik heb hem daar ook wel aanleiding toe gegeven.'

'Rustig maar. Haal jezelf niet zo naar beneden.'

'Ach ja, niets nieuws onder de zon.'

We maakten de sushi soldaat, smeerden onze keel met wodka en namen nog een paar punten door. Tegen negen uur zag ik haar wegzakken. De weinige energie die ze nog had, leek nu snel op te raken.

'Ik geloof dat ik naar bed ga,' zei ze. Ze steunde haar hoofd in haar handen en zag er nog kleiner uit dan een paar uur daarvoor.

'Kan ik je ergens mee helpen?' vroeg ik.

'Als je het maar uit je hoofd laat. Laat me mijn waardigheid behouden, oké? Wat morgen betreft, nog twee dingen. Jij bent de gebeten hond hier, om het zo maar eens te zeggen, maar probeer een evenwicht te vinden tussen de slachtofferrol en verontwaardiging. Ik heb gehoord dat er aan dat andere nog wordt gewerkt, maar dat het er gunstig uitziet.'

'O? Ik dacht dat alles geregeld was.'

'Op de valreep zijn er nog een paar probleempjes gerezen,' zei ze. Ze legde me uit wat er gebeurd was en eindigde met: 'Goed. Morgen krijgen we uitsluitsel.'

'En als hij niet meewerkt?'

'Dan moeten we maar hopen dat de publieke opinie je goed gezind is.'

Vlak voor ik de deur uit ging, wilde ik haar omhelzen, maar voor ik de kans kreeg had ze haar arm als een verkeersagent geheven die het verkeer tot stoppen dwingt. 'Als je me gaat omhelzen, gebeuren er enge dingen. Dan kon ik wel eens gaan huilen en daar heb ik helemaal geen zin in.'

In de taxi naar het hotel probeerde ik me een leven zonder Margy voor te stellen. Hoe zou het zijn op een ochtend wakker te worden en te weten dat we elkaar niet meer konden bellen, dat dat deel van mijn leven voorgoed voorbij was? Was dat de essentie van ouder worden, dat je de mensen van wie je houdt een voor een ziet verdwijnen, totdat het jouw beurt is?

De tranen die ik na het zien van Margy had verwacht, kwamen niet, hoewel ik zeker wist dat die tijd nog wel zou komen. Terwijl de taxi door de straten reed, sloeg ik mijn armen over elkaar om maar niet te huiveren. De vermoeidheid die ik de paar dagen aan de kust niet had gevoeld, sloeg weer toe, en werd nog versterkt door de verdovende werking van een vreselijk vooruitzicht.

De taxi zette me voor het hotel af en ik ging meteen naar boven. Binnen een paar minuten sliep ik.

De volgende morgen werd ik vlak voor zonsopgang wakker. Ik deed de gordijnen open, keek uit over de stad en zag het heel langzaam dag worden.

Tegen tien uur zat ik weer in Margy's kantoor voor nog een twee uur durend rollenspel. Rita en Ben waren redelijk tevreden met mijn vooruitgang. Ze drukten me op het hart mijn antwoorden kort en simpel te houden, en de vragensteller vooral aan te blijven kijken, hoe onsmakelijk de vragen ook waren.

Om twaalf uur zeiden ze dat ik mezelf een paar uur moest vermaken. Ik ging naar het Metropolitan Museum, bekeek de oude meesters, de afdeling Egyptologie en het luchtige, tere werk van de Franse impressionisten. Op de een of andere manier lukte het me mijn gedachten te verzetten.

Om halfdrie nam ik een taxi terug naar het hotel en hees me in het eenvoudige zwarte pakje dat Margy me had aangeraden. Ik weerstond de lokroep van een sigaret en nam de lift naar de lobby.

Rita zat al op me te wachten. 'Hou je vast,' zei ze. 'Er zit een verrassing voor je in de auto.'

Ik stapte in de grote Lincoln. Margy zat er al. Ze had haar beste mantelpakje aan, maar ik zag meteen dat het om haar magere lijf zwabberde. Om haar asgrauwe huid aan het oog te onttrekken had ze een flinke laag make-up aangebracht. 'Ben jij wel helemaal wijs?' vroeg ik zodra ik naast haar zat.

'Natuurlijk niet,' zei ze. 'Mijn oncoloog verklaart me voor gek, maar dit wil ik voor geen goud missen. Trouwens, ik heb goed nieuws.'

'Over...?'

'Ja. Alles is in orde.'

'Zeker weten?'

'Ik ga af op wat de mensen van José Julia zeiden. Het was allemaal geregeld, zeiden ze.'

Rita ging naast de chauffeur zitten en we reden in westelijke richting.

'Kun je wel zo lang zonder die zuurstoffles?' vroeg ik.

'Zeg, Rita,' zei ze, 'ik geloof dat we Florence Nightingale aan boord hebben.'

'Er zit een fles in de kofferbak,' zei Rita over haar schouder.

'Stel dat ik in de studio van mijn stokje ga, dan kan die zak van een Judson misschien iets van handoplegging doen, me bijbrengen en verder carrière maken als gebedsgenezer.'

'Je bent me d'r eentje,' zei Rita.

'Verdomd als het niet waar is,' antwoordde Margy.

We reden door de Lincoln Tunnel en kwamen in het niemandsland dat New Jersey heet weer bovengronds. De studio waar de *José Julia Show* werd opgenomen, stond op een industrieterrein in de buitenwijken van Secaucus.

'Hier ergens moet God gedacht hebben dat de wereld nog iets miste,' zei Margy toen we bij de toneelingang aankwamen. 'Rita? Als ik hier op apegapen kom te liggen, moet je me beloven dat je me voor ik mijn laatste adem uitblaas naar de andere kant van de rivier vervoert. Ik heb geen trek om híér dood te gaan.'

We werden opgewacht door een energiek mens met een klembord. 'Ik zie het al. Jij bent Hannah,' zei ze en ze gaf me een stevige hand. 'Ik ben Jackie Newton, José's productieassistent.' Ze gaf Rita een even stevige hand, zei: 'Aha. Ik zie het al. De pr-dame!' en keek een beetje ongemakkelijk in de richting van Margy, die met haar zuurstoffles aan de arm van de chauffeur hing.

'Ik ben haar moeder,' zei Margy.

Ik moest direct naar de make-up, waar een forse vrouw in een spandex broek me onder haar hoede nam.

'Zenuwachtig?' vroeg ze toen ze de foundation op mijn gezicht smeerde.

'Is het zo duidelijk?'

'Ja, zeg! Wie vindt het niet eng op televisie te komen? Geloof me als ik zeg dat José een schat is. Echt, een schat van een man. Hm, eens kijken. Je lijkt me niet het type dat veel eyeliner en mascara gebruikt.'

Tien minuten later zat ik met Margy en Rita achter de coulissen. Ik was óp van de zenuwen, maar deed mijn uiterste best het niet te laten merken.

Jackie Newton stormde met het klembord in de hand binnen. 'Nog vijf minuten! De andere gast is gearriveerd, dus...'

'Hij komt niet hier zitten, hoop ik?' zei ik met overslaande stem.

Jackie klopte me bemoedigend op de arm en zei: 'Ik ben wel goed, maar niet gek. Het leek ons gezien jullie gezamenlijke verleden beter dat jullie elkaar pas voor de camera's zouden zien. Relax, oké? Goed, het segment duurt precies tien minuten. Jullie item is het eerste aan de beurt, dus er is geen lange wachttijd. Ik wil dat je dit papier waarin staat dat je ons vrijwaart van juridische stappen even tekent. José komt zo langs om je te begroeten. Ontspan je nou maar, oké?'

'Wat een mens,' bromde Margy toen Jackie buiten gehoorsafstand was.

De deur werd opengegooid en José Julia maakte zijn entree. Ik had hem vaak op televisie gezien, sinds 1975 zo ongeveer. Hij was begonnen als verslaggever bij NBC. Destijds had hij lang haar, droeg graag leren jacks en had linkse idealen. Sindsdien was hij nogal eens van koers veranderd: hij was nieuwslezer geweest, had een eigen programma voor ABC gepresenteerd, maar dat was mislukt, was freelance gaan werken en had de reputatie van lastige persmuskiet verworven, maar uiteindelijk, eind jaren negentig, had hij zijn plekje gevonden. Hij kreeg een eigen talkshow en hoewel hij zichzelf altijd beschreef als apolitiek, gezien zijn jaren bij Fox News en zijn overstap naar New America Cable News had het er alle schijn van dat hij zich snel had geconformeerd aan zijn conservatieve broodheren. Na 11 september had hij zich gestort op het patriottistische elan. Hij had de voorpagina's gehaald toen hij een imam voor het oog van de camera had toegevoegd: 'U haat onze maatschappij.' Sindsdien kon hij bij rechts geen kwaad meer doen. Daarom was ik zo bang voor die man. Ik vreesde dat hij met dat patriottisme op de proppen zou komen en me zou aanvallen op mijn gebrek aan vaderlandslievendheid.

'Kijk eens aan! Daar hebben we Hannah Buchan!' zei hij terwijl hij me omhelsde.

Ik geef het niet graag toe, maar voor een man die de zestig naderde, zag hij er fantastisch uit. Hij was gekleed in een perfect zittend maatpak, een overhemd met een flinke boord en een onopvallende das met stippen. Hij had een volle kop met dik, iets te wild haar, een flinke snor en een oogverblindende glimlach; kortom, een uithangbord voor goede smaak en uren in de sportschool.

'Fantastisch dat je er bent,' zei hij terwijl hij me een hand gaf. 'Echt fantástisch! Voel je je een beetje op je gemak?'

'Nou, als ik héél eerlijk ben...'

'Oké, oké. Ik begrijp het. Ja, die vent, hè? Ik geef je geen ongelijk. Reken er nou maar op dat je zo jouw kant van het verhaal kunt vertellen. Het programma wordt in het hele land uitgezonden, dus grijp je kans. Waar het uiteindelijk om gaat, Hannah, is dat het gezellig wordt.'

*Gezellig?* Hoorde ik dat nou goed? *Gezellig?*

Blijkbaar kon hij gedachten lezen, want hij zei: 'Ja, gezellig. Oké, er komen zaken op tafel die zonder meer privé zijn, maar wat mij betreft is er niks mis met confrontatie en schoon schip maken. Ik neem het programma zonder publiek op, omdat de discussies beter tot hun recht komen zonder de aanmoedigingen van het publiek. Mee eens?'

Ik knikte.

'Goed. Als je boos wordt, moet je dat ook etaleren, oké? Als je hem wilt vertellen hoe je over hem denkt, neem je geen blad voor de mond, afgesproken?'

'Akkoord.'

'Ik weet zeker dat je geweldig overkomt. Tot zo,' zei hij en hij liep weg.

'Margy?' fluisterde ik. 'Ik doe het niet.'

'Hou je mond.'

'Het wordt een ramp. Dat weet ik zeker. Wedden dat hij tegen Judson hetzelfde heeft gezegd? "Als je boos wordt, moet je dat ook etaleren, oké? Zeg maar wat je op je hart hebt. Als je haar een sloerie wilt noemen, ga je gang."'

'Je kunt nu niet meer terug,' zei Rita terwijl ze haar forse hand op mijn arm legde. 'Alles is geregeld en ik weet zeker dat je...'

Ik stond op, maar Rita trok me meteen weer in de stoel. 'Luister nou, Hannah. Je krijgt nú de kans om de zaken recht te zetten. Als je je drukt, wordt het allemaal nog veel heftiger, geloof me. Je kunt de strijd voor eens en altijd beslissen en een normaal leven gaan leiden. Het is aan jou.'

Margy deed er nog een schepje bovenop. 'Waag het niet, Hannah, want ik bezwijk ter plekke en dat zal je dan voor de rest van je leven achtervolgen.'

'Daar kan ik niet om lachen, Margy.'

'Dat is ook niet de bedoeling.'

Jackie kwam even enthousiast als altijd aangelopen, het klembord nog steeds in de aanslag. 'Het moment van de waarheid, Hannah. Kom maar mee.'

Ik ging staan en voelde me licht in het hoofd. Ik kon natuurlijk net doen of ik flauwviel of gewoon instorten, maar als ik nú niet doorzette, zou ik het mezelf nooit vergeven.

'Ik ben er klaar voor.'

Ik liep met Jackie mee naar de studio. 'Sorry dat je supporters niet mee kunnen,' zei ze. 'José wil alleen de cameramensen en de gasten op de studiovloer hebben, maar ze kunnen het allemaal op het scherm volgen.'

Het decor was uiterst eenvoudig. Voor de gastheer stond er een grote stoel die wat weg had van een troon en de gasten zaten in twee stoelen tegenover elkaar met een tafeltje tussen hen in. De achtergrond was effen blauw met in grote letters JOSÉ erop. Een geluidstechnicus bevestigde een snoerloos microfoontje op mijn jasje en vroeg of ik de batterijtjes in mijn zak wilde stoppen. Ik kreeg een stoel toegewezen en ging zitten. Ik sloeg mijn benen over elkaar, bedacht me, en zette mijn voeten naast elkaar op de grond. Iemand van de make-up kwam kijken of er nog wat moest worden gedaan. Ik deed mijn ogen dicht en de vrouw bracht nog wat poeder aan op mijn neus en wangen. Toen ik mijn ogen opendeed, zat Tobias Judson al tegenover me. Ik wilde net doen of het me niets deed, maar faalde jammerlijk. Van dichtbij oogde hij nog breder dan toen ik hem op televisie had gezien. Ze waren net bezig met het aanbrengen van poeder op zijn kale hoofd en het licht van de camera's weerkaatste in zijn brillenglazen. We keken elkaar een seconde aan en ik meende dat hij even knikte, dus ik knikte ook maar, waarna we allebei een andere kant opkeken. Voor hem lagen twee boeken op tafel: zijn boek en een bijbel.

José Julia kwam de vloer op, met in zijn kielzog een dame van de make-up en een regisseur die aanwijzingen gaf. 'Oké, oké,' zei hij terwijl hij ging zitten. Hij keek even op zijn aantekeningen, deed een soundcheck, gebaarde dat de teleprompter een halve meter dichterbij moest staan, keek op zijn horloge en negeerde zijn twee studiogasten volkomen.

De regisseur riep dat er nog dertig seconden te gaan waren, waarop Julia ons aankeek, die oogverblindende glimlach op ons afvuurde en 'Showtime!' zei.

'Twintig seconden, tien, vijf, vier, drie, twee...'

De lampen deden de studio baden in het licht, de regisseur stak zijn hand op, José Julia keek naar de teleprompter en begon te praten. 'Goedenavond, Amerika. We hebben vandaag de volgende onderwerpen: de vrouw die een trainer aantrok om gewicht kwijt te raken, maar in plaats daarvan haar leven verloor, stiefdochters die met hun stiefvader trouwen, kan dat? Maar eerst dit: stel dat je dertig jaar geleden een slippertje hebt gemaakt met een man die je ook nog even voor de FBI hebt helpen vluchten. Stel dat die man zijn leven heeft gebeterd en een boek schrijft waarin hij alles uit de doeken doet. Hoe reageer je daar dan op? Met dat probleem worstelt Hannah Buchan. Ze is getrouwd, lerares in Maine en haar leven veranderde in één klap toen de in Chicago en omstreken razendpopulaire radiopersoonlijkheid Tobias Judson een boekje over haar opendeed. Hannah Buchan ontkent in alle toonaarden dat zijn versie de juiste is. Zij zegt dat Judson haar destijds heeft gechanteerd, terwijl híj zegt dat Hannah stapelverliefd op hem was en hem maar wat graag hielp aan de sterke arm van de wet te ontkomen. U begrijpt het al. Het is een klassiek geval van welles-nietes. We gaan er even uit voor de reclame, maar blijf kijken, want het wordt vuurwerk!'

De lampen gingen uit. 'Dertig seconden!' riep de regisseur. Julia vermeed ons aan te kijken en nam een slokje water. Ik wierp even een blik op Judson, die volgens mij naar me zat te kijken en doorhad dat ik op was van de zenuwen. Hij grijnsde naar me alsof hij wilde zeggen: *ik krijg je nog wel.*

'Tien seconden, vijf, vier, drie, twee...'

De lampen floepten weer aan. 'Welkom terug, Amerika. Rechts in beeld ziet u Tobias Judson, radiomaker uit Chicago, schrijver van *De barricaden voorbij*, en links Hannah Buchan, lerares in Maine, getrouwd en moeder van twee volwassen kinderen, wier affaire met Judson aan het licht kwam toen bekend werd dat haar dochter een relatie heeft gehad met de beroemde televisiearts Mark McQueen en haar daaropvolgende vermissing. We hebben het in dit programma al eerder over de zaak van de vermiste vermogensbeheerder gehad. Om te beginnen, Hannah, zou ik je willen vragen of je denkt dat Mark McQueen iets met de verdwijning van je dochter te maken heeft.'

Dit was zo'n vraag waar ik me met Rita en Ben op voorbereid had, dus ik had mijn antwoord paraat. 'Je begrijpt natuurlijk, José,' begon ik en ik keek hem recht in de ogen, 'dat dit voor een ouder het ergste is wat je kan overkomen. Voordat mijn dochter terecht is, zal ik geen moment rust hebben. Maar ik weet zeker dat ze nog in leven is.'

'Maar is het volgens u mogelijk dat dokter McQueen er wat mee te maken heeft?'

'De politie heeft de zaak in onderzoek. Ik kan er verder niets over zeggen.'

'Goed, ík kan je zeggen,' zei hij in de camera, 'dat de recherche van Boston niet uitsluit dat McQueen er de hand in heeft gehad.' Hij keek Judson aan en zei: 'Toby, denk jij dat het een goed idee was het boek te laten verschijnen juist nu Hannah Buchan zo lijdt onder de vermissing van haar dochter?'

Judson schonk Julia een brede glimlach en zei: 'Begrijp me goed, José. Ik leef erg met Hannah mee en ik bid iedere dag voor Lizzies welzijn. Wat je vergeet, is dat ik er alles aan heb gedaan de identiteit van mijn helpster verborgen te houden. Ik heb haar in het...'

'Je kon toch op je vingers natellen dat iemand erachter zou komen dat het om de dochter van John Winthrop Latham ging?'

'Ik heb haar in het boek een andere naam gegeven, juist om haar privacy te respecteren. Als je iemand de schuld wilt geven, dan moet je bij Chuck Cann zijn, die de onthulling op zijn website heeft gedaan.'

'Klopt het dat je in de jaren zestig een bevlogen radicaal was?'

Alweer een brede glimlach. 'Ja, dat is zonder meer waar,' zei hij en hij begon aan een exposé hoe hij in Maine was aanbeland, dat mijn vader hem mijn nummer had gegeven, de coup de foudre, de baby in de wieg aan het voeteneind, de seks (José straalde!) en dat ik erop had aangedrongen hem te helpen de grens over te steken.

'Pikante details, Toby,' zei José. 'Buitenechtelijke seks, radicale ideeën, een medeplichtige, liefde op het eerste gezicht en dan de middernachtelijk rit naar de grens. Geen wonder dat het boek zo goed verkoopt! Hannah, wat ik jou wil vragen, is hoe je man over dit alles denkt.'

'Die was er niet erg gelukkig mee, zoals te verwachten was.'

'Zo weinig gelukkig dat hij er na dertig jaar huwelijk de brui aan heeft gegeven, heb ik gehoord.'

Ik deed er alles aan niet op mijn lip te bijten. 'Helaas wel, José.'

'Mijn bronnen vertellen me dat er weinig zicht is op verzoening, temeer daar je man bij een goede vriendin van je is ingetrokken. Nooit geweten dat Portland een soort Peyton Place was. Goed, Hannah. Jouw reactie op het verhaal van Tobias, graag.'

'Het is allemaal bij elkaar gelogen, maar het ergste is nog dat...'

José onderbrak me. 'Wacht even, je vader had hem jouw telefoonnummer gegeven, nietwaar?'

'Ja.'

'En je bent voor hem gevallen?'

'Het was niet meer dan een bevlieging.'

'Maar jullie belandden toch in bed?'

'Eh... ja.'

'Je zoon lag aan het voeteneind van het bed in zijn wiegje?'

Mijn hemel, dit ging helemaal niet volgens plan. 'Dat is wel zo, maar...'

'Je hebt Toby naar Canada gebracht?'

'Dat klopt allemaal, José, en dat ontken ik ook helemaal niet...'

'Maar je weigert je excuses aan te bieden, begrijp ik, terwijl Toby daar juist een heel boek aan wijdt en verklaart dat hij nu een vaderlandslievende christen is.'

'Ik heb mijn naaste omgeving gevraagd me te vergeven, om precies te zijn mijn man en...'

'Ik krijg de stellige indruk dat je man je excuses niet heeft aanvaard.'

'Mag ik Hannah wat vragen?' kwam Judson ertussen.

'Ga je gang.'

'Hannah? Heb je God ook om vergiffenis gevraagd?'

'Ik maak er in tegenstelling tot jou geen gewoonte van met God te praten.'

'Misschien zou dat geen slecht idee zijn,' zei Judson.

'Misschien moet jij eens ophouden met liegen,' hoorde ik mezelf zeggen.

'Hannah,' zei José, blij met de omslag in de conversatie, 'noem je Judson een leugenaar?'

'Dat heb je goed begrepen. Als hij beweert dat ik hem uit vrije wil naar Canada heb gereden, dan is dat een grove leugen.'

'Je hebt toch net toegegeven dat je hem hebt helpen vluchten?'

'Alleen omdat ik niet anders kon. Hij dreigde dat hij de FBI, mocht hij worden aangehouden, zou vertellen over ons avontuurtje, dat ik hem had geholpen en dat...'

'Ik heb er weinig trek in me een leugenaar te laten noemen door iemand die niet bereid is schuld te bekennen en ...'

'Schuld bekennen? Schuld bekennen?' zei ik met stemverheffing. 'Je hebt mijn leven verwoest, jij en dat zielige boek van je waarin je karaktermoord pleegt en...'

'Nu zie je hoe ze met uitdagingen omgaat,' zei Judson tegen José. 'In de bijbel staat dat wanneer je vergiffenis vraagt voor je zonden, de weg naar vergeving voor je openligt.'

'Je bént verdomme helemaal geen christen,' zei ik, 'maar een...'

'Ik doe net of ik die blasfemische tekst niet heb gehoord. Wat mijn relatie met Jezus Christus betreft, de kans die Hij me dankzij Zijn vergiffenis heeft geboden om mijn leven een andere wending...'

'Een andere wending?' Ik had mezelf niet meer in de hand. 'Een oplichter ben je, je versjachert je geloof voor commerciële doeleinden, om aan je carrière te werken.'

'Ik vind dit écht te ver gaan, José.'

'Ik moet zeggen, Hannah, dat je wel erg hard om je heen slaat.'

Ik balde mijn vuisten en beet op mijn lip. Ik deed er alles aan rustig over te komen, maar ik hoorde dat mijn stem trilde. 'Ik heb altijd een heel normaal, rustig leventje geleid, maar toen deze figuur beschuldigingen aan mijn adres ging uiten, zijn...'

'Een normaal leventje?' onderbrak José me. 'Terwijl de vermissing van je dochter breed in de pers werd uitgemeten? Geloof je niet dat we allemaal rekenschap moeten geven, zelfs al gaat het over zaken van jaren geleden?'

'Natuurlijk, maar...'

'Goed, even recapituleren. Hannah, je geeft toe dat je dertig jaar geleden met hem naar bed bent geweest en hem naar Canada hebt gebracht, maar blijft erbij dat hij je daartoe heeft gedwongen. Jij, Tobias, stelt dat ze uit liefde heeft gehandeld en je uit vrije wil heeft geholpen. Wie heeft hier gelijk, kijkers? Blijf kijken. Na de reclame laten we u zien wat ons eigen onderzoeksteam heeft gevonden. We hebben zo een verrassende gast, een getuige die ons gaat vertellen wat er destijds werkelijk is gebeurd. Tot zo.'

De lampen gingen uit en een paar medewerkers brachten een vierde stoel binnen en zetten die naast José's troon.

'Een getuige?' brieste Judson.

'Rustig maar,' zei José koeltjes.

'Hier weet ik helemaal niets van!'

'Dat is vaker zo bij verrassingen.'

'Je kunt niet zomaar...'

'Dertig seconden,' zei de regisseur.

Jackie kwam vanuit de coulissen tevoorschijn, met Billy Preston aan haar arm. Zijn haar was een stuk grijzer en zijn brillenglazen dikker dan ik me herinnerde, maar verder was hij de afgelopen dertig jaar niet veel veranderd. Dezelfde zenuwachtige blik, de wonderlijke grijns. Hij had een strak zittend, blauw pak aan uit de jaren zestig. Hij zag eruit als de dominee van een gereformeerde kerk in de provincie. Toen hij mij zag, lichtte zijn gezicht op.

'Dag, mevrouw Buchan,' zei hij.

'Hé, Billy,' zei ik. 'Fijn dat je kon komen.'

'Wie wil er nou niet op televisie?'

'Híj? Wat is dat nou? Dat is geen getuige... Die vent is...' hoorde ik Toby stotteren.

'Vijftien seconden.'

'Ik ga niet zitten luis...' Judson maakte aanstalten op te staan en frommelde aan zijn microfoontje.

'Als je nú opstapt,' zei José ijskoud, 'dan vertel ik de kijkers dat je er de voorkeur aan geeft de getuige niet onder ogen te komen.'

Judson ging weer zitten en schoof onrustig op zijn stoel heen en weer.

'Vijf seconden, vier, drie, twee...'

Lampen, camera's, opname.

'Fijn dat u er weer bent, Amerika! Goed, we proberen hier de waarheid te achterhalen. Wie spreekt de waarheid? Toby Judson, die blijft volhouden dat Hannah hem vrijwillig de grens over heeft gezet of Hannah, die zegt dat Toby haar heeft gechanteerd met hun avontuurtje? We hebben een grote verrassing voor u: kroongetuige Billy Preston, die erbij was. Welkom, Billy!'

'Ik ben blij dat ik hier zit, José,' zei Billy hevig knikkend.

'Goed, Billy. Jij woont al je hele leven in Pelham, nietwaar?'

'Ja.'

'En is het waar dat je lijdt aan een aandoening die autisme wordt genoemd?'

'Ik lijd niet echt ergens aan. Ik ben een doodgewoon iemand.'

'Je hebt helemaal gelijk, Billy. Ik zeg het alleen maar even omdat er misschien mensen zijn die daaraan twijfelen. Je mag dan wel autistisch zijn, maar je werkt gewoon, ja toch?'

'Ik ben de klusjesman van Pelham. Loopt de afvoer niet goed door, moet het huis geverfd, dan bellen ze mij.'

'Fantastisch, Billy. Heel goed. Je bent een lichtend voorbeeld voor iedereen met een handicap. Zeg Billy, klopt het dat je een heel goed geheugen hebt?'

'Dat zei mijn moeder altijd.'

'Eens kijken of dat zo is. Wie was de werper voor de Red Sox in de tweede wedstrijd in de honkbalfinale in 1986?'

'Roger Clemens.'

'Niets mis mee. Wie was de veertiende president van Amerika?'

'Franklin Pierce.'

'Niet slecht, mensen. Goed, als je zo'n uitstekend geheugen hebt, dan weet je vast wel wat er tijdens een bepaalde conversatie zo'n dertig jaar geleden is gezegd. Je moet wel even wat opbiechten, Billy. Heb je opgevangen wat daar is gezegd omdat je aan de deur hebt staan luisteren?'

Billy bloosde en voelde zich duidelijk niet op zijn gemak. 'Eh... ja, ik haal George Washington maar even aan, die zei: "Ik kan niet liegen." Ja, ik beken dat ik bij de voordeur stond te luisteren toen...'

'Wacht even, Billy. Niet zo snel. Jij hebt Hannah Buchan gekend in Pelham?'

'Klopt. Haar en dokter Dan.'

'Haar man, bedoel je?'

'Ja, haar man. Hannah en ik waren vrienden.'

'Je vond haar aardig, hè?'

Weer een blosje, deze keer vergezeld van gegiechel. 'Ik vond haar héél aardig. Ik denk dat ik wel een beetje gek op haar was.'

'Dus toen die lange, donkere vreemdeling zich tijdens dokter Dans aanwezigheid aandiende...'

'Ik heb ze een keer zien zoenen en dat vond ik maar niks.'

'Hé! Je hebt ze zien zoenen?'

'Ja, ze stonden voor het raam.'

'Dat vond je maar niks, hè?'

'Nee.'

'Heb je ze vaker zien zoenen?'

'Nee, maar de avond erop ben ik weer naar het appartement gegaan en heb ik op straat staan kijken. Ik kon door het raam gluren en zag dat ze ruziemaakten.'

'De twee mensen die hier vanavond zitten?'

'Ja, verder was er niemand anders in het appartement.'

'Goed, je zag dat ze ruzie hadden. En toen?'

'Nou, er liep een buitentrap naar de voordeur, dus ik ben die trap op geslopen en heb aan de deur staan luisteren. Ik kon heel goed horen wat er werd gezegd.'

'Aha. En wat heb je precies gehoord?'

'Die man...'

'Tobias Judson?'

'Ja, die daar,' zei hij en hij wees naar Judson. 'Ik hoorde hem zeggen: "Je moet me vanavond nog met de auto naar Canada brengen en als je dat niet doet, vertel ik alles aan je man." Toen zei Hannah: "Dat kan ik niet maken, want dat is een misdaad." Toen zei hij: "Nou, als de FBI hier op de stoep staat, dan vertel ik dat je mijn medeplichtige bent", en toen zei Hannah: "Kan mij wat schelen", en toen zei hij: "Reken er dan maar op dat ze je zoontje meenemen." Toen begon ze te huilen, ze smeekte hem dat hij haar met rust moest laten en zei dat de baby haar alles was, dat ze hem vreselijk zou missen. Toen zei hij: "Nou, dan kun je me maar beter een lift geven."'

'Wat een gelul. Niet te geloven!' bulderde Judson.

' "Gelul" mag je niet zeggen,' zei Billy.

'Denk je nou écht dat de mensen dit verhaal geloven?' vroeg Judson.

'Er is geen woord van gelogen,' zei Billy. 'Het is de waarheid. Ik was erbij. Ik hoorde je zeggen dat...'

'José, dit is belachelijk.'

'Ik vind er niets belachelijks aan,' zei José. 'Hannah? Is dit een juiste weergave van het gebeurde?'

Ik aarzelde geen moment en zei: 'Zo is het precies gegaan. Billy heeft een fantastisch geheugen.'

'Dank je, Hannah,' zei Billy.

'Godallemachtig!' riep Judson. 'Zie je dan niet dat dit allemaal bekokstoofd is?'

'Ik heb Hannah sinds 1974 niet meer gezien,' zei Billy verontwaardigd, 'en je mag de naam van God niet ijdel gebruiken.'

'Gaan we nou af op de woorden van een gestoorde?'

'Heb je het over mij?' Billy was rood aangelopen. 'Ik bén niet gestoord. Ik ben misschien anders, maar ik weet heel goed wat waar is en wat niet. Ik heb gezegd wat waar is.'

'Dat lijdt geen twijfel, Billy,' zei José. 'Geen enkele twijfel. Oké, beste kijkers, wij van de *José Julia Show* hebben weer wat recht kunnen zetten. We zien u na de reclameboodschappen.'

De lampen werden uitgedaan. Judson sprong op, rukte het microfoontje van zijn jasje en riep tegen José: 'Als je maar niet denkt dat deze bagger uitgezonden gaat worden!'

'O, wat ben ik nu onder de indruk,' antwoordde José. 'Als je juridische stappen wilt nemen, ga vooral je gang. We hebben hier een legertje advocaten achter de hand dat een leugenaar als jij handenwrijvend naar de slachtbank zal leiden. Bedankt voor je komst, Judson.'

Judson beende de studio uit.

José wendde zich tot Billy en zei: 'Goed gedaan.'

'Echt?'

' "Goed" dekt de lading niet eens. Je hebt je vriendin hier enorm geholpen.'

'Je bent toch niet boos op me, Hannah?'

'Natuurlijk niet.'

'Hoewel je me hebt laten beloven dat ik nooit iets zou zeggen?'

'Het is in orde. Oké?'

Jackie kwam ons ophalen. Ik gaf José Julia een hand, maar hij was al verdiept in zijn aantekeningen voor de volgende gast. Voor hem was ik al een gepasseerd station.

Een halfuur later zat ik met Margy, Billy en Rita in de Lincoln, op weg naar Manhattan. Billy en ik logeerden in hetzelfde hotel. Ik zei tegen hem dat ik met alle plezier de avond met hem wilde doorbrengen en we spraken meteen af dat ik hem de volgende dag een paar bezienswaardigheden zou laten zien.

Vóór ons doemde het vermaarde silhouet van de stad op.

'Wauw. Indrukwekkend, hè?' zei Billy.

'Ja, nogal,' zei Margy.

'Ik heb nog nooit eerder gevlogen,' ging Billy verder. 'Eigenlijk ben ik niet zo vaak Maine uit geweest. Ja, één keer naar New Hampshire voor een honkbalwedstrijd. Ik vind het machtig allemaal, Hannah. Reuze bedankt.'

'Je moet míj niet bedanken, maar rechercheur Leary. Die heeft je tenslotte opgespoord.'

'Dat is zo.' Hij bloosde weer en knipperde met zijn ogen. 'Dus je bent écht niet boos dat ik aan de deur heb staan luisteren toen jij en die man...'

'Nee, ik ben niet boos. Heus niet.'

'Erewoord?'

'Erewoord.'

'Je hebt zeker wel gemerkt dat ik het niet letterlijk meer wist, maar het was wel zo'n beetje waar het om ging, hè?'

Margy zei: 'Man, je hebt ons leven gered.'

Hij grijnsde zoals alleen hij maar kon, keek me aan en vroeg: 'Dus we zijn nog vrienden?'

'Ja, Billy, voor altijd.'

## 11

HET TELEFOONTJE KWAM tegen tien uur 's avonds, een paar dagen vóór Thanksgiving. Ik was thuis, had net een vlucht naar Parijs geboekt en stelde een lijstje op met dingen die ik voor mijn vertrek nog moest doen. Ik schudde mijn hoofd. Was ik nou echt iemand geworden die lijstjes moest maken?

De telefoon ging.

'Hannah? Met Patrick Leary.'

Ik had hem al een maand of vijf niet gesproken. Hij had me een paar dagen na mijn optreden in de *José Julia Show* gebeld om te horen hoe het met me ging. Destijds had ik nogal uiteenlopende gevoelens voor de man: ik dacht liever niet aan mijn versierpoging, maar voelde me nog steeds tot hem aangetrokken en ik hoopte dat hij een wonder kon verrichten en Lizzie gezond en wel zou opsporen.

Hij complimenteerde me met mijn televisieoptreden.

'Even dacht ik dat het helemaal misging,' zei ik.

'Nee, het was juist goed dat je je kwaad maakte. Iedereen kon zien dat het gerechtvaardigd was.'

*Gerechtvaardigd?* Eens een jezuïet, altijd een jezuïet. 'Billy heeft me gered. Fijn dat je hem hebt gevonden.'

'Service van de zaak.' Hij veranderde van onderwerp en vertelde dat hij ging trouwen met een onderwijzeres met wie hij al een jaar verkering had. Hij zei het heel achteloos, alsof hij het over het weer had.

'Wat fijn voor je. Ik hoop dat jullie gelukkig worden.' Wat moest ik anders zeggen? Een door drank ingegeven zoen voor de ingang van een hotel was tenslotte geen doodzonde. Ik was de schaamte voorbij, maar wel een beetje teleurgesteld. De laatste tijd werd ik steeds vaker overvallen door een gevoel van eenzaamheid.

Verder was er niet veel te vertellen. Hij zei dat hij nog bezig was met het natrekken van een paar tips, maar dat er in feite geen nieuwe aanwijzingen waren. Ze hadden McQueen het weekend daarvoor nog een keer ondervraagd en eigenlijk twijfelde niemand meer aan zijn onschuld. 'Ik heb van meet af aan gezegd dat ik geen hoge pet van die vent op heb, maar een moordenaar is hij niet.'

'Dus blijven er maar twee dingen over: zelfmoord of marsmannetjes.'

'Het is ook mogelijk dat ze een nieuwe identiteit heeft aangenomen. Dit is een groot land waar je je redelijk eenvoudig kunt schuilhouden. Mochten er verwikkelingen zijn, dan ben jij de eerste die het hoort.'

Maanden later had ik hem weer aan de lijn. 'Hannah? Met Patrick Leary. Komt het ongelegen?'

'Nee, dat niet, maar als je op dit uur belt...'

'Ja. Ik heb je beloofd dat ik je zou bellen zodra ik wat hoorde.'

'Is het goed nieuws?'

'Nee.'

Het was even stil.

'Is Lizzie dood?' vroeg ik.

'We weten het niet helemaal zeker, maar gisteren is er een lijk uit de Charles gehaald. Volgens de berichten van de forensische dienst gaat het om een vrouw van in de twintig die al minstens zeven maanden in het water ligt.'

'O. Ik begrijp het al,' zei ik toonloos.

'Er is nog niets zeker en we hebben hier een databank met minimaal dertig vermiste vrouwen. Wat ik je wilde vragen, is of Lizzie juwelen droeg.'

'Ik weet dat ze een kruisje had, met diamanten.'

'Aan een ketting?'

'Ja.'

'Het spijt me vreselijk, maar ik moet je zeggen dat de vrouw over wie ik het heb iets dergelijks droeg.'

Ik slikte moeizaam.

'Morgen is de autopsie en worden er DNA-proeven gedaan. Misschien is het nuttig als je de ketting met het kruis en wat er van de kleding bewaard is gebleven, komt identificeren.'

'Dat is goed.'

'Heb je morgen iets?'

'Niet écht. Ik heb alle tijd.'

'Wil je je man zelf bellen of zal ik het doen?'

'Als je zo vriendelijk wilt zijn...'

'Ja hoor.'

Een halfuur later ging de telefoon. Ik zat naar het haardvuur te staren en dacht na over wat Leary me had verteld. Voor het eerst in maanden hoorde ik de stem van mijn ex-man.

Nee, dat is niet helemaal waar. Ik had hem eind juli een keer gesproken op het kantoor van Greg Tolland toen we ieder in bijzijn van onze advocaat de scheiding regelden. De advocaten hadden de zaken voorbereid en er viel niet eens veel te bespreken; het ging in feite alleen nog om onze handtekening.

Ik kreeg het huis, Dan de aandelenportefeuille en de overige investeringen. Hij hoefde geen alimentatie te betalen (daar stond ik op; ik wilde niet onderhouden worden), maar de opbrengsten van het trustfonds dat we begin jaren tachtig hadden opgericht, waren voor mij. Er waren een paar details waar nog heel even over gebakkeleid werd, maar uiteindelijk resulteerde het in een eerlijke verdeling waar niemand slechter van werd.

Dans advocaat was de zakelijkheid zelve en Greg was even 'te gek' als altijd, maar hij had een goed oog voor details, veranderde een paar zinnen in het convenant en liet erin zetten dat ik werd gevrijwaard van iedere aansprakelijkheid met betrekking tot Dans praktijk (in de polis van de wettelijke aansprakelijkheidsverzekering van de praktijk stond ons huis als onderpand vermeld).

Dan en ik zaten ieder aan het hoofd van de tafel en vermeden het elkaar aan te kijken. Toen hij binnenkwam, groetten we elkaar een beetje nerveus. Naderhand, toen we allebei hadden getekend, stak hij zijn hand uit. Ik aarzelde even, maar gaf hem een hand. Voor ik het wist, was hij de deur al uit. Dertig jaar huwelijk en nu konden we met moeite een 'hoe gaat het?' of 'tot ziens' opbrengen.

Ik heb sindsdien niets meer van hem gehoord en heb me verder ook helemaal niet druk gemaakt over wat hij deed, om nog maar te zwijgen over Alice. Portland was dan wel geen grote stad, maar je hoefde elkaar ook niet tegen te komen. Zeker niet als je zoals ik je neus niet zoveel laat zien.

Ik hoorde zijn stem aan de andere kant van de lijn en voelde meteen een bepaalde spanning maar, misschien was het wel verdriet.

'Hannah? Met mij.'

'Dag.'

'Schikt het even?'

'Natuurlijk. Heb je de rechercheur gesproken?'

'Ja.'

'We moeten ons op het ergste voorbereiden.'

'Ga je morgen naar Boston?' vroeg hij.

'Leary wil dat iemand de ketting en misschien wat kleding komt identificeren.'

'Ja, dat heeft hij mij ook gevraagd.'

'Het lijkt me niet nodig dat we allebei gaan.'

'Ik wil graag mee. Eigenlijk dacht ik dat we er misschien samen heen konden rijden.'

'Nou... Dat weet ik eigenlijk niet.'

'Het is toch niet nodig om met twee auto's te gaan? Ik kan je om acht uur komen halen, dan zijn we er rond tien uur en na het gesprekje met Leary kunnen we misschien even lunchen.'

Ik was een beetje in verwarring gebracht, maar deed mijn best het niet te laten merken. 'Nee, dat hoeft voor mij niet. Ik vraag me trouwens af of je aanwezigheid überhaupt noodzakelijk is. Maar als je toch gaat, dan zie ik je morgen wel op het politiebureau,' zei ik en ik hing op.

Ik had er meteen spijt van en gaf mezelf op mijn kop dat ik zo afstandelijk had gedaan. Ik had me de afgelopen maanden inderdaad wat harder opgesteld. De weken na zijn vertrek was ik misschien nog wel te porren geweest om de boel te lijmen, maar sindsdien had ik me laten leiden door boosheid en het gevoel dat ik was afgewezen. Daarbij had het me nogal dwarsgezeten dat hij na de onthullingen op televisie niet eens de moeite had genomen me te bellen.

Niet dat de telefoon roodgloeiend had gestaan, maar een paar mensen hadden wel wat laten horen, zoals mijn vroegere baas Carl Andrews, die zei dat hij een spoedvergadering had belegd met het bestuur met als enige agendapunten mijn onmiddellijke terugkeer, het nabetalen van mijn salaris en de excuses van het voltallige bestuur. 'Ik laat een persbericht uitgaan naar alle kranten hier in Maine,' zei hij. 'Ik zal maar voor me houden dat ik altijd in u heb geloofd, maar u weet hoe erg ik het vond dat u moest vertrekken. Ik hoop van harte dat u terugkomt en hoewel ze het nooit zullen laten merken, weet ik zeker dat de leerlingen er net zo over denken.'

Het bestuur stemde unaniem in met Andrews' voorstellen en ik kreeg een mooie cheque over de post. Ik werd aangenomen op hetzelfde salaris als voorheen en inderdaad, het bestuur had me een prachtige brief geschreven die vrijwel letterlijk door de *Portland Press Herald* werd overgenomen. Ernaast was een artikeltje geplaatst met de kop LERARES IN ERE HERSTELD NA VALSE BESCHULDIGINGEN dat door alle regionale kranten werd overgenomen. Alle televisie- en radiozenders namen het bericht over, ook dat het ministerie van Justitie tot het oordeel was gekomen dat er geen gronden waren me te vervolgen voor medeplichtigheid aan Judsons vlucht.

Meneer Judson daarentegen had een heleboel uit te leggen. Na zijn televisieoptreden was hij door iedereen aangevallen op zijn leugenachtige voorstelling van zaken. Frank Carty, columnist van *The New York Times*, schreef: 'Deze zaak is een voorbeeld van een algemeen verschijnsel in het tijdperk-Bush. Zwart-witdenken is gevaarlijk; zie de problematiek liever als twee met elkaar strijdende versies van de waarheid. Het feit dat veel conservatieve media en geloofsgenoten van Tobias Judson zíjn versie tot waarheid bestempelden, terwijl hij zoals gebleken is niet alleen de waarheid geweld heeft aangedaan, maar pertinente leugens heeft verteld, toont dat er een fundamenteel gebrek is aan kritische beschouwing. De indruk is gewekt dat iemand die zich laat voorstaan op zijn christelijke beginselen, alleen al om die reden moet worden geloofd. Mensen als Chuck Cann en Ross Wallace, die de reputatie van een rustige, bescheiden lerares uit Maine hebben bezoedeld omdat ze een collega, die ze sympathiek vonden op zijn woord hebben geloofd, zouden mevrouw Buchan op zijn minst hun excuses moeten aanbieden.'

Dat is nooit gebeurd, maar ik heb Frank Carty wel een bedankje gestuurd. De Amerikaanse Gehandicapten Bond echter eiste van Judson dat hij zich publiekelijk verontschuldigde voor uitlatingen in het televisieprogramma. Die eis werd ingewilligd. Tegen de tijd dat hij terug was in Chicago was er al een persbericht uitgegaan, maar daarbij hield de ellende voor hem niet op. Het radiostation dat zijn programma uitzond, schrapte het vrijwel onmiddellijk. 'We mogen dan onze vraagtekens zetten bij de ethiek van mevrouw Buchan,' luidde hun verklaring, 'maar we kunnen niet toestaan dat een van onze radiomakers een onschuldige partij door het slijk haalt. Tobias Judson werkt niet langer voor deze zender.' Hij moest zelfs voor de microfoon van *Morning Edition* van NPR met de billen bloot en zei dat hij een verkeerde voorstelling van zaken had gegeven, dat het hem speet wat hij mij en mensen met een handicap had aangedaan. Greg Tolland dreigde zijn uitgever met een rechtszaak en eiste honderd miljoen dollar, waarna de uitgeverij alle exemplaren van zijn boek uit de handel haalde. Ik zei tegen Greg dat hij gek was een dergelijk bedrag te noemen, maar zijn reactie was: 'Hé, we mogen die rechtse mafkezen toch zeker wel bang maken?' Ik wilde zelf het liefst zo gauw mogelijk een punt achter de hele toestand zetten. De uitgeverij bood me driehonderdduizend dollar schadevergoeding aan, met dien verstande dat ik wel een verklaring moest tekenen dat ik verder geen stappen tegen hen zou nemen. Ik accepteerde het bod onmiddellijk. Greg Tolland had de helft van het bedrag kunnen opeisen, maar volstond met tien procent. Van het resterende bedrag stelde ik een beurs in, de Elizabeth Buchan Reisbeurs, die zou worden beheerd door de universiteit van Maine. Ieder jaar zou een daarvoor in aanmerking komende student die zijn of haar studie in het buitenland wilde voortzetten en zich dat niet kon veroorloven, met het geld van dat fonds zijn of haar wens in vervulling zien gaan. Dankzij de bemoeienissen van Rita werd zowel de instelling van het fonds als de herkomst van het geld breed uitgemeten in de pers. *The Boston Globe* wijdde er zelfs een redactioneel artikel aan, waarin ik werd geprezen voor mijn vrijgevigheid en het feit dat ik zo vergevensgezind was. De bevolking van Maine was me veel verschuldigd.

Ik was tevreden met de verontschuldigingen van school en de maatregelen die tegen Judson waren genomen. Toen een verslaggever van de *Portland Press Herald* me vroeg of ik tevreden was over zijn deconfiture, over het feit dat hij nu door de media volkomen uitgekakt was, antwoordde ik dat je wel een heel slecht mens moest zijn als je je verkneukelde over de val van een medemens, zelfs al heeft die je geschaad.

Was ik nou écht zo'n heilig boontje? Nee hoor, maar ik had schoon genoeg van de hele affaire. Met dank aan Rita, die mijn pr perfect regelde, was ik ervan doordrongen geraakt dat het het beste was als ik me edelmoedig en vergevensgezind opstelde; des te eerder zou ik uit de publiciteit verdwijnen. Ik sloeg alle interviews af (behalve met de *Portland Press Herald*, alleen omdat het de plaatselijke krant was), liet diverse uitgevers en figuren die er een televisiefilm van wilden maken weten dat ik mijn hoofd niet op boekomslagen dan wel op de televisie wilde zien.

Het kostte me moeite de gebeurtenissen te zien als een parabel over vasthoudendheid en het zegevieren van de waarheid. Nee, het was gewoon een catastrofe die me mijn huwelijk had gekost, mijn baan in gevaar had gebracht en een verwijdering had veroorzaakt tussen mij en mijn zoon.

Op een ochtend een week of drie na mijn televisieoptreden, toen de gemoederen al enigszins bedaard waren, ging de telefoon. Het was Jeff. Hij klonk heel behoedzaam, een beetje formeel, schichtig haast, maar ik had hem in elk geval aan de lijn.

'Dag, mam. Ik wilde even horen hoe het met je gaat,' zei hij.

'Wat moet ik ervan zeggen? Het is allemaal nogal enerverend geweest.'

'Het is goed afgelopen. Ik heb je op televisie gezien.'

Ik zei niets.

'Je hebt je goed geweerd, mam. Ik was nogal onder de indruk toen die Billy zei dat je Judson naar Canada hebt gebracht omdat je bang was dat ze je zoon zouden afnemen.'

Ik koos mijn woorden zorgvuldig en zei: 'Als ouder weet jij ook wel dat je vrijwel alles voor je kind doet.'

Het was even stil, en toen zei hij: 'Ja, dat weet ik.' Weer een stilte. 'Een paar zondagen geleden had onze dominee het in zijn preek nog over je, om precies te zijn over het geld dat je in dat fonds hebt gestoken dat Lizzies naam draagt. Volgens hem getuigt het van grote moed als iemand zijn andere wang toekeert. Toen hij dat zei, keek hij Shannon en mij aan.'

'Aha.'

'Shannon is nog steeds boos over dat ene interview.'

'Dat mag. En jij?'

'Ik voel me… een beetje schuldig, geloof ik.'

'O.'

'Is dat alles wat je kunt zeggen?'

'Wat wil je dan van me horen?'

'Mam, het spijt me. Ik had je meteen moeten geloven toen je zei dat hij je gechanteerd had. Ik heb volkomen verkeerd gehandeld en dat spijt me oprecht.' Weer een stilte, toen: 'Oké, mam. De plicht roept. Ik moet zo naar een vergadering. Ik bel je wel weer.'

'Daar verheug ik me op.'

Pas na drie weken belde hij weer en ook toen begon hij met een voorzichtig 'Dag, mam.' We hadden het over koetjes en kalfjes, alsof er niets was gebeurd

Het was het begin van de zomer. Ik vertelde hem dat ik me had aangemeld om zomercursussen op school te geven. Hij reageerde verbaasd.

'Wat moet ik anders van de zomer?' zei ik. 'Ik houd van lesgeven, ben dolblij dat ik mijn baan nog heb en eerlijk gezegd, het is een nuttige tijdsbesteding.'

'Ik zou zeggen dat je na alles wat je hebt meegemaakt best wat vakantie kunt gebruiken.'

'Ach, nee. Lesgeven is voor mij nog steeds de beste remedie. Wat gaan jullie van de zomer doen?'

'Ik heb maar een week vakantie en ik denk dat we Shannons familie in Kennebunkport gaan opzoeken.'

'Leuk hoor.' Hoewel dat nauwelijks een uur rijden van Portland was, wilde ik niet naar een uitnodiging vissen.

'Wat mij betreft mag je mee, maar Shannon blijft op haar strepen staan.'

'Het zij zo.'

'Ik heb mijn best voor je gedaan.'

'Dank je.'

'Mettertijd draait ze wel bij.'

'Tja…'

Er viel een wat ongemakkelijke stilte.

'Ben je binnenkort toevallig in de buurt?' vroeg hij.

'Niet echt, dat weet je wel, maar laat ik het zo zeggen: als je me wilt zien, kom ik graag jouw richting uit.'

'Goed, mam.'

Sinds dat gesprekje belt hij me eens in de week, altijd van zijn werk, altijd even snel tussendoor, maar heel langzaam loste de kilte tussen ons op. Niet dat we nou erg dik zijn of echt lol hebben samen; daarvoor gaan we nog veel te voorzichtig met elkaar om. We hebben nog niet samen gegeten of dingen echt doorgepraat. Hij houdt me op de hoogte van het wel en wee van mijn kleinkind, maar een bezoekje is nog niet bespreekbaar. Zo nu en dan zegt hij wel dat hij nog 'in onderhandeling' is met Shannon.

'Het komt heus wel, mam.'

'Oké.'

'Nee, oké is het niet. Ik wil er een punt achter zetten, maar het probleem is...'

'Ik weet wat het probleem is, Jeff.'

Ik had hem een keer over de telefoon gezegd dat ik haar mijn excuses wel wilde aanbieden en op zijn aanraden had ik haar een kort briefje geschreven, waarin ik uitlegde dat mijn opmerkingen door de pers uit hun verband waren gerukt, maar dat het me desondanks speet als ik haar had beledigd. Een paar dagen daarna had ik Jeff aan de lijn. Nogal zenuwachtig vertelde hij me dat Shannon mijn excuses niet ver genoeg vond gaan.

'Wat had ik dan nog meer moeten schrijven?'

'Ze zei dat je je best een beetje eh... deemoediger had kunnen opstellen.'

'Dat meen je toch niet, hè?'

'Ik vertel je alleen maar wat ze zei.'

'Het feit dat ik überhaupt mijn excuses heb aangeboden, moet toch genoeg zijn?'

'Mam, dat weet ik. Je hebt helemaal gelijk, maar...' Hij zweeg en ik begreep dat mijn zoon thuis niets had in te brengen. 'Ik doe mijn best, mam. Ik hoop écht dat je een keer kunt komen.'

'Dat weet ik.'

'Papa was hier vorige week.'

'Aha.'

'In zijn eentje.'

'O.'

'Hebben jullie nog contact?'

'Je vraagt naar de bekende weg, Jeff.'

Dan had aangeboden samen naar Boston te gaan en ik had geweigerd. Ik was er nog lang niet klaar voor om 'als vrienden' met elkaar om te gaan, dus waarom zou ik doen alsof? Toch, het feit dat ik me nog steeds gegriefd voelde, hield me veel minder bezig dan de wetenschap dat ik moest accepteren dat mijn dochter niet meer leefde.

Die nacht deed ik geen oog dicht. Op een gegeven moment ben ik opgestaan en naar haar oude kamer gelopen. De spulletjes die ze er als kind had, waren er allang niet meer, maar als ik mijn ogen dichtdeed, zag ik de affiche van The Ramones die ze op haar dertiende had opgehangen weer voor me. The Ramones waren verruild voor Bruce Springsteen en REM. Ik herinnerde me de oude gettoblaster die was vervangen door een geluidsinstallatie die ze met oppassen bij elkaar had gespaard. Ze had me Nick Cave laten horen. ('Lekker depri, mam. Dat spreekt me wel aan.') En er lagen altijd overal boeken. Ze was een echte boekenwurm die over alles en iedereen een mening had. Volgens mij is ze een van de weinigen die Pynchons *Regenboog van zwaartekracht* heeft uitgelezen. Ze raadde me vaak jonge schrijvers aan. Zo had ze het allang voordat *Onderwereld* uitkwam over Don DeLillo en las *hardboiled* thrillers van schrijvers als Pelicanos lang vóór die waren doorgebroken. Ik had de stille hoop dat ze ooit zou gaan schrijven, maar het ontbrak haar aan discipline, net als het haar aan geluk had ontbroken.

Ik voelde de tranen over mijn wangen biggelen.

*Mijn dochter is er niet meer.*

Zes woorden die ik al die maanden niet achter elkaar had durven plaatsen.

Kon ik maar even met Margy praten, maar dat ging niet meer. Ze was zeven weken daarvoor overleden. Ik kon het nog steeds niet geloven, zelfs al had ik haar in haar laatste uren bijgestaan.

Begin september belde Rita me tegen middernacht. Ze praatte heel zachtjes en vertelde me dat ze in de gang van het New York Hospital stond waar Margy die dag in allerijl was opgenomen. 'Ik heb de dokter gesproken en die zei dat het een kwestie van dagen is. De kanker is uitgezaaid en afgezien van haar morfine geven, is er niets meer wat ze kunnen doen. Als je haar nog wilt zien, raad ik je aan morgen te komen.'

De dag na het telefoontje heb ik de eerste vlucht naar New York genomen en tegen negen uur zat ik aan haar bed. Ze had een kamer alleen op de zestiende verdieping en het bed was zo neergezet dat ze over de stad kon uitkijken. Haar gezicht was verschrompeld, haar huid asgrauw, haar haar niet meer dan een paar pluizen. De kanker had de strijd gewonnen, van haar een schepsel gemaakt dat van alles was ontdaan, nietig afstekend tegen de medische apparatuur die haar omringde. In haar rechterhand zat een pompje waarmee ze zichzelf als de pijn ondraaglijk werd morfine kon toedienen. Ik verwachtte eigenlijk dat ze comateus zou zijn, maar ze was niet alleen bíj, maar ook nog helder.

'Mooi uitzicht, hè?' zei ze toen ik een stoel bijtrok.

'Nou en of.'

'Dat is mijn stad, maar weet je wat de ironie is? Iedereen die hier een tijd heeft gewoond, denkt dat hij er op een of andere manier zijn stempel op heeft gedrukt. Het tegendeel is waar. Het is allemaal vluchtig.'

'Geldt dat niet voor ons allemaal, waar we ook zijn?'

Ze haalde haar schouders op en zei: 'Verwacht van mij geen sentimenteel gedoe. Als ik overzie wat ik in het leven heb bereikt, ben ik meteen depressief.'

'Dat is onzin.'

'Niet waar. Ik weet nu dat het leven uiteindelijk een spelletje met je speelt en dat...'

'Ik dacht dat je niet sentimenteel ging doen?'

'Een béétje zelfmedelijden moet kunnen, Hannah.'

'Vertel mij wat.'

Ze moest zelfs even lachen, maar sloeg meteen daarna dubbel van de pijn en kneep in het pompje. Meer pijnscheuten. Ik stond op het punt de verpleegster te roepen, maar de morfine deed zijn werk al en de pijn leek verdwenen. Het verdovende middel had alles weggenomen, inclusief haar spraakvermogen. Ze keek me glazig aan en zei niets meer.

Ik heb nog een halfuur bij haar gezeten, haar hand in de mijne, haar ogen zo glazig als een bevroren meer. De ochtendzon scheen naar binnen en de kamer baadde in het licht.

De verpleegster kwam binnen. Ze keek naar de apparatuur en scheen Margy met een piepklein zaklantaarntje in de ogen. Ze controleerde hoeveel morfine ze had genomen en kneep een keer in het pompje. 'Vindt u het erg even op de gang te wachten?' vroeg ze. 'Ik moet mevrouw even een schone luier omdoen.'

Mijn vriendin ligt dood te gaan in een luier. Zo nu en dan is het leven niet alleen wreed, maar ook nog absurdistisch.

Ik nam de lift naar beneden. Eenmaal buiten stak ik een sigaret op en besefte dat het te gek voor woorden was dat ik rookte terwijl Margy op de zestiende verdieping aan longkanker bezweek. Desondanks was de sigaret heerlijk en de nicotine deed zijn werk. Ik zwoer dat ik niet meer zou roken vóór ik die avond thuis was. Ik stak de straat over naar een klein koffietentje, kocht een beker koffie en een krentenbol en las *The New York Times* die iemand op de stoel naast me had laten liggen.

Ik keek op mijn horloge, zag dat er drie kwartier waren verstreken en ging weer naar boven. Toen ik de kamer binnenging, zag ik dat het bed weg was. Een schoonmaakster was bezig de vloer te soppen en een verpleeghulp ontfermde zich over de apparatuur.

'Waar is mijn vriendin?' vroeg ik.

De vrouw met de mop keek op en zei: 'Die is overleden.'

'Wát?'

'Overleden. Dood.'

Het drong niet meteen tot me door. 'Hebben ze haar dan zomaar weggereden?'

'Ja, zo gaat dat hier,' zei ze. Ze draaide zich om en ging verder met haar werk.

Ik stormde de gang op en botste tegen de verpleegster op.

'Ik heb u overal gezocht,' zei ze. 'Uw vriendin is...'

'Het is wel snel gegaan.'

'Haar hart heeft het opgegeven en bij mensen die terminaal zijn, gaat het dan heel snel. Ze heeft het niet gemerkt. Zoals ik zeg: het is heel snel gegaan, heel mooi eigenlijk.'

*Snel? Mooi?* Ik had het wel uit kunnen schreeuwen. *De kanker richtte al maandenlang ravage aan! Wat was daar mooi aan?*

Ik huilde. Ik huilde minstens een kwartier. De verpleegster had me naar een kamertje gebracht waar een kale bank en een leunstoel stonden en zei dat ze over een paar minuten terugkwam. Het leed geen twijfel dat het de 'rouwkamer' was, want op tafel stond een doos tissues en er lagen foldertjes met opschriften als LOSLATEN en ROUWVERWERKING. Tussen mijn snikken door dacht ik aan mijn vakantie in New York, tien jaar geleden alweer, toen Margy me naar de Metropolitan Opera had meegenomen om *La Bohème* te zien. Tegen het einde van de opera had ze tranen in haar ogen, terwijl de voorstelling míj absoluut niet had aangegrepen.

Toen we het operagebouw uit liepen, zei ze: 'Gek, dat jij helemaal niet ontroerd bent.'

'Wacht even,' zei ik, 'ik vond het prachtig, maar ik heb niet zo veel met van die romantische begrippen als gedoemde liefde en zo.'

'Nee, daarom schoot ik ook niet vol. Ik had het te kwaad omdat Rodolfo en de anderen niet bij Mimi zijn als ze doodgaat. Daar huilde ik om. Enfin, ik denk dat ook ik de laatste adem in mijn eentje uitblaas.'

'Dat zal zo'n vaart niet lopen.'

'Een béétje zelfmedelijden moet kunnen, Hannah.'

Dat waren ook haar laatste woorden geweest en ja, omdat ík zo nodig een sigaret moest roken, was ze alleen gestorven.

'De verpleegster had je toch de kamer uitgestuurd?' zei mijn vader toen ik hem later die ochtend in tranen belde.

'Ik had best vijf minuten op de gang kunnen wachten.'

'Ze zat onder de morfine en wist niet of je er wel of niet zat. Hou nou op, Hannah. Je hebt de laatste tijd genoeg ellende gehad.'

Mijn vader was de eerste die me belde na mijn optreden in de *José Julia Show*. 'Mooi dat je die zak te grazen hebt genomen. Dankzij die Billy van je is Tobias volledig afgeserveerd en heb jij eerherstel.'

Ik reageerde gelaten.

'Ik snap het,' zei hij. 'Lizzie is nu je eerste prioriteit.'

'Nou en of.'

'Pas als zij is gevonden, kun je uit het dal kruipen. Dat begrijp ik.'

Wat kende hij me toch goed. Ik merkte dat hij als we met elkaar belden, probeerde in te schatten hoe ik me voelde, of ik down was, me redelijk voelde, of juist overgevoelig was. Hij was de eerste die ik belde nadat Margy gestorven was en toen Leary me vertelde dat er een lijk uit de Charles was gehaald, was mijn vader ook de eerste die het van me hoorde.

Ik leidde het voorzichtig in. 'Ik heb verontrustend bericht uit Boston,' zei ik en ik vertelde hem wat Leary had gezegd.

'Niet dat ik te optimistisch wil overkomen,' zei hij, 'maar ik vraag me af of je je moet laten deprimeren door de vondst van een betrekkelijk algemene ketting.'

'Kom op, pap. Wat denk je?'

Het was even stil. 'Ik vrees het ergste.'

'Ja, ik ook.'

'Misschien moet je je er maar op voorbereiden.'

'Ja.'

'Als je het prettig vindt, wil ik met alle liefde naar Boston komen.'

'Dan is ook gebeld en die gaat ook. Hij stelde zelfs voor samen te gaan, maar daar heb ik voor bedankt.'

'Dat snap ik.'

'Denk je dat het de juiste opstelling is?'

'Dat zei ik toch niet?' zei hij mild.

'Nee, ik wilde tussen de regels door lezen.'

'Je hebt alle recht boos op hem te zijn, maar ook alle recht om aan die boosheid te twijfelen.'

'Aha. Over tussen de regels door lezen gesproken.'

'Heel goed. Waarom wacht je morgen niet even af? Als je je er niet overheen kunt zetten, dan sla je die lunch toch af?'

'Als hij me nog meevraagt.'

'We zien wel. Hoe staat het met je plannen voor Parijs?'

'Ik heb een vlucht voor de avond van de zesentwintigste geboekt. Ik vlieg via Burlington en moet daar een paar uur wachten, dus ik hoop je te zien.'

'Een halfjaar Parijs. Ik ben vreselijk jaloers.'

'Ik vind het allemaal doodeng, pap. Voor een provinciaaltje als ik is het een enorme stap.'

'Het is maar goed dat die heksenjacht op jou voorbij is, want een Amerikaan die naar Frankrijk vertrekt, wordt per definitie vogelvrij verklaard.'

Ik lachte.

We zwegen een tijdje, maar toen zei mijn vader: 'Ik weet dat het naar klinkt, Hannah, maar bereid je wat morgen betreft op het ergste voor.'

'Dat doe ik ook.'

De waarheid was dat ik me er nauwelijks op voorbereid had, ook al dacht ik al vier maanden aan weinig anders dan de verdwijning van mijn dochter. Hoe kun je je ook voorbereiden op de dood van een kind?

Het werd me al snel duidelijk dat ik niet zou kunnen slapen, dus ik pakte de telefoon en belde het Onyx in Boston om te horen of ze een kamer voor me hadden. Ik had geluk en de receptionist zei dat hij de nachtportier zou waarschuwen dat ik pas rond twee uur zou inchecken. Ik gooide wat spullen in een tas, sloot het huis af en stapte in de auto.

Ik reed richting de snelweg, zette de radio aan en wachtte op het nieuws. Ik dacht terug aan de afgelopen zomer, toen ik er alles aan had gedaan het nieuws niet te hoeven horen, uit angst dat er iets over mij werd gezegd. Het huis uit gaan was toen al een hele opgave, omdat ik niet wist wat ik bij thuiskomst aan vandalisme kon verwachten.

*Oké, ik ben al weg.*

De dag na de opname van de *José Julia Show* was ik naar Maine teruggevlogen en toen ik het garagepad opreed, zag ik dat Brendan de woorden die hij er zelf op had gekalkt had weggehaald en de deur in de spierwitte hoogglans had gezet. Hij had een briefje op de deur geplakt. *Service van de zaak. Zoals beloofd! Brendan.*

Diezelfde dag stond meneer Ames van de buurtwinkel met een

grote in gekleurde folie verpakte mand op de stoep. Hij lachte schaapachtig en zei: 'Mevrouw Buchan, eh... Ik heb een kleine attentie bij me, waarmee ik wil uitdrukken dat het me spijt dat ik u zo onvriendelijk heb bejegend. Ik hoop dat u dit van me wilt aannemen en dat u in de toekomst weer bij ons komt winkelen.' Ik keek erin en zag dure zoutjes, een blikje oesters en potjes exotische chutney en marmelades. Hij nam met een zenuwachtig knikje afscheid en liep naar zijn auto. Pas na een maand of drie kon ik het opbrengen weer bij hem in de zaak te komen en toen ik over de drempel stapte, begroette hij me alsof er niets was gebeurd.

In het algemeen was dat illustratief voor de reacties in de gemeenschap. Ik werd op straat beleefd toegeknikt en zo nu en dan zag ik zelfs een glimlach. Dat was het eigenlijk wel. Toen ik die zomer op school kwam, zeiden mijn collega's weinig meer dan 'Fijn dat je er weer bent', hoewel ik moet zeggen dat twee van hen me apart namen en zeiden dat ze het belachelijk vonden hoe het bestuur de zaak had behandeld. Het nieuwe schooljaar begon in de herfst en toen ik voor de eerste keer de klas in kwam, reageerden de leerlingen heel gewoon, waarmee ik wil zeggen dat er niet werd geapplaudisseerd voor de terugkeer van de in ere herstelde leerkracht. Ik liep naar mijn tafel, maakte mijn tas open, legde de spullen op tafel en deed het zachte gemurmel meteen verstommen door met luide stem te zeggen: 'Mooi. Ik hoop dat jullie een fijne zomervakantie hebben gehad. We beginnen met...' Wat mijn leerlingen betrof, was er niets veranderd. De apathie overheerste en als ik heel eerlijk ben, het had wel iets vertrouwds.

Als iemand me een tikkeltje nerveus groette of als iemand in de sportschool op me afkwam en iets fluisterde als 'Je moet van me aannemen dat heel veel mensen vinden dat je groot onrecht is aangedaan', werd ik me er pijnlijk van bewust dat ik nog steeds boos en verdrietig was over Dans houding. Had hij me niet even een briefje kunnen schrijven toen Judsons zogenaamde onthullingen werden ontmaskerd als pure leugens?

Een briefje? Wat had daarin moeten staan? Het spijt me dat ik bij je ben weggegaan, zeker nu ik weet dat jij de waarheid hebt gesproken. Of: ik weet dat het niet netjes van me was om bij je beste vriendin in te trekken.

Ach, wat hadden we elkaar eigenlijk nog te zeggen.

Ik reed de grote weg op en zette de radio keihard in een poging Dan uit mijn hoofd te zetten. Het afgelopen jaar had ik de route zo vaak gereden, dat ik iedere bocht kende, iedere minieme helling en al die foeilelijke billboards.

Om halftwee checkte ik in. Ik gaf de man achter de balie mijn autosleutels en hij zou de auto in de parkeergarage zetten.

De slaap wilde niet komen, dus ik ging alle televisiezenders af, las een beetje en luisterde naar de radio, alles om maar niet aan Lizzie te hoeven denken, maar dat lukte niet.

Pas tegen zeven uur 's ochtends was ik zo uitgeput dat ik in slaap viel, om drieënhalf uur later door de telefonische wekservice van het hotel uit mijn slaap gehaald te worden. 'Goedemorgen. Uw wekservice.' Het was halfelf en pas na een paar suffe momenten schrok ik écht wakker. Vandaag hoor je officieel dat Lizzie overleden is.

Drie kwartier later zat ik in de auto. Het verkeer richting Brookline zat muurvast en ik was dan ook tien minuten te laat op het politiebureau, maar ik had Leary al vanuit de auto gebeld om te zeggen dat ik het niet op tijd zou redden.

Dan zat al tegenover Leary te wachten. Hij stond meteen op toen ik binnenkwam en stak zijn hand uit. Ik zag dat Leary onze interactie gadesloeg. Hij vroeg zich waarschijnlijk af waarom we elkaar zo stijfjes begroetten en zag hoe snel zaken kunnen veranderen, zelfs in een huwelijk van drieëndertig jaar.

Ik ging zitten. Leary bood ons een kopje koffie aan, maar we sloegen dat allebei af.

'Goed,' zei hij. 'Vanwege die afschuwelijke brand in Farmingham heeft de patholoog-anatoom een gigantische achterstand, maar hij zei dat gezien het feit dat het lijk zeven maanden in het water heeft gelegen, identificatie alleen via DNA van de botten gedaan kan worden.' Ik keek even snel opzij en zag dat Dan met gebogen hoofd zat te luisteren. 'Ik raad jullie aan het lijk niet te schouwen. Het mag natuurlijk wel en de wet schrijft voor dat ik jullie indien gewenst in de gelegenheid stel een schouwing te doen. Maar ik heb het lijk gezien en nogmaals, ik raad het jullie ten zeerste af.'

Ik keek naar Dan en nu keek hij terug. Hij schudde zijn hoofd. 'We hoeven haar niet te zien,' zei ik.

'Dat is verstandig. Goed...' Hij pakte de grote envelop die voor hem lag, diepte er twee plastic zakjes uit op en uit de grootste pakte hij een stukje spijkerstof.

'Dit is op het lijk aangetroffen. Ik denk niet dat het veel zegt, overigens.'

'Ze had wel een spijkerbroek,' zei Dan.

'Wie niet?' zei ik.

'Dit stukje spijkerstof zegt jullie dus niets?' vroeg Leary. We schudden allebei het hoofd. Hij nam het kleinere plastic zakje voor zich en leegde het op de envelop. 'Dit is de ketting,' zei hij. Hij hield het fijne, met diamantjes bezette kruisje op dat aan een zilveren kettinkje hing.

Het zag er precies uit als het kruisje dat Lizzie een jaar of wat geleden voor zichzelf had gekocht. 'Het komt van Tiffany,' zei hij. 'We hebben het filiaal aan Copley Square gebeld en het is daar inderdaad verkocht.'

'Lizzie heeft het daar gekocht,' zei ik zacht.

'Weet je dat zeker?' vroeg Dan.

'Ja, dat heeft ze me zelf verteld.' Wat ik er niet bij zei, was dat ze me had toevertrouwd dat ze zich een beetje somber voelde en zichzelf op een juweel van zesentwintighonderd dollar had getrakteerd in de hoop dat haar sombere bui zou verdwijnen.

Ik weet nog dat ik iets zei als: 'Het is vast heel mooi.'

'Toch heeft het wel iets treurigs om voor jezelf iets moois uit te zoeken, vind je ook niet?'

'Dat ben ik niet met je eens, Lizzie.'

'Heb jij dat dan wel eens gedaan?'

Ik wist niet wat ik moest zeggen, dus mijn zwijgen was voor haar een bevestiging.

'Zie je nou wel?' had ze gezegd.

'Tiffany heeft de boeken erop nageslagen en inderdaad, Lizzie heeft daar net zo'n ketting gekocht en met haar creditcard betaald. Het kan natuurlijk een cadeautje geweest zijn, dus we wilden niet te snel conclusies trekken.'

'Ze had die ketting altijd om,' zei ik. 'Ze was er vreselijk blij mee.' Stilte.

'Goed, daar hebben we wat aan,' zei Leary. 'Voorlopig kunnen we niet veel doen. Het wachten is op het resultaat van de DNA-test. Verder hebben we geen enkel spoor. Het spijt me dat ik jullie hierheen moest laten komen, maar we wilden zekerheid hebben over de ketting.' Hij stond op ten teken dat de bijeenkomst voorbij was. 'Zodra we wat hebben, nemen we contact op.'

Dan en ik liepen samen naar buiten. Het was een sombere en kille dag. We liepen zwijgend naast elkaar en toen ik naar hem opkeek, zag ik dat zijn wangen nat waren van de tranen.

'Ze is dood, hè?' zei hij.

'Dat denk ik wel.'

Hij grimaste en ik zag dat hij probeerde niet in huilen uit te barsten. Ik pakte zijn hand en toen hij weer kon praten, zei hij: 'Dank je.'

'Waarvoor?'

Hij zweeg even. 'Dat je mijn hand vasthoudt.'

Stilte. Hij staarde naar de grijze lucht en keek op zijn horloge. 'Ik moet terug,' zei hij.

'Oké.'

'Ik heb de heupoperatie van vanochtend kunnen verzetten naar het eind van de middag.'

'Dank je.'

Stilte.

'Hannah?' Hij wilde me aankijken, maar het lukte hem niet.

Ik zweeg.

'Ik mis je en...'

'Ben je niet gelukkig in je nieuwe leven?'

Stilte.

'Nee, verre ván.'

'Dat vind ik jammer.'

'Bedoel je dat...'

'Wat?'

'Ik mis je.'

'Dat zei je al.'

'Kunnen we het er binnenkort eens over hebben?'

'Waarover?'

'Over of we misschien...'

'Nee, er is geen misschien.'

'Ik heb fout gehandeld.'

'O.'

'Ik zie dat nu in en...' Hij wilde mijn hand pakken, maar ik zorgde dat hij er niet bij kon.

'Je hebt me aan de kant gezet alsof ik overtollig personeel was,' hoorde ik mezelf heel rustig zeggen. 'Je wilde mijn kant van het verhaal niet eens horen. Ik heb gesmeekt en gesoebat, maar je hebt me afgedankt en bent bij mijn beste vriendin ingetrokken. Ik ben gerehabiliteerd, maar je kon het niet opbrengen me zelfs maar te bellen.'

'Ik was het écht van plan.'

'Van plan, ja.'

'Ik schaamde me dood en...'

'Eén simpel telefoontje.'

'Ik had moeten bellen, dat weet ik.' Stilte. 'Kunnen we er binnenkort eens rustig over praten?'

'Ik zie er weinig heil in, Dan.'

'Ik wil je nergens toe dwingen of zo.'

'Weet je, Dan? Als je me na een week of twee had gebeld en gezegd: "Ik heb een enorme vergissing begaan. Ik wil graag weer thuis komen wonen", dan was ik vast zo stom geweest om je terug te nemen. Vierendertig jaar huwelijk gooit een mens niet zomaar weg, maar jij dacht daar blijkbaar anders over. Je hebt me verlaten in een tijd dat ik je heel erg nodig had en nu…' Ik haalde mijn schouders op. 'Ik ga naar Parijs.'

'Zeg dat nog eens?'

'Vlak na de kerstdagen. Ik heb een sabbatical van een halfjaar en ga lekker naar Parijs.'

'Wat ga je daar doen?'

'Er een tijdje wonen.'

Stilte. Ik kreeg de indruk dat hij het even op zich in liet werken.

'Hoe ben je daartoe gekomen?'

Ik had hem een uitgebreid antwoord kunnen geven, over hoe ik een week of vijf daarvoor het klaslokaal was binnengegaan, een zee van verveelde gezichten had gezien en dacht: inderdaad, ik moet er een tijdje tussenuit. Twee uur later zat ik bij Carl Andrews op de kamer en zei botweg dat ik er een paar maanden tussenuit wilde. Een jaar eerder had hij me zonder meer gezegd dat dat niet kon, maar hij voelde zich nog steeds schuldig over de hele toestand. Daarbij kwam dat het bestuur (zo vertelde hij me in vertrouwen) opgelucht was dat ik de school niet voor het gerecht had gesleept vanwege ontslag zonder wettelijke gronden.

'Als ik optel wat u de laatste maanden allemaal over u heen hebt gekregen, kan ik niet anders dan concluderen dat het een goed idee is. Het bestuur vergadert volgende week en ik zal het met de leden opnemen. Ik zeg wel dat het betaald verlof betreft en ik weet vrijwel zeker dat het erdoor komt.'

Een week later meldde Andrews dat alles in orde was. Ik stortte me op internet om een huurflatje in een centraal gelegen arrondissement te zoeken, maar vond er uiteindelijk een in die ouwe trouwe *New York Times Review of Books*. Na veel telefoontjes en het bekijken van een paar foto's die de eigenaar (een professor Frans aan Columbia University) me e-mailde, huurde ik het kleine eenkamerflatje. Het was van alle gemakken voorzien, in de buurt van de Sorbonne en ik kon er 27 december al in.

'Hoe ik daartoe gekomen ben?' herhaalde ik Dans vraag. 'Gewoon. Omdat ik altijd al een tijdje in Parijs heb willen wonen en nu komt het er dan eindelijk van.'

'Kerstmis is pas over een paar weken,' zei hij. 'Misschien kunnen we daarvoor een keer uit eten gaan?'

'Dan... Nee.'

Hij liet het hoofd hangen en zweeg even. 'Ik moet ervandoor,' zei hij na een tijdje.

'Oké.'

'Zodra Leary de uitslag heeft...'

'Afwachten maar.'

Hij kneep in mijn hand, knikte, zei: 'Het beste' en liep naar zijn auto.

Vier dagen na ons onderhoud belde Leary met opmerkelijk nieuws. 'Er is geen DNA–match. Haar uit de borstel die op haar wastafel lag en het DNA van de botten van de drenkeling komen niet overeen. De zaak ligt weer helemaal open.'

'Dat wil dus zeggen dat ze misschien nog leeft...'

'In theorie wel. De patholoog-anatoom heeft wel even aangestipt dat het brakke water van de monding van de Charles het DNA in het lichaam afbreekt, dus het is niet honderd procent zeker allemaal. Vergeet niet dat er in Amerika per jaar ruim tweehonderdduizend mensen als vermist worden opgegeven. Wat Boston betreft, heeft het er de schijn van dat geen van de overige vermisten in de gelegenheid was een ketting bij Tiffany te kopen, maar je weet maar nooit. Het is best mogelijk dat iemand van elders hier is verdronken. Als ik één ding heb geleerd, is het dat je niet kunt voorspellen wat mensen tot bepaalde dingen aanzet, dat je je niet in een ander kunt verplaatsen. Het blijft gissen.'

'Dus weten we nóg niets.'

'Alle mogelijkheden staan open. Ik zeg nogmaals: het blijft giswerk.'

Leary zou Dan bellen, dus ik verwachtte dat Dan mij wel zou bellen, maar mijn ex liet het afweten. Vóór de feestdagen nam hij geen contact op, afgezien van een voorbedrukte kerstkaart: *Daniel Buchan, orthopedisch chirurg, wenst u en de uwen een vredige kerst en een fantastisch nieuwjaar.* Hij had er een paar woorden onder gekrabbeld: *Ik hoop dat je een fijne tijd hebt in Parijs. Het beste. Dan.*

Een paar dagen voor ik het huis had afgesloten, mijn koffers had gepakt en naar Burlington was vertrokken, zat er een kaartje in de bus. *Adreswijziging. Per 1 januari 2004. Daniel Buchan.* Met daarna het adres van een appartement in Portland met uitzicht op zee.

Jeff belde de drieëntwintigste om te zeggen dat Dan Kerstmis bij hem thuis zou vieren. 'Je weet dat het uit is met Alice?'

'Nee, dat wist ik niet, maar afgaand op de adreswijziging...'

'Ik zeg hem steeds dat hij je moet bellen, maar hij zegt dat hij al weet wat je gaat zeggen.'

'Als hij me wil bellen, moet hij dat zeker doen.'

'Meen je dat?' klonk het hoopvol.

'Ik zeg alleen dat hij me kan bellen, meer niet.'

'Ook als je in Parijs zit?'

'Natuurlijk.'

'Ik geef het door. Zodra je terug bent, kom je bij ons langs, afgesproken?' Ik reageerde niet. 'En wat Lizzie betreft, houd de moed erin, mam. Hoop doet leven.'

'Niets is zeker,' zei ik. 'Alle mogelijkheden staan open. Het blijft giswerk.'

Niets is zeker. Dan zegt tegen Jeff dat hij me wil spreken, ik zeg dat ik Dan uiteraard te woord zal staan, maar ik hoor niets. Ik bied een opening, maar de opening sluit zich langzaam. Ik vraag me af wat Dan bezielt. Wil hij me terug? Durft hij niet te bellen? Is hij bang dat ik hem afwijs? Voelt hij zich nog steeds zo schuldig dat het hem moeite kost me onder ogen te komen? Wil hij het een tijdje in zijn eentje proberen? Vraagt hij zich af hoe ik erover denk?

De waarheid is dat ik niet weet wat ik ervan moet denken. Het is één grote kluwen van liefde, haat, angst, verraad, wanhoop, woede, ponteneur, twijfel, verzoening, zelfhaat, ego, arrogantie, optimisme, somberte, twijfel, twijfel, twijfel en nog meer twijfel.

Twijfel. Is daar iets mis mee? De dingen zijn nu eenmaal niet zwart-wit en vooral de interactie tussen mensen speelt zich af op een groot grijs vlak. Degenen die ons het meest nabij zijn, kunnen de raarste dingen doen en wij op onze beurt doen dingen die zij niet snappen. We begrijpen onszelf vaak al niet, laat staan anderen.

'Mijn kracht wordt in zwakheid volbracht,' zei mijn vader opnieuw en hij schonk nog eens in. Het was Kerstmis. De restanten van de copieuze maaltijd die Edith had bereid, stonden nog op tafel. Die ochtend hadden mijn vader en ik een halfuur bij mijn moeder gezeten. Ik hield haar hand vast en vertelde haar dat ik de volgende dag naar Parijs ging. Ik wist zeker dat ze goede herinneringen had aan haar studententijd in het Parijs van vlak na de oorlog. Ik beloofde haar dat ik het cafeetje in de Rue Monge waar ze het altijd over had ging zoeken.

Ze staarde me uitdrukkingloos aan, dus ik beëindigde de nutteloze monoloog maar. Ik stond op, gaf haar voorzichtig een kusje op haar voorhoofd en wendde me tot mijn vader. 'Ik denk dat ze sterft als ik in Parijs zit.'

'Zou dat erg zijn?'

Ik wist het antwoord op die vraag, maar kon het niet over mijn lippen krijgen.

We gingen naar huis, maakten de cadeautjes open, dronken champagne en tijdens het heerlijke eten dat Edith had bereid, gingen we over op de claret. Na de maaltijd schoven we de leunstoelen bij de open haard en onder het genot van een glaasje cognac speelden we 'Citaten', een spelletje dat mijn vader altijd won. Het was de bedoeling dat je de ander probeerde af te troeven door... Nou ja, een mens kan best zonder de ingewikkelde, ondoorgrondelijke spelregels die mijn ondoorgrondelijke vader had opgesteld voor dit ondoorgrondelijke spelletje.

*Mijn kracht wordt in zwakte volbracht.*

'Kom maar op,' zei mijn vader.

'Het riekt naar Shakespeare,' zei ik.

'Nee, het is iets bijbels,' zei Edith.

'Tien punten voor Edith. Als je weet welk bijbelboek, dan komen er nog eens tien bij.'

'Korinthiërs.'

'Helemaal goed,' zei mijn vader.

'Eng mens,' zei ik.

'Dat vat ik maar op als een compliment.'

'Oké, Edith. Jouw beurt.'

Ze glimlachte, een tikkeltje beneveld misschien, en reciteerde: '*Oft füll ich jetzt... (und) je tiefer ich einsehe, dass Schicksal und Gemut Namen eines Begriffes sind.*'

Ik moest lachen. 'Wat zeggen de spelregels over citaten in een vreemde taal?'

'Ik was van plan het te vertalen,' zei ze droogjes. 'Daar komt-ie: vaak denk ik, en eigenlijk raak ik er steeds meer van overtuigd, dat het lot en karakter een en hetzelfde concept zijn.'

'Novalis!' riep ik. 'Ook bekend als de dichter Friedrich von Hardenberg.'

'Bravo,' zei Edith.

'Dat levert twintig punten op, maar als je de verkorte Amerikaanse versie kunt geven, nog eens tien.'

'Eitje,' zei ik. 'Je karakter is je lot.'

De telefoon ging. Ik zat er het dichtstbij, dus ik nam op met 'Goedenavond en gezellige kerstdagen.'

'Kan ik professor Latham spreken?'

Mijn hart sloeg over en de hoorn trilde in mijn hand. 'Lizzie?' fluisterde ik.

Het was even stil. Mijn vader stond op en keek me met grote ogen aan.

'Lizzie?'

Het was even stil, toen: 'Mam?'

'O, mijn god. Lizzie! Je bent het écht.'

'Ja, ik ben het.'

'Waar... waar...' Ik kon niet uit mijn woorden komen.

'Mam?'

'Waar zit je, kindje?'

'In Canada.'

'Waar dan?'

'In het westen, bij Vancouver. Ik zit hier al... een paar maanden, geloof ik.'

'Is alles in orde?'

'Ja, ik geloof van wel. Ik heb een baantje in de horeca, nou ja, als serveerster. Het is misschien niet je van het, maar ik kan er van rondkomen. Ik heb een piepklein flatje en zelfs een paar vrienden, dus ja, het gaat best.'

Ze klonk niet écht goed, maar zeker niet slecht. Ik had het wel uit willen schreeuwen. 'Weet je wel dat we allemaal dachten dat je dood was!?' maar een stemmetje diep binnen in me zei dat ik voorzichtig moest zijn en ieder woord moest wegen. 'Ben je van Boston naar Canada gegaan?' vroeg ik.

'Nee, niet meteen. Ik heb een beetje door het westen gereisd en ben uiteindelijk hier terechtgekomen. Ik mag niet eens werken, want ik ben hier natuurlijk illegaal. Ik heb ergens een valse identiteitskaart op de kop getikt. Hier heet ik Candace Bennett. Ik noem me al zo lang Candace, dat ik bijna geloof dat ik ook écht zo heet.'

'Ik vind het wel een leuke naam.'

'Ach ja. Zeg, ik heb dit nummer gebeld omdat jouw antwoordapparaat meldt dat je in Parijs zit.'

'Dat klopt. Dat wil zeggen, ik ga morgen. Ik ga er een halfjaar wonen.'

'Te gek! Gaat papa mee?'

'Nee, je vader blijft gewoon thuis.'

'Hoezo?'

'Het is een lang verhaal. Weet je trouwens dat er een heleboel mensen naar je zoeken?'

'Zoals? Jij, papa en...'

'En de politie. Toen je werd vermist, dacht iedereen dat... er iets naars was gebeurd. Het heeft in alle kranten gestaan.'

'Ik lees geen kranten, ik heb geen televisie en luister zelden naar de radio. Ik heb trouwens wel een eenvoudige geluidsinstallatie. Bij mij in de buurt zit een zaakje waar ze voor twee dollar of zo tweedehands cd's verkopen, dus ik luister vaak naar muziek. Lezen doe ik ook veel. Er zitten hier fantastische tweedehands boekwinkels.'

'Ik vind het zo heerlijk je stem te horen. Het is al...' Ik begon te snikken.

'Hé, mam. Ga nou niet huilen, oké?'

'Het is... Ik ben zo blij van je te horen. Als je het leuk vindt, kom ik morgen naar Vancouver en...'

'Nee, liever niet,' zei ze. Het klonk zelfs een beetje scherp. 'Daar ben ik nog niet aan toe. Ik wil niet...' Ze maakte haar zin niet af en ik kreeg de indruk dat ze een beetje geïrriteerd was.

'Dat is goed. Heus, het is in orde. Ik dacht alleen...'

'Dat dacht je dan verkeerd. Ik schaam me zo. Ga me nou niet vertellen dat dat nergens voor nodig is, want dan hang ik op.'

'Ik zeg niets.'

'Goed zo.' Ze klonk weer wat beter. 'Als je terug bent uit Parijs, dan... nou ja, het hangt ervan af hoe ik me voel. Ik heb een dokter. Wacht even. Je moet weten dat ik een paar maanden in East Vancouver op straat heb geleefd. Daar heb ik die valse identiteitskaart gekocht. Nou ja, toen ik in het doorgangshuis zat heeft een maatschappelijk werker me ervan overtuigd naar een psychiater te gaan en die zegt dat ik manisch-depressief ben. Hij heeft me pillen voorgeschreven en als ik die inneem, kom ik de dagen wel door. Ik neem ze trouw in, dus het gaat al beter met me. Ik kan werken en ik wil me niet steeds meer voor de metro gooien. Oké, Vancouver heeft geen ondergrondse, maar zoals ik zeg, ik red me best.'

'Dat is fantastisch,' zei ik, doodsbang dat ik wat verkeerds zei waardoor ze zou ophangen.

'Fantastisch is het woord niet, mam. Ik voel me klote en ik vind het echt vreselijk dat ik zomaar vertrokken ben. Ik heb een hekel aan mezelf, maar ja, iedere dag is er één en...'

'Heb je een telefoonnummer waar ik je kan bereiken?'

'Dat krijg je niet, oké?'

'Goed, Lizzie.'

'Geef me je nummer in Parijs maar als je het hebt. Ik beloof niets, maar...'

'Als je zin hebt, bel je me, en dan bel ik jou meteen terug, oké?'

'Ja, maar dan moet ik jou mijn nummer geven en dat doe ik niet. Ik houd het geheim, voor iedereen, ook voor mijn vrienden hier. Mijn nummer is van mij, snap je? Snap...' Ze zweeg opeens, maar na een paar seconden zei ze: 'O, mam. Ik ben zo'n wrak, zo'n...'

'Je bent geen wrak, Lizzie. Er zijn een heleboel mensen die van je houden.'

'Oké. Zeg, ik moet ophangen. Doe iedereen de groeten van me.'

'Wil je mijn nummer in Parijs nou nog?'

'Ja, waarom ook niet.'

Ik gaf het haar. 'Moet je vandaag nog werken?' vroeg ik.

'Ja.'

'Met Kerstmis?'

'Ja, we zijn open. Oké, ik moet écht gaan. Gelukkig kerstfeest, mam. Maak je nou maar niet te veel zorgen.'

Ik hoorde een klik. De verbinding was verbroken. Ik bleef zitten en verroerde me niet. Ik legde de hoorn op de haak en keek mijn vader aan. We moesten het even verwerken en zeiden geen woord. Edith liep naar het telefoontoestel, drukte drie toetsen in, pakte een balpen en noteerde iets.

'Wat doe je?' vroeg ik.

'De techniek staat voor niets,' zei ze. 'Ik heb *69 ingetoetst en dan verschijnt het nummer waarvan je bent gebeld in het venstertje. Hier is het nummer van je dochter.' Ze hield het kladblok op. 'Kengetal 604, dat is inderdaad Vancouver. Wat wil je? Moet ik even bellen?'

'Nee, dat lijkt me geen goed idee. Ik weet niet hoe ze zal reageren.'

'Als ik vóórdat ik haar nummer bel *67 intoets, kan zij niet zien wie haar belt. Ik weet niet of ze mijn stem herkent, maar ik zet voor alle zekerheid wel even een zwaar Duits accent op.'

Ze toetste het nummer dat ze had opgeschreven in. Ik hoorde de telefoon overgaan.

'De voicemail,' fluisterde Edith en ze gaf me de hoorn aan. 'U bent verbonden met de voicemail van Candace Bennett,' hoorde ik. 'Als u uw naam en telefoonnummer na de piep inspreekt, bel ik u zo spoedig mogelijk terug.' Ik hing gauw op, keek mijn vader aan en knikte om hem te laten weten dat het inderdaad Lizzie was. Hij sloeg zijn handen voor zijn gezicht en begon te snikken.

Die avond maakten we de hele fles cognac soldaat. Voor ik te ver heen zou zijn om een gesprek te voeren, belde ik Dan.

'Honderd procent zeker?' vroeg hij.

'Ja.'

Hij zweeg, maar ik hoorde dat hij moest slikken. 'Fijn dat je me meteen hebt gebeld,' zei hij. 'Dank je.'

'Alle mogelijkheden staan open. Het blijft giswerk.'

'Pardon?'

'O, een uitspraak die me na aan het hart ligt.'

'Oké. Ik bel je in Parijs.'

'Dat is goed.'

Die avond, mijn vader en Edith waren al naar bed, stond ik op de veranda voor het huis naar de vallende sneeuw te kijken. De kou deerde me niet. Ja, ik had te veel gedronken en was doodmoe, maar de opluchting overheerste. Ik duwde de gedachten aan Lizzie die maandenlang op straat had geleefd van me af, maar in plaats daarvan maakte ik me zorgen over haar huidige toestand.

*Ik kan niet weg*, dacht ik.

*Heeft het wel zin om hier te blijven?*

*Daar gaat het niet om. Je kúnt gewoon niet weg.*

*Je gaat.*

*Het is wel egoïstisch...*

*Je gaat.*

Ik woog een paar mogelijkheden af en redeneerde dat ik niet weg kon, maar het innerlijke stemmetje was vasthoudend. Het zei dat ik me niet opnieuw in het hoofd mocht halen dat ik de reis niet moest maken.

*Je gaat.*

's Ochtends belde ik rechercheur Leary. Hij reageerde heel rustig en zei: 'Ik ben erg blij voor je. Het gebeurt maar zelden dat een dergelijke zaak tot een goed einde komt.' Hij zei wel dat hij contact moest opnemen met de politie van Vancouver om zekerheid te krijgen, maar beloofde me dat hij zijn Canadese collega's gezien haar geestelijke toestand op het hart zou drukken bij haar uit de buurt te blijven. Het moest ongemerkt gebeuren. 'Als de pers er lucht van krijgt, staan ze meteen bij haar op de stoep,' zei hij.

'Dat mag echt niet gebeuren.'

'Ik neem het wel op met mijn baas en leg hem uit dat de kans groot is dat ze opnieuw verdwijnt als haar verblijfplaats bekend wordt. Dat kunnen we natuurlijk niet hebben.'

'Hebben jullie een geval als dit wel vaker aan de hand gehad?'

'Nee, maar één keer moet de eerste zijn.'

Tijdens de rit naar het vliegveld van Burlington vertelde ik mijn vader wat ik met Leary besproken had, dat ik bang was dat de media bij haar zouden aankloppen en dat ze dan zeker in een neerwaartse spiraal terecht zou komen.

'Als die Leary je heeft beloofd dat hij zijn best doet, dan moeten we daarop vertrouwen.'

'Maar...'

'Geen gemaar, oké? Ik weet precies wat je denkt, maar daar komt deze keer niets van in.'

'Maar...'

'Lizzie leeft. Daar gaat het om. Einde verhaal. Je kunt verder niets doen, Hannah. Je kunt iemand anders niet redden. Het is al mooi als je er bént als iemand je nodig heeft. Als Lizzie behoefte heeft aan contact, dan weet ze je te vinden. Net als gisteravond. Jij gaat naar Parijs en daarmee uit.'

Ik checkte in, liet mijn koffers naar Parijs doorlabelen en pakte mijn instapkaarten aan. De grondstewardess nam de nummers van de gates met me door, met name die van de vlucht van Air France op Logan Airport in Boston, maar het drong niet echt tot me door. Niets leek door te dringen.

Mijn vader liep mee tot aan de detectiepoortjes. Ik voelde me net een kind van dertien dat op het vliegtuig werd gezet.

'Ik ben bang, pap.'

Hij omhelsde me en zei: 'Mijn kracht wordt in zwakheid volbracht. Wegwezen jij. Bel me als je er bent.'

Twintig minuten later zat ik in de lucht.

Ik stapte over in Boston en zat weer in de wolken. De transatlantische vlucht was bij lange na niet vol en ik had een hele rij stoelen voor mij alleen. Ik kon languit liggen en sliep vrijwel de hele vlucht.

Het was ochtend. Het vliegtuig daalde. De stewardess schudde me wakker, zei dat we er bijna waren en dat ik rechtop moest gaan zitten. We landden. Ik deed mijn ogen dicht en opende ze pas toen we bij de slurf tot stilstand kwamen. Ik stond op, pakte mijn handbagage en jas en liep met de overige passagiers de slurf door.

'Paspoort,' zei de man van de douane. Hij was van mijn leeftijd en leek niet erg gelukkig met het feit dat hij eind december om halfacht 's ochtends moest werken.

Ik schoof het naar hem toe.

'Hoelang denkt u hier te zijn?' vroeg hij in het Engels met een zwaar Frans accent.

Ik had de laatste maanden mijn Frans een beetje opgepoetst en antwoordde dan ook probleemloos: *'Je ne sais pas.'* Dat weet ik nog niet.

Hij staarde me verbaasd aan. *'Quoi, vous n'avez aucune idée de combien de temps vous allez rester en France?'* Wat? U weet niet hoelang u in Frankrijk zult zijn?

*'On verra,'* zei ik. Ik zie wel.

Hij keek me onderzoekend aan en vroeg zich waarschijnlijk af of hij naar mijn retourticket, naar travellercheques of andere middelen van bestaan moest vragen. Misschien dacht hij wel dat ik een spelletje met hem speelde, maar waarschijnlijker was dat hij zag wat ook ik zag: een eenzame, vermoeide vrouw van middelbare leeftijd. Had hij me gevraagd wat ik kwam doen, dan had ik hem naar waarheid geantwoord: 'Weet u, die vraag stel ik mezelf al drieënvijftig jaar. Weet u het misschien?'

In plaats daarvan zei hij: '*Généralement, nous préférons les réponses précises.*' Over het algemeen willen we dat graag precies weten.

Hij schonk me een zuinig glimlachje, pakte zijn stempel en liet het in mijn paspoort neerdalen. '*D'accord,*' zei hij en hij gaf me mijn paspoort terug.

Ik draaide me om en zette voet op Franse bodem.

# Dankbetuiging

JE HEBT SCHRIJVERS die niemand wat laten zien terwijl ze aan een roman werken, maar je hebt er ook die hun naasten tot wanhoop drijven door iedere alinea aan hen voor te lezen. Ik hoop maar dat ik niet in de laatste categorie val, maar ik had de lange, eenzame reis niet kunnen maken zonder de invloed van de wereld rondom mijn schrijftafel.

Wat *De afspraak* betreft, heb ik veel te danken aan mijn literair agent James McDonald Lockhart, die veel meer deed dan zijn plicht. Hij heeft de eerste twee versies van het manuscript doorgenomen, ieder hoofdstuk dat van de spreekwoordelijke pers rolde. Het is aan zijn slimme adviezen en steun te danken dat ik de in dit metier gebruikelijke twijfels heb overwonnen. Ik sta dan ook flink bij hem in het krijt.

James vormt een team met Antony Harwood, met wie ik al twaalf jaar bevriend ben. Hij is de beste bondgenoot die een romanschrijver zich kan wensen, om nog maar te zwijgen van het feit dat hij een *Mensch* is. Ik prijs me gelukkig met mijn spijkerharde redacteur Sue Freestone, die, ik heb het al vaker gezegd, me niet spaart als we tegenover elkaar zitten, maar achter mijn rug altijd voor me opkomt (wat natuurlijk beter is dan omgekeerd). Met verve hanteert ze het belangrijkste wapen van een redacteur: het scalpel. Dankzij haar strenge bewind zijn mijn boeken veel beter geworden.

Mijn trouwste lezeressen zijn Noeleen Dowling uit Dublin en Christy McIntosh uit Banff. Ik ben hen beiden erg dankbaar voor het doorlezen van de eerdere versies van dit boek. Fred Haines, die fantastische man, is al dertig jaar een constante factor in een steeds veranderende wereld. Hij heeft de tweede versie van mijn boek gecorrigeerd en me bedolven onder de op- en aanmerkingen (zoals te verwachten was).

Als laatste wil ik mijn dank uitspreken aan mijn makker in de strijd, de fantastische Grace Carley, die me al tweeëntwintig jaar bijstaat, en mijn twee al even fantastische kinderen, Max en Amelia.

Een paar maanden geleden, toen ik de laatste hand legde aan de eerste versie van deze roman, bonsde Max op de deur van mijn werkkamer en riep: 'Is het nou af?'

Ja, nu wel.

D.K.
Londen
Juni 2005